STORM

REDMOND O'HANLON

Storm

Een reis door de noordelijke
Atlantische Oceaan

Vertaald door Inge Kok

Uitgeverij Atlas – Amsterdam/Antwerpen

© 2003 Redmond O'Hanlon
© 2003 Nederlandse vertaling: Inge Kok
Oorspronkelijke titel: *Trawler*

Omslagontwerp: Zeno
Omslagillustratie: ABC Press
Foto auteur: Larry Shaffer

ISBN 90 450 0775 4
D/2003/0108/604
NUR 508

www.boekenwereld.com

Voor mijn vrouw Belinda

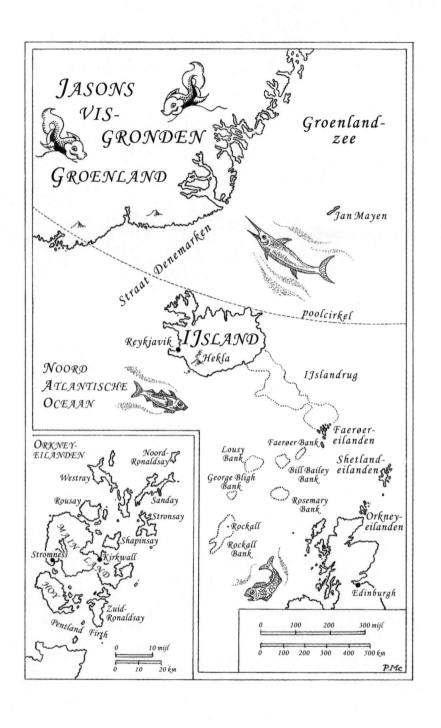

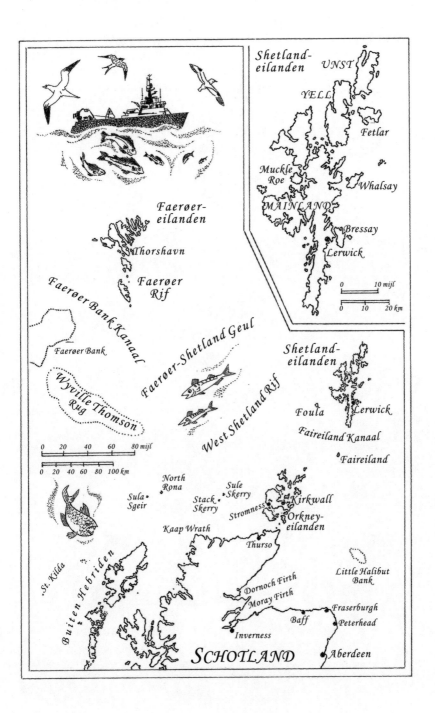

Shetland-
eilanden

UNST

YELL

Fetlar

Muckle
Roe

Whalsay

MAINLAND

Bressay

Lerwick

0   10 mijl

0   10   20 km

Faerøer-
eilanden

Thorshavn

Faerøer
Rif

Faerøer Bank Kanaal

Faerøer Bank

Faerøer-Shetland Geul

Wyville Thomson
Rug

West Shetland Rif

Shetland-
eilanden

Foula

Lerwick

Faireiland Kanaal

Faireiland

0   20   40   60   80 mijl

0   20   40   60   80 100 km

North
Rona

Sule
Skerry

Stack
Skerry

Kirkwall

Sula-
Sgeir

Stromness

Orkney-
eilanden

Kaap Wrath

Thurso

Little Halibut
Bank

St. Kilda

Buiten Hebriden

Dornoch Firth

Moray Firth

Fraserburgh

Baff

Peterhead

Inverness

SCHOTLAND

Aberdeen

'Redmond, je moet hierheen komen, nu meteen. Er nadert een zeer zware storm, kolossaal! Ik heb hier de satellietkaarten. Windkracht 11, misschien nog wel meer. Gaat recht op de Orkney-eilanden af. En Jason, de schipper van de Norlantean, heeft met zijn mobieltje gebeld. Hij zit ten noordwesten van de Shetlandeilanden. Hij zegt dat het weer ontzaglijk slecht is. En nog erger wordt. Perfect! Precies wat je wilde! Hij zegt dat we zaterdag in Scrabster moeten aanmonsteren, over twee dagen, om zeven uur 's morgens, niet later. Goed? Prima. Haal me dan thuis op: Pilot Square 19, Fittie. Zorg dat je er bent! En onthoud goed: géén gróén.'

De spreker was Luke Bullough, waarschijnlijk de taaiste (en zonder meer de meest bescheiden) jongeman die ik ooit was tegengekomen.

Hij is bioloog bij het Mariene Laboratorium in Aberdeen en zit bij de reddingsbrigade van Aberdeen, een man die een enorme ervaring heeft met de echte zee: als onderzoeksduiker op Antarctica, als ambtenaar van de visserij-inspectie op de Falklandeilanden, en op trawlers en onderzoeksschepen in het noorden van de Atlantische Oceaan. En ikzelf? Tja, ik heb weleens deel uitgemaakt van de bemanning van zeer kleine jollen bij zeilwedstrijden rond plastic boeien in een beschutte baai, en o ja, dat vergeet ik bijna: ik heb als passagier op die veerboten in het Kanaal gevaren.

Het is dus zover, zei ik bij mezelf, toen ik me zwaar liet neervallen op de stoel naast de telefoon, bij de voordeur van het kleine, knusse, veilige, warme huis, bij de deur die naar het oeroude, stabiele, vredige, geruststellende landschap van Oxfordshire leidde. Ja, dit is het beslissende moment: dat ene telefoontje dat je negen maanden lang naar je toe hebt proberen te trekken.

Achthonderd kilometer verder en één dag later reed ik in mijn kleine donkergroene Renault Clio in Aberdeen langs de haven, sloeg een zijstraat in en parkeerde bij een van mijn favoriete hotels: het St. Magnus Court. Het is een drie verdiepingen tellend gebouw van grijs Aberdeens graniet, waarvan de voorgevel is versierd met drie verspreide, uitspringende torentjes, een grote op elke hoek en een kleintje net naast het midden boven de regenpijp, en het wantrouwt iedereen die binnenkomt. De begane grond wordt in beslag genomen door een bookmaker links en een bar rechts; een sticker op de voordeur van het hotel verkondigt: DIT IS EEN DRUGSVRIJE ZONE. Een elektronische straal laat een alarmbel één keer afgaan zodra je naar binnen stapt: Píng! (Een dakloze, psychopathische seriemoordenaar is zojuist dit hotel binnengedrongen.) Er is nog zo'n apparaat halverwege de trap: Píng! (Hij is op weg naar boven!), en voor de receptie zit een derde – maar die kun je treiteren door in een klein kringetje rond te lopen: Píng! Píng! Píng! (Mijn god, hij wil hier blíjven. We hebben een gek in huis!)

Ik nam een grote, hoge, goedkope, luchtige kamer, dumpte mijn bagage op het bed en ging pingend naar buiten, de straat op. Het eerste gebouw links, laag, met een schuin dak als het canvas van een tent, is de Lucky Boat, Chinees Restaurant en Afhaalcentrum. Dus vrat ik me in het lege restaurant helemaal vol aan McEwans Exportbier en knapperige wan tan, de Lucky-Boat-Specialgarnalen met alles erop en eraan en lychees met McEwans Exportbier. Ik vroeg aan de jonge Chinese serveerster: 'Is het hier altijd zo rustig?'

'Nee, nee,' zei ze, beledigd. 'Volige week wij hebben messen! Wij hebben móóld!'

Om halfvier 's morgens reed ik in oostelijke richting langs de haven: links van me strekten zich de eindeloze granieten gevels uit van havenkroegen, scheepshandelaars, maritieme verzekeringsagentschappen en de kantoren van de havendienst; rechts van me lagen de schepen van de olie-industrie soms wel met zijn drieën naast elkaar afgemeerd: bevoorradingsschepen van booreilanden, schepen om olievelden op te sporen, verlicht door hun veiligheidslampen, hun oranje-witte silhouetten een wirwar van radarantennes, scanners, helikopterplatforms, laadbomen, kranen en Eiffeltorens van steigers. De weg draaide links om de toegang tot de loodsen met de reddingsboten heen en langs de massieve blauw-witte boeg van een ijsbreker (dacht ik), langs vervallen scheepswerven, langs de hoge duisternis van negentiende-eeuwse pakhuizen en kwam toen uit op een brede straat met kinderhoofdjes en asfalt. Ik sloeg rechtsaf, ging een smalle granieten brug over en reed een oudere wereld binnen: Fittie.

Fittie is een dorp aan de havenmond, met de zee als decor. Het is net als de universiteitsgebouwen in Oxford gebouwd in een reeks vierkante binnenpleinen en de aaneengesloten rijen kleine granieten huizen (drie kamers boven, drie beneden) kijken uit op hun plein, komen alleen uit op hun piepkleine, gecomprimeerde herinnering aan het veilige agrarische Groot-Brittannië van de cottages: elk met een eigen grasveld in het midden, bloemen en een tuinschuurtje. Ja, ik weet het, dacht ik, die tuinschuurtjes waren vroeger vissersschuurtjes, hutjes, gebouwd voor het opslaan van netten en drijvers en kreeftenfuiken, maar daar gaat het nou net om: de mannen die hier woonden, de vissers, de walvisvaarders (de mannen die Aberdeen de eerste olieboom hebben bezorgd, de mannen die door hun jacht op zee voor de olie hebben gezorgd om deze zelfde lantaarns, de stad, het land te verlichten) en bovenal de loodsen die in hun open boten in weer en wind tegen elkaar op moesten roeien om werk op een binnenlopend schip te veroveren, waarom hadden die zo willen wonen? Waren hun kleine forten, net als de universiteitsgebouwen in Oxford, heel verstandig gebouwd om het rustige werk binnen en de politieke chaos en wetteloosheid buiten te houden? Nee, natuurlijk niet, dacht ik, terwijl ik zachtjes aanklopte op de voordeur van Pilot Square 19, dit is veel interessanter, want het is duidelijk een psychologische kwestie: niemand die zijn brood verdient op de ware chaos van de zee wil daarnaar kijken wanneer hij naar bed gaat; nee, die binnenplaatsen vormen alleen een verdediging in de geest; hierbinnen is het vredig, de vrouwelijke kant, seks, de echtgenote, huiselijkheid, kinderen, de intense beloningen van het leven. Daarbuiten is het...

'Sst! Stil!' siste Luke, met zijn wijsvinger tegen zijn lippen, toen hij de deur op een kier opendeed. 'Stil. Vanwege Ally, mijn nieuwe vriendin. Ze is heel bijzonder. Ze slaapt. Zorg dat je haar niet wakker maakt! Stil!'

Gekleed in zijn gebruikelijke hemd en broek van blauwe spijkerstof leek Luke nog atletischer, compacter, gedrevener (en op een of andere manier meer verontschuldigend) dan ik me hem herinnerde. Ik volgde hem door een korte gang, met aan weerszijden een dichte deur, naar de keuken. 'Ze heet Alison,' zei hij tijdens het koffiezetten. 'Je weet wel – ik heb het je verteld. Het is zo moeilijk, om te kiezen en zo. En ik vind het vréselijk om mensen te kwetsen. Echt. Maar misschien kun jij me helpen – het zit namelijk zo: ik geloof dat ik verliefd ben.'

'Vast en zeker,' zei ik, terwijl ik me op een stoel aan de kleine houten tafel liet neervallen. 'Dat is geweldig. Mooi werk.' Ik weet nog dat ik dacht: tóé nou, je kunt wel iets meer je best doen, maar ja, het is vier uur in de ochtend, het tijdstip waarop alle lichaamssystemen wegzakken, waarop de lichaamsklok het opgeeft en waarop oude mensen zoals jij statistisch gesproken besluiten zich om te draaien en in hun slaap overlijden.

'Nee, nee, ik heb het je toch gezégd,' zei Luke, die een mok voor me neerzette en links naast me ging zitten. 'Ik heb daar moeite mee. Dat is altijd al zo geweest.' Hij plaatste zijn ellebogen op de tafel en liet allebei zijn handen over zijn jonge maar verweerde gezicht en door zijn zwarte krullende haar glijden. 'Ik kan geen besluit nemen. Ik wil stoppen met dit hele gedoe. Ik wil een geregeld bestaan gaan leiden. Ik wil kinderen. Je weet wel, al dat soort dingen. Maar ik kan niet kíézen. Dat ligt aan mij, ik heb al zoveel mensen gekwetst, maar ik weet niet waarom – dat is het probleem – ik kan er niks aan doen. Ally: die is anders, Redmond, echt. Ik wist niet dat het mogelijk was, zulke, tja, goeie seks. Je weet wel. Ze gééft om me. Ze is een eersteklas accountant bij een oliemaatschappij. En nu zit ze hier bij mij: niet meer dan een oudere student die aan zijn promotie werkt en leeft van zevenduizend pond per jaar. Mariene biologie. Dat is niets voor haar. En ze heeft een enorme hekel aan mijn manier van leven, echt: de oproepen voor de reddingsboot, het risico, denk ik, zelfs de trawlers, ik weet het niet.'

Lukes hoofd kwam omhoog. Hij keek me recht aan. Zijn gezicht klaarde op. Hij glimlachte. 'En ze heeft ook een enorme hekel aan jou, nu ik het er toch over heb. Je moet namelijk begrijpen en ik weet dat je daar begrip voor hebt, dat ik voor mijn eigen onderzoek naar diepzeevisserij, naar de correlaties tussen temperatuur en diepte en stroming voor de recente commerciële soorten op een diepte van duizend tot vijftienhonderd meter of meer, op elk gewenst tijdstip naar zee kan gaan: dat hoeft niet in de gevaarlijkste tijd van het jaar. Het heeft heel weinig te maken met de situatie aan het oppervlak. Dat hoeft niet in januári.'

'Hm.'

'Maar goed, Ally. Die is anders. Dit is allemaal nieuw voor me. Ik heb je op de Scotia verteld, maar dat zul je wel niet meer weten, dat ik lid ben geworden van een nachtclub, een nachtclub waar wordt gerock-'n-rold. En nu mag ik daar gratis naar binnen: omdat ik daar lesgeef. Het zit daar vól meisjes. Daar heb ik haar leren kennen.'

'Luke, natuurlijk kan ik je helpen! Ik heb een plan. Als we deze reis overleven, als we niet overboord slaan, zullen we blij zijn, nietwaar? Nou, dan doe je die Ally van je een aanzoek en geef ik een feestje voor je in je stamkroeg. Een verlovingsfeestje!'

Luke zweeg. Hij wendde zijn hoofd af. Hij tastte in zijn zak, haalde een plastic zakje met Golden Virginia en Rizla-vloeitjes te voorschijn en draaide afwezig en snel een sprietige tandenstoker van een sigaret. 'Redmond, je bent zo ontzettend…' zei hij langzaam en zeer geconcentreerd terwijl hij inhaleerde, 'ouderwéts. En wat dat overboord slaan betreft, tja, ik weet eigenlijk niet goed hoe ik je dit moet vertellen, maar Dick, van het lab, je hebt hem op de Scotia ontmoet, werd emotioneel, eerlijk, en zei dat hij zich verantwoordelijk voelde. En toen deed hij iets wat hij nog nóóit heeft gedaan. Hij heeft namelijk iets met zijn overlevingspak. Daar wordt hij mee geplaagd. Hij is heel pietluttig. Daar worden grappen over gemaakt. Geen méns mag het van hem lenen. Hij is bijgelovig. Maar hij is het me komen brengen, op mijn bureau op kantoor. Daar stond hij. Om elf uur. In de koffiepauze. Waar iedereen bij was. Hij zei: "Luister, als je dit terugbrengt en het stinkt naar vís, dan vermoord ik je. Maar ik vertrouw je, Luke, het is jouw taak. En als er wat gebeurt, is het jouw schuld. Die Redmond is namelijk, in tegenstelling tot de meeste mensen die ik heb leren kennen, geen klootzak. Hij is in elk geval geen absolute klootzak. Maar het is overduidelijk," zei hij, en neem me niet kwalijk, maar dat zijn de woorden van hém, niet van mij, "het is overduidelijk," zei hij, "dat Redmond als het om het leven op zee gaat, duidelijk zijn kont niet van zijn kop kan onderscheiden. En jezus nog aan toe, Luke, op deze afdeling kunnen we het allemaal op die verdomde satellietfoto's zien: jij bent van plan die idioot regelrecht naar een orkaan toe te brengen."'

'Juist,' zei ik, en voelde dat ik, ondanks een onmiddellijke grote inspanning mijnerzijds, geen enkel vertrouwen meer in wat dan ook had. Ik keek zelf ook een andere kant op: naar de omgeving van het bohémienachtige studentenbestaan, naar willekeurige posters en ansichtkaarten aan de muur, naar de puinhoop van alles wat nog moest worden afgewassen op het aanrecht, naar de veelkleurige bierblikjes die boven de vuilnisbak uit bloeiden, en terwijl ik daarnaar staarde trok alle jeugdige aantrekkelijkheid daaruit weg. Als Dick dat heeft gezegd, dacht ik, dan is het menens, want Dick Adams is geen gewone academische fysische oceanograaf. Nee, hij is duiker geweest bij de mariniers, en lid van de elitaire SBS, de Special Boat Service; hij heeft gevochten in Suez, in de campagne op Borneo en ongetwijfeld op nog veel meer onmogelijke plekken die alleen bij zijn eenheid bekend zijn. En als een simpele trawler, een commerciële trawler nota bene, volgens hem geen goed idee is, dan ben ik misschien niet alleen lui-bang ('waarom zou je hiervoor uit je bed komen?') maar echt bang ('zal ik mijn heerlijke stinkhol ooit nog terugzien?')...

'Hé, Redmond!' zei Luke, die overmatig energiek overeind kwam en de zuigsnuit van zijn sigarettenpeuk in de gootsteen gooide. 'Je kunt daar niet zomaar wat zitten te dromen! We moeten ervandoor. De schipper van een trawler kan het zich niet veroorloven om te wachten. Op niemand.'

Onder de schemerige straatlantaarn kwam ik door een koude wind van zee en priemende schuine regen weer tot leven. We stopten de bagageruimte vol met Lukes uitrusting van hare majesteits Mariene Laboratorium te Aberdeen: dozen met monsterpotjes, flessen, etiketten, conserveringsvloeistoffen, een grote elektronische visweegschaal in een aluminium kist, temperatuurmeters voor diepzeenetten die met twee kleine computers in een kist zaten, een grote plastic mand met oliegoed, overlevingspakken, zeelaarzen met stalen neuzen en een geheimzinnige stapel blauwe en rode plastic koektrommels.

Toen het autootje, worstelend met zijn last, heel langzaam ten noordwesten van Aberdeen de oostelijke uitlopers van het Grampian-gebergte beklom, begon het te sneeuwen: grote vlokken zonder haast, zacht in het licht van de koplampen, pluizig op de voorruit. In het stadje Nairn, aan de Moray Firth, vonden we een eettentje waar in alle vroegte al licht brandde, en een Schots ontbijt (mokken thee, toast met boter, twee gebakken eieren, worstjes, bloedworst, een berg bacon van een half varken – en dat alles voor een pond vijftig de man).

'Luke, ik heb een vraag.' In de behaaglijke warmte van frituurvet en wasem en comfort verscheen en verdween de oermoeder die ons bediende. (Waarom kunnen we niet gewoon op zo'n plek neerstrijken om er te blijven wónen? Waarom moet er ooit een eind komen aan een ontbijt?) 'Waarom zei je geen groen, niets groens, Luke? Dat is voor mij iets nieuws. Ik had er nog nooit van gehoord. Ik weet dat je het nooit over varkens of konijnen of vossen of koeien of zelfs over zalm moet hebben wanneer je op zee bent, als je op een trawler vaart. Omdat dat storend werkt, vermoed ik, omdat het je aan het leven op de wal herinnert. Maar groen? Wat is dat? Gras?'

'Ik zou het niet weten,' zei Luke, die weggelekt eigeel opdepte met een stukje toast. 'Het slaat nergens op. Per slot van rekening wordt de zee zelf groen als het fytoplankton bloeit, en tegenwoordig zijn de netten groen. Ik weet alleen het volgende: er was eens een ambtenaar van het ministerie, een tijdelijke benoeming, iemand uit Singapore of zo, die ze met een trawler van een van de noordelijke eilanden hebben weggestuurd. Nou, het was een man die van zijn kleren hield, begrijp je wel, van zijn walkleren. En op een avond ging hij naar de brug, gekleed in een groen pak. Niemand zei iets. Ze staakten het víssen.'

'Ach.'

'Ja. Ze weken ver van hun koers af. Ze hebben hem naar Noorwegen gebracht. Naar Bergen. Ze hebben hem met zijn hele hebben en houen aan wal gezet. Ze hebben hem daar achtergelaten.'

'Is het heus?' zei ik zwakjes, me afvragend of een groene slaapzak wel door de beugel zou kunnen. En toen we terugliepen naar de auto zei ik, in een poging niet zo onwetend te doen: 'Ik weet wel van pastoors, dominees. Je moet altijd teruggaan als je op weg naar de boot een dominee ziet. En er mag geen vrouw een voet op je dek zetten – of de reling zelfs maar aanraken.'

'Ja, dat klopt, en je mag niet op vrijdag uitvaren. Maar tegenwoordig is het nóg ingewikkelder, Redmond, niet minder ingewikkeld. In het weekend voor je vertrekt mag je vrouw bijvoorbeeld onder géén beding de wasmachine gebruiken. Want zo'n apparaat is net de zee, de maalstroom: ze zou je ziel wegwassen.'

'Sympathetische magie!' zei ik, terwijl ik de auto voorzichtig de verlaten straat in reed, turend door de wazige voorruit die nog bevroren was. 'Dat is nou iets waar ik wel wat van weet. Dat is net als in de Congo. Behalve natuurlijk dat ze daar geen wasmachines hebben. Tenminste niet waar ik was…'

'Kijk uit!' zei Luke toen ik de middenberm beklom en heel handig een verkeerszuiltje ontweek. 'Redmond!'

'Ja, dat is echt interessant. Het is opwindend – begrijp je wel? Het is écht hetzelfde als het leven aan de bovenloop van de Congo. Je hebt me verteld dat onder trawlvissers het hoogste percentage sterfgevallen voorkomt van alle arbeiders in Groot-Brittannië…'

'Ja,' zei Luke, die als een gek met zijn zakdoek de voorruit aan het schoonpoetsen was, 'gister hebben we nog de officiële cijfers voor 1998 binnengekregen. Helemaal bijgewerkt. Van de afdeling van het ministerie van Transport, Milieu en Regionale Aangelegenheden die de ongelukken op zee onderzoekt. Er zijn 388 ongelukken gebeurd waarbij Britse visserssschepen betrokken waren. Er zijn 26 mensen omgekomen. Er zijn 26 schepen vergaan.'

We reden over de brug bij Inverness naar het noorden, staken in noordelijke richting het Black Isle over, reden verder naar het noorden de eigenlijke Hooglanden in, zwijgend. De sneeuwvlokken maakten niet meer zo'n vriendelijke indruk: ze waren kleiner, bezeten, en ze kwamen horizontaal op ons af gevlogen. 'Dit,' zei Luke, 'is een sneeuwstorm. Ik geloof dat we dit nu officieel een sneeuwstorm mogen noemen.' De wielen van mijn autootje reden tollend over de lange, slingerende hellingen van de weg omhoog maar vonden tot mijn verrassing voortdurend grip; waarschijnlijk, dacht ik, doordat ze de zwaarste last van hun leven torsten. Er waren totaal geen sporen voor ons uit, en evenmin rechts van ons. Iedereen bleef binnen.

'Dat is het dus!' zei ik, toen een zwakke dageraad tot ons doordrong en de sneeuwstorm minder persoonlijk werd. 'Trawlvissers beschermen zichzelf, mentaal, omdat ze wel moeten, omdat ze dat nodig hebben. En daarom is het dus net zoiets als het animisme in de Congo. En om dezelfde reden: de directe dreiging van de dood. Dan omring je jezelf met honderd irrationele kleine angsten, omdat je wel moet, omdat die je alleen kunnen beschermen tegen de grootste angst. Is je vriend verdronken? Zeker. Maar iemand had een groene trui aan, of iemand heeft varken of konijn of zalm gezegd. Als je het ruimer bekijkt is dat prima. Want het betekent dat er wel degelijk ergens een macht is die zich om je bekommert – die bekommert zich er zelfs om wat je zegt, hoe je je kleedt! Waarom zou je je dan zorgen maken? We hebben iets verkeerds gedaan, we hebben een overtreding begaan, meer niet. En zwijg dus alsjeblieft in alle toonaarden over de eigenlijke angst: de oceaan die twee derde van de aarde bedekt en die geen ene moer om wie dan ook geeft.'

'Redmond! Probeer alsjeblieft recht te rijden. Kalmeer een beetje. We zijn ruim op tijd. We zijn er bijna. We halen het wel.'

Recht rijden? Nou, dat gaat dus niet, hè? Niet in een auto met een motor die niet groter is dan die van een behoorlijke motorfiets, niet op verse sneeuw. En zeker niet wanneer het helemaal licht is geworden, wanneer er zoveel te bekijken valt, wanneer de lucht ineens sneeuwvrij is – en die ronduit enorme, zwartpaarse wolken in het noorden, met zo'n griezelig witte onderbuik: heb ik zoiets ooit eerder gezien? Nee, neem me niet kwalijk, nog nooit van mijn leven. Is dat alleen maar weerkaatst licht van het sneeuwwitte landschap? Of een waarschuwing die elke zeeman zou herkennen? En bovendien zijn de velden hier niet afgezet met heggen of prikkeldraad, maar met brede, dunne, rechtopstaande, tussen elkaar geschoven platen zandsteen. We rijden nu door een wereld van onregelmatige rechthoeken, van grafzerken die geen graven aangeven, van monolieten die zich eindeloos uitstrekken naar alle verre horizonten…

'Hé, Redmond!' zei Luke, die zich op de passagiersstoel in een bocht wrong om zijn tabakszak te pakken. 'Hallo? Ben je daar nog? Moet je horen, als je een overtreding hebt begaan, als je zo'n woord hebt gezegd dat ieders dood kan worden, raak je gewoon koud ijzer aan, subiet. En aan dek is volop koud ijzer te vinden.'

'Maar dat is ook geweldig! Late prehistorie,' zei ik, terwijl we kalmpjes door Thurso reden, de noordelijkste badplaats op het vasteland (een stadje dat deels uit hotels en pret bestaat, deels uit winderige wanhoop). 'De vroege ijzertijd – dat moet ik nakijken – drieduizend jaar geleden? En ik weet, Luke, heus, dat het niet hetzelfde is: onze eigen geschiedenis op deze eilanden is nog maar van zo'n korte duur, is zo bepérkt. Dat wilde je toch zeker zeggen? Het is hier pas 10 000 jaar bewoond, niet langer; we zijn hier pas sinds het eind van de laatste ijstijd. Terwijl we in Centraal- of Oost-Afrika voor het eerst in de *Homo sapiens sapiens* zijn veranderd in…? Goed, dat hangt ervan af in welk tijdstip op de moleculaire klok je gelooft, maar toch zeker 200 000, misschien 250 000 jaar geleden. Maar weet je, ik heb een idioot vermoeden: ik weet zeker dat sommigen van ons hier al de héle laatste ijstijd zijn geweest: op Saint Kilda. Want als zo'n belachelijk kwetsbaar diertje als het St-Kildawinterkoninkje het heeft kunnen overleven, zou dat ook moeten gelden voor een geïsoleerde groep van onze robuuste voorouders, de jagers en voedselverzamelaars.'

'Redmond?'

'Ja?'

'Wat probeer je in vredesnaam te zeggen?'

'Hè? Nou, dat is toch duidelijk. Jouw trawlvissers geloven in de jaren negentig van de twintigste eeuw in de magische heilzaamheid van ijzer: die gedachte moet minstens drieduizend jaar oud zijn. Moet je nagaan, bewaard in de mondelinge overlevering, de verbijstering, de bewondering voor de geslaagde experimenten van de vroege wetenschappers, voor een handjevol intellectuelen, voor de onloochenbare, de magische productie van ijzer, waardoor alles mogelijk werd!'

'Kijk, het spijt me,' zei Luke, toen we Thurso achter ons lieten. 'Ik weet dat je gek bent op al die dingen, magie, bijgeloof, wat dan ook. Maar anders dan jij ben ik een onvervalste atheïst. Ik ben een wetenschapper. Een mariene bioloog. Als ik zo zou denken, in die wereld zou leven – al was het maar tien minuten per dag, Redmond – zou ik nooit op tijd op een oproep van de reddingsboot kunnen reageren, zou ik niet op een trawler varen, zou ik niet kunnen functioneren, zou ik mijn werk niet kunnen doen. Ik ben géén sociaal-antropoloog. Ik houd namelijk van de extérne wereld. Van de diepzee-inktvis bijvoorbeeld, de *Haliphron atlanticus*. Die heb ik nog nooit gezien...' En vervolgens zei hij: 'O jezus', toen we op de hoofdweg rechtsaf sloegen en begonnen af te dalen naar de haven van Scrabster.

Luke zoog hard aan zijn katheterdunne sigaret. 'Kijk, Redmond, goed, het zal jou niks zeggen en dat geeft niet, dat is prima, maar weet je, ik kom hier al jaren elke maand, ik moet hierheen, moet van alle vangsten een willekeurig aantal vaste soorten wegen en meten. Maar goeiendag! Kijk nou toch eens! Dit is kolossaal. Zoiets heb ik nog nóóit gezien. Alle trawlers liggen binnen. Ze hebben allemaal een goed heenkomen gezocht. Dan moet het erg zijn. Dan moet het daarbuiten héél erg zijn!'

'En waarom... waarom varen wij dan uit?' zei ik (of zong ik eerder, als een castraat, terwijl mijn *gubernacula* zich terugtrokken en mijn testes weer terugschoten in hun veilige, prepuberale schuilplaatsen). 'Wie is die Jason Schofield eigenlijk? Luke, is dit wel normaal?'

'Normaal?' zei Luke terwijl hij me de weg wees, rechtsaf (VERBODEN TOEGANG VOOR ONBEVOEGDEN), weg van de ruige kliffen en de onsamenhangende rij huizen, naar het kleine werkterrein van de haven zelf. 'Normaal?' zei hij beledigd. 'Normaal? Geen sprake van! (Linksaf – nee, hier!) Je begrijpt het niet, Redmond, dat zie ik; het heeft me máánden gekost om deze man te vinden! (Tegen die helling op, jezus nog aan toe! Nee, hier!) En kijk, dat heb ik allemaal alleen maar gedaan omdat jij zo'n drukte maakte op de Scotia. In de allerslechtste tijd van het jaar – al dat gelul. (Stop! Daarheen – rémmen. Daar parkeren – daar, daar! Bij die verkooploods!) Nou, Redmond, daar zijn we dan, en begrijp me goed: ik heb Jason Schofield nog nooit ontmoet; ik heb de Norlantean nog nooit gezien. Ik heb dit voor jou gedaan, heb overal geïnformeerd, heb de *Fishing News* gelezen en iedereen was het erover eens: Jason zou ideaal zijn. Hij was een briljante leerling van de zeevaartschool in Stromness, de opleiding van kapitein Sutherland; Jason was en is kennelijk echt uitzonderlijk; maar waar het eigenlijk om gaat, Redmond, is dit: hij is getrouwd met een vrouw uit een grote, keiharde trawlerdynastie van de Orkneys en zijn schoonvader heeft hem na zijn huwelijk op de proef gesteld: hij heeft hem inderdaad een tweedehands trawler gegeven, maar Jason beschikte niet over een rondvisquotum, en zodoende moest hij zijn trawler ombouwen voor de nieuwe diepzee-visserij. En die verbouwing heeft hem ruim twee miljóén pond gekost. Jason staat op zijn dertigste voor twéé miljóén pond bij de bank in het krijt. Stel je eens voor! (Zoals jij zou zeggen.) Het zit dus zo, een een-voudig rekensommetje: hij moet elke tien dagen zo'n slordige 50 000 pond binnenbrengen. En de bank? Denk je dat ze daar iets weten van het weer, of dat ze zich daar ook maar iets van aantrekken? Komt wind-kracht 11, of windkracht 12, een kleine orkaan, op je afrekening te staan? Natuurlijk niet! En daar gaat het om, daarom is hij de ideale man voor jou! Hij móét uitvaren tijdens de januaristormen. Maar hij is uitzon-derlijk, hij heeft veel succes, hij is een gedreven man – hij kan zich een weg naar de vis toe denken. Hij heeft nieuwe visgronden opengelegd: en dat is geen wonder, zeggen ze, want toen hij ter wereld kwam, toen hij als baby in zijn wieg lag… was dat een doodgewone plastic viskist!'

'Nou, Luke, eh… dank je wél,' zei ik, toen we uit de warme bescher-mende wieg van de auto stapten. En terechtkwamen in de schok van een kou die bijna pijn deed.

'Een extra laag,' zei Luke en hij deed de achterklep open. 'En olie-goed.' Dus trokken we onze tweede trui aan (marineblauw), deden in de sneeuwbrij onze schoenen uit, stapten in de broek van ons oliepak (het zijne geel, het mijne knaloranje, waarbij Luke me liet zien dat het net mogelijk was jezelf niet op slag te wurgen met de omkrullende rub-berbretels) en trokken onze gele zeelaarzen aan. Links van ons stonden de zestienwielige vrachtwagens met oplegger, de reusachtige koeltrans-porten, op hun laadplaats te wachten. Rechts van ons stond tussen de grote meerbolders op de rand van de kade een rij zilvermeeuwen op een strikte, aan elke meeuw gerelateerde onderlinge afstand van elkaar, troosteloos, niet in een spraakzame stemming, over zee te staren, met opgezette veren tegen de kou. Verder naar links lag zo'n vervallen traw-ler afgemeerd: het bovenste deel van de romp was ooit oranje geschil-derd, de brug en de dekken wit, maar nu vertoonde het schip zoveel strepen en vlekken en patronen van de roest, nu waren de staalplaten zo bobbelig van lagen verf en roest, dat het leek te leven, zichzelf was en niemand anders, alsof het oud en rimpelig was geworden, uitgeput was geraakt en nu, op zijn ligplaats, op sterven na dood was. Tot mijn ver-rassing zag ik dat de tankwagen met dieselolie die ernaast op de kade stond geparkeerd de brandstofslang over het achterschip had gelegd en dat mannen achter in een containerwagen lege viskisten van wit plastic op het dek smeten…

'De Norlantean!' zei Luke, die zijn tred versnelde. 'Is ze niet prachtig? Wat een verbouwing! Moet je kijken! Wauw! Redmond! Je zou nóóit hebben geraden dat dit de oude Dorothy Gray was!'

Een jongeman met kort donker haar en een prematuur uitgeput gezicht, gekleed in een rood oliejack, een gele oliebroek en blauwe rubberhandschoenen, was bezig de witte plastic kisten door een luik te keilen.

'Hallo,' zei Luke en hij stelde ons voor. 'We zijn van het Mariene Lab. Kunnen we onze spullen ergens opbergen?'

'Aye,' zei de jongeman met een scheve grijns. 'Ik ben Sean, net als de filmster. Gooi alles maar op de bak.' Hij sprak met het sterke schelle accent van Caithness. 'Als jullie klaar zijn, laat ik jullie de hut zien. En, jongens!' riep hij ons na. 'Welkom aan boord! En de verwachting luidt… dat het windkracht 12 wordt!' Hij liet een explosief lachje horen.

We brachten onze bagage over; ik parkeerde de auto op een naargeestig parkeerterreintje bij de scheepshandelaar en toen ik terugkwam stonden Luke en Sean samen op de bak te kletsen en te roken. Sean draaide met beide handen de vier grote knevels op de stalen deur naar het schutdek stuk voor stuk om en we droegen de metalen kisten en plastic manden en plunjezakken naar binnen, stapelden ze op naast een rij vastgesjorde olievaten, blikken verf en opgetaste kuilen touw. Het schutdek was U-vormig, was om de onderkant van de brug heen gebouwd, met een beschermende stalen overkapping, vanaf de boeg afgesloten tegen het weer, maar achteruit aan beide zijden open naar het werkdek. Aan stuurboord was een smalle stalen deur, met een touw opengehouden, die naar de brug en de lagere dekken leidde.

'Binnen geen werkgoed, jongens,' zei Sean, die zijn jack over zijn hoofd uittrok, waarna hij het op het dek liet vallen en behendig uit zijn broek en laarzen stapte. 'Mag niet van de schipper.'

In gewone kleren volgden we hem over de hoge stalen drempel van de deur; voor ons leidden treden omhoog naar de brug; pal rechts van ons voerde een steil trapgat naar de lagere dekken. Sean greep de leuningen vast, trok zijn dijen loodrecht omhoog ten opzichte van zijn lichaam, gleed in een flits van zijn blauwe trui en blauwe spijkerbroek de diepte in en verdween. Luke sprong met zijn gezicht naar voren achter hem aan de trap af en ik volgde langzaam, tree voor tree, met mijn gezicht naar achteren.

'Drie hutten voor de bemanning,' zei Sean, die in de vaag verlichte gang stond en met zijn duim in de richting van de deuren stootte. Er hing een zware alomtegenwoordige stank van rotte vis en na de bijtende wind aan dek was er geen lucht om adem te halen. Min of meer onbeschadigde bruine panelen van namaakhout bedekten de stalen wanden en het plafond; afgesneden zijkanten van kartonnen dozen vormden een verstandige vloerbedekking, gemakkelijk schoon te houden en zo overboord te kieperen: het was overduidelijk dat geen enkele vrouw hier ooit een voet had gezet.

'De kombuis is verderop.' Seans gezicht vertoonde een nadrukkelijke, groteske, aanstekelijke grijns; zijn bloeddoorlopen ogen straalden van plezier; het was duidelijk dat er geen kwaad in hem stak; het was duidelijk dat hij met iedereen even goede maatjes was.

'En ik ben tweede kok!' Hij knikte naar twee gesloten deuren tegenover de kombuis, aan stuurboord. 'De hut van de schipper! De hut van de motordrijver! Die hebben daarbinnen tv! Goed, jongens, daar slapen jullie!' Een deur helemaal voorin, aan bakboord. 'Moet ervandoor! Tot ziens!' En hij schoot weer als een springbok door het trapgat naar boven.

'Fantastisch,' zei Luke, die de deur opendeed. 'Een fantastische kerel. Maar hij zal ons vergiftigen.'

Vier kooien, telkens twee boven elkaar, vulden de donkere benauwde hut. Luke, de man met ervaring in zulke aangelegenheden, zei: 'Licht? Kasten? Toilet? Douche?' Hij draaide een zware metalen schakelaar bij de deur om en er ging een lamp aan (binnen een beschermende kooi, net als in een fabriek): in dat flauwe licht zagen we dat de matrassen in de twee benedenkooien waren ontruimd en dat de twee bovenkooien vol lagen met afgedankte kleren, slaapzakken, ertussen gepropte kartonnen dozen en de voorraad wc-rollen van het schip.

'Een douche!' zei Luke, die tussen de bedden door naar een hokje in de boeg was gelopen. De deur van de provisorische doucheruimte was in het midden verfrommeld, alsof hij een zware dreun in zijn maag had gekregen, en het onderste scharnier was losgeraakt en weer met touw vastgezet. In de linkerhoek van de ruimte was een wc; Luke duwde de spoelhendel neer. 'Hij werkt!' zei hij opgetogen. En toen zei hij, terwijl hij rondkeek: 'Jezus!' En we staarden allebei naar een enorme instulping in de schuin naar buiten lopende platen van de boeg. 'Kolossaal!' zei Luke. 'Sean vertelde dat Charlie Simpson, de tweede schipper, een dreun had opgelopen. Hij heeft iets geraakt. Maar daar schijnt niemand zich druk om te maken... En bovendien kan ons niets gebeuren, Redmond. Het schip is dubbelwandig.'

Daarom besloten we er verder niet meer aan te denken en de matrassen uit te proberen: Luke in de linkerkooi, ik in de rechter, tegen de wand. 'Niet al te best,' zei Luke nadat hij zich in zijn volle lengte had uitgestrekt, en hij wiebelde met zijn tenen in zijn blauwe sokken. 'Maar aan de andere kant maakt dat niet uit. Want we zullen hier beslist niet veel tijd doorbrengen.'

'Waarom niet?'

'Omdat jij en ik en de jongens per zesendertig uur gemiddeld zo'n drie uur slaap zullen krijgen.'

'Dat meen je niet!'

'Dat meen ik wel degelijk. Deze manier van leven, Redmond, is niet gemakkelijk. Ik kan zelfs niets bedenken dat er in de verste verte mee te vergelijken is. Jouw vrienden van de commandotroepen krijgen bijvoorbeeld zelfs als er gevochten wordt niet twintig tot dertig dagen achtereen zo weinig slaap. Of wel?'

'Natuurlijk niet. Dat houdt zelfs de jongste onder hen niet vol, dan draait hij door. Daar heeft de majoor van de opleidingsafdeling me juist voor gewaarschuwd: de allerbesten kunnen tegen vrijwel elke mentale druk; maar níémand is bestand tegen het onthouden van slaap...'

'En bovendien krijg je die drie uur slaap niet eens als drie uur achter elkaar. Er is zelfs geen tijd om een normale slaapcyclus van negentig minuten te voltooien. De slaaptijd wordt verdeeld over losse periodes van een uurtje, hooguit. Tussen de trekken door, wanneer het net is uitgezet, moet je je kans schoon zien. Maar pas nadat je klaar bent met het strippen en sorteren en pakken en stouwen van de vangst van de vorige trek. En Redmond, de omvang en frequentie van de vangst is afhankelijk van de bekwaamheid van de schipper. Naarmate de schipper minder bekwaam is – of misschien, als je boft, als hij een oudere man is, de eigenaar van zijn schip, die zijn schulden heeft afgelost, die het zich kan permitteren om het wat rustiger aan te doen – krijg je meer slaap. Maar Jason is al beroemd onder de trawlvissers: ze zeggen dat hij de allerbeste is. En híj heeft een schuld van twéé miljóén pónd.'

'Maar Luke, ik ben gek op slapen. Dat is de allermooiste tijd van het leven: slapen, dromen! Ik heb minstens tien uur slaap nodig…'

'En trouwens,' zei Luke, zonder te luisteren, starend naar het lage triplexplafond van zijn kooi. 'Ze draaien inderdaad door.'

Kennelijk verdiept in een nieuwe gedachte, of misschien in een vertrouwd innerlijk probleem, begon hij met zijn rechterwijsvinger een denkbeeldig diagram te tekenen op het lage triplexplafond van zijn kooi. 'Je zult het zien. Ze draaien door. Wanneer ze aan wal komen. Dan worden ze gewelddadig.' Het diagram ging sneller. 'En jij, Redmond, jij ook, je zult doordraaien…' Hij zweeg even. 'En ik ook. Ik zal doordraaien. Dat gebeurt altijd. Je zult het zien. Je weet niet meer wie je bent. Je drinkt. Je maakt amok.'

'Maar Luke, jij hebt tenminste je werk, je onderzoek; jij hebt echte interesses buiten jezelf.'

'Ja… Misschien… Dat zal wel… Maar soms helpt dat niet. Soms ben je te ver heen.' Hij draaide zijn hoofd om en keek me aan, over de kleine meter ruimte tussen onze kooien, het diagram opgegeven, of misschien wel voltooid. 'Maar ik vergeet iets. Neem me niet kwalijk. Jij – jij hoeft niet mee te doen. Van jou wordt geen hulp verwacht.'

'Natuurlijk moet ik meedoen! Hoe kan ik anders te weten komen hoe het is?'

'Nee. Dat hoeft echt niet – en bovendien kun je dat waarschijnlijk niet. De jongens hier zijn bezeten. Ze zijn bijzonder sterk gemotiveerd.'

'Ik ben ook sterk gemotiveerd!' zei ik gepikeerd. 'Soms tenminste…' voegde ik eraan toe, ineens getroffen door een uitzonderlijk moment van zelfkennis. 'Af en toe, bij vlagen… in elk geval… kan ik me herínneren dat ik…'

'Je begrijpt het niet. Ze zijn jóng. Zodra iemand het werk niet meer aankan, wordt hij door de anderen weggestuurd. Het is een samenwerkingsverband. Alleen de motordrijver krijgt een vast salaris. Zo gaat dat hier. Het zijn allemaal kleine zelfstandigen. Je zou ervan ópkijken hoe hard mensen kunnen werken als ze weten dat ze het samen moeten zien te klaren – en tegelijkertijd weten dat elk moment van gezamenlijke inspanning ook rechtstreeks ten goede komt aan hun eigen loon.'

'Ja. Het is een groep jagers. Dat heb ik in het oerwoud gezien.'

'Niet precies. Want hier komt er nooit een eind aan de jacht. Tien dagen. Je moet het ruim vullen. En dat is onmogelijk, want het ruim is zo groot dat het net zo goed een bodemloze put zou kunnen zijn.'

'O,' zei ik, terwijl ik me helemaal in het comfort van mijn dunne, zure matras drukte.

'De helft van de bruto-inkomsten gaat naar de boot, zoals ze dat noemen. Om de bank af te betalen. Elfduizend pond van de resterende helft wordt aan onkosten uitgegeven. Diesel, smeerolie, proviand, dat soort dingen – tot en met de kosten van de viskisten. Je betaalt voor elke kist vijfentwintig penny per week! En dan legt de vismarkt je nog eens een heffing op: van één tot vier pond per volle kist die je aanvoert! De rest van de bruto-inkomsten wordt verdeeld. De schipper krijgt twee delen. Een bemanningslid krijgt één deel – of driekwart als hij nog wordt opgeleid. Een bemanningslid dat met verlof aan wal zit – ongeveer een op de drie weken – krijgt een half deel. En dan moet Jason natuurlijk ook nog alle toevallige en onvoorziene dingen betalen – vorige maand moest de motor een grote beurt krijgen in PD, Peterhead: het kostte 70 000 pond om hem te repareren en hij zou nu weer zo goed als nieuw moeten zijn, maar dat is hij niet, volgens Sean tenminste.'

Luke zwaaide zijn benen van de kooi en stond op. 'Kom mee, we kunnen nu elk moment naar Stromness vertrekken! En daarbuiten in de Pentland Firth vind je een paar van de sterkste op elkaar stuitende stromingen ter wereld. En dat met dit weer! Redmond, misschien zullen we ons evenwicht niet kunnen bewaren, tenminste niet in het begin – en we zullen zeker niet in staat zijn onze spullen in kasten op te bergen...'

'Eh, Redmond,' zei hij, terwijl hij zich halverwege de trap omdraaide, 'je vindt het toch niet erg dat ik het vraag? Maar tja... heb je last van zeeziekte?'

'Ik ben nog nooit zeeziek geweest.'

En ik had meteen een wee gevoel in mijn maag. En dat, zei ik tegen mezelf, komt alleen nog maar door de bewegingen van de boot tegen de kade; maar vooruit, dat gaat wel over; doe niet zo slap; het komt gewoon door die stank van dode vis daarbeneden, en het ontbreken van patrijspoorten in de hut, en de lucht van frituurvet die in alles is doorgedrongen, en je bed dat is opgemaakt met gordijnen uit een snackbar...

'Mooi zo. Dat zit dus wel goed,' zei Luke met een eigenaardig lachje.

Op het schutdek, waar we ons oliegoed hadden achtergelaten, was een jongeman met een fris gezicht bezig zich uit een rood overlevings-pak te ritsen. Hij had sterk gemillimeterd haar, een zilveren ringetje bo-ven in zijn linkeroorschelp en een wit Nicorette-inhaleerbuisje tussen zijn tanden. 'Hallo!' zei hij, het buisje uit zijn mond nemend. 'Ik ben Jerry. Ik ben de kok. Hebben jullie Sean al ontmoet? Wij tweeën zijn hier nieuw. Tot ziens!' En hij verdween naar de brug.

Zodra we onze uitrusting en Lukes laboratoriumapparatuur veilig in de hut hadden opgeborgen, vastgeklemd en vastgesjord, trokken we ons oliegoed aan en liepen we naar het trawldek. Hoe moet ik ooit de precieze werking ontraadselen, dacht ik, van deze overvolle chaos van winches, laadbomen, blokken en takels? Van pijpen en buizen en hen-dels en rubberslangen? Van trossen en gele drijvers en groene netten?

'Ik ben gek op dit alles!' zei Luke. 'Echt. Ik kan er niets aan doen. Ik ben gek op het systeem zelf, weet je, zo slim uitgedacht, en zoals het al-lemaal van boot tot boot verschilt. Véél leuker dan schrijven.'

'Ja,' zei ik slapjes.

'Ach, dat spijt me,' zei Luke, die mijn arm aanraakte omdat hij de wanhopige uitdrukking die ik op mijn gezicht voelde, verkeerd uit-legde. 'Zo bedoelde ik het niet. Ik bedoel míjn vorm van schrijven, je weet wel, die onvervalste gruwelijke marteling om met een hoofd vol feiten aan mijn bureau te zitten en te proberen mijn resultaten op te schrijven, mijn proefschrift – terwijl het buiten een prachtige dag is, terwijl je op zéé had kunnen zijn.'

'Natuurlijk, dat geeft niet. Maar Luke, waar moeten we hier begin-nen? Je zult me moeten helpen. Wat is dat, bijvoorbeeld?' En ik wees naar het grootste ding aan dek: vier lange parallelle drinkbakken voor vee, niet met water gevuld maar met groene netten en autobanden – het leken tenminste net autobanden – die er naast elkaar in waren gelegd...

'Dat?' zei Luke. Hij was inderdaad een ander mens geworden: zijn houding was rechter; hij bewoog zich sneller; hij blaakte van zelfver-trouwen en voor het eerst stonden zijn ogen helder, waakzaam, geluk-

kig. 'Dat? Nou, dat is natuurlijk een dubbeltuigsysteem. Twee geleide-
goten voor de klossen. Drie trawlwinches. Van Norlau. Jason heeft voor
twee diepzeetrawlnetten gekozen. Ik durf te wedden dat die bij Seaway
Nets van Macduff vandaan komen. Daar durf ik tien tegen een om te
wedden. Ontwerp Bolshed. Zestig tot tachtig voet klossen.'

'O, natuurlijk,' zei ik, geen cent wijzer. 'Maar wat doen al die ouwe
banden daar in vredesnaam? In die drinkbakken? Heeft hij die in zijn
netten gevangen of zo?'

'Autobanden!' brulde Luke. 'En wat zei je nog meer? Drinkbakken!'
Hij boog naar voren, greep naar zijn buik in een poging zich te beheersen, wat mislukte, en hij schaterde van het lachen. 'Autobanden!'

'Goedemorgen, heren,' zei een zachte zangerige stem achter ons: een
vriendelijk, muzikaal accent dat ik niet kon thuisbrengen. 'Autobanden?'

'Ach!' zei Luke, die twee keer om zijn eigen as draaide. 'Redmond hier
denkt dat dat banden zijn, oude autobanden die jullie hebben opgevist!' Luke legde allebei zijn handen tegen zijn nek, alsof zijn hoofd er
door zoveel vrolijkheid finaal af zou kunnen vliegen.

'Dat zijn klossen,' zei onze nieuwe kennis, die onmiskenbaar ouder
was dan Sean en Jerry, een veteraan van achter in de twintig, een kleine,
magere, lenige man met scherpe ogen en een lange rechte neus. 'Robbie
Mowat,' zei hij en gaf ons een hand. Hij droeg een rood-zwart oliepak
en een rode Schotse muts, die strak om zijn hoofd zat. Ik dacht: dit is
een Pict, hij is een Pict uit de ijzertijd. Hij is een van die mysterieuze
mensen. Hij behoort tot de kolonisten die zich hier vóór de Schotten
hebben gevestigd en wier herkomst en cultuur en schrift de archeolo-
gen en historici voor zo'n groot raadsel stellen. Hij lijkt sprekend op
zo'n Pictische krijger op hun symboolstenen.

Luke begon ons aan elkaar voor te stellen en de kwestie van de autobanden uit te leggen, hoe zoiets had kunnen gebeuren…

'Aye, we weten er al alles van,' zei Robbie Mowat, die hem in de rede
viel. 'Jason heeft ons over je verteld. En Redmond, het zijn inderdaad
autobanden, in zekere zin. Alleen houden ze het net en niet een auto
bij de grond vandaan: ze rollen over de rotsen op de zeebodem, voorkomen dat het net blijft haken. Soms in elk geval. Aye, je zult ervan
genieten. Van deze reis. Ik zie wel dat je nog heel wat te leren hebt. Maar
nu gaan we naar Stromness. En dan ga ik met verlof! De andere Robbie

dus, Robbie Stanger. Redmond, ik zal hém vragen of hij je in de gaten houdt. Hij komt in Stromness aan boord. Het zal best met hem gaan!'

Hij wuifde naar achteren, sprong over een tros, werkte zich met een zwaai over de verschansing en liet zich op de kade vallen.

Twee middeleeuwse pijnbanken om iemand te rekken hingen, compleet met kettingen, aan bakboord en stuurboord van het achterschip, klaar om de tucht aan boord af te dwingen.

'Luke,' vroeg ik, terwijl mijn koelbloedigheid met 98 procent was afgenomen, 'wat zijn dat daar voor dingen? Die middeleeuwse martelwerktuigen om je gewrichten uit elkaar te trekken?'

Er weerklonk een aardschokkend salvo van diep lawaai. De Norlantean kwam overweldigend tot leven. Het dek begon aan koorts ten prooi te beven; we stonden te schudden alsof een maniak ons in de kraag had gegrepen. De bovenkant van de schoorsteen leek te ontploffen; hij barstte uit en werd aan het oog onttrokken door rook zo zwart als inktvisinkt, door zo'n dikke pluim dat het wel een vaste stof leek.

'Scheerborden!' schreeuwde Luke in mijn oor. 'Dat zijn scheerborden! Die schieten schuin voor het net uit. Ze houden de toegang tot het net open. Hé, Redmond! Kolossaal! We zullen het fantastisch hebben, jij en ik!'

'Luke!' brulde Robbie Mowat vanaf de kade.

Luke reageerde als een van Galvani's kikkerpootjes: hij schoot naar bakboord en ving de zware lus van de meertros op. Robbie Mowat hees zich weer over de verschansing. We waren vertrokken.

De Norlantean gleed rustig de haven in. Niemand op de kade, niemand op een van de andere trawlers – of op de ronde Schotse boten voor de kustvisserij met hun hoge boeg en gedrongen achterschip, schepen die zich tegen de zee aan drukken, met dezelfde aangename vorm als een bil – niemand, nergens, nam ook maar enige notitie van deze grootse gebeurtenis. En dat gold al evenzeer voor een groep van een stuk of twintig eidereenden, grote zee-eenden met een naar voren afhellende kop en een zware snavel, de wijfjes bruin, de mannetjes in hun winterkleed, helemaal zwart, afgezien van de witte vlekken op hun gevouwen vleugels, die beschut bij de kademuur, uit de wind en half in slaap, op het water lag te rusten.

'Luke, moeten we niet naar Jason toe? Om hem te groeten? Zou dat niet beleefd zijn?'

'Nu? Nee. Dat is een van de regels: je mag een kapitein nooit afleiden als hij een haven uit vaart.'

Dus stonden we tegen de verschansing geleund te kijken hoe de witte vuurtoren en de bijbehorende gebouwen, half gecamoufleerd tegen de besneeuwde heuvels, naar bakboord schoven, en pas toen we de laatste kliffen van Dunnet Head, het noordelijkste punt van het vasteland, dwars aan stuurboord hadden, trokken we onze laarzen en ons oliegoed uit en gingen we de trap op naar de brug, op onze sokken.

Jason zat in de rechter van twee zwarte draaistoelen achter een groot U-vormig, met hout betimmerd bedieningspaneel vol instrumenten; hij stond op om ons te begroeten.

Jason was lang en donker; hij had een enigszins gebogen houding; hij was mager, lenig, snel; hij was een en al rusteloze energie. (Natuurlijk, dacht ik, hij stamt rechtstreeks af van die viriele jonge Spaanse officieren die naar de kust zijn gezwommen nadat de schepen van de Armada op de rotsen van de Orkneys waren vergaan…) 'Redmond, het is perfect voor je!' zei hij terwijl hij ons een hand gaf en heel snel sprak. 'Perfect! Precies zoals je het wilde hebben: het slechtste weer in de slechtste tijd van het jaar. Er staat daar in het noorden nu windkracht 11 en de vooruitzichten zijn dat het 12 wordt. En dat is een orkáán! Perfect!'

'Schitterend!' zei Luke, met een bezeten lachje.

'En, Luke, heb je je minilog voor het net meegebracht? Om de diepte en de temperatuur te meten?' Luke knikte. 'Ja? Goed. Mooi zo. Want ik wil heel graag weten wat de ideale diepte voor roodbaars is.' Hij draaide zich om naar een breedgebouwde, sterke man van ongeveer zijn eigen leeftijd (een jaar of dertig) die over de kaartentafel stond gebogen, een tafel die aan de rechterkant was ondergebracht en via de helemaal rondlopende ramen van dik glas uitzicht bood op het achterschip van de trawler.

'Bryan Robertson,' zei Jason. 'Eerste stuurman.' En toen lachten ze allebei. 'Redmond O'Hanlon, geschifte schrijver,' kondigde Jason aan, als de presentator van een praatprogramma op tv. (Ja, inderdaad, dat zou hij kunnen zijn, dacht ik, met die Spaanse trekken, die donkerbruine ogen, die hoge, dikke, zwarte wenkbrauwen, die lange zwarte wimpers, en zo welbespraakt… hij zou meer dan acht miljoen kijkers trekken, stuk voor stuk vrouwen.) 'Luke Bullough, wijze wetenschapper. Een man van de rede, afkomstig uit het eigen Mariene Laboratorium van de belasting betalende trawlvissers, te Aberdeen.'

We lachten allemaal.

'Welkom aan boord, jongens,' zei Bryan, met een trage, diepe, melodieuze bas. 'Jullie hebben er wel een vreselijk moment voor uitgezocht. Dat valt niet te ontkennen.' (En jij, dacht ik, zou operazanger moeten zijn.)

Op dat moment voeren we vanuit de beschutting van de kapen de Pentland Firth op. De golven waren, in mijn ogen, uitzonderlijk lang; de randen van de kammen gingen over in nevel; de schuimstrepen waaiden in smalle sporen van links naar rechts, spatten tegen de ramen van de brug. Het schip slingerde op de dwarse golven, en het lukte me net op tijd de rand van het bedieningspaneel vast te grijpen en zo te voorkomen dat ik achteruit van de onbeschermde trap af viel.

'Zo, Redmond,' zei Jason, die zich elegant en vlot in de stoel met de hoge rugleuning liet vallen (waar tot mijn ontzetting een veiligheidsgordel in zat. Werd het ooit zó erg?). 'Je wilt zeker meer weten van de instrumenten, hè? Ja?'

'Natuurlijk. Ja graag,' zei ik, terwijl ik me met beide handen krampachtig vasthield aan de houten rand van het bedieningspaneel, naast het faxapparaat. Mijn benen werkten niet goed meer, besefte ik, ze stuurden belachelijke signalen naar mijn hersens; ze waren hun innerlijke kracht kwijt; net nu ik ze echt nodig had, weigerden ze dienst. 'En hoe noem je dit, Jason? Een zware storm?'

'Dit? Een zware storm?' Als Jason lachte deed zijn hele slungelachtige lichaam mee: alle zichtbare perifere onderdelen schokten van plezier, in uiteenlopende richtingen. 'Bryan! Wat denk jij? Windkracht 7? 8?' Bryan haalde zijn schouders op. 'Tja, weet je, Redmond, we hebben hier bíjna alles. Min of meer alles wat we nodig hebben. Maar niets om de windsnelheid te meten. Want dat is zonde van het geld. Zoiets hebben we niet nodig. Dat is zinloos. Je vist, of je vist niet.'

'En wanneer is je vist niet?' vroeg ik, me er vagelijk van bewust dat ik niet alleen het vermogen om op twee benen te staan was kwijtgeraakt maar ook om te spreken.

'Je houdt alleen op met vissen als de wind vooruit sterker is dan de motoren beneden. Simpel. Je stopt wanneer je het net niet meer kunt openhouden. Maar onthoud goed, Redmond: je verdient niets wanneer je bijligt. En je verdient niets wanneer je slaapt!'

Jason zwaaide met zijn rechterarm, die zo buigzaam was dat hij wel van rubber leek, ver naar links van het paneel (waaraan ik me als een zeeslak had vastgeklemd) en schoot weer helemaal rond naar rechts, waar hij tot rust kwam op een kleine zwarte hendel naast hem, waarmee hij, nam ik aan, op een of andere manier het schip stuurde. (Een traditioneel stuurwiel met spaken, van hout en glimmend koper, bevond zich ongebruikt, als een decoratie in een pub, in het midden van de U.) Diverse naast elkaar geplaatste schermen staarden dreigend vanuit hun naar achter gebogen, roodbruine houten omlijsting. Op de brede plank daar vlak onder lagen geordende papieren, handboeken die er onbegrijpelijk uitzagen, afzonderlijke verstelbare besturingstoestellen – en iets wat ik uit mijn vorige leven herkende: een volstrekt normale, geruststellende gele mok vol koffie, maar zelfs die gele mok maakte een exotische indruk doordat hij zich vijftien centimeter bij de plank vandaan bevond en in zijn eigen uitstekende houten nestje zat...

'De meeste apparatuur komt bij Woodsons in Aberdeen vandaan,' zei Jason. 'Zoals te verwachten is. Dat daar is een 48-mijlsradar, een JRC model 2254, 4 kW. Volgende maand ga ik een cursus bij hen volgen, als ik met verlof ben.' Zijn woorden en de bewegingen van zijn hand gingen zo enorm snel dat alle schermen tot één geheel vervaagden. (En bovendien, hielp ik mezelf herinneren, kun je niet eens met een computer omgaan. Je hebt het weliswaar nooit geprobeerd, maar je kunt het niet, punt uit; iedereen mag een paar fobieën hebben, twee of vijf...)

'Dat daar is de oorspronkelijke JRC R73-radar,' zei hij, terwijl zijn bruine ogen vooruit bleven kijken, naar de zee voor ons. 'En ik heb twee DGPS-ontvangers – schitterend! Daar, zie je wel. Een Valsat 2008 Mk2 en een Trimble NT 200D. En moet je zien, die zijn gekoppeld aan de plotters, híér. En dáár. Dat is een Raccal Decca CVP 3500. En dat is een splinternieuwe Quodfish-plotter van Woodsons. En dit zijn reserveapparaten. Dat haal je er wel uit...'

Bijna al mijn bewuste inspanningen begonnen zich nu te richten op het onderdrukken van de opwellende gedachte aan het ontbijt van die ochtend – al zo lang geleden, maar nu zo prominent aanwezig. Die oermoeder in de heksenketel van dat eettentje, hadden we het maar geweten: ze was ontegenzeglijk een bijzonder begaafde gifmengster, een vrouw met ervaring, een van de besten. Ze had mij dat spul laten éten. Maar dat geeft niet, hield ik mezelf voor, je hoeft alleen maar een boa constrictor, een python om je slokdarm heen te leggen om alles binnen te houden. En ik zag het vocht op de bloedworst, het uitgelopen vet onder de bacon, de bolle, wiebelende en glinsterende spiegeleieren...

'Heb jij hier weleens mee gewerkt, Luke?' hoorde ik Jason zeggen. 'Natuurlijk heb je ermee gewerkt! Maar Redmond moet het allemaal weten. Zie je dat, Redmond? Dat is een Magnavox MX 200 GPS, en dat is een nieuwe Furunco Lc90.'

'Hé, Redmond!' zei Luke zonder speciale aanleiding. (Of had hij iets uit het onderbewustzijn opgevangen? Het noodsignaal van een toepaja-achtig vroeg voorouderlijk zoogdier...) 'Bev's keuken,' zei hij, drentelend door het vertrek. Hij maakt zich geen zorgen, dacht ik: Luke pikt graantjes informatie op als een jonge haan in een kippenhok, en toch gaat er van álles langs hem heen: hij is zich er kennelijk niet van bewust dat dit hok op een of andere manier is gaan zweven, dat het boven aan een roetsjbaan is gezet… 'Niet zo verstandig, hè?'

'Bev's keuken?'

'Ja. Je weet wel. Dat tentje in Nairn.'

'Goed, Redmond,' zei Jason. 'Nu moet je hier eens naar kijken. De viszoekers. Die móét je in je vingers krijgen, en gauw ook. Dit is de belangrijkste, een Atlas Electronic model 382 kleurenecholood…'

(Vissoep? Alsjeblieft niet. Voor alle zekerheid fluisterde ik tegen mezelf: Ik mag hierbinnen níét overgeven. Dat spreekt voor zich. Dit is niet de plaats om te braken. Heus, echt niet… Absoluut niet…)

'Dit is de oorspronkelijke, en hij is betrouwbaar. Maar deze is beter, een nieuw model, 28/200 kHz, een JFV 250 3 kW…'

'Je weet wel,' zei Luke afwezig, terwijl hij door enkele knoppen in te drukken een diagram op een scherm liet verschijnen, of een leghok midden in het zwevende kippenhok, dat vol veertjes zat, en vol mijten, zoals te verwachten was, en de lucht was totaal verzadigd van druppeltjes van Bev's eieren, en je kon er niet meer ademhalen… 'Die tent waar we het beste ontbijt ter wereld hebben gehad. En dat alles voor een pond vijftig – en nu ga jij je geld verspillen!'

'Oeah!' zei ik, ergens vanuit mijn dikke darm, snakkend naar adem, met open mond, als een nijlpaard.

'En de JFV 250 is een aanvulling op dit ding,' zei Jason, die zijn snelle, zangerige, intelligente stem verhief om alle verdere interrupties te voorkomen. 'De JFV 120 50 kHz – dat is het dan, Redmond! Maar je hebt natuurlijk ook deze ontvangers nodig, als je wilt kunnen concurreren, als je jezelf een kans wilt geven. En daarom hebben we deze van Scanmar in Aberdeen: een RX 400 met een kleurenmonitor voor gegevens over het trawlnet zelf en de borden, de scheerborden. En alles bij elkaar genomen denk ik dat dat het interessantste instrument voor jou zal blijken te zijn, voor jou als schrijver – ga dus maar eens kijken!' De hand wuifde naar het achterschip, naar een kleine verzameling schermen die bijna horizontaal was aangebracht op een smalle plank ter hoogte van je middel aan de achterzijde van de brug: vijf onmogelijke stappen bij me vandaan. 'Hij komt bij Smith Maritime in PD vandaan; daarmee kun je het net automatisch en met de hand uitzetten en slepen. Maar dit is het allermooiste, Redmond – toe maar! Ga maar eens kijken! – hij werkt met de gegevens van de Scanmar-sensoren. Hij past de lígging van de netten aan tíjdens het slepen. Wat zeg je me daarvan? Nou? Is dat slim? Of niet soms? Hij kan een van de vislijnen inhalen of vieren – tot ze optimaal op elkaar zijn afgestemd!'

'Aye,' zei Bryan opeens vol bewondering vanuit de andere hoek.

'Nou, ga dan kijken!' zei Jason, die snel als een valk omkeek. 'Het is heel interessant. Maak aantekeningen. Doe iets. Wat een schrijver maar doet.'

'Gaat niet.'

'Wat?'

'Kan me niet bewegen.'

'Redmond,' zei Jason toonloos, zonder moeite te doen om nog eens om te kijken. 'Je kunt beter onderdeks gaan.'

'Gaat niet.'

'Is het zo erg?'

'Uk.'

'Wat?'

'Niks.'

'Jezus!' zei Jason waarop hij zijn ogen dichtdeed, zijn hoofd achterover gooide en met zijn rechterhand over de bovenkant van zijn gezicht streek. Toen herstelde hij zich en zei: 'Bryan! Kun je die stoel even ontruimen?'

Bryan, ondanks zijn spieren even soepel als een otter, stapelde de papieren en boeken netjes in een opening in het bedieningspaneel, pakte me bij de arm en zette me vriendelijk, zonder te lachen of zelfs maar te glimlachen, in de stoel van de tweede roerganger.

'Ga zitten!' zei Jason. 'Hou vol! Kijk naar de horizon. Ze zeggen dat dat helpt; concentreer je daarop. Een vaste lijn. Het enige dat niet beweegt.'

Alleen bewoog deze wel: de horizon, veel te dichtbij, was helemaal geen lijn maar een reeks chaotische tanden, de glinsterende rand van een omgekeerde zaag die in het wilde weg aan het zagen was tegen de wervelende achtergrond van de grijze hemel...

'Nou ja,' zei Jason. 'Kop op! Het duurt niet lang. Het is zo weer over – nietwaar, Luke?' Luke, die verdiept was in een of ander eigen karweitje, het herschikken van draden of computerverbindingen of ontstekers aan de andere kant van het paneel, wendde zijn blik af. 'Of misschien ook niet, want er zijn natuurlijk mensen die er nóóit aan wennen. Dat kunnen ze niet. Zulke mensen – die blijven maar overgeven; ze raken uitgedroogd, en als je ze niet binnen ongeveer een week aan wal zet, gaan ze godverdorie nog dood ook! Zulke mensen zijn een regelrechte rámp voor het vissen.' Hij keek recht voor zich uit. 'Maar zo iemand ben jij toch niet, hè?'

'Oeah. Nik.'

'Het heet marasme, geloof ik,' zei hij, terwijl hij de mobiele telefoon naast zich oppakte en weer neerlegde. 'Dood door zeeziekte, een of ander mal duur woord. Maar goed, dat zul jij wel kennen...'

'Uk.'

'En we hebben natuurlijk ook de gebruikelijke saaie dingen.' Hij nam snel een grote slok koude koffie. 'Een Mini-M marifoon om te praten, e-mail en fax per satelliet. Een mobieltje, een Motorola 7400 X. En er is Philips-televisiebewaking op het hele schip...'

Ik deed mijn ogen dicht. De drie anderen praatten en praatten maar door, Bryan en Jason met hun zangerige Orkney-accent, en Luke nu in zijn sobere vlakke Engels zonder enige emotie van een trawlvisser en man van de reddingsbrigade. En ik hield me vast aan de leuningen van de stoel die me veilig omsloot, terwijl de Norlantean voor- en achteruit, heen en weer en op en neer bewoog, volgens (in woorden die ik ergens had gelezen en prachtig had gevonden) 'de zes graden van vrijheid: dompen, verzetten, schrikken, gieren, stampen en slingeren'. Deze mantra was om een of andere reden een grote troost. De reactie van de Norlantean op die ondeelbare chaos daarbuiten, die volgens Jason niet meer dan windkracht 8 was, een peulenschilletje, kon dus in stukjes worden verdeeld? Kon worden benoemd? Dat betekende dat iemand anders zich ook zo had gevoeld – en misschien zelfs wel bij zo'n kinderachtige, onbeduidende windkracht 8. En dat betekende dat ik niet de enige was. Daardoor voelde ik me beter. En ik herhaalde die mantra in mezelf, nu eens met mijn ogen open, dan weer met mijn ogen dicht, en telkens wanneer ik bij 'stampen' kwam gaapte ik uitvoerig, hapte ik als een vis naar lucht.

Tussen periodes van in- en uitwendige duisternis (met mijn ogen stijf dicht) kwamen de kleurige kliffen van Hoy aan stuurboord voorbij, evenals die vrijstaande rots in zee, de Old Man of Hoy. Alleen wilde deze specifieke steenpilaar niet stil blijven staan. Om de paar seconden ging hij de lucht in: de Old Man of Hoy schoot recht omhoog als een raket op Cape Canaveral, bedacht zich vervolgens en keerde terug naar zijn lanceerplatform. Het duurde even voor ik besefte dat er niets aan de hand was met de Old Man of Hoy; hij maakte het prima; hij was met pensioen; hij zat stevig verankerd in de zeebedding. Nee: het lag aan óns: wij waren niet bevestigd aan enige bedding of iets wat ook maar half zo aangenaam klonk.

We rondden de noordpunt van het eiland Hoy; we voeren de beschutting van Scapa Flow binnen; de Norlantean reageerde onmiddellijk op de geborgenheid; het schip kalmeerde. En het was toch hier ergens geweest, bedacht ik, dat een eerdere Dorothy Gray, in 1914, in het begin van de Eerste Wereldoorlog, doelbewust een Duitse onderzeeër had achtervolgd en geramd – hoewel slechts drie mijl verderop twee torpedojagers van de marine lagen? Wat voor krankzinnige schipper besloot nou zijn schip, zijn broodwinning, zijn gezin, zijn leven en zijn bemanning zomaar op het spel te zetten? Het antwoord wist ik meteen: Jason! En bij die gedachte kwam een golf ranzige vloeistof opzetten: een oplossing van twee eieren, bacon, worstjes, gebakken brood, bloedworst en witte bonen in het zoutzuur van de twaalfvingerige darm, die ik op het nippertje weer wist in te slikken.

Ik deed mijn ogen dicht, en misschien ben ik in slaap gevallen, want toen ik ze weer opendeed waren Luke en Bryan verdwenen; Jason was langzamer gaan varen: hij manoeuvreerde zijn schip tussen de navigatieboeien door naar de haven van Stromness. De klok op de brug stond op tien over drie in de middag en toch was het bijna donker. De lichten van de Norlantean brandden; de navigatieboeien flitsten rood aan bakboord, groen aan stuurboord; Stromness gloeide als een arctische buitenpost vaag en vlekkerig oranje op tegen de zwarte achtergrond.

En eindelijk zei Jason iets wat ik volkomen begreep. Zijn stem was traag en zacht, totaal anders dan zijn normale, buitensporig energieke manier van spreken. 'Dit is de beste haven ter wereld,' zei hij, turend naar de lichtjes. 'Telkens wanneer ik hier binnen vaar ben ik blij. Hier heb ik op de zeevaartschool gezeten. Hier ben ik getrouwd. Hier woon ik. Ik houd van deze plaats. Weet je, Redmond, het is echt waar, toen ik vier of vijf was, als kleine jongen opgroeide op Sanday, tekende ik doorlopend. Tekeningen. Duizenden. En allemaal van trawlers.'

Dat is het dus, dacht ik, toen de misselijkheid begon weg te trekken in het rustige water van de haven, daarom leidt hij zo'n leven, daarom zou hij niet anders kunnen. Daarom heeft Jason omtrent zijn dertigste een schuld van twee miljoen pond en daarom is Jason ook een van de gelukkigste mensen die ik ooit heb ontmoet.

'En bovendien,' zei hij, terwijl hij zijn normale snelle en precieze manier van spreken terugkreeg toen we de kade en een smalle grijze loods van twee verdiepingen naderden, 'bedondert de ijsmaker hier je nooit. Als hij zegt dat hij je tweeëntwintig ton ijs heeft geleverd, dan heeft hij je tweeëntwintig ton ijs geleverd. Dat is Orkney. Ik weet het zéker, Redmond, zoiets vind je nergens anders, al zoek je honderd jaar lang de hele wereld af.'

Staande bij een andere verzameling knoppen en hendels vlak bij de ramen aan bakboord schoof Jason de Norlantean, een diepliggende massa ijzer met een lengte van 38,5 meter, met behulp van de boegschroeven voorzichtig naar de kade toe. In het licht van de grote vierkante schijnwerpers, dat fel wit werd weerkaatst door de natte grijze stenen en het asfalt vol plassen, keek ik hoe een jongeman met een fris gezicht, gekleed in een trui en spijkerbroek en op gympen, eerst de voortrossen opving (uitgegooid door Bryan en Robbie Mowat) en toen de achtertrossen (uitgegooid, minder nauwkeurig, door Sean en Jerry). Het was onmiskenbaar een trawlvisser – het lukte zelfs mij zo langzamerhand om deze soort te identificeren: brede schouders, platte buik en, wat het meest opviel, enorme beenspieren: spieren die zo absurd sterk ontwikkeld waren dat trawlvissers hun broek volgens mij vele maten te wijd voor hun middel moesten kopen, waarna hun brede leren riem de strak geplooide extra stof op zijn plaats hield.

'Allan Besant,' zei Jason. 'Dat is een harde werker. Hij gaat deze reis mee. Net als Robbie Stanger. Ze zijn allebei goed. Eigenlijk, Redmond, is dit de allerbeste bemanning die ik óóit heb gehad.' Jason zweeg, concentreerde zich kennelijk sterk en tuurde met een scherpe blik door het raam naar beneden. 'En nu heb ik ook een onvervalste trawlgeleerde aan boord, en dat is mooi. Interessant. Goed voor iedereen. Het is goed voor de jongens om dat te zien!' Ik voelde me warm worden. Ik was niet meer zeeziek – nou ja, we lagen dan ook vast aan de wal; ik voelde me nuttig omdat ik bij Luke hoorde; ik was hier om te helpen.

Jason schakelde de motoren uit, of de boegschroeven, of wat je op dat moment maar uitschakelt; hij draaide zich naar me toe met een plotselinge, uitermate veelzeggende grijns, met oogverblindende jonge witte tanden in zijn donkere gezicht. 'En nu heb ik ook een probleem. Ik zit met een gevaarlijk risico. Ik heb een gekke zeezieke schrijver aan boord aan wie niemand iets heeft!' Hij liet een soort lachje horen, dat bijna overtuigend klonk; hij sloeg even zijn arm om mijn schouders en zei: 'Laten we gaan! We moeten ijs laden!'

En onder aan de trap van de brug schoot Jason, snel als Houdini, in zijn blauwe overall en gele zeelaarzen.

De mannen in de toren van de grijze ijsloods zwaaiden de brede slurf boven het open luik van het visruim van de Norlantean, dat zich midscheeps bevond. Luke en ik stonden op het luikhoofd naar beneden te turen op Bryan (eerste stuurman), Robbie Mowat (die vanaf morgenmiddag twaalf uur verlof had) en Allan Besant (de atleet: een worstelaar? Een kogelstoter? Zo'n Schot die een paar moutwhisky's achteroverslaat en dan met omgekeerde boomstammen gaat smijten? We hadden geen flauw idee, want tot dusver hadden we elkaar alleen vanuit de verte toegeknikt). Terwijl ze in en uit beeld wankelden zetten ze een brede buis van versterkt plastic met stalen ringen onder het spuitgat van de slurf. Die werd vrijwel meteen gevuld met een heftige waterval van scherpe ijsblokjes. We hoorden hoe er in de diepte uitzinnig werd geschept. 'Dat,' zei Luke, die peinzend een sigaret rolde, 'is een echte rótklus.'

Er stopte een rode Toyota-truck op de kade. Sean doemde vanuit het donker op en drong zich langs ons heen. Hij slaakte een vrolijke kreet in de steeds harder wordende wind, een westenwind, die al werd gebroken door de kliffen en heuvels van het schiereiland van het voornaamste eiland, maar die de Norlantean desondanks van de kade wegduwde, zodat de trossen strak stonden. 'Proviand!' schreeuwde Sean, met opengesperde neusgaten, alsof hij daar zojuist lucht van had gekregen. 'Proviand!'

Luke riep hem na: 'Hulp nodig?'

'Aye! Beneden bij de kombuis!' En toen leek Sean regelrecht overboord te springen.

Beneden bij de kombuis bekeken we die eens goed. De wanden waren betimmerd met dezelfde namaakhouten panelen als de gang en de hutten; links en rechts van de ingang en daar loodrecht op stonden twee vastgeschroefde bruine tafels, elk met banken voor vier personen; een videorecorder bevond zich op een plank hoog in de linkerhoek; een gekoelde melkautomaat stond eveneens links, halverwege de kombuis te wachten; er was een gootsteen met bordenrekken, en de mokken waren opgestapeld in aan de muur bevestigde houten cilinders met een verticale gleuf voor de oren. Verder naar links leidde een zware metalen deur naar een voorraadkamer vol planken en een grote koelkast. En in de kombuis, boven de gootsteen, was een echte patrijspoort.

'Hé, jongens!' Seans lichaamloze stem leek ons vanuit de lege gang te roepen. 'Waar zitten jullie verdomme?'

Seans hoofd keek grijnzend op ons neer door een open luik boven de ingang van de kombuis. Het was een vluchtluik; kleine sporten leidden erheen: dit was je laatste kans om jezelf te redden als de frituurpan in de kombuis in brand vloog. Seans hoofd verdween: 'Haggis, varkenskarbonaden, vijftig runderworstjes, zes dozijn eieren...' dreunde hij daarboven overdreven plechtstatig op, kennelijk bij het controleren van een lijst. Een neergelaten doos bungelde voor onze neus. 'De dozen, jongens, stapel ze maar op in de kombuis! Ik sorteer ze zelf wel!'

De onzichtbare Sean schreeuwde: 'Taartjes, *bridies*, geglaceerde broodjes, pasteibakjes, *bere bannocks*!' alsof hij een inspectie afnam en verwachtte dat elk artikel op zijn naam zou reageren.

Ik zei: 'Bridies? Bere bannocks?'

'Vraag mij wat,' zei Luke, die een doos aan me doorgaf. 'Maar van één ding kun je zeker zijn: vis zullen we niet eten. En na een tijdje wil je dat ook niet meer. Rundvlees, haggis, karbonaadjes. Geweldig!'

Toen de kombuis en de gang vol kartonnen dozen stonden, kwam Sean ons aflossen. 'De pubs gaan open! Ik zie jullie wel in de Flattie, aan het eind van de pier links, aan de overkant van de straat. Je kunt het niet missen!'

Dus dronken Luke en ik elk een groot glas Guinness in de Flattie – een kleine kroeg, genoemd naar een soort roeiboot met een platte bodem van de Orkneys waarmee je goed kunt vissen in de lochs, zo hoorden we van de barjuffrouw. En toen we net wilden opstappen verschenen Sean en Jerry, dus gaf ik nog een rondje, en toen dat was opgedronken, kwamen Allan Besant en Robbie Mowat binnenlopen. Dus gaf ik nog een rondje, en Allan en Robbie en Jerry en Sean besloten naar een feestje in Kirkwall te gaan, de hoofdstad, een paar kilometer verderop. Zodoende liepen Luke en ik, volgens hun aanwijzingen, over de enigszins kronkelige, met natuursteen geplaveide straat naar het Royal Hotel, waar je goed kon eten. En door mijn enorme vreugde om weer aan land te zijn, waarbij ik vergat dat dit niet zo zou blijven, besloot ik dat te vieren.

In de lounge-bar, waar afbeeldingen hingen van schepen van de Hudson Bay Company die van de zeventiende tot de negentiende eeuw Stromness hadden aangelopen om zich te bemannen, om de taaiste, minst klagerige zeelui van het land te laten aanmonsteren, kozen we een tafel en namen we nog twee grote glazen Guinness, onder een plaat met twee schepen van sir John Franklin, de Erebus en de Terror, waarvan ik me herinnerde dat ze, net als wij zouden doen, Stromness waren uit gevaren om nooit meer te worden teruggezien.

Om dergelijke gedachten te verdrijven bestelden we extra gevulde Schotse soep, het duurste gerecht op het menu: heilbot, en ijs, en Guinness. Toen we niets meer op konden liet ik een fooi achter; op dat moment kwam Bryan met Sean (die om een of andere reden toch niet naar Kirkwall was gegaan) de draaideur door, dus gaf ik nog een rondje aan de bar; en ik zei ronduit tegen Bryan dat hij zich onmiddellijk moest aansluiten bij het dichtstbijzijnde operagezelschap, en Bryan zei dat niemand ooit van zijn leven zoiets stoms tegen hem had gezegd, en daarna gingen Luke en ik naar huis, naar de Norlantean. Maar voordat we daar aankwamen, nog in de lobby van het hotel, pakte Luke mijn arm vast en nam me even apart, alsof hij mijn vader was. 'Het is wel goed, Redmond,' zei hij in mijn oor. 'Je hoeft niet aan iederéén drankjes weg te geven. De jongens – hun vriendschap is niet te koop, weet je. Volgens onze begrippen zijn ze rijk. En trouwens, dat maken ze zelf wel uit. Later. Ze zullen je beoordelen op grond van wat je dóét. Van hoe je je gedraagt wanneer het moeilijk wordt. Dan zullen ze hun oordeel vellen.'

De sprong van de kade naar de verre sporten van de hoge, korte, ingebouwde stalen ladder, die meeliep met de flauw omhoog en naar buiten welvende romp van de Norlantean, leek onmogelijk. Ik staarde recht naar beneden in de afgrond tussen de kademuur en de pikzwarte zijkant van de Norlantean: een vergissing. In de diepte dreven op de smalle strook vies, olieachtig water twee lege plastic colaflesjes, verscheidene blikjes, een kapotte viskist, allerlei chipszakjes – en één wit gezicht van een dode visser, maar dat veranderde na verloop van tijd in een doorweekte verdronken zilvermeeuw, met zijn borst omhoog.

'Springen!' zei Luke en hij gaf me een duw.

Boven aan dek zei hij: 'Elk jaar komen een of twee trawlvissers op deze manier om het leven, weet je. Ze komen stomdronken terug; ze springen mis; ze vallen in het water. Het schip beweegt naar de kade toe. Hun schedel wordt verbrijzeld.'

'Redmond! Redmond!' Dat was de stem van Bryan, een zware bulderende bas achter ons. 'Je bent een oplichter!'

'Je bent hem gesmeerd!' schreeuwde Sean, die na hem aan boord kwam.

'Je bent een oplichter!' zei Bryan, en hij kwam zwaaiend met een papiertje op me af. 'Een oplichter!'

'Hè?'

'En een vreetzak!' Hij wapperde het papiertje voor mijn ogen heen en weer. Het was een rekening. '28 pond voor twee personen!'

'Gesmeerd!' zei Sean behoorlijk opgewonden en hij gaf me een stomp tegen mijn bovenarm om zijn woorden kracht bij te zetten. 'Je bent hem gesmeerd!'

'En nog wel uit het Royal,' zei Bryan. 'Daarvoor moet je echt lef hebben! Niemand, maar dan ook niemand, smeert hem uit het Royal!'

'O god,' zei ik, terwijl ik me doodgeneerde, in mijn zak greep en mijn schuld afbetaalde. 'Dat is me nog nóóit overkomen. God, het spijt me. Ik ben het vergeten...'

'Hij is het vergeten!' zong Bryan, die de baspartij voor zijn rekening nam toen hij naar beneden ging. 'Hij is het vergeten!'

'Hij is het vergeten!' zong Sean, een tenor, die hem volgde.

En dat duet hielden ze vol tot ze beneden waren.

'Het geeft niet,' zei Luke met een brede grijns. 'Ik weet dat je het vergeten bent. Je werd afgeleid. Maar zij vinden zoiets schitterend – en het is ook opmerkelijk. Dat moet je toch toegeven. Want bekijk het eens op deze manier: je bent hier nog maar tien minuten en je komt nú al geen hotel of pub in Stromness meer in!'

Voor de tweede keer sinds we bevriend waren geraakt hield Luke met beide handen zijn buik vast, boog voorover en terwijl hij zich onmiskenbaar probeerde in te houden (wat het alleen maar erger maakte) lachte hij als een hyena. Lukes oren werden vuurrood. Luke, dacht ik om mezelf te troosten, Luke heeft flaporen.

Veilig in onze slaapzak, toen het licht in de hut uit was, zei Luke op slaperige toon: 'Ja, die dingen worden doorverteld, weet je.' Er klonk wat snuivend gegrinnik. 'Je kunt maar beter hier aan boord blijven. Lijkt me verstandiger.' Toen volgde een kleine reeks nasale plofgeluiden, zoals een egel in het donker maakt, in de paartijd. 'Maar het was geweldig. Mooi werk! Nu zullen de jongens je niet zien als een patserige verwaande zuiderling met de handen van een meid. Je bent een óplichter!'

'De handen van een meid?' zei ik, onmiddellijk klaarwakker, hevig verontwaardigd.

'Ja...' zei Luke, soezerig. 'Spit je niet eens je eigen tuin om?'

'Nee,' zei ik, terwijl ik me ogenblikkelijk voornam om dat tuintje, als ik het ooit terugzag, helemaal om te spitten, elke dag. 'Natuurlijk niet. Dat heb ik je toch gezegd: ik slaap.'

En ik viel in slaap.

Zodra het licht begon te worden, om negen uur 's ochtends, toen Luke en ik op het schutdek bezig waren ons oliegoed aan te trekken, kregen we gezelschap van Jerry, Robbie Mowat en Allan Besant, net terug van hun feestje in Kirkwall.

Robbie Mowat bezat nog steeds zijn Schotse muts, maar niet meer zijn knappe gezicht. Er kwam een rode buil opzetten over zijn halve voorhoofd; zijn lippen waren gezwollen; zijn rechterhand zat in het verband en zijn arm in een mitella. Allan Besant, nog steeds jong en sterk en met rode wangen, was niet meer zo fris. Zijn rechterwijsvinger was stevig verbonden en ingepakt, alsof hij 's nachts een bloedvergiftiging had opgelopen, en het witte verband was vastgezet doordat het twee keer om zijn pols en de onderkant van zijn duim was gewikkeld.

Bryan, de eerste stuurman, kwam de trap vanaf de bemanningsverblijven op. 'Hé, jullie zijn laat! Wat is er gebeurd?' Hij was wel geïnteresseerd, maar niet meer dan de beleefdheid vereiste. Het was duidelijk dat als je zijn volle aandacht wenste je op zijn minst met je losse hoofd in een viskist over de reling moest klimmen.

Allan zei: 'Robbie was zo stom om te gaan vechten. Dus moesten we wel meedoen. En toen beet die klootzak in mijn vinger!'

'Welke klootzak?' vroeg Bryan tijdens het aantrekken van zijn gele oliebroek, alsof wat hem betrof de hele bevolking van Kirkwall uit klootzakken bestond.

'Gillespie. Die dikke,' zei Robbie, nog steeds verongelijkt. 'Ik kom van de wc. Ik ga mijn glas van tafel halen en Gillespie zegt: "Robbie Mowat," zegt hij. "Je hebt genoeg gehad. Ik verbied je dat glas aan te raken." Dus – beng! Ik sla hem op zijn bek.'

'Och aye,' zei Bryan, zijn laarzen aantrekkend.

'Nee!' zei Allan, eveneens verongelijkt. 'Zo is het helemaal niet gegaan; het was al veel eerder begonnen! Ze hadden een lullige ruzie. Robbie zat Gillespie te jennen. En allemaal omdat die dikke hem nooit in het voetbalteam had gekozen – toen ze zés waren!'

Robbie zei knorrig: 'Het was het wachten waard. Maar ja,' zei hij, terwijl hij opklaarde en het haar van zijn voorhoofd oplichtte om ons de buil beter te laten zien, 'nog één zo'n trap tegen mijn kop en ik was er geweest! En mijn tanden, Redmond...' Met zijn rechterhand duwde hij zijn bovenlip omhoog (geen voortanden); en met zijn linkerhand haalde hij een gebit uit zijn zak (aan gruzelementen, total loss).

'Aye,' zei Bryan, inmiddels ook in zijn gele jack, klaar om aan de slag te gaan. 'Er zijn maar knap weinig trawlvissers die nog hun eigen voortanden hebben!'

Jerry zei: 'Ik heb ook op hem gezeten!'

'Op wie?' zei Bryan.

'Op Gillespie. Ik heb op zijn benen gezeten.'

'Mooi zo,' zei Bryan. 'Maar Allan, die vinger van je – wat deed jij toen die klootzak in je vinger beet?'

'Niks,' zei Allan, terwijl hij probeerde om met zijn goede hand een kuil touw uit een rode plastic emmer te halen die tegen de zijkant was gesjord. 'Ik zat op zijn borstkas. Ik was zijn ogen aan het uitsteken.'

Bryan lachte en liep weg om aan het werk te gaan. Allan volgde hem, met het touw om zijn linkerschouder.

Robbie Mowat bleef staan waar hij stond, moest nog even praten; of misschien had hij gewoon een hersenschudding opgelopen, was hij overrompeld door de gebeurtenissen van die nacht. 'De politie kwam erbij, Redmond, en die heeft Gillespie en ons naar het ziekenhuis gebracht. In hun busje. Aye. Maar wat ik je eigenlijk wilde zeggen: die Gillespie weigerde een aanklacht in te dienen.'

'O ja?'

'Aye. En hij zei dat het hem spéét. Hij verontschúldigde zich. Dat hij me niet had uitgekozen. Dat hij me buiten het team had gehouden. Dus nu is alles in orde. We zijn vrienden.'

'Mooi zo. Blij dat te horen.'

'Dus toen ik uit het ziekenhuis kwam ben ik regelrecht teruggegaan naar de pub en ik hield mijn glas met allebei mijn handen vast om het bier binnen te krijgen – want mijn mond is wat beschadigd. En daarna ben ik regelrecht naar de club gegaan. Want – dat is een tip voor je – je kunt echt áltijd een vrouw krijgen als je er toegetakeld uitziet, als je hebt gevochten. Dat vinden ze heerlijk. Vechtende mannen. Daar kunnen ze niks aan doen.'

'En dat is je gelukt?'

'Nou en of.'

Nadat Robbie me strak had aangekeken (zijn bruine ogen waren zo te zien niet beschadigd) alsof hij, heel begrijpelijk, geen idee had waarom ik voor hem stond, geen idee had wat die vreemde man daar eigenlijk deed, of misschien omdat hij zich herinnerde dat hij officieel pas om twaalf uur verlof kreeg, liep hij af en toe wat struikelend recht tegen de meedogenloze wind in naar het trawldek.

Luke was ongemerkt naar beneden geglipt. Jerry zat zuigend op zijn korte witte Nicorette-buisje op een vastgesjord olievat.

Ik zei: 'En, wat is jou overkomen?'

'Redmond,' zei Jerry, als een oude professor die na het diner op zijn praatstoel zit. 'Laat ik je een goede raad geven over dit hele gedoe. Omdat jij hier nieuw bent. Moet je horen, als er aan wal een gevecht uitbreekt – wat beslist zal gebeuren – moet je wáchten. Dat is het belangrijkste. En als iemand plat op de grond ligt, bij voorkeur bewusteloos, ga je boven op hem zitten, gewoon om te helpen. Snap je?'

De volgende dag, in de totale, zwarte, noordelijke winternacht van vier uur 's middags, vertrok de Norlantean, met alle schijnwerpers aan, uit Stromness bij een gestage onveranderlijke wind die zo'n kracht had dat ik bijna niet aan dek kon blijven staan.

Vanaf het open uiteinde aan stuurboord van het schutdek, dat beschut was tegen de wind, keken Luke en ik hoe de afzonderlijke witte en oranje lichten van Stromness in elkaar vloeiden, vereenzaamden en verdwenen.

Luke was gekleed in een donkerblauwe overall, net als Jason, maar die van hem was nog indrukwekkender door intensief gebruik, zat vol vlekken van herinneringen aan actie. Luke kleedde zich nauwkeurig en moeiteloos voor elke gelegenheid aan boord, dat zag ik wel; hij was ontegenzeglijk thuis in zijn eigen wereld, de enige wereld die er voor hem echt toe deed.

Ik zei: 'En wat gebeurt er nu?'

'Niets, of alles,' zei hij met een snuivende tevreden lach. 'Het is maar hoe je het bekijkt! Om zijn geheime visgronden te bereiken zal Jason naar het noordwesten varen, op volle kracht, regelrecht op het zware weer af. Recht tegen windkracht 8 of 9 in. De meeste jonge schippers zéggen dat ze dat graag willen doen, of ze moeten wel, want als je eenmaal voor het leven vastzit aan de schulden voor een boot kun je het je niet veroorloven een dag of een nacht te verspillen, maar ik heb nog nooit van iemand gehoord die het ook echt dééd. Behalve Jason Schofield. En zoals je zelf hebt gezien, zijn we de enige boot die is uitgevaren! Redmond, dit is me nog nooit overkomen. Zelfs niet op de Falkland-eilanden.' Luke haalde verstrooid een opgerolde blauwe wollen muts uit zijn rechterzak en rolde hem als een condoom af over zijn hoofd: hij zat strak om zijn voorhoofd; er stak een rand dik, krullend haar onderuit, als een mof. 'Ja Redmond, misschien (maar dit blijft onder ons) is het waar wat ze zeggen: misschien is Jason inderdaad een beetje gek... En dat is treurig, hè?'

'Wat is treurig?'

'Nou, van die echt uitzonderlijke kerels, die gaan jong dood.'

'Ach.'

'Ja. En Jason – weet je wel dat hij niet eens een standaardvisdetector heeft? Een redelijk exemplaar kost zesduizend pond. Maar hij heeft me verteld dat hij zoiets niet nodig heeft! Hij zei dat hij érgens op moest besparen, en het was duidelijk: schippers die tien jaar geleden goed waren, varen nu uit zonder, in zíjn woorden, niet de mijne "een kutvis te vangen!". Terwijl hij, Jason, er tot dusver nog nooit naast heeft gezeten. Hij heeft die gave. Maar toch, als je bedenkt dat alleen de vervanging van die vislijnen' – Luke knikte met zijn hoofd, met zijn blauwe wollen muts, naar de winches – 'van die staalkabels die het net trekken, hoe simpel ze ook zijn, al 17 000 pond kost... Dus eigenlijk is het hier, ondanks de netsondes en de sonar enzovoort, gewoon ouderwets vissen!'

Hij staarde in de duisternis achter ons. 'Aan de andere kant, Redmond, kop op! Want we zijn op weg naar dat tweederde deel van de aarde dat bedekt is door zee – en het belangrijkste, het meest opwindende is dit: 90 procent van dat tweederde deel ligt buiten de ondiepe randen van de continenten, zoals Gage en Tyler het uitdrukken, en het merendeel daarvan ligt onder twee kilometer water – of zelfs nog meer! En 99 procent dáárvan is nog nooit verkend!'

Luke liep naar de rij haken op het schutdek om zijn overall op te hangen.

'Kijk, Redmond, weet je, ik wil je niet beledigen, maar vergeleken met jouw regenwouden die jij, neem me niet kwalijk, echt lijkt te beschouwen als het grootste biologische mysterie, is de diepzee totááL ónbekend! Dat is een andere planeet! Weet je wel dat de hydrothermale kraters pas in 1977 zijn ontdekt? Moet je nagaan! Wat was dat een uitzonderlijke schok, kolossaal! We moesten de meest fundamentele denkbeelden van de biologie afschaffen! Er zijn heel veel dieren, grote dieren, megafauna, die totaal zonder zuurstof, in onvergelijkbare maar zeer grote populaties op de bodem van de diepzee leven. Die geven geen moer om fotosynthese! Dus wat zou daarbeneden nog méér te vinden zijn? Kijk, Redmond, voor je kwam zat ik te denken: waarom vergeet je die regenwouden niet? Want over wat voor diepte hebben we het daar? Dertig, zestig meter? Ronduit zielig! En trouwens – zelfs als we ons tot de planten beperken – vergelijk de plantaardige biomassa van kubieke meter tot kubieke meter, van het bladerdak tot op de bodem van het oerwoud dan eens met een overeenkomstig stuk zee vanaf het oppervlak naar beneden en je zult vrijwel óveral in de oceanen merken dat alleen al de microscopische plantjes in het plankton aan het zee-oppervlak de vegetatie in jouw regenwoud overtreft. Ze hebben meer massa dan al die enorme bomen en klimplanten van jou! Nou, wat zeg je daarvan?'

'Geweldig!'

'En stel je eens voor! Over een dag of twee – een dag of twee vanaf nú – zal ik je het merendeel kunnen gaan tonen van de megafauna van de diepzee ten noorden van de Wyville-Thomsonrug! En weet je, als ik namens mezelf spreek, vanuit mijn hart, of wat dan ook, maar niet als wetenschapper, dan denk ik er zo over: als je potlood en papier nam en ging zitten om de meest bizarre dieren te tekenen die je je maar kunt voorstellen, en als je alle krankzinnige drugs slikte die er zijn, zou je nog niet eens in de buurt komen van de werkelijkheid. Je zult het zien! Echt! Wacht maar tot ik je een draakvis laat zien! Of heel misschien' – hij ging zachter praten, was zo te zien verstard, met in zijn rechterhand nog de kraag van zijn overall, die al veilig aan zijn haak hing – 'zullen we zelfs… een "zeevleermuis" vangen, een *Haliphron atlanticus*… Dát zou nog eens wat zijn. Ik heb er natuurlijk nog nooit een gezien, maar misschien… Wie weet? Is dat niet geweldig? We gaan op jacht!'

'Ja!' zei ik, meegesleept. 'Een zeevleermuis!' Zonder enig idee wat dat voor iets zou kunnen zijn. 'Laten we een zeevleermuis gaan vangen!'

'Hé, Redmond,' zei Luke, die het visioen verbrak. 'Waarom sta je hier eigenlijk? Het is hier stervenskoud! En als we op de open oceaan komen krijgen we knobbels! Kolossaal! Dus wat mankeert je? Nu is het tijd om onderdeks te gaan. Dit is onze laatste kans. Onze laatste kans om wat te slapen!'

'Luke,' zei ik, toen we in onze slaapzak kropen, 'wat bedoelde je met "knobbels"?'

'Knobbels? Golven! Voor een trawlvisser is een grote golf nooit een golf maar een knobbel. Daardoor wordt hij minder groot, neem ik aan.

"Golf" is te serieus. En je wilt de zee toch zeker niet laten merken dat je bang bent?' Hij zweeg even. En ik had de indruk dat de Norlantean begon te steigeren en te trappen, waarschijnlijk, dacht ik, met schuim op haar bek daarbuiten, en met rollende ogen. 'Moet je horen, Redmond, het is duidelijk dat je hier allemaal geen flikker van weet. Maak je geen zorgen, geen probleem. Waarom zou je ook? Dat geeft niet. Maar ja, ik geloof dat ik je nu toch moet waarschuwen. Want het is toch beter om erop voorbereid te zijn, hè? Ook al word je erdoor overvallen – en je wordt er altijd door overvallen – zonder dat je er iets tegen kunt beginnen. Hoe zou je per slot van rekening de netten kunnen uitzetten en kunnen vissen en de honderd andere dingen kunnen doen die je moet doen als je een reddingslijn om had? De meesten van hen hebben niet eens een overlevingspak! En wat veiligheidshelmen betreft – veiligheidsvoorschriften van de ambtenaren van het Mariene Lab! Ik heb nog nóóit iemand op een trawler met een veiligheidshelm gezien; dus als het stromende water je onderuithaalt en je met je hoofd tegen een winch slaat, tja, dan heb je pech gehad.'

'Ho, Luke, wacht eens even. Wat bedoel je? Waar héb je het over?'

'Hè? Wat? Nou, over die knobbel! Over die knobbel! De precieze cijfers weet ik niet meer, Redmond, maar dat is het enige dat ik echt niet leuk vind aan het leven op een trawler. Bij windkracht 9 of 10 of daarboven heb je op elke 100 000 golven – of waren het er 250 000? Ik weet het niet meer, en het maakt natuurlijk ook geen donder uit wanneer het gebeurt, maar statistisch gesproken heb je een kans van 100 procent dat je een knobbel zult tegenkomen. Een reuzengolf. In feite gewoon een combinatie van twee of meer golven in één: om een of andere reden heeft een grote achteropkomende golf in die chaos de golven voor zich opgeslokt. En dat vind ik vreselijk, want als hij op je af komt, zie je hem niet áánkomen. Je moet goed begrijpen, Redmond, dat er bij windkracht 10, met windvlagen van 61 knopen of meer, geen horizon is. Je bent ingesloten door normale golven voor windkracht 10 en alles is wit door het schuim van de kammen en je bent bezig met een lastig karwei – want bij windkracht 9 of 10 is alles altijd lastig –, dus concentreer je je zo goed mogelijk, en je probeert op de been te blijven, maar op een of andere manier voel je het, al kan ik niet zeggen hoe – en dan is daar opeens dat monster, en dat verfoei ik, die vijf tot tien seconden dat je ertegenaan kijkt, terwijl hij boven je uit torent, die doodsangst…'

'Jezus!'

'Ja. Goed. Zullen we nu stil zijn? Wat slapen? Want dit is onze laatste kans... Voor we de visgronden bereiken...'

En ondanks het steeds heviger stampen en slingeren en zwaaien en deinen van de boeg, en ondanks een nieuw geluid dat om de paar seconden zelfs de oorverdovende, door de ingewanden trekkende trillingen vanuit de machinekamer onder ons overstemde – de geweldig zware dreun van een golf tegen de romp, ter hoogte van ons hoofd, klappen waarvan de kinetische energie ongetwijfeld moest worden gemeten in vele tonnen per vierkante centimeter – viel Luke in slaap.

Ik lag op mijn rug in het donker, met mijn hoofd op mijn kussen van onderbroeken die in een overhemd waren gewikkeld, met mijn armen langs mijn zijden en mijn linkerhand om de rand van mijn matras geklemd om in mijn kooi te blijven liggen. Er was geen zuurstof over in de van frituurvet verzadigde lucht. Ik kon maar niet ophouden met hijgen en gapen en vloeken. Het was een en al verwarring, en het stonk. Ik haalde mijn rechterhand langs mijn gezicht, van boven naar beneden. Mijn voorhoofd was nat, slijmerig nat, en verrassend koud. Mijn kin zat onder het speeksel. Ik lag te kwijlen als een baby. Ja, zei ik tegen mezelf, dat is dus het koude zweet, en je bent aan het hyperventileren; dat is het dan, je kunt het niet meer tegenhouden, het heet zeeziekte: wat gênant, wat beschamend. 'Laten we er een eind aan maken,' zei ik hardop, en terwijl ik me concentreerde (de geringste beweging kostte grote moeite), grabbelde ik met mijn rechterhand in de spleet tussen het matras en de zijkant van de kooi, vond de zaklantaarn die ik op mijn hoofd kon zetten, trok de elastieken band over mijn glibberige voorhoofd en knipte het licht aan. Uitgeput legde ik mijn hoofd weer op mijn kussen en staarde naar mijn verlichte plafond, naar het triplex, driekwart meter boven me, de onderkant van de bovenkooi.

Er staarde een wellustige trawlvisser naar me terug. Hij had een Schotse muts met een wollen balletje op; zijn ogen waren enorm groot, met twee ventilatiegaatjes in het triplex als pupillen; er hing een ringetje aan zijn linkeroorlel; het litteken van een messteek, pas gehecht, misvormde zijn rechterwang; de harde stoppels van zijn baard waren misschien tien dagen oud. Zijn portret, in dikke zwarte viltstift, was getekend 'CHUKKA uit DY JANUARI '95' in de rechterbovenhoek, en

'Blakey FAEBCK MEI '95' in de linker.

Mijn slokdarm en maag stegen op uit mijn lichaam: hoog boven de trawlvisser fladderden ze naar links en naar rechts, als vissenstaarten; ze gingen nog hoger, schoten opzij, doken neer en kwamen weer boven; ze braken door het zeeoppervlak en sprongen als dolfijnen golvend met de massa van de boeggolf naar voren. Ze speelden, ze doken neer, schoten naar beneden in één onregelmatige onstuimige val: dwars door mij, de machinekamer en de romp heen tot in de diepe rondwervelende golven onder ons. Met een dubbele zwiepende beweging naar opzij en een wilde achterwaartse salto stegen ze weer op…

'Eruit!' wist ik hardop uit te brengen. 'Eruit!' Toe, zei de opeenvolging van onsamenhangende koortsbeelden, haal dat slijmerige hoofd, haal die lange dikke draadworm van een lijf uit dit hol van een slaapzak en gooi de hele boel er in de wc uit…

Terwijl ik links hard tegen de staalplaten van de naar binnen gestulpte bakboordboeg en rechts hard tegen de stalen scheidingswand van de roestige douche sloeg, viel ik op mijn knieën neer voor de pot zonder bril en hield me met beide handen goed aan de rand vast. Aan weerszijden bevonden zich op de vloer twee grote ronde ijzeren afsluiters, en in allebei was SPUIGAT LOOST BT-BOORD gestampt. Ik liet mijn gezicht in de pot zakken. De lantaarn op mijn hoofd bescheen alle antieke en moderne poepspetters; een daarvan, opvallend oud en zwart en vlak voor mijn neusgaten, had de vorm van een hart. En toen nam ik afscheid van al die Guinness, van het vreetdiner in het Royal Hotel (28 pond voor twee personen), en misschien zelfs van een etmaal oud restje ontbijt uit Bev's keuken in Nairn.

Mezelf gelukwensend in de veronderstelling dat het allemaal voorbij was, duwde ik de handel neer, en hopend dat ik Luke niet had wakker gemaakt, veegde ik de spatzone met mijn washandje schoon, waarna het me zwaaiend lukte de viezigheid uit te knijpen in de wasbak.

Op handen en voeten kroop ik terug naar de rand van mijn stampende kooi, hees mezelf omhoog en gleed terug in de veilige, legergroene, nylongladde, van zweet doordrenkte, taps toelopende buis van een slaapzak voor arctische oorlogvoering. Ik wriemelde met mijn tenen, bewoog mijn enkels. En dat, concludeerde ik, is hier op dit moment het hoogst bereikbare fysieke genoegen. Een huivering van anusknijpend geluk verspreidde zich vanaf de onderkant van mijn ruggengraat naar de achterkant van mijn schedel. Dat was het dan, fluisterde ik tegen mezelf, nu is er niets meer aan de hand. En níémand zal het weten.

En een halfuur later joegen mijn ingewanden me weer naar buiten om het proces te herhalen. En toen nog een keer. En nog een keer, tot er niets meer te braken viel. Zelfs geen gal. En ik kroop nog steeds mijn slaapzak uit om te kokhalzen boven de wc-pot, mijn nieuwe, mijn enige, mijn porseleinen wereld. Maar één ding is duidelijk, probeerde ik mezelf voor te houden, het geeft niet, want we zijn níét geëvolueerd om dit te doen. Tienduizenden jaren van wat vissen en het verzamelen van mosselen en kokkels langs de kust: ja; onze voorouders de platwormen die gedurende enkele miljoenen jaren over de zeebodem hebben gekronkeld op zoek naar voedsel: ja; zelfs ons leven als vissen met kaken, een avontuur dat 425 miljoen jaar geleden is begonnen, zonder meer; maar we zijn in geen énkele fase zo stom geweest om ons te laten rondsmijten op het óppervlak van de open oceaan. Nee, daarvoor moet je zo gek zijn als Jason of Bryan of Sean of een van de Robbies, of zelfs (en die gedachte was merkwaardig verontrustend) als Luke. Want die Luke, zeg, die doet dit niet voor het geld, maar uit interesse: voor de wétenschap. Luke is getikt, Luke is krankjorum. En met die verhelderende gedachte, naar adem snakkend als een longvis, viel ik in slaap.

In mijn droom hechtte zich een reuzenplatworm, een van de *Platyhelminthes*, met glibberige slijmerige segmenten ter grootte van een matras, aan mijn schouder vast. Hij had een snavel als een eend. Het was een eendensnavel-vogelbek-platyhelminth, en hij schudde me door elkaar. Lukes jonge, verweerde gezicht, nog geen halve meter bij het mijne vandaan, vulde mijn hele gezichtsveld. 'Wakker worden!' zei het, als een gek.

'Luke, de *Platyhelminthes*, de platwormen, hebben die segmenten?'

'Wat? Nee. Natuurlijk niet... Wakker worden! Vooruit! Wakker worden! We zijn bij de visgronden. Het begint daarbuiten net licht te worden. De storm is even wat afgenomen. Het is windkracht 8. Dat is geen probleem. Er staat een zware deining, maar dat is geen probleem. Jason kan elk moment gaan vissen! Je eerste trek! Opstaan! Nu!'

'Ugh. Alsjeblieft...'

'Kijk, ik weet het, ik weet het, we hebben het allemaal gehad, zeeziekte, vreselijk, maar wat zou dat? Het is niet zoiets als malaria of hepatitis of tb of weet ik veel wat: je gaat er niet aan dóód, dus waar maak je je druk om? Je hebt geslapen. Je hebt ácht úúr liggen slapen. Opstaan! Eruit! Ja, ja, iedereen weet het: het begint ermee dat je denkt dat je doodgaat, en acht uur later is het voorbij, net op het moment dat je dood wilt. Maar je kunt niet doodgaan, en dat gebeurt ook niet! Moet je horen, Redmond, vergeet niet dat ze je erelid van het lab hebben gemaakt, van mijn lab, van het Mariene Laboratorium in Aberdeen. Een van de allerbeste ter wereld! Dus ben je míjn gast. En de jongens, de bemanning – we zijn hier om hen van dienst te zijn, niet alleen met betere netten en visopsporingsapparatuur en apparaten, maar om ervoor te zorgen dat ze een toekomst hebben, dat ze op een dúúrzame manier kunnen vissen, en dat, dat is níét eenvoudig. Daarvoor hebben we hun respect nodig, hun welwillendheid, zou je kunnen zeggen. Dus het spijt me, maar je kunt hier niet zomaar blijven liggen. Je bent al acht uur onder zeil geweest. Acht uur! Dus nou opstaan – en snel een beetje. Het alarm kan elk moment gaan. Hier. Drink deze energiedrank op. Alles.' Luke rukte mijn rechterarm uit zijn warme, zweterige, buisvormige, knusse behuizing in de slaapzak, en drukte een fles Lucozade in mijn comateuze hand. 'Het geheime wapen van de trawlvisser! Plus een dag van scheepsbeschuit, droge biscuit. Meer heb je niet nodig! Vlug! Ik heb een minilog aan het net. Ik moet ervandoor. Tot zo!'

'*Luko's Aid*,' zei ik (belachelijk voldaan).

'Goed zo!' zei Luke, die als een zandvlo naar de deur sprong. 'Flauwe grappen! Je bent de oude weer!'

En hij vertrok.

Traag als een heremietkreeft, onwillig als de larve van een kokerjuffer, werkte ik me uit het veilig omsluitende exoskelet van mijn slaapzak en trok ik, weer achteroverliggend op de kooi, mijn onderbroek en broek aan. Ik vond mijn zwarte sokken (aan elke voet drie tegen de kou) en dubbelgevouwen als een opgerolde foetus hulde ik me in het wollen schild van mijn trui. Wat een inspanning: nergens rust, niets bleef op zijn plaats… Het kabaal van de motoren dat elk denken onmogelijk maakte, haperde, schakelde terug, zakte weg als een Lancaster-bommenwerper die binnenkomt om te landen, en op dat moment ging de sirene, een hoog doordringend PIEP-PIEP-PIEP. Andere, kleinere, zwoegende motoren kwamen vlak onder me tot leven, en dat geluid tilde mijn lichaam op, alsof ik hulpeloos op een brancard in een lijkenhuis lag, zachtjes, heel langzaam, languit, door de neerhangende gordijnen van Lukes kooi, over zijn platte blauwe slaapzak, en aan de andere kant naar buiten, en het dumpte me op zijn lineaire verzameling rode, blauwe en gele plastic koektrommels. Mijn billen, moet ik tot mijn spijt zeggen, moeten daarbij terecht zijn gekomen op zijn dierbaarste trommel, de rode koektrommel van Jacobs, want onder me barstten het deksel en de zijkanten open, waardoor een opeengepakte voorraad kleine, lege plastic proefflesjes met schroefdop van het Mariene Lab zich over de hele vloer verspreidde.

Te verrast om te denken, of zelfs om iets te mompelen, laat staan te vloeken, hield ik me aan alles vast wat een bewegende steun bood en wachtte tot de overhellende vloer me vanuit de hut naar de onderste tree van de trap lanceerde. Ineengedoken, met uitgestoken armen en benen, duwde ik me via de smalle treden omhoog en zittend op de vloer van het schutdek, met een elleboog om de stalen drempel van de deur geklemd, stak ik mijn benen in mijn oliebroek en, na verloop van tijd, mijn voeten in mijn zeelaarzen. Toen ik opstond werd ik tegen de vastgesjorde olievaten aan stuurboord gegooid, maar in één tot drie bewegingen schoot ik in mijn oliejack. Nadat ik, voor mijn gevoel, met de deinende gang van een zeeman naar achteren was gelopen, kwam ik onder het overdekte deel van het schutdek vandaan – en werd onmiddellijk met mijn gezicht vooruit tegen de ronde stalen zijkant van een ruim twee meter hoge winch gesmeten. Ik klemde me aan een paar uitstekende bouten vast met vingers die even hardnekkig waren als de zuignappen van een inktvis. Een golf zeewater stroomde een spuigat links van me in en uit – en dat is een royaal spuigat, dacht ik, want als je op dit glibberige dek uitgleed, zou dat spuigat je doorwuiven zonder enige vragen te stellen – dus misschien toch niet, dacht ik, misschien kun je je toch niet met de deinende gang van een zeeman voortbewegen als je dijen slechts de gemiddelde omvang van de soort en zijn verwanten hebben: hier moet je geen dijen als een chimpansee of zelfs een gorilla hebben, hier moet je dijen hebben van een totaal andere orde, als van de *Tyrannosaurus rex*.

Aan de stuurboordzijde van het achterschip zag ik Bryan: het brekende schuim werd tegen zijn gele oliegoed geblazen en hij stond met één gehandschoende hand op een hendel aan de voet van de kraan te wachten. Rechts van hem stond de andere Robbie, Robbie Stanger, nam ik aan (want afgezien van de onzichtbare, ondergrondse motordrijver,

Dougie Twatt, was hij de enige man die ik niet herkende, die ik nog niet had ontmoet). Robbie, aangewezen als mijn beschermer, hield zich op het belachelijk slingerende dek in evenwicht alsof hij daarop woonde, wat vermoedelijk ook zo was gedurende minstens twee derde van zijn leven. En hij zag eruit alsof hij ter plekke was vastgegroeid, en dat is ook deels waar, dacht ik, want onder deze omstandigheden moesten zijn spieren, zonder dat hij het zelf wist, terwijl ik toekeek aan het groeien zijn. En het viel me op dat zijn hoofd, hoe extreem de deining ook was, steeds horizontaal bleef, alsof hij hoog, achter in zijn nek, een gyroscoop had ontwikkeld. Terwijl hij daar gewoon stond te wachten (waarop?) maakte hij een waakzame, snelle indruk, even energiek als een hermelijn. Zijn versleten vlekkerige rood-zwarte overlevingspak, de bovenkant over een marineblauwe pet met klep heen getrokken, sloot even strak en soepel om hem heen als een cuticula om een schaaldier. Hij lachte naar me. Naast de grote Bryan (een viking) leek hij heel klein; hij had donkere ogen, een scherp gezicht, een lange smalle rechte neus (hij was een Pict…). Hij is niet zó ver weg, dacht ik terwijl het dek een slingerbeweging van vijfenveertig graden beschreef. Alleen zou er evengoed een kloof van driehonderd meter kunnen liggen tussen deze trommel met opgerolde staalkabels en zijn twee vriendelijke bouten halverwege die tweeënhalve meter vettig dek vol zeeschuim en het volgende houvast (de rand van een drinkbak of een netgeleider of hoe het ook mag heten). Robbie zwaaide. Hij wenkte me om naar achteren te komen. (Nee, ik verroer me níét. Ik blijf hier. Desnoods veertien dagen lang. En als ik in deze kou mijn handen kon voelen, wat niet meer het geval is, zou ik me nog steviger vasthouden.) Robbie stak zijn beide duimen op, een geweldig gebaar. (Nee, ik hef geen hand op, en wat schreeuwen betreft, zou je een sirene in je keel moeten hebben om je in deze wind verstaanbaar te kunnen maken.) Robbie gaf me een nadrukkelijk V-teken. Ik kon er niet op reageren. Dus stak hij één vinger op in een heftig, obsceen, plastisch pompend gebaar. We waren dus vríénden… En daardoor deed een twintigste van de krankzinnige, onverschillige, gewelddadige, ongevoelige buitenwereld er op slag niet meer zoveel toe…

Luke – hij stond te lachen – dook naast me op. (Waarvandaan? Ik zou het niet weten. Ik had het opgegeven.) 'Goed zo!' brulde hij. 'Redmond, je bent uit je bed gekomen! En moet je horen, ik weet dat we allemaal verschillend zijn en dat het voor jou al bijzonder moeilijk is om uit bed te komen!'

'Ja, ja. Dat is altijd al zo geweest.'

'We zijn aan het vissen. Het is geweldig! Je eerste trek! Nu moet je kijken, want dit is echt heel bijzonder. Telkens weer. Je weet namelijk nooit wat je bovenhaalt! Nietwaar? Dat weet je nooit! Dat is fantastisch. Schitterend! Kijk eens om je heen!' Luke schudde mijn schouder opnieuw met manisch, grenzeloos enthousiasme heen en weer. Ik scheurde mijn rechterwang los van het oppervlak van mijn koude beschermende redder, de trommel van de vislijn. En ik keek om me heen, of dwarsscheeps, naar de gigantische deining – maar daar in de lucht waren jan-van-génten, ja, jan-van-genten, onze grootste, mooiste, spectaculairste zeevogel, honderden dieren, zwevend op de wind, afwachtend, zuiver blinkend wit doordat ze de vroege ochtendzon weerkaatsten, terwijl hun lange dunne vleugels iriseerden in het lage witte licht en de zwarte uiteinden van hun vleugels contrasteerden met hun stralende witte kleur. En er waren drieteenmeeuwen, mijn favorieten onder de meeuwen, mijn opbeurende dappere kleine meeuw, een meeuw van de open oceaan, opvliegend en neerduikend, zwenkend in de felle wind. En ze waren heel dichtbij, heel zorgeloos, zo dichtbij dat ik ze voor mijn gevoel kon aanraken; ze hingen scheef, zweefden vlak naast me, met een witte buik die je zó zou strelen, en met zwarte poten en opgevouwen zwarte tenen met zwemvliezen die zorgeloos afhingen, en met zulke vriendelijke zwarte oogjes – en ze zeiden hallo, jij ziet er raar uit, maar toch moet jij ook een trawlvisser zijn, want anders was je hier niet, in ons afgelegen stuk zee, zo ver bij het land vandaan, dus vertrouwen we je, gaan we een symbiose met je aan, leven we samen: het is een samenwerkingsverband, zie je: wij brengen je troost, wij – wij zijn zeer kleine kunstwerkjes, wij behoeden je voor depressiviteit, en in ruil daarvoor geef jij ons eten, geef jij ons alle stukjes vis die je zelf niet wilt eten...

'Hé, Redmond.' Luke schudde me weer door elkaar, iets minder hard. 'Niet zo wegzakken, dat is gewoon griezelig, echt.' Hij verplaatste zijn greep, pakte mijn linkerarm vast. 'Dit is misschien windkracht 8, met uitschieters naar 9. Maar wat zou dat? Wie trekt zich daar iets van aan? We kunnen windkracht 11 verwachten, misschien 12. Maar kijk, Redmond, in deze tijd van het jaar is dat voor Jason normáál. Hij doet dit elk jaar. Laat de zorgen dus maar aan hem over – daar zijn schippers voor – het is veel belangrijker om iets te leren; daarom neem ik je zo meteen mee, gaan we bij de vislast staan. Want ik wil dat je álles ziet, elke kans die we krijgen. En je moet proberen te begríjpen wat er gebeurt, niet alleen maar rondhangen en je vastklampen – je bent in het begin even zeeziek, prima, maakt niet uit – net als jij hebben massa's trawlvissers daar last van op hun eerste dag op zee. Maar daar blijft het bij. Je hebt voor dit leven gekozen, weet je nog? Dus langer dan één dag ziek, geen sprake van! Ga dan maar weg. Blijf dan aan wal.'

'Ja. Ugh. Uiteraard. Blijf dan aan wal...'

'Nu kun je elk moment de borden gaan zien, de visborden, de scheerborden (hoe noemde jij ze ook alweer? Pijnbanken?), die komen zo boven water – en Bryan en Robbie zullen ze ophijsen, ze pal tegen de galgen aan bakboord en stuurboord zetten. Dan maken ze de borden los, om ze daarboven op te bergen. Snap je wel? Vervolgens trekken de kabels het net zelf naar binnen. Dat gaat verschillend, is op bijna elke boot anders. Vreemd. Maar zo is het nu eenmaal. De Britse vloot is zo individueel, zo willekeurig, we zijn nooit gestandaardiseerd – en hier worden de kabels opgehaald door de nettentrommel op het tussendek, één dek onder ons, achter de verwerkingskamer (en dat, die verwerkingskamer, dat zul je nog wel ontdekken, Redmond, is de beste plek, dat is ónze plek). Jerry en Sean en Allan zijn nu al beneden, op zeeniveau, zonder bescherming, zonder reddingslijnen, en ze moeten het net binnenhalen, met de bewegingen meegaan, heen en weer. Geen houvast, helemaal niks, en dat is geváárlijk, Redmond. Ik zal het je laten zien – je zult het zelf zien. Met een achteroplopende zee...'

'Luke. Hoor eens...'

'Ja?'

'Kijk, Luke, het spijt me, maar ik geloof niet dat ik daar al aan toe ben. Snap je. Nu nog niet...'

'Aye!' zei Luke, met een gillende lach die bruusk door de wind werd afgebroken en over bakboord werd uitgespuugd. 'Natuurlijk niet! Misschien zou ik het zelf niet eens kunnen... tenminste... niet nu... niet meer.' Met een krampachtige rilling, alsof dit specifieke hypothetische onvermogen op een diep persoonlijk falen duidde, greep Lukes hand me boven mijn elleboog vast, stijf als een tourniquet. 'Maar – je zult het zien – we zullen andere dingen te doen hebben. Heel veel. Heel spannend...'

'Ja. Geweldig. Luke, ik…'

'Dan is het net dus bij de boot gehaald. Daarop laat Bryan het power-block zakken en hijsen de jongens het laatste deel van het net erop, op de driekwart cirkel van de met rubber beklede haak, en vervolgens zwaait Bryan het helemaal rond van het achterschip naar stuurboord, naar de vislast, die goot daar.' Een bovenmaats klimrek van buizen, met in het midden een hangende haak, boven een gesloten luik. 'En dan volgt een ritueel – dat is écht belangrijk – dan gooit de schipper zelf een enterhaak aan een lijn in zee om de jojo te pakken, zoals ze hem noemen, de lijn die ze aan de jomper moeten bevestigen, het blok boven de vislast. Om het voorste deel van de kuil op het blok boven het luik te hijsen. Dat is het Schotse systeem – andere boten hijsen het hele net regelrecht langs de ramp op het achterschip aan boord. En dat is eenvoudiger, maar veel gevaarlijker. Want in die tussentijd, met de ramp neergelaten en iedereen even moe en een derde van het schip helemaal open en kwetsbaar: nou ja, één knobbel, één achteroplopende knobbel, en het is afgelopen, je kunt geen reddingsvlot meer te water laten, belachelijk, daar is geen tijd voor, je bent er allemaal geweest, het is met je gedaan. Daarom is dit systeem, Redmond – en ik weet wat je denkt: het is Schots, het is reuze moeizaam, het is ingewikkeld, het is pietluttig en het is kostbaar, want je hebt een grotere bemanning nodig. Maar bedenk wel dat er gemiddeld tien vissers per maand in de Britse wateren om het leven komen. Zodoende zouden we hier helemaal niet kunnen zijn, niet met een verwachting van windkracht 12, als we niet op een boot van dit type zaten… Maar hé, Redmond! Kijk niet zo!'

'Hoe?' (Wezenloos, nam ik aan. Dat schuim in mijn ogen, en de kou, die vreselijke kou…)

'Goed. Dus je begrijpt het niet? Nee? Nou, je moet je voorstellen dat die vislijnen ver naar achter naar de borden, de scheerborden beneden duiken. En die borden stuiteren en dreunen over de zeebodem, zo'n kilometer onder ons. Stel je dát eens voor: het is daar pikdonker, écht zwart, want zonlicht dringt niet verder dan tien meter onder het zeeoppervlak door, en dan de druk! Eén atmosfeer per tien meter. Op een mijl diepte is dat een ton, ruim, per vierkante duim, en daar, daar was volgens Edward Forbes uit jouw eeuw, de negentiende, geen leven mogelijk. Hij noemde het de azoïsche zone. De azoïsche zone! Hij had het mis, volkomen mis! Het wemelt daar van de dieren – en wát voor dieren, Redmond! Je zult het zien, over nog geen halfuur zul je het zien, hier ter plekke, hierbeneden' – hij wees met een nadrukkelijke wijsvinger naar het slijmerige dek – 'pal onder ons, in de verwerkingskamer. Dat beloof ik je, wacht maar af – het zal je leven veranderen!'

'O ja?'

'Aye. Dat staat vast. Maar die borden – ze zijn nu op weg naar boven – maar stel je ze nog even voor op de bodem. Goed? Daar maken ze de vis bang en drijven de dieren zo naar de achterkant van de driehoek, het net dat erachteraan komt. En ze houden de toegang van het net open, want ze zijn zo ontworpen dat ze naar bakboord en stuurboord willen wegscheren, maar dat gaat niet doordat de vislijnen ze naar voren trekken, en van achteren zitten ze vast aan de kabels, de twee trossen die het net slepen. En halverwege die kabels is aan weerszijden de grote headlijn bevestigd, de lijn die de bovenpees van het net wordt. Die wordt door drijvers omhooggehouden. En een eind daarachter buigen de kabels zelf naar binnen en veranderen ze in de grondpees, en die rolt over de bodem op die autobanden van jou, de klossen, de onderpees van het net. Top! Want de vissen – voor die het zelfs maar in de gaten hebben zit het net al boven ze! Ze worden naar de kuil gedreven. En dat is het dan. Een vangst!'

'Eindelijk!'

'Je snapt het dus? Je hebt het begrepen? Je ziet het allemaal voor je?'

'Nee.'

'Kijk, ik weet dat het ingewikkeld klínkt, maar we hebben het hier niet over gluonen en quarks en de snaartheorie en de oorsprong van het universum, maar over lijnen! Over kabels! Zullen we dan eens aan de andere kant beginnen? Hier, aan dek, op deze plek. Goed, die voornaamste sleeptrossen, de vislijnen' – Luke liet mijn arm los om met zijn rechterhand achteruit te wijzen – 'worden binnengehaald door de hoofdwinches. En op het moment worden ze gecontroleerd door de auto-trawl. Het computersysteem. Net als tijdens de hele trek. Maar Jason zal het overnemen voor de scheerborden verschijnen. En zoals ik al zei worden de borden vastgezet aan de galgen – of aan de schijven, als je dat liever hebt. De lijnen worden gevierd en met de patentschelm vastgemaakt aan de enkele kabel achter elk bord. Die wordt opgehesen tot de spanning van de borden af is. Dan worden de borden losgemaakt van het systeem, bij de bordenstroppen.'

Mijn mond was verkrampt van de kou, maar ik zei, of meende te zeggen: 'Wazze patentschalm? Wazze bordenstrop?'

Luke negeerde me, zijn ogen gericht op de afgrijselijke deining achteruit. 'Daar heb je ze!'

De enorme, verroeste, rechthoekige stukken ijzer, de scheerborden, werden opgehesen en kletterden dicht tegen hun laadbomen aan, de galgen aan stuurboord en bakboord. Bryan en Robbie verdrongen zich aan stuurboord om de bomen, Allan en Jerry en Sean aan bakboord, kennelijk in de weer met ingewikkelde taken die toch grote kracht vereisten (oliegoed strak rond de schouders).

'Nu worden de enkele kabels op de hoofdwinch binnengehaald,' zei Luke (en je bent een geboren leraar, dacht ik, maar wel bezeten. Of misschien komt het gewoon door alle opwinding, doordat ik op zee ben, door de jacht... maar alsjeblieft, ik heb in geen jaren iets gegeten, en ik bruis van de energiedrank, en ik ben duizelig...). 'En wanneer de dubbele kabels, de uithouders, bij het blok komen, maken de jongens aan elk een ketting zonder eind van de nettentrommel vast. Ze vieren de enkele kabels tot de spanning op de kettingen komt te staan. Dan worden de dubbele kabels binnengehaald om de nettentrommel op het dek hieronder, en dat vermindert de spanning op de hoofdwinch, zodat je de enkele kabel kunt losmaken. Zo simpel als wat! Allan en Jerry en Sean – daar gaan ze, de trap aan bakboord af – zullen dat nu elk moment gaan doen. Het net en de rest van het tuig – het deel met de dubbele kabels – zullen ze met de korte kettingen zonder eind aan de nettentrommel bevestigen. Dan worden de overige kabels – die je nu het tuig noemt – om de nettentrommel gewonden. Eerst verschijnen de twee vlerken, die gaan om de trommel, dan de headlijn met de drijvers en de grondpees met de klossen. En dat blijft allemaal grotendeels aan dek liggen...'

Gesterkt door een hoofd vol verbijstering liet ik de bouten van de winch los en deed een stap in de richting van de vislast. Luke greep me vast. 'Voorzichtig!' zei hij, en hij leidde me behoedzaam maar stevig bij mijn arm, alsof ik blind was. 'We hebben zonet een echte knobbel gehad. Ontzaggelijk! Twaalf, vijftien, misschien wel achttien meter. Ik weet het niet. Iedereen hield domweg op met werken om naar boven te staren. Je weet wel, zoals ik je heb verteld, zo'n doodenge knobbel waarvan het je dun door de broek loopt! Maar ze heeft hem goed afgereden, kwam hoger en hoger. Het is een geweldige boot! We bleven geen van allen op de been. Zelfs Bryan viel. Wij allemaal. Ik kwam tegen de verschansing terecht!'

'O ja? Zeg, Luke. Dat verklaart het… Er is me beneden iets héél vreemds overkomen. Beneden in de hut…'

'Kijk, Redmond! Het net!'

En daar was het, daar kwam het druipend achteruit aan, kronkelend op de deining, een lange, groene, doorzichtige strook mazen, zo te zien veel te klein en te smal en te teer voor al dit gezwoeg, voor het werk van dit hele schip.

'Dat is de kap, het dichtst bij ons, dan het voornet – de trechter – en daar is de kuil!' Een grote zak van groene mazen tjokvol vis, dobberend op de deining, wit en zilverig, ver achter ons.

We vielen tegen de zijkant van de vislast en ik hield me met beide handen aan de goot vast.

Jason draafde langs in een blauwe overall en op gele zeelaarzen, met een enterhaak in zijn rechterhand.

De drieteenmeeuwen en de jan-van-genten verhieven zich in de wind en doken schuin op de kuil af. De drieteenmeeuwen streken naast de lijn van het net neer (en ze leken zo licht, zo teer, zo misplaatst temidden van al dit niet-aflatende geweld); ze reden de kleine golfjes in de grote deining moeiteloos af; ze staken hun vleugels op terwijl ze naar de mazen pikten. De jan-van-genten helden achttien tot twintig meter boven het heuvelachtige zeeoppervlak over, verminderden hun vleugelwijdte van een kleine twee meter met de helft en schoten met uitgestoken ellebogen in één lange, lage, schuine duikbeweging op de kuil af, waarbij ze hun vleugels een seconde voor ze tegen het water sloegen stijf tegen hun lijf introkken en in een wit onderwaterspoor van vogel en luchtbelletjes veranderden.

Bryan, weer terug bij zijn hendels onder aan de kraan, zwaaide het grote, halfronde powerblock naar achteren, naar midscheeps en naar beneden. 'Hij moet dat ding onder het net zien te manoeuvreren,' zei Luke, die zijn blauwe wollen muts onder de capuchon van zijn oliejack goed zette door hem verder over zijn voorhoofd en oren te trekken. 'Soms zit er een lijn aan het net die ze de kuilbende noemen – die gebruiken de jongens om het net samen te trekken en op het blok te hijsen – daardoor gaat dat gemakkelijker. De winch hijst de kap en het voornet op, en de jongens schieten ze aan boord op tot de kuil langszij komt. En zoals je kunt zien... Hou je vast, Redmond, probeer met de boot mee te slingeren... Ga in vredesnaam met je benen dwars op de slingerbeweging staan, zo is het beter, loodrecht op de slingerbeweging... We liggen dwars op al dat zware weer, en dat komt doordat de schroef niet meer draait. Jammer, maar je kunt niet riskeren dat het net erin komt. Als dat gebeurt sta je machteloos, dan zit je echt in de penarie, kolossaal...'

Het powerblock zwaaide weer onze kant op, naar de vislast. 'Juist. Hij moet het blok hoog houden. Om de vis in het voornet naar de kuil te laten zakken. Nou ja, Redmond, ik weet zeker dat je het nu wel snapt. Dat je weet hoe het werkt. Mijn mini-log zit nog aan de headlijn. Wacht even. Ik ben zo terug.' En terwijl de Norlantean dwars op de deining hevig lag te slingeren, liep Luke rustig over de nettenbakken weg, van de ene op de andere rand stappend.

Allan, Sean en Jerry, die uit het trapgat aan bakboord opdoken, voegden zich bij Robbie en Jason langs de verschansing, waar het voornet aan het powerblock hing terwijl de bolronde kuil beneden op de deining dreef, met kleine visjes die zilverig en in de val gelopen in de groene mazen hingen. Vanaf de verschansing trokken Robbie en Allan de vissen die ze te pakken konden krijgen uit het voornet en lieten ze in een grote, opengewerkte plastic mand aan hun voeten vallen. Sean, die voor me stond, klom in het A-frame en tilde het luik van de vislast op.

Jason wierp zijn enterhaak – en toen leek iedereen tegelijk te bewegen, een wirwar van kabels, net, rood en geel oliegoed en een zwaaiend hijsblok. Op een of andere manier volgde de kuil een lijn die in mijn richting omhoog en over de verschansing liep om bol en zwaaiend en vol midden in het A-frame, recht boven de vislast, tot rust te komen. 'De jilsonwinch,' zei Luke achter me in mijn rechteroor.

Verder zei niemand iets. Ze staarden zwijgend: de starende blik naar vlees vanuit de grotopening waar ze rond het vuur zaten; alleen, dacht ik, terwijl ik wat gevoel in mijn gezicht probeerde te wrijven, is dit de starende blik naar vis, en is het hier op dit moment zo koud dat het pijn doet, dwars door me heen gaat, en is er nergens vuur te bekennen…

Robbie trok zonder een woord te zeggen zijn blauwe rubberhandschoenen uit, legde ze naast zich op het dek, greep onder de zak van grote mazen en trok een knoop los. Er viel een stortvloed van vis neer, die in de vislast uit het zicht verdween.

'Kom mee, Redmond!' riep Luke, al een paar meter bij me vandaan. 'Naar de verwerkingskamer!'

Ik volgde hem onmiddellijk, zonder na te denken, en belandde tegen de met touw opengezette deur naar de brug (trap op) en de hutten (trap af). 'Je kunt je laarzen en jack beter uittrekken,' zei Luke met een bedreven schud- en draaibeweging. 'Neem ze maar mee naar beneden.' Ik volgde Luke de trap af, vol verbazing dat ik me niet meer misselijk voelde, dat ik me voldoende in evenwicht leek te kunnen houden om binnen een paar meter of zelfs minder te kunnen komen waar ik wilde en dat het persoonlijke leven op zeer kleine schaal, op micro-schaal, opeens weer op zijn vertrouwde plek een toekomst leek te hebben.

'Zag je dat met die knoop van de kuilbende?' zei hij over zijn schouder terwijl we door de gang langs de kombuis voortgleden over de kartonnen tegels van het wegwerptapijt. 'Heb je dat gezien?'

'Ja, inderdaad. Ik heb geen idee wat er precies gebeurde... Maar ja, ik heb het gezien.'

'Mooi, want dat is belángrijk.' Hij liet zijn jack en zeelaarzen op de grond vallen en bleef staan om de knevels op een witgeverfde waterdichte deur naar beneden te trekken. 'Er zijn verschillende soorten knopen voor de kuil. De jongens hier gebruiken een kettingsteek. Meestal is er maar één man in de bemanning die de knoop legt; dat zal wel op een of andere manier zijn ontstaan' – hij zwaaide de deur open – 'doordat de man die de knoop heeft gelegd toen er eens een mooie trek was, degene is die hem daarna verder altijd legt.'

'Een mooie trek?'

'Ja,' zei Luke, die zijn gele laarzen en rode jack oppakte en nog altijd op zijn blauwe sokken over de hoge stalen drempel stapte. 'Toe nou – dat weet je toch wel. Ik hoef toch zeker niet álles te herhalen? Een trek. Het net trekken. Een mooie trek, een werkelijk gróte vangst.'

'Aha, juist, neem me niet kwalijk,' zei ik, terwijl ik onhandig over de scheenhoge metalen drempel struikelde, waarbij ik mijn scheen schaafde. 'Shit.'

'Nee. Geen shit,' zei Luke, die op een bankje meteen links om de deur ging zitten om zijn laarzen aan te trekken, 'als hij die keer dertien lussen heeft gemaakt, moeten het er voortaan altijd dertien zijn enzovoort...'

'Ja, natuurlijk. Geweldig!' Ik ging naast hem zitten en probeerde mijn eigen laarzen aan te trekken – bij stukjes en beetjes, want het was duidelijk dat je niet voorover moest buigen wanneer de kale, natte, glimmende, donkere, houten vloerplanken steil afliepen en je billen vrijkwamen van het gekantelde bankje... Wacht even. Daar gaan we. Achteruit. Voet optillen. Trékken.

'Sommigen beweren dat je niet naar de visgronden mag vertrekken als de knoop al is gelegd, dat je de knoop pas op het laatste moment mag leggen... anderen zeggen precies het tegenovergestelde... enzovoort.' Luke stond op en draaide zich om naar een kleine ruimte links van ons.

Ik ging ook staan, me vasthoudend aan de stalen deurpost, en keek naar binnen: het was een soort kleedkamer, vol planken en haken, en in de linkerhoek stond een volkomen normale, een doodgewone witte gezinswasmachine.

'Op sommige boten waarop ik ben geweest, wil de man die de knoop voor de kuil legt niet laten zien hoe hij dat doet: omdat het risico bestaat dat de toverkracht verloren gaat als het geheim wordt geopenbaard. Bezopen!' Luke bukte zich met diverse lussen van een zwart elektrisch snoer om zijn rechterschouder en probeerde onder een plank rechts een stekker in een stopcontact te steken. 'Een schipper die gegevens voor me verzamelde wilde niets met dertien hebben. Hij maakte verslagen voor me en de nummering van de trek vereiste eerst nogal wat gepuzzel: hij schreef dan een reeks van elf, twaalf, veertien, vijftien, en soms van elf, twaalf, twaalf plus, veertien. Bezopen!' Luke overhandigde me een versleten bruin klembord. Het bovenste vel millimeterpapier dat in de verroeste klem zat vertoonde vlekken van smeerolie. 'Wil je dat even vasthouden... Nou eens kijken...' Hij stak zijn handen omhoog en trok een zwarte metalen kist, bijna een meter lang, van de plank ter hoogte van zijn kin. 'Een weegschaal, het nieuwste model! Om vis te wegen. Die hebben ze me in het lab geleend. Maar ik geloof niet dat deze dingen ooit op tráwlers zijn uitgeprobeerd. Tenminste niet in januari, niet in zo'n storm... Dat geeft niet. Maak je geen zorgen. Ik heb ook nog een ouderwets geval bij me, als reserve. Eens kijken... we hebben tien minuten of meer, terwijl de jongens het net uitzetten voor de volgende trek.'

En terwijl hij dat zei begon de hoofdmotor weer te draaien, waardoor het schip trilde, mijn ruggengraat trilde.

'Kom mee, we zetten hem hier neer.' Hij stapte naar een platte stalen plank, naast een lopende band die de holle verwerkingskamer in tweeën deelde: een baan met stalen zijkanten en een stalen rooster die vanaf een hoge, ronde, roestvrijstalen tafel (een stukje links van ons) naar een gesloten luik bij mijn voeten liep. Een plens zeewater tot aan de schenen spoelde bij elke slingerbeweging over de donkerbruine, uitgezette, gladde houten vloerplanken, en wanneer het schip bevend naar bakboord overhelde, schoot een deel van de golf afvalwater en schuim via het halfopen valluik van het bakboordspuigat naar buiten. Wanneer het schip nog verder naar beneden slingerde, stroomde er vers wit zeewater naar binnen, en dat klotste en kolkte rond als het schip zich weer oprichtte en regelrecht overhelde naar stuurboord om het proces te herhalen. 'Prachtig!' zei Luke toen hij zijn weegschaal aanzette (er verscheen een rood lichtje links op de lange schaalverdeling). 'Fantastisch! Hij doet het, zelfs bij zulke zeeën!' Het stalen plafond van de verwerkingskamer was een wirwar van leidingen en kabels (sommige in stalen kokers, andere gewoon in lussen neerhangend), tl-buizen en verdeelkasten. De roestvrijstalen zijkanten van de vislast namen in de linkerhoek ongeveer een vijfde van de ruimte in beslag, en daarvandaan leidde een andere, kortere lopende band naar de ronde tafel met de hoge rand. Rechts van ons, rechts van de waterdichte deur naar de kombuis, lag een brede, geribbelde buis, een soort slurf, een reusachtig stuk darm. Daar vlak achter, aan het eind van de rechthoekige grot, leidde een andere open waterdichte deur vaag naar het nettendek, waar de grote winches voor het tuig stonden, van achter beschenen door het vroege ochtendlicht dat naar binnen stroomde vanaf de ramp, vanaf het glinsterende oppervlak van de opgehoopte achteroplopende zee.

'Nu heb ik drie of vier manden nodig,' zei Luke, 'voor een aselecte steekproef, een selectie van elke soort die we vangen. Dat is mooi, die drie daar.' Hij knikte naar drie plastic manden ter grootte van een vuilnisbak, twee rode en een zwarte, die waren vastgesjord aan een buis tegen de zijkant van de vislast. 'Die jatten we. En die daar.' Een rode mand, aan de andere kant van de grootste lopende band, tegen de verste wand.

'Die haal ik wel,' zei ik, en gaf het klembord aan hem.

Omdat ik van plan was over de een meter hoge zijkanten van de lopende band te klauteren, begon ik te proberen mijn gewone broek onder mijn oliebroek op te hijsen (er leken talloze riemen en bretels en rubberbanden te zijn, en het zat allemaal zo ongemakkelijk, en het was zo moeilijk alles omhoog te houden rond een slappe bewegende buik terwijl de wereld maar niet op zijn plaats wilde blijven, en bovendien had mijn boxershort, die al lang geleden half was vergaan door oerwoudschimmel, besloten nu de geest te geven en stervend rond mijn knieën te zakken). En toen was ik voor de tweede keer – en opnieuw heel geleidelijk, zonder waarschuwing, heel langzaam – gewichtloos, zweefde ik. De lopende band trok onder me door; iemand gaf me een trap tegen mijn linkerscheen; de zwalkende golf belletjes en schuim kwam opzetten, sloeg over me heen en liet me languit achter tegen de roestige platen van de bakboordbinnenwand van de romp.

'Wow!' zei Luke, terwijl ik half overeind gekrabbeld over de vloer werd teruggesmeten naar de zijkant van de lopende band. 'Je vloog!' zei hij toen hij me eroverheen hielp. 'Je vloog. Ik heb het je nog gezegd: altijd lóódrecht op de slingerbeweging staan. Nóóít er recht tegenover.' En vervolgens, terwijl ik me vasthield aan de zijkant van de ronde tafel, zei hij ietsje meelevender: 'Heb je je bezeerd?' Hij stond links van me, met in elke hand een mand, alsof hij op het punt stond iets verstandigs te doen, zoals aardappels rapen op een uitermate stabiele, betrouwbare, modderige akker.

'Ik weet het niet,' zei ik verward, klungelend met mijn laars en sokken, mijn twee broekspijpen oprollend. 'Ik heb bijna een been gebroken.'

Luke lachte. Het was een vriendelijke lach – de vrolijkheid, bedacht ik wrang, van een man van de reddingsbrigade die alles al had gezien, echte verwondingen, die waarschijnlijk zeelui zonder benen uit zee had gehaald.

'Het is niets,' zei ik, terwijl ik een jaap van acht centimeter onderzocht, ontzet over de hoeveelheid bloed die in mijn sokken liep. 'Het is maar een schrammetje.'

'Het is een acht centimeter lange oppervlakkige snijwond,' zei Luke. 'Geen probleem. Hoeft niet verbonden te worden. Je bent met je been achter de rand van de lopende band blijven haken. Ik heb het zien gebeuren. Je vloog! Maar je zult ervan opkijken hoe snel zulke sneeën, zelfs echte snijwonden, genezen. Dat komt door het zout, denk ik. Heel anders dan in die oerwouden van jou. Hier heb je geen infecties. Bacteriën van het vasteland kunnen hier niet overleven. Hier geneest alles.'

Luke pakte mijn arm. 'Ga hier staan,' zei hij, en hij zette me aan de stuurboordzijde van de ronde tafel, ongeveer een meter bij de wand van de romp vandaan. 'Ga op deze kist staan' – een omgekeerde viskist

– 'en zet je hiertegen klem' – een van de stutten van het dek boven ons – 'en dan lukt het zelfs jou niet meer om te vliegen, wat je ook doet. Dit wordt jouw plek. Je werkplek!'

'Bedankt,' zei ik, en probeerde me in evenwicht te houden.

Luke liet de manden naast me neervallen, en in een dubbele flits van opgetilde gele zeelaarzen in het licht van de tl-buizen boven ons sprong hij zo over de lopende band heen. Vast ter been, zelfs toen de slijmerige glibberige vloerplanken schuin omhoogkwamen en naar bakboord kantelden, bereikte hij de onmogelijke buit van de rode plastic mand, maakte de sjorring eromheen los, en terwijl de vloerplanken met hun lading zeewater weer in mijn richting verrezen, sprong hij over de lopende band terug, waarbij de mand in zijn linkerhand horizontaal naar buiten vloog, en hij kwakt hem naast de andere neer.

'Nu zijn we dus zover!' zei hij, toen hij zich bukte boven een valluik onder aan de vislast, vlak boven de laatste steun van de kleine lopende band die naar onze tafel ging. 'Eindelijk! We staan op het punt onze kennis te vergroten, onze kennis van de nieuwe visserij! De diepzeevisserij! En geloof me, Redmond, die is nieuw, echt! Op dit moment – weten we níéts.' Hij trok het roestvrijstalen luik met een ruk omhoog. Er viel een zootje grote, dode, donkere platvissen op de band. Meegesleept door zijn opwinding merkte ik dat ik dacht: Ik herken er niet een, maar dat klopt natuurlijk, want we weten níéts.

'Groenlandse heilbot,' zei Luke, die rechtop ging staan. '"Zwarte hel" noemen de jongens ze. Omdat ze aan beide kanten zwartig zijn. En de Groenlandse heilbot is echt interessant, door zijn evolútie, doordat het erop lijkt dat de dieren geen platvissen meer willen zijn. Ze zijn aan beide zijden gecamoufleerd. Hun linkeroog is naar de rand van de kop verschoven. Daardoor denken we dat ze op de buikrand zwemmen, net als normale vissen, en niet als platvissen met de blinde kant naar beneden. Maar nou denk jij natuurlijk – of niet soms? – ze hebben nog steeds zwakke ogen, ze moeten slecht aangepaste jagers zijn. Maar ten oosten van de Wyville-Thomsonrug vormen ze met de verschillende soorten roodbaars de belangrijkste commerciële vangst. In biologische termen zijn ze dus héél geslaagd. Maar hoe komt dat? Nou, ze leven het grootste deel van de tijd op een diepte van een tot twee kilometer, en het antwoord luidt, Redmond, dat we het niet weten. Ze leven hier, een grote vissoort in de Brítse wateren, even doodgewoon als een grassprietje, en we weten er geen flikker van! Is dat niet geweldig?'

'Ja!' riep ik, een ogenblik oprecht meegesleept door het ingewikkelde privéleven van de Groenlandse heilbot.

Luke verdween naar rechts, naar de bakboordzijde van de vislast. Er klonk gekletter en een schurend geluid, alsof er een plaat golfijzer opzij werd getrokken vond ik, en Lukes stem, zijn geschreeuw, werd hol, een en al echo's. 'De Fransen zijn ermee begonnen!' riep hij vanuit de vislast. Zijn bulderende declamatie bereikte me in drievoud, aan de rand meegepikt door het gedreun van de motoren en de klappen van de zee, maar in het midden nog altijd vervuld van extra gezag, versterkt. 'De westkust van Schotland... Vangsten die in Lochinver zijn aangevoerd... De grote aanzet tot dit alles... in 1989... nog maar zó kort geleden... de Atlantische slijmkop... grenadiervissen...'

'Destijds,' zei hij, terwijl hij weer voor me opdook en op een kist aan de andere kant van de tafel hupte, nu met zijn normale stemgeluid, vorm en omvang, 'heeft niemand er veel aandacht aan geschonken. Maar toen voerden ze 50 000 ton Atlantische slijmkop aan. In 1991. 50 000 tón. Dat gaf echt de doorslag. Omdat ze er ook een markt voor hadden gecreëerd. Ze hebben de naam veranderd, eerst in *beryx*, maar dat werkte niet, dus dachten ze aan Napoleon, als altijd, en noemden ze hem de "keizervis". En toen begon hij te verkopen. De huisvrouw is er gek op. Overal in Frankrijk. En in Spanje idem dito.'

Luke, in vuur en vlam door zijn innerlijke visioen van al die Atlantische slijmkoppen, van al die diepzeevis die bij de vishandels als zoete broodjes over de toonbank ging, staarde omhoog naar een onschuldige ronde plaat met kleine hendels vlak boven zijn hoofd. Een ervan rukte hij naar beneden. (Er gebeurde niets.) 'Dat hebben ze nota bene ook gedaan,' schreeuwde hij, nog steeds omhoog starend naar het bedieningspaneel, 'met diepzeevis als de zwarte kousenbandvis. De Franse trawlvissers noemen die vis de *siki*. Die zwarte kousenbandvissen – en die zullen we hier niet zien, want die vind je alleen ten westen van de Wyville-Thomsonrug –, zijn ongeveer een meter lang. En we weten nagenoeg niets van die dieren, niets van hun levenscyclus.' Hij trok de tweede hendel naar beneden. (Er gebeurde niets.) 'Waar zijn de larven? Waar zijn de jonge vissen?' Luke keek me zeer bewogen recht aan. (Maar ik voelde me niet bevoegd tot het geven van een wezenlijk antwoord.) 'Hier in het Verenigd Koninkrijk willen de mensen het dier nog niet aan de kat geven! Maar in Portugal en Spanje noemen ze het geloof ik de *espada*. En in Frankrijk de *sabre*. En daar verkoopt hij goed!'

Luke richtte zijn blik weer op het bedieningspaneel met kleine hendels boven zijn hoofd. 'Redmond,' zei hij, alsof het allemaal mijn schuld was, 'waarom werkt dit verdorie niet?'

'Geen idee,' waagde ik, wat een understatement was.

'O toe nou, ik heb je toch verteld dat al die trawlers anders zijn.' Hij wipte van zijn kist af. 'Je weet het wel degelijk. Er moet een hoofdschakelaar zijn. Een elektriciteitsbron ver boven het buiswaterniveau.' Hij stapte over de natte glijbaan van glimmende vloerplanken alsof de zolen van zijn laarzen van zuignappen waren voorzien en inspecteerde de wirwar van draden en kabeldozen boven de rand van de waterdichte deur achteruit. 'Aye!' zei hij, en hij sprong op en haalde een schakelaar over.

De lopende band links van me kwam tot leven. De ronde tafel, mijn veilige houvast, begon te draaien, meedogenloos, met de klok mee: die grote, ronde, betrouwbare stalen emmer van een tafel begon te bewegen, met medeneming van zijn halve meter hoge zijkanten, zijn driekwart meter brede binnenbakken, zijn stalen toren van een buis in het midden (met een dubbele laag witte plastic hulpemmers) en mijn handen.

'Laat los!' riep Luke toen ik van mijn kist viel. 'Ach aye,' zei hij met een oom-Luke-lach toen ik weer zwaaiend overeind kwam en op de kist klom. 'Blijf waar je bent,' zei hij, nu weer op de bedieningsplaats onder de hendels boven hem. 'Hou je met je bénen in evenwicht.' Met zijn linkerarm boven zijn hoofd duwde hij de rechterhendel omhoog, waardoor de tafel tot stilstand kwam met een van zijn ontvangstbakken recht onder het eind van de lopende band – en er gleed een stortvloed grote, donkere, dode platvissen over de rand en glibberde door de wachtende stalen bak tot die vol was. Luke trok de hendel naar beneden, draaide de tafel een bak verder en herhaalde het proces.

'Die nieuwe diepzeevisserij,' zei ik in een poging intelligent te klinken, omdat ik iets wilde leren, en ondertussen greep ik met één hand de stut rechts van me vast (en die leraar van me, dacht ik, met een ongemakkelijke mengeling van denkbeeldige trots en echte ontsteltenis omdat ik zo snel oud werd, had wel mijn wettige zoon kunnen zijn). 'Die nieuwe visserij is dus helemaal de schuld van de Britse huisvrouw.'

'Hoe bedoel je?' zei Luke, terwijl hij een andere bak voor draaide.

'Door haar kookgewoonten. Geen Franse vissoep. Geen Spaanse pa-ella. Niets anders dan kabeljauw en schelvis en mooie platvissen: tong en schol. En dus stort onze eigen visserij in.' En toen, onder de indruk van de hoeveelheid bloed die ik nog steeds leek te verliezen (allebei mijn voeten voelden in hun zeelaarzen drijfnat aan, maar mijn linker-voet was wárm), had ik nog een laatste vaderlijke gedachte. 'Luke, je zou leraar moeten worden. Je zou dit allemaal moeten doceren. Ergens docent moeten zien te worden.'

Luke, aan de andere kant van de tafel, keek me recht aan. Hij zette de tafel stil, hij zette de lopende band stil. 'Denk je?' Hij rechtte zijn schou-ders. Hij trok de blauwe wollen muts van zijn hoofd. Hij hield hem even in zijn rechterhand boven de tafel voor zich, in mijn richting, als een offergave (en ik nam hem bijna aan). Hij stopte zijn muts onhandig in zijn rechterbroekzak. 'Denk je dat echt?'

'Ja zeker. Dat is zonneklaar, daar ben je voor in de wieg gelegd.'

Lukes gezicht leek groter te worden, zijn ogen werden helderder, zijn voorhoofd verloor de twee diepe, elkaar kruisende rimpels. 'Redmond, om je de waarheid te zeggen, héb ik er weleens aan gedacht. Je weet wel, om docent te worden. Ergens aan een visserijschool. Die in Stromness. Waar Jason is opgeleid! Of op het nieuwe North Atlantic Fisheries Col-lege. Op de Shetlands. In Scalloway. Schitterend! Een schitterend leven! Maar ja... ik zit met een probleem. Kolossaal...' Hij keek neer op de volle stalen bak van het blad voor hem. 'Ik weet niet, ik geloof niet... weet je, volgens mij heb ik domweg het léf niet om te doceren.' Luke liet zijn rechterwijsvinger langs de stalen buitenrand glijden, naar links, naar rechts. Hij had een vereelte hand vol littekens en zware spieren. Het leek wel de hand van iemand die twee keer zo groot was als hij. Hij zei: 'De gedachte alleen al... om voor een stel ménsen te moeten staan...'

'Moet je horen, Luke,' zei ik op zo'n moment van plotselinge, tijde-lijke uitputting wanneer de wereld een paar seconden lang dood lijkt, wanneer je gehypnotiseerd wordt door elk voorwerp dat zich toevallig binnen je gezichtsveld bevindt en in dit geval was dat zijn lichaamloze hand zoals die heen en weer ging, van links naar rechts, van rechts naar links. 'Jij hebt overal lef voor.'

'Nee!' zei hij op besliste toon, waarmee hij de betovering verbrak. 'Niet om op een podium te staan. Nee. Dat heb ik één keer gedaan. Ik was zo bang dat ik het bijna in mijn broek deed. Eerlijk.' 'O ja?' zei ik gerustgesteld, al te gretig. 'Wanneer was dat? Wat is er gebeurd?'

'Niet nu,' zei hij met stemverheffing, terwijl hij beide machines weer startte. 'Ik zal het je later vertellen. Misschien. Ja. Dat beloof ik je.' En toen, zonder enige overgang of waarschuwing, grijnsde hij naar me, waardoor zijn hele gezicht opklaarde, een glimlach die ergens anders vandaan kwam, de scheve, op heterdaad betrapte lach van een kleine jongen. 'En trouwens, Redmond, die droom van mij, om les te geven, weet je, in feite... dacht ik dat ik maar met jóú moest beginnen!'

'O ja? Maar Luke... dat is geweldig. Dat doceren, bedoel ik. Het is zo fijn om te weten dat zelfs jij – dat zelfs jij érgens bang voor bent.'

'Ik? Moet je horen, Redmond, ik ben óveral bang voor. Echt.' Hij liet een nieuwe bak van de tafel onder de lopende band stoppen. 'En bovendien, ach, lesgeven... Onderzoek, de diepzee, de oceanen, artikelen, boeken – geld en tijd voor alles waarvoor ik leef! Maar dat kun je wel vergeten. Want ik zal nooit van mijn leven hoe dan ook in staat zijn om voor honderden mensen te gaan staan en het wóórd te voeren. Dat gaat niet. Simpel. Dus als ik mijn dissertatie ooit af krijg, vertrek ik gewoon, het geeft niet waarheen. Ik zal voor mijn overtocht werken. Terug naar de Falklandeilanden.' Hij verschoof de tafel een bak verder. 'Want het is nu eenmaal een feit, Redmond, dat niemand, maar dan ook niemand, zo'n gemakkelijke leerling zal zijn als jij.'

'Natuurlijk niet,' zei ik voldaan.

'Omdat absoluut niemand – geen méns – niemand die ik zal moeten lesgeven er zo volstrekt de ballen van zal weten als jij.'

'O.'

'Moet je je voorstellen! Lesgeven op de Orkney- of Shetlandeilanden... Dat zijn stuk voor stuk zoons van trawlvissers. Of ze weten alles al, zoals Jason. Stel je eens voor, Redmond, stel je eens vóór dat je Jason probeert te vertellen wat hij moet doen...'

'Maar je zúlt een jonge Jason niet vertellen wat hij moet doen! Jij zult het over mariene biologie hebben, over de mogelijke verdeling van vissen, weet ik veel, hun levenscyclus, dieren in de diepzee.'

'Vergeet het maar!' zei hij, terwijl hij de hendel boven zijn hoofd naar beneden trok en de drie volle bakken in de ronde emmer helemaal doordraaide tot waar ik stond. Hij zette beide machines stil. 'Vergeet het maar! Dat is alleen maar een droom of een nachtmerrie of wat dan ook. Dat geeft niet. Ik heb me erbij neergelegd. Ik weet hoe het zal gaan. Ik zal mijn oude baan moeten zien terug te krijgen. Visserij-inspecteur op de Falklandeilanden. Met doctor voor mijn naam. Dus laten we het daar alsjeblieft niet meer over hebben. En bovendien zou ik nooit in Scalloway worden benoemd. Daar ben ik niet goed genoeg voor. En jij moet je trouwens concentreren, Redmond. Richt je op de Groenlandse heilbot, de zwarte hel. Want ik moet je leren hoe je die moet strippen – en snel moet strippen.' Hij stapte van de ene op de andere viskist naar me toe en bleef naast me staan, nadat hij onderweg twee vijftien centimeter lange messen met een rood plastic heft en een roestvrijstalen lemmet uit hun bergplaats in de spleet tussen een verroeste pijp en het verroeste plafond had gepakt. Hij gaf er een aan mij. 'Je moet namelijk niet een of twee zwarte hellen schoonmaken, maar een of twee tón.'

Luke haalde twee paar nieuwe, blauwe rubberhandschoenen uit zijn broekzak. 'Die heb ik van Sean gekregen. Ze zijn voor ons. Rechtstreeks van Jason. Maar hij zei – ik gelóóf tenminste dat hij dat zei, Redmond, want hij spreekt het onvervalste dialect van Caithness en dat kan ik ook maar moeilijk verstaan, weet je, maar dat komt uiteindelijk wel goed; je zult ervan opkijken hoeveel beter je iemand gaat begrijpen als je met hem samenwerkt: dat kan van een op de tien woorden toenemen tot wel een op de twee – maar goed, Sean zei: "Jullie boffen, jongens," zei hij, "zeker weten. Nieuwe handschoenen! Maar haal het níét in je hoofd hem om een tweede paar te vragen. Och nee. Want daar wil de schipper niet van horen. Jongens, hij bewaart ze op de brug, in hun plastic verpakking. En elke wacht télt hij ze, alsof het een berg goud is."'

'Maar dat is geweldig; het is Jason gelukt!' zei ik. 'Een schuld van twee miljoen pond en hij is erin geslaagd al zijn zorgen te fixeren op rubberhandschoenen!'

'Och,' zei Luke, die me mijn heilige paar overhandigde. 'Laat mij daarbuiten. Dat enge gedoe. Dat haat ik. Echt. Het leven hoort rationéél te zijn. Sean heeft me verteld dat als je Jason tóch om een nieuw paar handschoenen vraagt, hij een wilde blik in zijn ogen krijgt. De jongens beschouwen het als een grap. Maar niet echt. Want ze begrijpen het.

Telkens wanneer je erom vraagt – ook al laat je hem je oude paar zien, helemaal kapot van de stekels van de roodbaars – zegt hij: "Begrijp je het dan niet? Heb je er dan geen enkel benul van? Alle andere schippers vragen de volle verkoopprijs van hun bemanning! En dit, dit zijn de allerbeste! Acht pond dertig per paar!" En dan kijkt hij je vreselijk doordringend aan en beeft hij helemaal, en geloof me, daar ga je van dromen: die blik verschijnt nog weken daarna in je nachtmerries; je droomt ervan; je raakt in paniek, dat hoofd van Jason...'

'En dan? Wat gebeurt er dan?'

'Dan? Ach. Tja. Dan geeft Jason je natuurlijk die handschoenen.'

'Dus hij is een goeie schipper?'

'O, ik zie het al. Je begrijpt het niet. Hoe zou je ook? Maar de jongens wel. Jason – jezus, dat is niet alleen een goeie schipper, ze hóúden van hem.'

'Ja, natuurlijk.'

'Redmond, wil je alsjeblieft ophouden met dat "natuurlijk". Want dat is net make-up op het gezicht van een vrouw. Dat zégt toch helemaal niets?'

'Nee, nee, natuurlijk niet... Ik bedoel...'

'Nou, goed dan. Kijk.' Hij pakte een Groenlandse heilbot van een meter. 'Je bent bevoorrecht. Heus. Want alle diepzeevissen die je zult zien, zullen grote, volgroeide volwassen dieren zijn – en dat denk ik vaak, omdat dit een nieuwe vorm van visvangst is, en later zullen de mensen over mijn metingen zeggen: die Luke Bullough, zoals die kon overdrijven! De sterke verhalen die hij heeft verteld! Maar hier, toe dan, hou eens vast...' Mijn handschoenen konden maar net greep krijgen op de gladde, slijmerige huid. 'Je pakt een Groenlandse heilbot. Je snijdt hem open aan zijn groene kant, zijn zwarte kant, zijn blinde kant. Je haalt het mes door de kieuwboog tussen de twee buikvinnen door. Zó. En dan omhoog tot het eind van de ingewanden. Zó...' De ingewanden leken veel te kort om zo'n grote vis in leven te houden, de zachte organen veel te compact: de hele handel zat in een klein zakje, een weggestoken portefeuille... 'Vervolgens haal je het er allemaal uit, dit handjevol, een handjevol lever en derrie. Dan snij je de slokdarm open, zie je wel? Zó. En je schraapt het hartje eruit. Dat is heel klein, maar het is belangrijk. De handel vindt het vreselijk als je het hart erin laat zitten. Je móét dat hartje eruit schrapen.'

'Hallo, jongens!' En hoewel de vloer voor mijn gevoel wel vijfenveertig graden scheef hing, lukte het Sean, die door de waterdichte deur achteruit binnenkwam, zijn deinende tred iets zwierigs te geven. Hij schreeuwde: 'Hallo jongens, goed zo, werk maar tot je erbij neervalt!'

Grote Bryan, de eerste stuurman, en Allan (al even breedgeschouderd, atletisch, maar iets minder groot) drongen zich zonder een woord te zeggen langs Sean heen. Links van de deur naar de hutten en de kombuis trokken ze een buitensporig groot ijzeren luik omhoog (alsof het een plaat aluminium was); ze maakten de grote geribbelde buis, de reuzendarm, los van zijn plaats tegen de bakboordwand, bonden het ene uiteinde weer vast aan de rand van de grootste lopende band, werkten het andere eind door het luik naar beneden, en nadat ze op de bovenste sporten van een ladder waren geklommen, dat nam ik tenminste aan, verdwenen ze in het visruim.

Sean stond rechts van Luke op een kist. Robbie (die zo snel en geruisloos was gematerialiseerd dat ik geen idee had waar hij vandaan was gekomen) ging onder de hendels staan om alles te regelen.

Ik zei tegen Sean: 'Waar is Jerry?' En terwijl ik naar Sean keek en me Jerry voor de geest haalde (die vriendelijke, jonge, joviale punker met zijn kortgeknipte haar, zijn Nicorette-buisje en zijn oorring), dwaalde mijn aandacht af en glibberde mijn derde Groenlandse heilbot, nog maar half gestript, terug in mijn bak, het volle stalen blad voor me.

'Godver!' zei Sean met zijn gedrongen grijns. 'Je hebt zowat je duim afgesneden! Jerry? Dat is de kók. Daarom is hij naar de kombúís gegaan. Over een uur: ontbijt. Twee maaltijden per dag. Ontbijt, warm eten. Maaltijden die je nooit zult vergeten!'

'Prachtig!' zei Luke, die ongestripte Groenlandse heilbotten in zijn rode plastic mand liet vallen. 'Ontbijt. Weet je nog, Redmond? Bev's keuken, in Nairn? Dat je daar nooit meer weg wilde? Dat je daar ééuwig had willen blijven? Nou, dit is heel wat anders. Altijd. Dit is vijf, zes keer zoveel! Ik had toen al tegen je willen zeggen: "Redmond, als je denkt dat dít een ontbijt is. Wacht dan maar eens af. Dan moet je het eens op een trawler proberen, Redmond!"'

Een flauwe herinnering, een scherpe golf van misselijkheid, kwam in mijn slokdarm omhoog en smoorde mijn volgende kalmerende, domme vraag in een vijvertje gal en zuur achter in mijn keel.

'Hé, Luke!' zei Sean, die hem een overdreven harde por in zijn ribben gaf. 'Waar ben je mee bezig? Roodbaars, nee. Maar zwarte hel, die hoor je te stríppen!'

'Dit,' zei Luke, terwijl hij ongewild met een blauw gehandschoende hand over de getroffen plek wreef, 'dit,' zei hij op zijn automatische, serieuze (sommige dingen in het leven zijn wel degelijk belangrijk), wetenschappelijke toon, 'is een "aselecte steekproef", Sean. Ik pak er vijf. Dat is voorlopig voldoende. Later komen er nog veel meer bij, op andere stations, plekken, bij andere "trekken", zoals jij ze noemt. Goed? Ik ga ze meten en wegen en hun geslacht en leeftijd bepalen. En datzelfde geldt voor alle andere belangrijke soorten die we vangen. Maak je geen zorgen. Ik strip ze later.'

'Hun leeftijd bepalen!' zei Sean met een lachje.

'Ja, ik haal hun otolieten eruit, doe die in een monsterflesje, plak op elk flesje een etiket en dan bepalen we in het lab hun leeftijd.'

'Otolieten?' zei Sean geïnteresseerd, met zijn mes halverwege in de lucht. 'Hun ballen? Hun tieten? Wat zijn dat?'

'Hun oren,' zei Luke. Hij lachte. Hij mocht Sean. 'Oren!'

'Ze hebben geen oren!'

'O jawel. Jawel!'

'Tja, aye, dat zal dan wel,' zei Sean achterdochtig, kennelijk in de overtuiging dat hij, de nieuwe jongen aan boord, er weer eens tussen werd genomen. 'Te gek, man, ik bedoel, máf. Hun oren dus? Wie wil nou verdomme hun óren hebben?'

'Die zitten vanbinnen!' zei Luke, verrukt over deze onverwachte, deze compleet nieuwe kijk op vissen en hun oren. 'Ze zitten verstopt. Dat is prachtig, Sean, echt waar. Want hun gehoorsteentje, de otoliet, maakt elk jaar een nieuwe jaarring, net als een boom. Dat leg je onder de microscoop. Je telt de ringen. En klaar is Kees! Zo simpel als wat!'

'Simpel!' zei Sean, die zich voor alle zekerheid niet in de maling liet nemen. 'Je bent zélf simpel!'

'Echt waar' schreeuwde Luke boven het dreunen van de machine uit, terwijl hij zijn buit naar zijn nieuwe weegschaal bracht.

'Otolieten!' zei Sean, die een kist opschoof en naast me kwam staan. 'O-to-lie-ten! Dat kan hij zijn opoe wijsmaken!'

Robbie, tegenover ons, de baas van de eenheid die Groenlandse heilbot stripte, had ergens op het grillig stampende traject tussen het open dek en de beschutte verwerkingskamer zijn overlevingspak uitgetrokken (dat klaarblijkelijk, net zoals Dick vond, iets bijzonders, iets kostbaars was, een investering voor het leven om je leven te redden: een pak waarin je bleef drijven, en in de eerste plaats een kledingstuk dat niet naar vis hoorde te ruiken). Hij droeg nu de normale oliebroek met schort (zijn exemplaar was rood van voren en geel van achteren), de speciaal door Jason verstrekte blauwe rubberhandschoenen, een donkerblauw jasje van een joggingpak vol visvlekken en een zwarte pet met klep, strak om zijn hoofd en naar beneden gebogen om zijn oren te bedekken – en hij was verontrustend snel vis aan het strippen, een karwei dat hij op een of andere manier in één ononderbroken beweging uitvoerde: je pakt een Groenlandse heilbot, je mes in je rechterhand, snijdt hem open, steekt je linkerduim naar binnen die een goot vormt waardoor het grom op tafel glijdt, je zwaait de vis omhoog en de centrale buis in.

Sean was half zo snel, en ik was nog steeds met mijn derde grote glibberige kadaver bezig dat ik maar niet kon vastpakken, dat nog leek te leven.

'En Sean,' zei ik, 'hoe ben jij begonnen, als trawlvisser?'

'Problemen.' Hij gooide een gestripte vis omhoog en de buis in. 'Grote problemen. En toen heeft Jasons familie me aangenomen. Ze mogen ons! Ik heb vijftien broers en zussen. Daarom is het niet gemakkelijk, snap je? Aye. Rijden onder invloed. De rechtbank heeft me een boete opgelegd! Drieduizend pond! En het was niet eens mijn eigen auto. Nou, ik heb meteen tegen ze gezegd: ik héb helemaal geen geld. "Zorg dan maar dat je het krijgt!" zeiden ze. "Je hebt zes maanden de tijd!" En toen heeft Jasons schoonvader me dus aangenomen. En daardoor heb ik het helemaal gemaakt! Op de viking. Aye! Die zou je eens moeten zien. Vroeger was ze de grootste trawler van de hele Britse vloot. Práchtig. En ik heb in zes maanden acht dagen vrij gehad. Maar het is me gelukt! Ik heb het hem geflikt! Ik heb de boete betaald!'

'Goed zo!'

'Aye!' Hij gooide een volgende vis, extra energiek en handig, hoog in de lucht en regelrecht de slingerende, stampende, zwalkende buis in. 'En toen zei Jasons schoonvader tegen Jason (kun je het nog volgen?): "Die Sean," zei hij. "Die is goed. Hij is nu opgeleid; neem jij hem maar over."'

'En hoe vind je het?' Toen het schip tussen twee halen in even recht lag, lukte het me eindelijk het mes erin te zetten en het kleine hartje, rood als een damastpruim, eruit te schrapen: zwarte hel nummer drie.

'Het werk?'

'Het werk? Dat is niet zwaar, het werk. Het is het van huis zijn. Acht vrije dagen in zes maanden! Ik zag mijn opoe nooit. Ik zag mijn vrienden nooit. Daarom is dit veel beter! Maar het is niet erg warm. Nu is het op zijn ergst, januari is het ergst. Maar zelfs in de zomer, dan moeten hier in het noorden de netten worden geboet, sneller kun je niet gaan en erg warm is het niet. En aan de andere kant weet je natuurlijk nooit hoe lang je moet werken: misschien twintig uur achter elkaar, misschien maar twaalf. En je bent steeds van huis. Het is erger dan de mijnen. Mijnwerkers gaan naar huis! Eén ploegendienst en ze zijn weer thuis! En bovendien is het hier gevaarlijker, veel erger. Soms, tja, soms ben je zo bang dat je in je broek schijt. Dan loopt het je dun door de broek!'

Sean liet weer zijn vrolijke lach horen, een brede lach op zijn gedrongen gezicht, een energieke, aanstekelijke, zweterige, biologische lach. 'Maar jíj niet, Redmond. Zelfs niet als we die windkracht 12 krijgen! Jou kan niks gebeuren!'

'O nee?' zei ik, en rechtte mijn schouders. 'Hoe dat zo?'

'Omdat jij alles al hebt uitgekotst! Jij hebt niks meer over!'

Robbie concentreerde zich, sloot de lopende band vanaf de vislast af, draaide de tafel rond, en zo ongeveer om de andere bak opende hij met een scherpe metalige galm een luik voor zich: het grom viel erdoorheen in een stalen stortkoker, een hoge goot die zich leegde via het spuigat aan stuurboord.

(Maar waarom was me dat niet opgevallen? Waarom had ik dat niet eens opgemerkt, die stalen glijbaan, groot genoeg om in te staan, die naar de stalen klep van het spuigat liep, waar het licht van de zee buiten zo helder scheen, waar, zo nam ik aan, de jan-van-genten en de drieteenmeeuwen wachtten, en waarvandaan, wanneer de Norlantean zo'n felle haal naar stuurboord maakte, de koude, frisse, manische zee naar binnen schoot en over het dek sloeg? Niks aan de hand, zei ik tegen mezelf, hou op met die onzin, je bent in een andere wereld: je hebt geen zelf opgelegde angsten nodig; je kunt niet verwachten dat je alles meteen begrijpt; ontspan je, want je hebt nog zoveel tijd, nog zoveel onvervalste, externe, geruststellende échte angst voor de boeg – dat komt allemaal naar je toe...)

Robbie zette de grote lopende band aan: een smalle school gestripte Groenlandse heilbot ging bevend de helling op vanaf de onderkant van de ronde striptafel naar het luik en door de open aangehechte mond van de buis naar het ruim. Luke kwam terug en ging op een viskist rechts van me staan, links van Sean. Hij kieperde zijn gemeten en gestripte vissen in een lege bak, en zette zijn rode plastic monstermand naast zich klem op de grond. Robbie liet de tafel weer draaien en stoppen zodat elk bak werd gevuld.

'Hé, Sean,' zei Luke, 'ik heb eens staan kijken. Die Robbie, díé is snel. Zo'n beetje de snelste stripper die ik ooit heb gezien!'

'Aye, zeker weten,' zei Sean, die vertrouwelijk naar ons toe boog, een driemans-apartje in een buitenwereld van kabaal dat je woorden opslokte en je lichaam liet schudden. 'Hij is een keiharde vechter. Luke, onthoud goed, wat je ook doet: als Robbie gedronken heeft, blijf dan uit zijn buurt. Ga de kroeg uit. Want hij is snel, zo snel, dat houd je niet voor mogelijk. Trouwens, Luke, je kunt beter doen wat ik doe: ga weg uit zo'n plaats. Je zegt vaarwel Stromness, of lazer op Kirkwall, of zelfs vergeet het maar Thurso! Want het is daar niet veilig. Hij is zo snel dat je hem niet ziet aankomen. Eerlijk waar!'

'Bedankt,' zei Luke.

'Ach,' zei Sean, met een verontschuldigende grijns, terwijl de inmiddels volle tafel tot stilstand kwam. 'Dat was ik vergeten. Daar heb ik niet aan gedacht. Robbie, onze Robbie Stanger, heeft al in geen tien maanden een druppel aangeraakt. En bovendien, jongens, zegt hij dat hij het niet mist! En hij rookt niet, als jullie voelen wat ik bedoel. Maar kijk, mij neemt hij niet in de maling, want hij is oud, misschien wel dertig – en zijn vriendin, die is beeldschoon, die is zéstien. Daarom is hij clean; hij móét wel...'

'Aye,' zei Luke, alsof hij zo'n probleem nota bene nooit zou begrijpen, en hij keek de andere kant op, toevallig naar de rand van de lopende band vanaf de vislast. 'Redmond!' schreeuwde hij op volle sterkte, wijzend met zijn stripmes. 'Een draakvis!'

Luke glimlachte, een gebarsten glimlach op zijn gerimpelde verweerde gezicht, een gezicht dat twintig jaar ouder leek dan de man zelf. 'Een draakvis! Een *Chimaera monstrosa*,' zei hij, alsof hij hem zelf te voorschijn had getoverd. 'Wat zeg je me daarvan?'

Tja, zo'n vis had ik natuurlijk nog nooit gezien. Ik zei: 'Woef!'

De monsterlijke chimaera, het mythische gedrocht, zeventig tot negentig centimeter lang, lag op zijn rug, de roomwitte buik glanzend van het slijm, met borstvinnen als vleugels, en op de plaats waar zijn nek had moeten zitten, zat een klein ovaal mondje met tanden als een konijn. Hij gleed naar beneden, plofte in de bak. Zijn rattenstaart, zo'n dertig centimeter lang, zwiepte erachteraan.

Luke schreeuwde naar Robbie, gebaarde met een ronddraaiende beweging van zijn rechterhand dat hij die bak van de tafel helemaal naar ons toe moest draaien, en daar lag de draakvis voor me, in zijn geheel. Luke keerde hem om; hij hield hem omhoog om hem te inspecteren. De rug en zijkanten waren grijsbruin gevlekt op blauwachtig glanzend slijm; de ogen waren bol, enorm groot – en hij keek me aan, met een glimlach. De zijlijngroef (alsof iemand met een stanleymes in zijn vlees had gekerfd) boog vrolijk omhoog vanaf de onderkant van zijn dikke kegelvormige snuit naar de bovenkant van zijn wang: een nepmond, die voortdurend nadrukkelijk grijnsde. 'Wat zeg je me daarvan?' zei Luke vol trots op zijn draakvis. 'Raar of niet?'

'Heel raar...! En wat zijn dit?' zei ik, en streek met een gehandschoende vinger over een rij afzonderlijke putjes (alsof iemand met een priem in het vlees had geboord), kleine gaatjes, vijf boven en zes onder de grijnzende zijlijn.

'Elektroreceptoren! Die kunnen de minieme gelijkstroomveldjes waarnemen die door de spieren van hun prooi worden veroorzaakt. De golven met een hoge frequentie van mechanische energie, Redmond, de golven die zich echt goed in water voortplanten, die vangt de vis op met zijn inwendige oor. Voor golven met een lage frequentie, verstoringen op korte afstand, gebruik je je zijlijnsysteem, een reeks geperforeerde kanalen onder de huid. Zo bespeur je dat er iets vreemds is, vlak bij je in de stroming, andere golven, een andere druk, dus: is dat iets wat jij kunt eten? Of zal het jou opeten? Of is het een rots? Maar dat wist je natuurlijk al.'

'Nee, dat wist ik niet! Echt niet!' schreeuwde ik, geërgerd door mijn eigen onwetendheid, en me er eveneens van bewust dat een of ander systeem, een inwendig, op het vasteland thuishorend en door slaap gevoed systeem dat nodig is om de emoties te beheersen, me in de steek begon te laten. 'Dat wist ik níét!'

'Goed!' zei Luke, die de andere kant op boog, naar Sean, en de draakvis (slap, buigzaam) voor zijn neus hield, alsof hij op het punt stond hem dwars door de verwerkingskamer te gooien. 'Elektroreceptoren! Hun zintuigen zijn veel ingewikkelder dan die van ons: behalve de gebruikelijke – reuk, smaak, gezicht, gehoor, temperatuur, druk – leven ze in een wereld van elektrische prikkels: stel je eens voor dat je een haai bent en er is daarbeneden een langwerpige prooi, een zwak elektrisch veld, een stilliggende, gewonde paling, dan val je aan. En raad eens? Het is een onderzeese elektriciteitskabel!'

'Vreselijk!'

'Maar, Redmond, hier is hij dan, de draakvis. En ik ben er gek op, echt, want hij komt veel voor, hij leeft voor onze eigen kust, en toch weten we er geen flikker van! Is dat niet spannend?'

'Ja! Ja!'

'De draakvis! Ook wel bekend als het ratje. Maar niet hier, Redmond, niet op zéé. Want ik heb je al gezegd dat je nooit "rat" mag zeggen. Hij wordt hier ook wel "de koning van de haringen" genoemd, want hij komt toevallig vanuit de diepte naar boven, zwemt naar de ondiepe wateren voor onze kust om te paaien, op precies hetzelfde moment waarop de trekkende haringen arriveren…'

'Aye!' zei Sean. Ik zag hoe hij gedurende een fractie van een seconde zijn voorhoofd hard tegen het verroeste ijzer van de stut achter hem drukte. (Natuurlijk, dacht ik, dat kan hij niet met zijn handen aanraken omdat hij Jasons blauwe rubberhandschoenen aanheeft…) Hij draaide zich om. Hij riep in Lukes rechteroor: 'Dat stomme klotebijgeloof! Ik geloof er geen woord van! Gelul Allemaal gelul!'

Vlak voor de eerste rugvin van de vis zat een stekel, die als een marlpriem omhoogstak. 'Wat is dit?' vroeg ik terwijl ik hem naar voren trok en weer losliet: píng!

'Laat dat!' zei Luke, die de draakvis onmiddellijk in zijn monstermand liet vallen. 'Hij is dood. Zeker. Daarom geeft het niet. Maar láát dat. Dat ding is giftig. Echt giftig. Daaronder zit een gifklier en een pompje, als een horzelsteek, maar dan veel erger. Er zijn mensen die zeggen dat je er dood aan kunt gaan. Doe dus rustig aan, Redmond, doe alles langzaam, wat je ook doet…'

'Aha. Sorry.'

'Kijk, het geeft niet, maak je dus maar geen zorgen…' Luke pakte mijn linkerarm even vast. 'Je moet me alleen niet ongerúst maken.

Daar word ik gespánnen van. Goed? Val alsjeblieft niet overal aan dek neer, en probeer niet te vlíégen, en laat geen stekels terugschieten – doe rustig aan, weet je, kijk naar mij, wees niet zo actíéf…'

'Nee. Ja,' zei ik gevleid, terwijl de trawler weer aan zo'n uitzonderlijk lange, schokkende, epileptische haal naar bakboord begon. (Actief? Ik durfde inmiddels geen vin meer te verroeren…)

'Kijk, heel veel vissoorten hebben een gifsysteem ontwikkeld, onafhankelijk van elkaar. Draakvissen, sterrenkijkers, pitvissen, meervallen, padvissen, schorpioenvissen, pietermannen, zoals je wel weet…'

'Nee, dat weet ik níét.'

'Goed. Maar op zich is het fascinerend, vind je ook niet? Hoe hebben ze hun slijmklieren op die manier aangepast? Hoe hebben ze dat gedaan?'

'Geen idee.'

'Goed. Dat is ook goed. Want niemand heeft daar enig idee van. Niet echt, voor zover ik kan nagaan. Maar draakvissen zwemmen – denken we – langzaam over de zeebodem, tot een diepte van zo'n duizend meter, en ze vermalen schaaldieren en weekdieren met dat rare bekje van ze, met die opponeerbare beenachtige platen. En daarom zijn ze een natuurlijk doelwit voor elke passerende diepzeehaai – maar stel je eens voor! Je bent een haai. Je probeert dat slijmerige visje van niks dat niet snel kan zwemmen door te slikken: en een pijn in je gehemelte! Een pijn! Dus spuug je hem weer uit. En je voelt je ziek, je voelt je nog dagen en dagen vreselijk ziek, en je wou dat je nooit was geboren, en vanaf dat moment: één glimp van een draakvis en je geeft al over!'

'Juist!'

'Maar, Redmond, theoretisch zijn ze ook interessant, en dat is het voornaamste.' Luke was al pratend bezig Groenlandse heilbotten te strippen, bijna even snel als Sean, een snee, wat geschraap, een backhandworp omhoog en er glibberde een vis door de buis in het midden. 'Wanneer zijn ze geëvolueerd? Tweehonderd miljoen jaar geleden? Driehonderd miljoen jaar geleden? Dat zullen we moeten nagaan. Dat moeten we precies weten. Want de draakvis is een echte missing link, een levende schakel tussen de kraakbeenvissen – de haaien en roggen – en de beenvissen. Het skelet bestaat uit kraakbeen; hij legt eieren in een hoornen kapsel; het mannetje heeft twee grijporganen om het vrouwtje vast te houden en haar inwendig te bevruchten, net als een haai, en zijn hart en hersenen lijken ook op die van een haai. Maar hij heeft een kieuwdeksel om zijn kieuwen te beschermen, zoals beenvissen, en zijn bovenkaak zit vast aan de schedel en is daar niet door middel van een gewrichtsband mee verbonden, zoals bij de haaien. Aye, en dit zul je leuk vinden: de anus van de draakvis staat lós van de urogenitale opening.'

'Ik ben blij het te horen!' zei ik, wat een vergissing was, maar het grootste deel van mijn hersenen (zo voelde het tenminste) werd volledig in beslag genomen door de poging om mijn blauwe rubberen uitsteeksels van handen te instrueren mijn zesde Groenlandse heilbot vast te grijpen ('Je zult tónnen moeten strippen') en mijn persoonlijke mantra zong maar door: 'Je moet méédoen! Je moet helpen! Je moet strippen en strippen. Je bent een dikke luie sukkel. Je bent oud. Het is met je gedaan. En nee, je mag níét naar bed, je mag níét naar je kooi. De mensen houden je hier in de gaten, daarom kan het niet: je kunt níét doen of je ergens anders bent.' En met het scherpste mesje dat ik ooit in mijn hand had gehad, terwijl de trawler slingerde en omhoogkwam en kurkentrekkerbewegingen beschreef en schudde en als een derwisj naar stuurboord tolde, begeleid door gekrijs en tromgeroffel, door heel hoge en heel lage tonen van de wind, de zware storm die vanaf de ramp door de open waterdichte deur naar binnen gierde, miste ik het kleine pakketje ingewanden van mijn Groenlandse heilbot en sneed ik in de blauwe rubberpalm van mijn linkerhandschoen.

'Hé, Redmond!' zei Luke, vijftien centimeter rechts van me, die alweer een volgende gestripte vis omhoog en in de buis wierp. 'Volgens mij luister je niet.'

'Wel waar!'

'Goed, maar kijk, het is echt belangrijk; misschien heb ik het niet goed uitgelegd. De haaien en roggen zijn ongeveer 400 miljoen jaar geleden geëvolueerd – en Redmond, dat is 165 miljoen jaar vóór de eerste dinosauriërs verschenen – en toch zijn ze er nog steeds, overvloedig zelfs, en nagenoeg onveranderd, ze zitten overal, ze hebben het goed gedaan, ze hebben het gemaakt. En dan komt de doorbraak, de volgende fase, en dat is een raadsel, want waarom zou je daar moeite voor doen? Waarom zou je daar moeite voor doen als je alles zo goed voor elkaar hebt? Bezopen! Bezopen! Maar het is niet anders en daar heb je het bewijs, de draakvis' – met zijn mes wees hij even naar zijn monstermand

– 'en daaruit hebben zich de beenvissen ontwikkeld!'

'Ja! Maar Luke, is het zover? Is dit windkracht 12? Conrad schrijft daarover – je weet wel, in *Narcissus*, in *Typhoon*: ik weet nog dat je in een echte zware storm, zegt hij, jammerlijk gekrijs, laag tromgeroffel hoort…'

'Gekrijs? Tromgeroffel?' Luke moest lachen. 'Redmond, dat is Fleetwood Mac! Op volle sterkte! Maar door de zee en de motoren – ja, je hebt gelijk: golven en motoren en grote koperen trommels, allemaal door elkaar!'

'Aye!' zei Sean, die met zijn rechterhand in de lucht stompte, een mes en een vis (bij de kieuwen) in zijn linkerhand. 'Fleetwood Mac! De band van de trawlvissers! Jason heeft hier luidsprekers geïnstalleerd' – met een knikje naar de wirwar van leidingen en boxen en draden boven de waterdichte deur achteruit – 'en dat is móói. Alleen heeft hij maar twee bandjes op de brug: Fleetwood Mac en de Corrs. En de Corrs, zeker weten, de meest sexy zussen die je ooit hebt gezien, en hij zit daarboven naar het plaatje op de cassette te kijken, en begrijp me niet verkeerd, dat zou ik ook doen, maar volgens mij, onder ons gezegd en gezwegen, kunnen ze niet zingen!'

Luke lachte. Robbie draaide de tafel rond; hij stripte mijn zesde Groenlandse heilbot, de enige complete vis die nog in de bakken lag (hoe deed hij dat? Met die olympische snelheid, zo nonchalant?), trok het luik voor het grom kletterend open, sloot het weer, zette de lopende band van de vislast aan, vulde alle bakken van de tafel, verplaatste ze stuk voor stuk, en stak tevreden zijn duimen naar ons op.

En zo ging het allemaal weer verder, net als daarvoor – alleen was het niet hetzelfde, en dat, dacht ik, moest een van de kleine redenen zijn waarom dit werk, de baan met statistisch gezien de meeste dodelijke ongelukken in heel Groot-Brittannië, tevens zo aantrekkelijk was, waarom Jason en Robbie en Sean er zo gek op waren: omdat er op elk blad, bij de vangst van Groenlandse heilbot, iets onverwachts kon zitten, in dit geval een of twee enorme vleten…

'Alles in orde?' zei Luke, terwijl ik stond te kijken naar mijn nieuwe volle bak te strippen vis, een bak die zich het ene moment, wanneer de trawler naar stuurboord slingerde, ter hoogte van mijn nek leek te bevinden, en zich even later, wanneer het schip naar bakboord ging, halverwege mijn dijen presenteerde. 'De draakvis! Ik moet je beslist een mannetje laten zien. Want dat heeft grijporganen, net als deze vleten, maar dan natuurlijk veel kleiner – en wat dacht je? Het heeft een pik die niemand anders heeft, een apart grijporgaan op zijn kóp, midden tussen zijn ogen! De rest van zijn lichaam is net als bij het vrouwtje ongeschubd, slijmerig, maar die pik op zijn kop is overdekt met minieme schubjes, tandjes, weerhaakjes. Maar waar dient dat voor? Hoe brengt hij haar in de juiste stemming? Geweldig! Dat weten we niet!'

Sean pakte een grote grijze vleet, draaide hem op zijn rug en kwakte hem uitgespreid neer op de Groenlandse heilbotten in zijn bak. Vanaf de punt van zijn spitse snuit tot het eind van zijn staart was hij misschien een meter twintig lang; de onderkant van de negentig centimeter brede vleugels, de buik van de vis, van een vis die had besloten zich tussen zijn eigen vinnen te verbergen, was wit met grijze vlekken. Bij het begin van de vleugels, aan weerszijden van de tamelijk dikke staart, zaten twee vlezige uitsteeksels, half zo lang als de staart zelf: de grijporganen. Boven aan de vleugels, midden op de schijf die ze vormden, zaten twee ogen, die me recht aankeken, en een bek, die glimlachte. 'Vleten!' zei Sean. 'Prachtjongens! Ik houd van vleten!' Hij leunde naar voren en liet met zijn handen, een aan elke kant, de twee grijporganen wiebelen. 'Ze hebben twee lullen!'

Luke lachte. 'Ja. Copulatieorganen. Je hebt gelijk, Sean, je hebt gelijk. Grijporganen, wij noemen ze grijporganen – en men dacht vroeger echt dat ze bestemd waren om het vrouwtje vast te houden, maar nu weten we dat het mannetje haar met zijn hele lijf omwikkelt en vervolgens allebéí zijn copulatieorganen in haar cloaca steekt, en zo wordt het sperma overgebracht.'

'Oto-lieten,' zei Sean, en hij tuitte zijn lippen als een vissenbek naar Lukes oor. 'Co-pu-la-tie-or-ganen...' Hij liet de grijporganen nog eens wiebelen. 'Twee lullen! En moet je eens kijken hoe gróót ze zijn! Prachtjongens, die vleten!' Hij liet de lange, dikke, vlezige grijporganen los, greep de vleet bij de rand van de vleugels en draaide naar rechts om hem in de goot naar het spuigat te gooien. 'Jammer, jongens, ze zijn lekker, maar we hebben er geen quotum voor.'

Luke pakte zijn arm. 'In de mand!' zei hij, terwijl hij een andere richting aan de worp gaf. 'Ik moet een steekproef hebben, minstens tien stuks. Dit hier zijn stekelroggen, dat denk ik tenminste, want vleten en roggen zijn héél moeilijk te identificeren, vrijwel onmogelijk. Soms kun je het alleen vaststellen door de stekeltjes op hun rug te tellen: verschillend aantal, verschillende soort: ze paren niet onderling!'

'Ja,' zei Sean, die weer begon te strippen. 'Op de Orkneys en de Shetlands, jongens, zijn vleten iets heel bijzonders.'

'O ja?' zei Luke geïnteresseerd. 'Hoezo?'

'Seks, Luke, seks. Je meisje haalt een mannetjesvleet, stiekem, en ze snijdt die grijporganen af en hakt ze fijn in een vissoep en die geeft ze je te eten met een haverkoek. Dan vertelt ze je wat ze heeft gedaan en dan heb je geen keus, je hebt die soep op, alleen zit je met één probleem: je kunt niet meer ophouden. De hele nacht, Luke, de hele nacht!'

'Och aye,' zei Luke en hij haalde zijn schouders op.

'En Luke,' zei Sean 'een boer die voor schapen zorgt, hoe noem je die?'

'Een herder.'

'Nee!' zei Sean triomfantelijk. 'Een schapenneuker! En hoe noem je een nieuwe jongen bij de marine die voor de kippen zorgt?'

'Geen idee.'

'Een kippenneuker! En wij, de trawlvissers, wij zijn de bésten. Weet je hoe ze ons noemen? In Caithness?'

'Ik geef het op.'

'Vleetneukers!'

Sean grijnsde naar Luke, zo'n bezwete, gedrongen, superveelzeggende grijns van zijn hele gezicht, een boodschap met zoveel directe opgewektheid, met zoveel levensvreugde, met zo'n sterke mengeling van plotselinge blijdschap, overtollige hormonen en jonge overvloedige energie dat de kou daardoor pardoes wat minder leek te worden, evenals het geweld en de benauwende dreiging van die ijzeren ruimte (hoe moest je hier in godsnaam uit ontsnappen als...).

Vanuit het ruim klonk een gigantisch luid metalig gedreun van staal op staal, een hamerende gong vanuit de diepte.

Robbie leunde helemaal over zijn bak heen naar voren en brulde op volle sterkte tegen Sean: 'Strippen! Grotemeidenbloes die je bent! Ga strippen!' En vervolgens tegen Luke, bij wijze van verontschuldiging: 'Ze hebben geen vis. Ze hebben beneden niet meer genoeg!'

En dus stripten we Groenlandse heilbot en Luke liet me zien hoe ik lom moest strippen, wat moeilijker was dan je zou denken doordat lom zo om en nabij een meter lang en slijmerig is, met een huid die van rubber lijkt te zijn gemaakt, en de dieren waren walgelijk opgezwollen: ze hadden hun maag uitgebraakt: hun maag hing uit hun bek. En dat kwam, zei Luke, doordat lom een zwemblaas heeft. En zwemblazen waren interessant. Want de gemiddelde vis heeft een grotere dichtheid dan water, dus hoe voorkom je, als je zo'n vis bent, dat je zinkt? Haaien en tonijnen hebben geen zwemblaas, en daarom moeten ze blijven zwemmen, met hun gepaarde vinnen blijven kronkelen om ze als draagvleugels te laten fungeren, maar ze hebben ook hun algemene densiteit verminderd door lipiden met een lage dichtheid in hun lichaam op te slaan – 'Daarom noem je ze "traanvissen", Redmond' – en het drijfvermogen van de traan uit haaienlever is vijf à zes keer zo groot als dat van een hoeveelheid water met hetzelfde gewicht. En met vis als makreel spreekt het natuurlijk voor zich, hè, zei Luke. Bij zulke vis, die dagelijks vele honderden meters in verticale richting aflegt – en zoals je weet geldt dat voor heel veel mesopelagische soorten uit de oceaan – hoef je er maar even over na te denken en je weet al dat een zwemblaas geen goed idee is. Die kun je gewoon niet snel genoeg opblazen en leeg laten lopen. Zoals we aan deze lom konden zien. Daar zwommen ze dan, misschien op zo'n duizend meter diepte, over ruw rotsachtig terrein – het enige soort terrein waar ze van houden – toen ze in het net werden gevangen, en er was geen tijd om het gas (zuurstof, stikstof en kooldioxide, hoewel karpers alleen stikstof gebruiken) weer af te geven in de bloedstroom. Het zijn beenvissen, zei Luke, die verwant zijn aan de schelvissen, en de meeste beenvissen hebben een intern op gas werkend drijforgaan ontwikkeld, een zwemblaas, die is ontstaan uit een primitieve long... (Waren hun voorouders dan, dacht ik, net als de longvissen het land op gekronkeld, hadden ze zich bedacht en waren ze weer teruggegaan naar zee? Hadden ze net als watersalamanders in een vijver gretig lucht opgezogen aan het oppervlak? Ik besloot het later te vragen, als het leven ooit weer vredig zou worden...)

De slordige bergen vis die zich over de lattenband naar ons toe begaven werden kleiner; de vis begon met één of twee dieren tegelijk schokkend op ons af te komen. Luke stapte van zijn kist af, sprong over het begin van de lopende band en verdween achter de zijkant van de vislast. We hoorden hoe hij met een krassend en kletterend geluid van golfplaten op staal de provisorische deur opzij schoof. Er bereikte ons een wilde, veelstemmige echo: 'Redmond! Een zeevleermuis! Een zeevleermuis! Vlug!'

Ik viel van mijn kist, klauterde over de lopende band, schampte om de wand van de vislast heen en merkte dat ik aan de dijhoge drempel van de toegang hing.

Midden in mijn gezichtsveld, op de bodem van de steile, naar binnen geknakte, roestvrijstalen platen van de hoge container, rechts van vier Groenlandse heilbotten die op de plek lagen waar ze naar toe waren gegleden – vlak onder de onderste rand van het open valluik naar de lopende band –, lag verspreid over de helling van de vloer, kronkelde rond Lukes gele zeelaarzen een half doorzichtige, bolvormige bruine en paarse massa, een kleurloze, glimmende drilpudding waar je dwars doorheen kon kijken, iets uit een andere wereld, een dood dier dat onder het kijken oploste in veel te veel lange stroperige armen vol witte builen, puisten, zuignappen om je vast te houden...

'Een *Haliphron atlanticus*!' riep Luke. 'Dit, Redmond, dit is pas het tweede exemplaar dat in de Schotse wateren is geregistreerd!'

Tussen de geleiachtige hoop van het lichaam en het begin van de tentakels staarden twee enorme bruine ogen naar hem op.

'Het is geen échte zeevleermuis omdat er' – hij duwde met zijn rechterlaars tussen twee tentakels – 'geen vlies is. Maar het is zonder meer een diepzeeoctopus, en dat weten we doordat we hun kaken, snavels voor jou, in de magen van potvissen hebben aangetroffen, en het verhaal van de potvissen, ik verzeker je, Redmond, dat is schitterend, heel bijzonder, en ik zal het je later vertellen, heus, help het me onthouden, wil je? Maar nu...' Hij stapte over de octopus heen, kwakte de vier Groenlandse heilbotten door het valluik op de lopende band en toen de slingerende Norlantean me naar achteren trok, greep hij mijn arm om me over de drempel heen te helpen. 'Voorlopig blijf je even híér. Ik haal een mand. Dit bewaren we als het even kan.'

En alsof het een fluitje van een cent was kwam Luke terug met een van zijn rode manden, die hij voor de tentakels op de steil geknakte stalen vloer legde, en we probeerden de octopus te verzamelen, die bol rommel, die er zo spookachtig, zo ijl uitzag, en die toch zo loodzwaar was.

'Natuurlijk is hij zwaar,' zei hij toen we erin slaagden de laatste dikke tentakel in de mand te kwakken. 'Hij bestaat voornamelijk uit water en daarin zit hem de kneep, want water is bijna niet samen te drukken, en daarom heb je dat nodig, echt, als je wilt leven, als je een bestaan wilt leiden op een diepte van vijftienhonderd vaam.'

'Ach ja,' zei hij, toen we de mand over de drempel slingerden, 'mínstens veertig kilo.' Hij sprong achter de rode mand aan op de slijmerige planken en toen de Norlantean naar bakboord slingerde, duwde hij hem hard tegen het waterdichte schot achteruit, waar hij de rand aan een stalen buis vastsjorde. Ik klauterde uit de goot en ging terug naar mijn post. De striptafel en de lopende band stonden stil; Robbie was een armdikke slang aan het ontrollen van zijn klamp tegen de bakboordwand. 'Ontbijt!' zei Sean, die zijn handschoenen uittrok. Robbie klapte een schakelaar om waardoor een verborgen pomp tot leven kwam, trok het eind van de slang naar de tafel en spoelde de spetters grom van Seans oliegoed, van achter en van voren. 'Geen benul,' zei hij tegen Sean, 'aye, dat is jouw probleem. Geen enkel benul van hygiëne.' Hij richtte de slang op mij – en door de druk viel ik van mijn kist. 'Nieuw oliegoed, Redmond. Het beste. Wees er dus een beetje zuinig op.' Robbie spoot Luke af, Luke spoot Robbie af. En Sean, de jongste, kreeg te horen dat hij de tafel en de lopende band moest afspoelen. 'Ontbijt!' zei Robbie. 'Jerry kan een ontbijt maken. Raak zijn soep niet aan. Maar hij kan een ontbijt maken. Dat moet ik hem nageven. Kom mee, jongens!'

Luke volgde Robbie naar de bank bij de deur vooruit, waar ze hun laarzen en oliegoed uittrokken en waar ik even later arriveerde. 'Maak je geen zorgen, Redmond,' zei Robbie met een vermoeide glimlach. 'Wacht maar af. Je krijgt nog wel zeebenen. Maak je geen zorgen. Dat komt vanzelf.'

Na de kou en de lucht en het geklots van de zee in de verwerkingskamer was de kombuis verstikkend heet, een gesloten vat frituurvet, druppeltjes beslag en hitte. Mijn bril besloeg ogenblikkelijk, waardoor ik op de bank meteen rechts van de deur ging zitten, hem afzette en probeerde schoon te vegen met mijn zakdoek, een stuk stof dat even zilt en doorweekt was als de rest van mij. Jerry, de kok, doemde vaag op in de nevel, bezweet en met een rood hoofd. Hij bleef even naast me staan om in mijn schouder te knijpen, een vriendelijk kneepje dat mijn sleutelbeen net niet liet knappen. 'Ga maar opscheppen. Het staat allemaal in de pannen klaar. Ik ga Jason aflossen. Eet maar zoveel je kunt; dat zul je nodig hebben. Als we in het zware weer komen, wordt er niet meer gekookt!'

Luke ging tegenover me zitten. Ik keek naar zijn bord, ontzet. Er lag een piramide eten op. 'Wat heb ik je gezegd?' zei hij, terwijl hij bij de top de geur opsnoof. Hij leunde op zijn bank naar achteren en tikte met zijn vork tegen de basis van de piramide, een vijf centimeter hoge schijf deeg ter grootte van het bord. 'Aye, pizza voor twee, gefrituurd. Echte friet, gemaakt door Jerry.' De volgende laag. 'Drie gebakken eieren, drie worstjes, bacon – en, Redmond, als je echt wilt, kun je er nog een ingedeukte mars bovenop leggen! Wat heb ik je gezegd? Nou? Dit is toch zeker nog beter dan het ontbijt in Nairn? Of niet soms?'

Toen Nairn werd genoemd, werd de aard van het probleem duidelijk. Ik moest overgeven.

'Ik moet overgeven.'

'Dat kan niet.'

'Waarom niet?'

'Er zit niets meer in je!'

'Kan me niet schelen.'

Jason kwam binnen. 'Wat is er aan de hand?'

'Redmond moet overgeven.'

Jason grijnsde even vriendelijk naar me. 'Ach,' zei hij, 'je hebt in elk geval één voordeel: je bent goedkoop in de voeding!'

Ik drukte me overeind en draaide me naar de deur. 'Wat is dat?' zei Jason. 'Daar, op de achterkant van je overhemd?'

'Hè?' zei ik, terwijl ik me kronkelde om ernaar te kijken, in de veronderstelling dat er een zuignap van een zeevleermuis of nog iets ergers zat.

'O, ik zie het al,' zei Jason met een schrille lach, 'het is je matras.'

'De *Haliphron atlanticus...*' zei Luke dromerig, verzadigd van beslag, terwijl hij ritselend in de donkere hut in zijn slaapzak kroop en lekker ging liggen. 'Dat was nog eens wat. Bijna zo mooi als Signy Island. Maar het lukt ons nooit om hem te bewaren. Ik wil de jongens niet vragen of ze hem in het ijs willen zetten en in het ruim willen stoppen. Niet die volle veertig kilo. Ik zal de snavel bewaren. Daar zal ik het mee moeten doen...'

'Signy Island? Wat is dat?'

'Signy Island? Heb ik je dat niet verteld? Ach, dat was de gelukkigste tijd van mijn leven! Op de Zúíd-Orkney-eilanden toevallig, in het zuiden van de Atlantische Oceaan, op dezelfde breedte als hier, maar daar heb je geen warme Noord-Atlantische stroom en daarom is het een en al ijs. Antarctica. Tweeënhalf jaar. Achter elkaar. Zonder verlof. Daar heb ik tweeënhalf jaar gezeten!'

'En daar was je gelúkkig?'

'Ja. Schitterend! De mooiste baan ter wereld! Ik was mariene assistent van de British Antarctic Survey. Dat is met niets te vergelijken.'

'Dat zal best... De kou...'

'Ik wilde er nooit meer weg. Ik telde pelsrobben en Weddellzeehonden – die jongden in de winter – en zeeluipaarden en pinguïns. Het was een dróómwereld. De basis lag op de plek van een oud Noors walvisstation. Ik was de duiker van de basis.'

'Je dóók daar? Bij die temperaturen?'

'Er verschenen bultruggen en dwergvinvissen als je ging duiken en die bleven dan bij je... Ik heb met pelsrobben gedoken – nou ja, die zijn niet te vermijden. Dan zwom je daar, geconcentreerd op je werk, dan dook je, dook je om een bepaalde soort te zoeken, bijvoorbeeld een weekdier, en pelsrobben zijn zo speels, echt, dat ze je de stuipen op het lijf kunnen jagen: ze doemen ineens achter je op en geven je een klap op je hoofd, een zachte kopstoot, wanneer je daar niet op bedacht bent! En als je dan je hand uitsteekt om je weekdier of wat dan ook te verzamelen, duikt er een pelsrob uit het niets op en neemt je arm in zijn bek, net als een hond, en schudt die even heen en weer. Ze denken dat zoiets leuk is! En soms komen ze recht op je afgestoven, met open bek. Boe! En verder had je daar de mooiste vogels ter wereld. Sneeuwstormvogels. Volmaakt wit. Volmaakt. En reuzenstormvogels. En Kaapse duiven...'

'En de mensen? Tweeënhalf jáár met dezelfde mensen?'

'Eerlijk, Redmond, in al die tijd, ik kan eerlijk zeggen dat ik in al die tijd, in die eerste twee jaar met elkaar, niet één keer iemand met stemverheffing heb horen praten. Als er ergens een ideale samenleving bestaat, dan was het daar. En als je bedenkt dat de winternacht van maart tot oktober of november duurt en dat het enige schip in november kwam... Dat was geweldig, grote opwinding alom. Het schip bracht je post – je had in geen acht maanden post gehad. En bier, sigaretten, eten en boeken voor een jaar. Plus één video en één cd per persoon per jaar. Als je contract bijna afliep mocht je twee contacten per maand hebben. Twee berichten van honderdvijftig woorden. Dan stuurde ik er één naar mijn moeder en één naar een vriendin. Maar er kwamen massa's berichten onze kant op: wetenschappers van over de hele wereld stuurden ons hun verzoeken: ze hadden twee exemplaren van die soort nodig en twee van een andere. Fantastische boodschappenlijstjes! En dan ging ik naar buiten en probeerde te vinden wat ze wilden hebben. Meestal door te duiken. Er was toen veel belangstelling voor ijsvissen. Omdat die geen hemoglobine hebben; ze nemen de zuurstof rechtstreeks op, in opgeloste vorm. Daarom leiden ze een zéér traag leven, achteroverliggend, snuffelend onder het ijs, pal tegen de wand van de ijsbarrière aan. Of misschien wilde iemand een dier uit ons laboratorium hebben: we hadden langwormen in het aquarium, gigantische wormen, een beetje als slijmprikken, en net als slijmprikken vormden ze samen een grote knoop, walgelijk. En ze ontsnapten! Ze duwden het deksel van het aquarium op een of andere manier omhoog en kropen over de vloer, vormden zelfs slijmsporen in de gang! En we hadden de *Glyptonotus*, reuzenpissebedden, dat waren net trilobieten, alsof ze uit de dood waren verrezen, weet je, uit de grote verdelging van 245 miljoen jaar geleden, toen een komeet in de aarde sloeg, kolossaal, en 96 procent van al het leven in zee vernietigde. Over een oud milieu gesproken – vertel eens, welk systeem van levende dingen is ouder dan de oceanen? Denk eens aan de miljoenen en miljoenen dieren, Redmond, die er in de abyssale zone, in de echte diepzee, op wachten om te worden ontdekt. En de biljoenen verschillende organismen die in de abyssale modder leven… Aye, ik had alle tijd om daarover na te denken, werkelijk alle tijd van de wereld. En het werd me nooit te veel. Ik heb me nooit ongerust en ziek gevoeld, zoals in Aberdeen, terwijl ik dat proefschrift probeer te schrijven… Nee. Geen sprake van. We hadden daar "tinkeldagen". We noemden het "tinkeldagen", ik weet niet waarom, stralende zonnige dagen waarop je kon gaan skiën of bergbeklimmen, waarop je wat kon dóén, een foto kon maken. Op zo'n dag moest ik een dode pinguïn gaan zoeken voor David Attenborough. Hij had voor een van zijn films een dode pinguïn nodig. Een dode pinguïn! En ik heb voor hem gedoken om zeewormen te verzamelen, snoerwormen, wormen met een slurf. Het was een alleraardigste kerel om voor te werken: hij heeft me zelfs geschreven om me te bedánken! En die wormen, weet je, die snoerwormen, die heb je in alle kleuren van de regenboog. Dat houd je niet voor mogelijk…'

'En met hoeveel waren jullie? Met hoeveel mensen op de basis?'

'Met twaalf, met ons twaalven: een dokter, een elektricien, een duikofficier, een kok, een marconist, een dieselwerktuigkundige, een aardwetenschapper en zijn assistent, een mariene wetenschapper en zijn assistent – ik –, een zoetwaterdeskundige – er waren heel bijzondere meren onder het ijs die 's zomers zichtbaar werden – en een timmerman, mijn speciale vriend, Steve Wheeler. Hij was zesendertig, een beste vent, en we hebben hem ook de titel jollenman gegeven omdat hij zijn eigen zeilboot had gebouwd, een mooi scheepje van ruim vier meter. We waren er allemaal zo blij mee dat we het zelfs hebben gedoopt: we hebben een hele fles whisky op de boeg kapotgeslagen. Hij wist vis boven te krijgen door te fluiten en zong voor de robben en dacht zelfs dat hij meisjes kon hypnotiseren – je weet wel, gewoon door naar hen te kijken. Ja, het was een paradijs, echt, heel vredig en productief, tot…'

'Tot?'

'Tja, Redmond, ik weet dat het vreselijk klinkt als ik dit zeg, maar het is een feit dat het een paradijs was tot er vróúwen kwamen... Aye, drie studentes: een Engels meisje dat pissebedden bestudeerde en twee Hollandse meisjes die met algen werkten. Toen ze arriveerden gílden ze tegen elkaar. Je voelt je akelig; je denkt: waarom? En het antwoord luidt dat je twee jaar lang niemand tegen een ander hebt horen schreeuwen. De arme Steve werd verliefd op een van hen, maar zij viel natuurlijk niet op een timmerman, wat hij ook deed of zei. Zij had haar zinnen op een van de wetenschappers gezet. En ik vrees dat Steve daar gek van is geworden. Hij verscheen op een dag in de eetzaal met een fles whisky in zijn ene en een mes in zijn andere hand. De dokter kalmeerde hem. Maar op de lange duur moesten we per radio hulp inroepen. En uiteindelijk wist de marine ons te bereiken. Ze hebben hem per helikopter weggehaald.'

'Luke?'

'Ja?'

'Slaap je weleens? Zouden we wat kunnen slapen?'

'Ach, neem me niet kwalijk. Dat spijt me. Het is zoals ik al zei: tekort aan slaap; je zult merken dat de jongens elkaar eerst de oren van de kop kletsen, dan stil worden en vervolgens rode ogen en een vreselijke huid krijgen waardoor ze er nauwelijks nog menselijk uitzien. Het gaat net als bij ratten; er is een beroemd experiment waarbij ratten uit hun slaap werden gehouden: uiteindelijk barstte hun huid helemaal open en viel hun vacht af.'

'Tja. Nou. Ik wil echt niet dat mijn vacht afvalt.'

Een halfuur later ging de sirene en maakte ons wakker, en mijn lichaam zei me dat het een volgende dag was en mijn hersenen waren het er niet mee eens, en ik besefte dat ik al geen enkel redelijk gevoel van tijd meer had.

Luke glipte zonder enige overgang vanuit zijn slaapzak in zijn broek, zijn trui, zijn muts en zijn sokken, in die volgorde, en verdween in stilte, alsof hij slaapwandelde.

Ik lag in mijn warme, nylonzachte, legergroene cocon. Met mijn tenen streelde ik het voeteneind van mijn slaapzak; ik bewoog mijn en- kels, mijn kuitspieren; ja, mijn hele lichaam deed pijn, elke spiergroep had zijn portie gehad, zelfs mijn nek. Hoe kwam dat? Hoofd gebogen, gespannen, in elkaar gedoken boven de tafel, eindeloos vis strippend... Het geeft niet, zei de inwendige stem, nog heel even, ach, waarom eigenlijk niet nog een paar dagen? Per slot van rekening wordt er niet van je verwacht dat je meedoet, dat heeft Luke je zelf verteld; je betaalt vijftig pond per dag voor je kost en inwoning; je bent niemand tot last; eigenlijk help je waarschijnlijk het meest door precies te blijven waar je bent: daarbuiten loop je maar in de weg; daar wordt serieus gewerkt; het is allemaal een tikje wanhopig, manisch zelfs. En in het algemeen, nu je hier toch ligt na te denken, zo warm en ontspannen, waarom bekijken we het dan niet wat ruimer? Wat vind je van een mooie langdurige ziekte? En is het bovendien niet tijd om met pensioen te gaan? Iedereen ziet in één oogopslag dat al je beste werk achter je ligt. Waarom blijf je hier dan niet gewoon liggen om ervan te geníeten? Niemand zal je iets verwijten. Het geeft niet. En bovendien – en je weet dat dit altijd werkt – ik heb héél slecht nieuws voor je: je weet het nog niet, maar je bent in shock, eigenlijk ben je de hele strijd vergeten, maar het peloton heeft het nergens anders over: zoals jij als toonbeeld van moed dat mitrailleursnest aanviel, wat een schouwspel; het spreekt natuurlijk voor zich dat je in de depêches zult worden vermeld en er wordt gezegd dat je best eens zou kunnen worden voorgedragen voor een Victoria Cross... Maar kijk, je moet stilliggen, heel stil, omdat je een kogel in je maag hebt gekregen van een zware algemene mitrailleur. Het spijt me dat ik het je moet zeggen. Ik weet hoe dolgraag je meteen weer zou willen doorvechten, ouwe jongen, maar ook al vereist dit al je instinctieve grote moed, al je enorme reserves aan wilskracht, ik vrees dat ik je moet gebieden om dóódstil te blijven liggen. De geringste beweging en je bent er geweest...

Een meter of twee onder me begonnen de motoren van de hydraulische bomen te werken, lieten de kooi schudden door een nieuwe trilling, net iets sneller dan de hartslag met een overvloed aan adrenaline van een naderende hartaanval. Ik worstelde me uit mijn slaapzak, zorgde ervoor dat ik me met één hand aan de rand van de kooi vasthield terwijl ik met mijn andere mijn broek aantrok. Nee, dacht ik, ik wil beslist niet nog eens vliegen. Vliegen vind ik niks, helemaal niks.

In de verlichte gang stapte een man met verward donker haar, gekleed in een wit hemd en de blauwe overall van een keuterboer, en met fel oranje gehoorbeschermers om zijn nek, langzaam en bedaard over de drempel van de open deur links van me. Uit de machinekamer. Dat was dus Dougie, de motordrijver.

Ik stelde mezelf voor. 'Aye,' zei hij met een trage vriendelijke glimlach, terwijl hij zijn gehoorbeschermers afdeed en aan een haak links van de kombuisdeur hing. 'Ik weet er alles van. Je bent ziek geweest. Je hebt niet gegeten. Kom daarom even hiernaar toe. Dan maken we een praatje.'

'Dougie,' zei hij, terwijl hij me een hand gaf. 'Dougie Twatt. Goed, ga hier even zitten. Dan haal ik iets voor je. Geen haast. Jij en ik – we zullen een praatje maken.' Hij kuierde de stampende kombuis door naar de voorraadkamer links. Hij was ouder dan enig ander bemanningslid, misschien wel boven de veertig. En kalm. Hij is waarschijnlijk altijd kalm, dacht ik, maar het moet helpen, om een vast salaris te hebben…

Hij kwam terug, even langzaam, en zette een mok water en zes dikke droge beschuiten op een wit bord voor me neer. 'Zo,' zei hij, terwijl hij tegenover me ging zitten, zijn armen op tafel over elkaar sloeg en me recht aankeek (ik dacht: hypnose). 'Dit werkt altijd. Het heeft altijd gewerkt. Het zal altijd werken. Ik blijf naar je kijken tot je dat tot en met de laatste kruimel hebt opgegeten.'

Ik nam een hap: een mond grind. En een slok water. 'Je bent zeker gek op motoren,' brabbelde ik om iets te zeggen.

'Ja,' zei hij, zonder zijn blik van mijn gezicht af te wenden. 'Ja, ik ben opgegroeid op het eiland Eday. Ik heb tot mijn eenentwintigste op de boerderij gewerkt. Twintig bunder. Allemaal schapen. Maar er was niet genoeg werk voor ons allemaal, daarom ben ik naar zee gegaan. Ik wist alles van tractors. Dat moest wel – er is geen pachter op de Orkneys die niet zijn eigen mecanicien is. Je geeft om de motoren; ze waren toen goed en simpel. Je wist waar je aan toe was. Ik houd nog altijd van tractors. Ik verzamel oude tractors. Daar leef ik eigenlijk voor. Begrijp me niet verkeerd, ik mag de motoren hier, dat zijn oude Blackstones. Die zijn altijd interessant, altijd verrassend.'

'Verrassend?' (Beschuit nummer twee.)

'Aye, doordat je nooit weet wat het nu weer zal begeven. Ik ben hierbeneden een verpleger; ik geef de goede zorg waardoor ze het volhouden. Maar de waarheid luidt dat het er daarbeneden niet zo best uitziet.'

'Hoe heb je het geleerd?' (Nog maar vier beschuiten te gaan.)

'Scheepsmotoren? Dat heb ik op de beste manier geleerd, dat ik heb mezelf geleerd, op zee.'

'En wat doe je thuis? Als je thuiskomt?'

'Aye, ik vind het heerlijk om thuis te zijn. Thuis onderhoud ik mijn tractors. Er zijn geen betere ter wereld. Ik heb vier tractors. Een Ferguson—'

'Een grijze Fergy? De kleine grijze Fergy? Mijn schoonvader heeft er een gehad! Daar heeft mijn vrouw op leren rijden!'

'Aye. Ze zijn gemaakt van 1947 tot 1956. En dan heb ik nog drie Fordsons. 1929. Dat is de beste die ik heb. Die is bijzonder; die is van mijn vader geweest. Gemaakt in Cork. Door de Ford Motor Company. En ik heb een model uit 1939 en een uit 1940. Je kunt ze allemaal nog gebruiken. Ik kan ze zo voor je starten…'

'En hoe zit het met een auto? Heb je een oude auto?'

'Een auto? Nee. Nee, dat is púre geldverspilling. Nee. Ik heb een motorfiets. Een Matchless. Een Matchless uit 1953, 350…'

Toen ik mijn plaats weer innam aan de striptafel waren de bakken al vol en hield Sean een andere platvis in zijn armen. Deze soort was ongeveer een meter twintig lang, met een dik lichaam, zwart aan de bovenkant, parelwit aan de onderkant. Sean schreeuwde met scheve, stralende ogen tegen Luke: 'Dus zegt Jason tegen me: "Kijk, Sean," zegt hij, "als het voor je opoe is, dan is het in orde, dan vind ik het best – als het voor háár is," zegt hij, "is het beste niet goed genoeg." Op een keer heb ik zo'n heilbot als deze voor haar meegenomen, een echte, hele heilbot! Aye, die was misschien wel tachtig pond waard! Zo'n schipper is hij nou…'

'Aye!' schreeuwde Robbie van de overkant van de tafel, op zijn verantwoordelijke post naast de taillehoge aanvoer- en kniehoge afvoerband, voor de hendel van het valluik om het grom door de stalen koker naar het spuigat aan stuurboord te sturen en onder de hendels boven zijn hoofd die de tafel lieten draaien en stoppen. 'Luke! Verdomd nog aan toe. Zo is zijn opoe in Caithness nou. Die heeft hem opgevoed! Maar die heilbot daar, ik zeg je dat die voor de kombuis bestemd is!'

Sean liet de heilbot, die enorme meevaller, die vorst der vissen uit het noorden van de Atlantische Oceaan, met een voorzichtigheid, een eerbied zelfs die niets voor hem was, in Lukes rode plastic monstermand zakken.

Luke, al te opgewonden, voor mijn gevoel, zelfs bij de gedachte aan dit allerbeste visgerecht, zei (schreeuwde half): 'Dit komt inderdaad héél zelden voor. Die vang je zelden met een trawlnet: ze zijn snel, te snel voor een trawlnet, grote roofdieren; je vangt ze met lange lijnen; ze jagen bij de bodem; ze voeden zich met vis, vooral met roodbaars – en ik verzeker je, Redmond, dat jij en ik met Jason als schipper mássa's roodbaars zullen zien, want hij weet het, zit er volgens de jongens nooit naast... Aye,' zei Luke, die alweer een volgende Groenlandse heilbot opgooide en in de buis kwakte (niets houdt hem tegen als hij eenmaal is begonnen te werken, dacht ik, terwijl ik hier met open mond naar een doodgewone heilbot sta te gapen en geen flikker uitvoer). 'Heilbot is de snelste jager tot een diepte van zo'n vijftienhonderd meter – en nog in koud water ook, zo'n 2,5 à 8° C. Maar als we in het Verenigd Koninkrijk ooit de kans krijgen weet ik zéker dat we ze kunnen telen, kunnen kweken. In het hoge noorden, op de Shetlandeilanden. Schitterend! Ze lijken niet op de gemiddelde donszachte platvis, voor deze vissen geen kantachtige golfjes aan de randvinnen, nee, het zijn rock-'n-rollers, ze hebben spieren, hun hele lichaam, de zwiepende uithaal van hun staart. En ze hebben een gewéldige truc, Redmond, want wanneer ze als ze jong zijn op de bodem of op het hogere deel van de helling liggen, waar het licht doordringt, heeft hun bovenkant, het dorsale oppervlak, de kleur van de zeebedding. Als een heilbot op modder rust is zijn rug zwart. En als hij doorschiet naar een stuk zand, wordt hij bleek. En als – ja, goed, ik hoor je al, dat zijn waarnemingen uit een aquarium – als zijn kop op het zand en zijn lichaam op de modder ligt, heeft hij een bleke kop en een zwart lichaam!'

'Hé, Redmond!' zei Sean, die zijn blik voor het eerst op me richtte. 'Waar zat je?'

'Ik heb zitten praten,' zei ik, terwijl ik me subiet probeerde te concentreren op het strippen van mijn eerste Groenlandse heilbot van die dag – áls het al een nieuwe dag was. 'Ik heb zitten praten, of eigenlijk zitten luisteren, ik heb naar Dougie zitten luisteren.'

'Dougie! Dougie?' Sean liet zijn Groenlandse heilbot weer in de bak vallen. 'Dougie? Dougie is een geweldige ouwe kerel. Maar praten? Praten is niks voor hem, man. Dougie ís geen prater! Hé, Robbie! Redmond hier, die heeft naar Dougie zitten lúísteren!'

Robbie vergat zijn verantwoordelijkheden, staakte zijn werk en leunde over de tafel heen. 'Dougie? Praten? Moet je horen, Redmond, kijk: Dougie práát niet. Hij is een motordrijver. Hij is anders. Snap je wat ik bedoel? Motordrijvers – dat is lastig, hoor. En ik kan het verdomme weten. Jason – en ik wil dat je dit hoort – Jason heeft namelijk géld neergeteld, twee keer, om mij in Aberdeen mijn examen voor motordrijver te laten doen. Want dat is de wet: je mag niet met een trawler naar zee gaan zonder een bevoegde motordrijver aan boord. En ik wil dat papiertje echt hebben, begrijp me niet verkeerd, en ik heb het geprobeerd, echt, want dat ben ik Jason verplicht, omdat hij vertrouwen in me heeft, hij heeft vertrouwen in me, en ik wil het ook voor mij, voor Robbie, want als je motordrijver bent krijg je een saláris. En als je een salaris hebt kun je naar een bank gaan. Dan ben je een respectabel mens. Dan respecteren de mensen je. Dan kun je een flat krijgen. Dan kun je trouwen! Maar in Aberdeen zijn het klootzakken, echte klootzakken, ze hebben me állebei de keren laten zakken. Het is moeilijk, om motordrijver te zijn, en als je het eenmaal bent is het ook moeilijk, met je hoofd vol motoren, systemen. Zoals hier, op de Norlantean, die zit stampvol oud metaal. Ze is fantastisch, ze is oud, maar als je de waarheid wilt weten, Redmond, is ze een verdomde drijvende doodskist. En Dougie? Die is ook oud – en Jason vraagt zichzelf af, vooral in deze tijd van het jaar, waarom Dougie dit verdomme toch allemaal pikt. Hij hoeft niet elk jaar van zijn leven windkracht 12 te aanvaarden! Waarom zou hij? Hij kan zomaar' – Robbie knipte met zijn blauwgehandschoende vingers, wat klonk als een pistoolschot – 'een veilige baan krijgen in een garage, onderdelen en onderhoud, landbouwwerktuigen, op een boorplatform, overal. Daarom heeft Jason mij nodig. En ik blijf hem maar teleurstellen! Jezus, Redmond, snap je verdomme wat ik bedoel? Als Dougie práát zitten we echt in de penarie…'

Sean, die weer aan het werk ging, zei zachtjes, bijna in zichzelf: 'Robbie, Robbie, je hebt je best gedaan. Dat weten we allemaal. Je doet altijd je best. Je hebt hem niet in de steek gelaten…'

Luke, volkomen thuis in deze wereld van heftige emoties die ik niet begreep, zei: 'Och aye, Redmond. Maar wat heeft Dougie gezégd?'

'Beschuit. Hij heeft me van die beschuit laten eten… Hij zei dat ik beter zou zijn als ik hem récht aankeek en die beschuiten opat, tot de laatste kruimel. Hij zei dat ik me deze reis dan verder niet meer zeeziek zou voelen, geen moment. Het was raar, vreemd, wat dan ook, maar wat...' En toen zei een ander deel van me, of schreeuwde het eigenlijk, op een toon en geluidssterkte die was verstoken van de charme, de vriendelijkheid, de sociale beheersing waarvan ik me graag verbeeldde dat ik daar altijd over beschikte – en vooral ten tijde van spanningen, of die nu louter inwendig of onmiskenbaar en reëel waren: 'En ik wil er verdomme geen wóórd meer over zeggen!'

'Aye!' zei Robbie, die zich ogenblikkelijk ontspande en een Groenlandse heilbot oppakte. 'Dougies behandeling. Meer was het niet. Aye, hypnose. Hij moet tot de slotsom zijn gekomen dat hij je mág. Dougies behandeling, die werkt altijd.' Hij lachte. Sean lachte. 'Aye,' zei Robbie, 'Dougie heeft die gave. Maar ik heb eens een maat gehad, die was altijd zeeziek als hij uitvoer. De eerste twee dagen zeg maar. Dan stond hij te strippen – daar waar Sean nu staat. Dan stond hij met je te praten, op zijn kist, terwijl hij erop los stripte en hopla! Hij leunde opzij en gaf over – in de spuigatkoker. Vervolgens ging hij weer verder met strippen en praten, praten en strippen – dat is nou moed, nou en of. Dougie mocht hem niet. Hij had een of andere rotopmerking tegen Dougie gemaakt, hem oud of zonderling genoemd of zo. Daarom wilde Dougie hem niet helpen. En dus ging mijn maat gewoon verder, werken, kotsen, overal. Aye, dat was een echte kerel, zeker weten.'

'Hoe is het met hem afgelopen?' zei ik, tot mezelf gekomen.

'Och aye. Hij spaarde elke cent. Hij was geen drinker, hè. Hij had een vrouw thuis. En geloof me, Redmond, dat helpt écht. Dat is hier in het noorden het allerbelangrijkste. Op de Orkneys, op de Shetlandeilanden, een halfjaar duisternis. Dus als je iemand op zee tegenkomt, als er een nieuwe man in de bemanning zit, dan vraag je jezelf af: heeft hij een vrouw thuis? Want als dat zo is, weet je 90 procent van de tijd dat het wel snor zit: dan kun je hem je léven toevertrouwen. Hij zal je niet in de steek laten. Kijk maar naar Bryan. Aye, als je me niet gelooft, kijk dan maar naar Bryan!'

Rechts van me mompelde Sean, opnieuw bijna in zichzelf: 'Robbie, Robbie. Aye, je bent een smerige ouwe klootzak. Jezus, wat jij niet hebt uitgevreten.' En dat werd gezegd met een onmiskenbare diepe bewondering terwijl hij de vreemdste vis oppakte die ik had gezien sinds de draakvis, een week of zo geleden, meen ik? En hij gooide hem omhoog en de centrale buis in, ongestript. 'Maar je hebt een meisje, zeker weten.' Op dat punt besefte ik gevleid dat Sean, die geen blik mijn kant uit wierp, naar links, waar ik bijna op zijn lip op de kist naast hem stond, het zachtjes tegen míj had. 'Aye, en ze is wel zestien. Ze zit godverdorie nog op school. En voor haar heb je de drank opgegeven. En je rookt niet, als je voelt wat ik bedoel.' Sean gaf zijn Groenlandse heilbot, zijn zwarte hel van dat moment, een vette knipoog met zijn rechteroog. 'Aye, smerige ouwe klootzak die je bent. Je geeft haar alles, alles verdomme. En als ze niet verdomd goed uitkijkt zul je nog met haar trouwen!'

'Robbie!' schreeuwde ik over de tafel heen. 'Hoe is het met hem afgelopen, met die maat van je, die zeeziek was?'

'Hè? Wat? Mijn maat?' schreeuwde Robbie, die in gedachten alweer met iets anders bezig was. 'Dat heb ik je gezegd! Dat heb ik je net gezegd: zodra hij het geld bij elkaar had heeft hij een winkel gekocht, een kruidenierswinkel. Met nog wat vlees uit de buurt. Dat ook. Dat had zijn vrouw bedacht. Hij gaf haar al het geld dat hij kreeg, zodra hij het kreeg. Zij had het allemaal bedacht! En ik zeg je dat ze gelukkig zijn. Écht gelukkig! Ze hebben een baby! Geen vis voor de baby! Geen vis voor hem! Geen vis voor haar! Als je hem uit zijn doen wil brengen moet je hem een vis geven!'

'Aye!' schreeuwde Sean, die zich in het gesprek mengde. 'Kwak een vis op zijn toonbank en hij is niet meer in zijn sas!'

'Vertel me eens, Sean,' zei ik in zijn oor. 'Wat bedoelde hij, Robbie, wat bedoelde hij met Bryan? Wat is er zo bijzonder aan Bryan?'

'Aye,' zei Sean zonder me aan te kijken. 'Bryan, heb je dat nog niet in de smiezen? Aan Bryan is álles bijzonder. Val je overboord? Denk je dat je zult doodgaan? Over hooguit vijf minuten? Wie wil je dan bij de reling zien? Vanuit de grond van je hart? Bryan! En waarom? Omdat hij kalm is en alles weet en niet in paniek raakt en iets zal doen. Aye. Robbie heeft gelijk. Je kunt Bryan je leven toevertrouwen. En hij is een echte kerel, zeker weten. Hij is getrouwd – en hij heeft de vrouw én haar twee kinderen op zijn nek genomen. Aye. En nou heeft hij er zelf ook een. Maar hij behandelt ze allemaal hetzelfde. De hele familie. Je zult nooit merken dat ze niet allemaal van hem zijn. Aye. Verdomd mooi, echt. Net als mijn opoe. Een verdomd wonder. En geen drinker…'

'En geen roker,' zei ik, terwijl ik slingerend en stampend op dreef begon te raken, het idee begon te krijgen dat ik weer mezelf was.

'Aye! Je hebt gelijk! Bryan aan de wal? Vergeet het maar! Bryan aan de wal? Dat is nog eens een afknapper! Hij hangt nóóit de beest uit. Snap je wat ik bedoel?'

Er leek geen eind te komen aan de sleur, en de plotselinge afwezigheid van de menselijke stem in de chaos van overweldigend onmenselijk geluid begon (die indruk had ik tenminste) ondraaglijk te worden. (Niet praten, hield ik mezelf voor. Je hebt de kracht niet om dat vol te houden. Ga in elk geval door, net als Luke. Wees niet zo'n slapjanus. Wees alsjeblieft net zo stil en toegewijd als Luke...) Maar ik hield het niet uit, kon er niet tegen, kon het niet bolwerken en mijn onbeduidende gedachten borrelden om dat extra te benadrukken met drie tegelijk op, zomaar, als opkomende koorts. Daarom pakte ik een exemplaar van de steeds meer voorkomende vreemde nieuwe vissoort uit mijn bak (een bak die ik inmiddels meestal half leeg wist te krijgen voor Robbie de tafel doordraaide, mijn restanten en louter het grom en afval van de anderen afwerkte en de lopende band van de vislast aanzette voor een volgende lading). En die hield ik ter inspectie voor Luke op. 'Wat is dit,' zei ik.

Aan de staart, die geen vissenstaart was zoals je je die zou voorstellen maar een centimeters lange zweep van ongelooid leer, tilde ik de zestig centimeter lange voormenselijke vis met zijn enorme kop, slanke lichaam, zilvergrijze kleur, grote schubben, pantser, stompe snuit en een onderstandige bek tot ooghoogte op en wanneer je er oog in oog mee stond, was hij werkelijk verontrustend doordat zijn oogbol drie keer zo groot was als de mijne.

'Hè? Dat?' zei Luke, die uit zijn automatische werktrance ontwaakte. 'Dat? Dat heb ik je toch verteld?'

'Nee. Dat heb je niet gedaan!' zei ik, ogenblikkelijk gegriefd, maar eveneens getroost dat ook Luke zijn kortetermijngeheugen duidelijk niet meer helemaal onder controle had. (Aan de andere kant had die gedachte ook vaag iets angstaanjagends, alsof we allemaal op het punt stonden dronken te worden, semiklinisch gek, kwaad om niks.) Ik schreeuwde: 'Nee! Dat heb je niet gedaan!'

'O nee? Nou, dat was ik wel van plan,' zei hij met rode ogen, terwijl hij de vis pakte en in de buis liet vallen. 'Die kunnen we verkopen – in Duitsland. In Duitsland houden ze ervan. En ik houd er ook van, persoonlijk, maar niet om te eten.' Hij ging verder met strippen. 'Ik houd ervan omdat hij rondzwemt boven de bodem van de diepzee, zoals jíj zou kunnen zeggen, Redmond, of zoals ík zou kunnen zeggen, die vis, een noordelijke grenadiervis, de *Macrourus berglax*, is een rattenstaart, behoort tot de nauw verwante familie van de *Macrouridae*, en dat zijn diepzeevissen die leven op de continentale hellingen en boven de abyssale vlakten van álle oceanen op aarde. Hun gepantserde kop, die kop van ze, zit vol putjes met zintuigen, en hun ógen, ik kan je zeggen dat een Duitse bioloog, August Brauer, in 1908 heeft berekend dat het netvlies van een grenadiervis ongeveer 45 miljoen lange smalle staafjes per vierkante centimeter bevat. En dat, Redmond, is ongeveer 225 keer meer dan wij in onze ogen hebben. Zoals je weet zijn de staafjes om 's nachts te kunnen zien en daardoor kan een grenadiervis bij weinig licht tweehonderd keer beter zien dan wij! En dat is nog niet alles, want aan de onderkant van de meeste grenadiervissen, maar niet van deze, niet van deze specifieke soort, de noordelijke, zit een open klier waarin ze lichtgevende bacteriën te gast hebben. Meestal laten ze die bacteriën met rust, maar als ze licht, een lantaarn nodig hebben, ligt er een speciale spier rond de klier te wachten en die kníjpt in de bacteriën om ze te ergeren en dan gaan de bacteriën licht geven! En ze hebben nog meer speciale spieren, net als de schelvissen: ze hebben een enorm grote zwemblaas, de grenadiervissen, en bij de mannetjes, alleen bij de mannetjes, zitten van die rare spieren rond de zwemblaas. Dus dat spreekt voor zich, hè? Die moeten louter een seksuele functie hebben. Stel je eens voor! De mannetjes trómmelen in de abyssale zone, in de pikdonkere nacht, de eeuwige duisternis, ze roepen hun vrouwtjes met tromgeroffel! En, Redmond, het moet daarbeneden een herrie zijn, en met allemaal van die uiterst rare flitslichten, in rode en paarse en blauwe tinten en meer van dien aard, want I.G. Priede, Monty Priede, een van mijn helden, van mijn eigen universiteit in Aberdeen, heeft geschat dat je voor slechts twee soorten grenadiervissen in de abyssale zone, de *Coryphaenoides armatus* en *yaquinae*, met een populatiedichtheid van ongeveer tweehonderd vissen per vierkante kilometer, een globale biomassa van ongeveer 150×10^6 ton hebt. En dat, Redmond, is zo ongeveer de totale commerciële visvangst van de hele wereld!'

'Wauw!'

Robbie schreeuwde: 'Hé, Luke! Wil je van plaats ruilen? Ik moet iets tegen Redmond zeggen! Wil jij het overnemen?'

'Jeezus,' zei Sean, toen Luke en Robbie van plaats wisselden. 'Jeezus man, hoorde je dat?' zei hij, met duidelijk net zo'n overladen brein als ik had. 'Snap je wat ik bedoel? Die Luke! Zijn hoofd! Dat is niet goed – het is niet goed om zo'n hoofd te hebben. Stampvol vis. Vis!'

'Aye,' zei Robbie, die ogenblikkelijk de Groenlandse heilbot stripte waar Luke maar half mee klaar was gekomen. 'Het is gewoon dit – snap me niet verkeerd. Ze zullen je allemaal zeggen dat mijn meisje, Kate, zestien is zeg maar, maar het is seriéús. Ik heb net mijn auto wegge-bracht voor zijn APK en ik heb het afgelopen jaar ruim 35 000 kilometer gereden, alleen op de Orkneys. Dat houd je toch niet voor mogelijk? Ik rijd haar overal naar toe, waar ze maar heen wil! En ik heb een bootje. Voor de lochs zeg maar. Dat vindt ze heerlijk! En daar heb ik een vís-zoeker op gezet. Om de reuzenforel te vangen. Dat weet iedereen. Er zit een reuzenforel in een van de lochs. Maar ik ga je niet zeggen in welk loch!'

'Allicht niet!'

'En dan is er nog iets, mijn examen voor motordrijver, begrijp me niet verkeerd, ik heb drie examens gehaald en ben er voor twee gezakt. Dus ben ik er dichter bij dan dat ik er vanaf sta – dat zegt Kate, dus is er geen reden voor wanhoop zeg maar. En bovendien houd ik van haar, echt, dus ben ik aan het sparen zeg maar, voor een eigen huisje. Dus als Jason me vrij geeft om te studeren, op een derde deel, klus ik altijd wat bij, je weet wel, in de rolmopsfabriek in Stromness, fileren, dat soort werk (en dat is saai, nou en of!), of ik repareer daken, vooral in de win-ter, dan is er altijd vraag naar trawlvissers om daken te repareren. Weet je waarom?'

Robbie gaf me een kleine por in de ribben waardoor ik opnieuw bij-na van mijn kist viel. Hangend aan de stut rechts van me zei ik: 'Nee!'

'Omdat het weer ons koud laat, daar zijn we aan gewend, daar weten we alles van! Aye, wij kappen er niet mee vanwege wat hagel, laat staan voor regen, en we malen niet om hoogte – en een dak, Redmond, staat stil, daar is geen sodemieter aan, zelfs niet bij windkracht 10 en zo! Ja, er is 's winters heel veel geld te verdienen, bij noodsituaties, wanneer de leien van die nieuwe huizen er finaal afvliegen – huizen die door Schot-ten zijn gebouwd, door zuiderlingen, door Schotten die hun ogen niet kunnen geloven als het op de Orkneys gaat waaien!'

'Robbie,' zei ik, ineens vol vaderlijke gevoelens, zelfs voor Robbie, de taaiste, meest pezige kleine Pict die je ooit zou kunnen tegenkomen (en het viel me op dat hij een zwart beginnetje van een baard begon te krijgen dat op zijn kin en het bovenste deel van zijn keel mooi groeide, maar zich verder nog nergens liet zien). 'Robbie, misschien is het niet zo'n goed idee om de hele dag te gaan werken als het de bedoeling is dat je studeert? Denk je ook niet? Nou? Het is een seriéúze bezigheid om voor een examen te studeren, die al je tijd in beslag neemt, soms is het de bedoeling dat je al je energie daarvoor gebruikt, weet je, als…'

'Studeren? De hele dag binnen in je eentje achter een bureau zitten – terwijl je buiten echt weer en mensen hebt en geld kunt verdienen? Je bent gek! Je bent écht gek! Het is zoals ze zeggen! Studeren! Dat is lézen, Redmond, dat doe je als het dónker is, als je niets anders kunt doen!'

'O.'

We zwegen.

Toen zei ik: 'Robbie,' terwijl het fysieke deel van me, wat daarvan over was, hartgrondig met hem instemde, met zijn flitsende vlugge bewegingen (de snelheid van zijn mes!), met de compacte overvloedige energie van een supergezonde en gelukkige man. (En was het op de Orkneys trouwens niet een halfjaar donker, en was dat niet de reden dat geleerden tot een van de voornaamste exportproducten behoorden?) 'Robbie,' zei ik om maar iets te zeggen, in een innerlijke stilte temidden van al dat kabaal waardoor ik inwendig begon te beven van ongerustheid: de zee daarbuiten, de verbonden oceanen die Luke met zoveel opwinding vervulden, de onverschillige vreselijke explosies van die golven tegen de door mensenhanden gemaakte romp, dubbelwandig of niet, die heel broos was, de krankzinnige felheid… 'Robbie, hoe ben je hierin verzeild geraakt? In deze manier van leven verdorie? Je weet wel, het leven van een tráwlvisser.'

'Aye,' zei Robbie, met een zeer brede glimlach (hij had al zijn eigen tanden nog: niemand was ooit snel of nauwkeurig genoeg geweest om Robbie, de vechtende terriër, op zijn bek te slaan). 'Ik ben vijftien jaar geleden van school gegaan,' zei hij op een nuchtere, een kalmerende toon. (Robbie, dacht ik paranoïde, is aardig voor me. Hij kent dit allemaal. Hij wéét hoe een groentje zich in zo'n storm voelt. Hij heeft waarschijnlijk mijn inwendige stém gehoord, die maar blijft doorkletsen, die zegt: Ik weet niet of ik dit zelfs maar één reis kan bolwerken, dat enorme, vormloze, meedogenloze geweld daarbuiten, dat erop uit is om je te pakken te krijgen, waar geen eind aan komt – dus misschien rol ik mezelf wel gewoon op tot een vetbol en probeer ik er ergens op veilige afstand van iedereen, in een of andere kast of zo, doorheen te slapen...)

Robbie zei: 'Ik heb in een krabfabriek in Stromness gewerkt en toen in een gerooktezalmfabriek in Kirkwall, voor een klein beetje meer geld. En daarna ben ik voor veel meer geld, zelfs als jongste dekknecht, op pelagische boten naar zee gegaan. Aye. Ik ging achter de haring aan. Precies op het verkeerde moment. Ná de goldrush, de stormloop op de haring. Aye, Redmond, het is niet leuk wat die politici in Engeland ons hebben aangedaan, in de visserij zeg maar. Het is natuurlijk niet alleen hun fout, maar wel voor het grootste deel. In de jaren zestig en zeventig was er een stormloop op de haring. In die tijd – moet je nagaan! – hadden de territoriale wateren alleen maar een 3- tot 6-mijlszone! Ze waren voor iedereen vrij toegankelijk, de Schotse wateren en, wat nog belangrijker is, de wateren van de Orkney- en Shetlandeilanden. We lieten ze allemaal binnen, de klootzakken, die onze vis, onze banen pikten! En daar in Londen maalde niemand daarom. Daar maakten ze zich alleen druk om de landbouw. En waarom ook niet? Want het is heel ver weg, weet je wel? Echt heel ver weg. En bovendien is het een feit, Redmond, dat wij naar Noorwegen, of zelfs naar Denemarken kijken – Edinburgh kun je vergeten, van Edinburgh moeten we hier in het noorden niets hebben, en wat Londen betreft: vergeet dat maar. Dat is een ander land, nou en of: de Shetlands liggen even ver bij Londen vandaan als Milaan en Milaan ligt in Italië! Maar goed, zoals elke trawlvisser je zal vertellen zijn de Noren in de jaren zestig komen aanzetten met hun ringzegens, diepe buidelnetten, die worden aangehaald als ze klaar zijn met de trek. En dat was erg, maar niet zo heel erg, want we kunnen er niks aan doen, we kennen hen, we kunnen er niks aan doen, we mogen de Noren. En de IJslanders waren hier ook, vlakbij, dat vergeet iedereen – de kabeljauwoorlog later, weet je nog wel? Die dappere kleine IJslanders! En toen arriveerden de Russen, zés mijl uit de kust. Koude Oorlog? Wat voor Koude Oorlog? Niemand heeft voor ons gevochten. Niet voor de trawlvissers. De Russen kwamen met negentig zegenvissers, negentig stuks! En die losten ze in die nieuwe fabrieksschepen van hen. Bulgaren, Polen, Oost-Duitsers, noem maar op, ze waren er allemaal. De fabrieksschepen verwerkten de haring en dumpten alles wat ze verder vingen. Overal dode vis. Geen wonder dat de vogels er blij mee waren, geen wonder dat die noordse stormvogels zich langs de hele kust verspreidden! Het was elke dag kerst voor ze! Aye, en toen heeft die geweldige Engelse premier ons aan de Europese Gemeenschap verkocht. In 1973. Het zag er eerst wel mooi uit: een 200-mijlszone voor de Europese kust. Maar de kust, de vis – dat is allemaal hier. Dus daar komen de Spanjaarden! Moet je nagaan! Stel nou eens dat het om de landbouw ging. "Hé, arme Spanjaarden, jullie hebben je eigen grond uitgeput door jullie rottige landbouwmethoden, kom de onze maar gebruiken, ga je gang, neem maar tweederde van ons land." Nou? Lijkt me niet. Nee – die Heath, we hebben allemaal op ons genomen om stuk voor stuk vijf pond per week te betalen voor alle mannen, vrouwen en kinderen, voor de boeren, voor het landbouwbeleid van de Europese Gemeenschap. En de vissers? Vergeet het maar. Je ziet hoe het gaat: we kunnen stemmen en stemmen tot we erbij neervallen. Maar dat haalt niks uit. Want vergeleken met jullie, met het zuiden, met Oxford, Londen, wat dan ook, woont er geen mens op de Orkneys en de Shetlands, op onze eilanden, zijn ze onbewoond! Aye… Neem me niet kwalijk,' zei hij, terwijl hij een blauwgehandschoende hand op mijn in oliegoed gestoken arm legde. 'Ik liet me meeslepen, ik ben niet helemaal in orde…'

'Welnee, geen sprake van. Ik zou dit moeten weten, zie je, verdomd nog aan toe. Maar ik weet er niets van. Dus hoe ging het verder? Met jou bedoel ik. Met jou, met Róbbie.'

'Met mij?' Robbie keek verbaasd. 'Met mij? Aye, tja, het was een regelrechte nachtmerrie, afnemende vangsten, vreselijke schippers – ik heb voor diverse schippers gevaren, weet je, op verschillende pelagische boten… Ze waren een nachtmerrie, allemaal. Hun humeur, faillissement, neem ik aan; je kon het ze niet kwalijk nemen, door die schulden zeg maar, maar desondanks – wíj deden het niet veel beter, want er was aan het oppervlak niks meer over – en sommigen van hen, ik zal geen namen noemen, sommigen van hen dronken op zee, een nachtmerrie, je houdt niet voor mogelijk hoe ze tekeergingen! Vreselijk, vloeken, beledigingen, je familie, alles – een hel, echt. In sommige opzichten kom je er nooit overheen, aye, dat houd je niet voor mogelijk, want ik droom nu nog weleens dat ik weer op een van die boten zit en dan word ik badend in het zweet wakker, terwijl ik om me heen sla, en dan zegt Kate:

"Wat is er, Robbie. Wat is er aan de hand?" En dan zeg ik: "Ik droomde dat ik weer op de … zat." En dan zegt zij: "Nou, vergeet dat maar, dat is niet zo. Het is nu anders, want jij bent de schipper en ik ben je eerste stuurman. En jij en ik, we zullen gelúkkig zijn!"'

'O shit, Robbie…'

'Aye, dus zoals ik al zei, Jason. Dat is geen gewone kerel, weet je. Begrijp dat goed. Want ik heb van meer schippers te lijden gehad dan iemand anders op deze boot. En ik zie dat je er geen reet van snapt en daarom – Jason, nou ja, jij zult denken dat hij een doodgewone kerel is.'

'Aye,' zei Sean. 'Precies, Robbie! Jason kent mijn opoe. Hij mag ons, de hele familie!'

'Je zult het niet weten,' zei Robbie, die hem negeerde. 'Je zult denken dat Jason de norm is. Omdat je niet beter kunt weten als ik het je niet vertel. Maar goed, dat is hij niet. Okay, misschien schreeuwt hij wat minder dan anders tegen ons omdat jij aan boord bent. Maar hij is een verdomd wonder, echt. Dat is hij. De echte uitzondering. Ik ken jou, Redmond, jouw type, beginnelingen, mensen die trawlvisser willen worden, weet je wel, zo van de school in Stromness, aye, en als hun vader niet viste, zijn het naïevelingen, hebben ze het over "de liefde voor de zee"! Jasses! En daarom zeg ik je, Redmond, dat jij, nu je op een trawler zit, waarschijnlijk denkt dat het weer het enige probleem is. Het weer! Wie maalt daarom? Je legt het loodje of niet – en je legt met zijn állen het loodje. Nee, nee, dat is de schipper. Omdat de meesten van hen gekker zijn dan het weer. Gewelddadiger, zou je kunnen zeggen, onvoorspelbaarder. Maar begrijp me niet verkeerd. Ik weet zeker dat ik ook zo zou zijn. Een schuld van een paar miljoen. Net als Jason. En bovendien heeft Jason thuis een vrouw en een kind voor wie hij moet zorgen, en het zou me niks verbazen als er nog eentje op komst was. En dan is zijn schoonvader nog de grootste trawlervisser van de Orkneys van de vorige generatie, de schipper van de viking, van de viking nota bene! En we weten allemaal wat híj bij zichzelf zegt, elke minuut dat hij wakker is, elke godvergeten dag weer: "Mijn dochter, de állerliefste dochter ter wereld" – samen met haar zussen natuurlijk, als ze zussen heeft – "die Jason met wie ze is getrouwd, is dat nou een echte kerel of gewoon zo'n niksnut van een verdomde zuiderling met een luie kont?" Aye. De spanning daarvan. Schipper zijn, dat is niks voor mij. Ik zou ook gek worden, dat weet ik zeker. Maar het gaat hierom, Redmond, Jason is even snel als een verdomd spook, één probleem en hij vliegt met de snelheid van een verdomd spook die bruine deur van de stuurhut uit – en ik zeg je dat hij bij zijn vólle verstand is.'

'En hij drinkt niet?' Sean rechts van me snoof. Ik mocht Sean. 'Maar jij had, net als ik, een probleem?'

'Aye. Wat een probleem! Redmond, aan boord kun je geen geheim bewaren. Dan weet je dat maar. Dat moet je weten. En dan nóg wat' – Robbie was een tikje nijdig, nijdig op Sean, hij frunnikte aan Sean... – 'als een vogel tegen het raam van de brug tikt, is dat een teken van de dood! En als de scheepsbel spontaan gaat luiden, ben je allemaal ten dode opgeschreven... Want de bel is de ziel van het schip.' Robbie ging harder praten. 'En als je er niet aan denkt en RAT! zegt in plaats van langstaart, of VARKEN! in plaats van strontwroeter of RAM! in plaats van hekkenbeuker of EI! in plaats van god mag weten wat, dan zeg je KOUD IJZER! – zomaar, meteen, en dan is alles in orde.' Het viel me onwillekeurig op dat Sean tijdens de oplopende spanning zijn voorhoofd stijf tegen de ijzeren stut had gedrukt, alsof hij even uitrustte, zijn pijnlijke hoofd afkoelde...

'Aye,' schreeuwde Robbie – om een of andere reden tegen Luke: 'Als je vrouw, je meisje, Kate – als die je in Stromness wil komen uitzwaaien, zeg je: "Nee. Nooit. Dat mag je NOOIT doen. En, Kate, op zondag wordt er niet gebreid, want dat betekent dat de scherpe naalden het net zullen scheuren. En er wordt niet gewassen op de dag voor ons vertrek, en vooral niet met de wasmachine, want die is bijna even heftig als de zee, windkracht 10, en die zal me in een draaikolk meesleuren naar een zeemansgraf. En zoals je weet heeft een zeemansgraf geen zerk, geen rustplaats, geen rust – of ze moeten met hun schip in de Scapa Flow zijn vergaan. Aye. Er groeien geen bloemen op een zeemansgraf, zoals ze zeggen, en daarom gaan dode trawlvissers terúg naar de plekken waarvan ze hebben gehouden, naar de mensen van wie ze ooit hebben gehouden, op de wal, thuis. Aye...' zei Robbie, toen de grap bitter en realistisch werd. 'Aye,' zei hij, strippend als een bezetene. 'Aye!' schreeuwde hij. 'En draai je trawler altijd met de zon mee!'

'Precies,' zei Luke overdonderd, maar net hard genoeg om te worden verstaan boven de felle aanval van buiten, boven het inwendige, dreunende, trillende kabaal van de motor waardoor je niet meer kon denken. 'En deze heb ik net gehoord, Robbie. Maar die zul je wel kennen. Alhoewel, misschien ook niet, want hij komt van de Shetlands. Moet je horen: als je tegenslag hebt met het vissen kun je daar soms iets aan doen door de héks te verbranden. Weet je wel? Dan ga je met een fel brandende fakkel de hele boot door en rook je alle tegenslag uit, verbrand je die. Dat doen ze nog steeds, dat heb ik tenminste gehoord. En je weet beslist dat een nieuw net volgens sommigen geluk zal brengen als een maagd erop heeft gepist–'

'Wijwater!' riep ik voldaan, op een of andere manier weer even mezelf. 'Wijwater! Uit de oerbron!'

'Aye!' brulde Sean, die een arm om mijn schouders sloeg. 'Ouwe idioot! Je bent oud genoeg om mijn vader te zijn, mijn opa verdomme! Gááf! Wijwater! Hoorde je dat, Robbie? Robbie, Robbie, laat je toch niet opfokken! Word nou niet somber! Je bent fantastisch en je hebt het verslagen, die shit van alcohol en drugs, dat hele gedoe, en je rookte niet eens! Het is je gelukt, man! Vertel hem dat eens, vertel het aan Redmond hier, en aan Luke – vertel het hun!'

'Aye, tja, het heeft niet veel om het lijf,' zei Robbie, die driftig doorstripte, nog altijd uit zijn doen, nog altijd met een veel te zachte stem. 'Het zit zo, het heeft alles met alcohol te maken. Je weet wel, zo'n winterdepressie. En dat is niet zo gek. Het is zogezegd moeilijk om min of meer een halfjaar in het donker te moeten leven en dan in de zomer in zwak zonlicht – er is wel licht, aye, maar niet eens genoeg om die rotgerst zelfs maar te laten rijpen, zelfs niet voor onze eigen moutwhisky, Highland Park, Scapa Flow. We moeten gerst importeren! Aye, maar goed, misschien is dat geen excuus, maar het is het drinkpatroon van de noordelijke gordel, zo noemen ze dat: de neiging die we allemaal hebben om te drinken tot we niet meer op onze benen kunnen staan. En dan bedoel ik niet alleen hier, op de Orkneys of de Shetlands. Nee, dat heb je in Noord-Canada en dan gaat het helemaal rond, de Noren, de Zweden, de Finnen, Noord-Rusland, Alaska, helemaal rond – zelfs de eskimo's, de Inuit: geef ze een fles en ze kunnen niet meer ophouden. Vandaar dus. Ik heb twee agenten geklopt.'

'Wat heb je gedaan?'

'Ik heb ze geklópt, Redmond. Ik heb ze op hun bek geslagen. Rechts en links. Ik heb ze knock-out geslagen. Bewusteloos. Plóf! Ze vielen zo om. Het ene moment stonden ze me nog te beledigen, vlak voor mijn neus, grote kerels, weet je wel. Echt groot. In de kroeg. En het volgende ogenblik waren ze verdwenen. Ze lieten me met rust. Zomaar. Daar gingen ze. Plóf! Ik was verbaasd, werkelijk waar. Geen gedoe meer. Maar dat viel tegen. Omdat ze eigenlijk helemaal niet waren vertrokken. Ze bleken daar nog steeds op de grond te liggen. Vlak voor me. Dus wonnen zij, heus! Ze hadden moeten gaan…'

Sean riep heel opgewonden: 'Dat wisten ze niet! Ze hadden geen schijn van kans! Als ze hadden geweten dat jij het was, Robbie, Robbie Stanger, dan waren ze heus wel vertrokken. Ja, geen geklooi man, dan waren ze naar buiten geschoten als die harige dingen die op het land leven, regelrecht terug naar hun hol in Edinburgh of de Laaglanden of uit wat voor godvergeten oord ze maar vandaan waren gekomen…'

'Ik kende hen niet, Redmond,' zei Robbie neerslachtig. 'Het waren Schotten, buitenstaanders. Ik had niet met hen op school gezeten. Ik kende hun familie niet.'

'En toen?'

'En toen?' Robbie draaide zich naar me toe. Hij fleurde op. Hij wiegde even raar met zijn schouders om zijn kracht te demonstreren. Hij strekte zijn nek naar achteren. Hij lachte. 'Toen ging ik naar de gevangenis!'

'Naar de gevangenis?' herhaalde ik sullig, verbijsterd.

'Aye! Naar de gevangenis!' schreeuwde hij, nu weer vol leven, even energiek als een hermelijn in het voorjaar. 'Naar de gevangenis! Inverness! Ken je dat? Heb je enig idee? De gevangenis, kan ik je zeggen, is formidabel! Een vakantie! Een hotel voor trawlvissers! Ik kan er nog steeds niet bij, Redmond: we hadden een menú, ik zeg je dat we een menú hadden, en je kon het eten dat je wilde hebben áánstrepen. Je zette een kruisje in van die kleine vierkantjes op een lijst, alsof je van adel was! Aye, en mijn maats daar, en de cipiers, die gingen vol respect met me om, het was Robbie voor en Robbie na en je bent dus een bokser en een trawlvisser, hè? "Nou, wat kunnen we voor je halen, Robbie, want nu zit je aan de wal, weet je, en de trawlvisserij, dat is geen leven voor een normaal weldenkend mens. Nee, we hebben hier niet veel trawlvissers gezien, dat staat vast, want al die lamstralen verdrinken op zee, de arme stumpers, en daarom ben je een zeldzame zeeschuimer, en zit je wel lekker, krijg je wel genoeg te eten?" En je zult het wel niet geloven, maar er werd gevóétbald. Allemaal prachtige dingen. En je had het

nooit koud. Helemaal nóóit koud. En trawlvissers, weet je, met voetbal-
len, daar hebben ze de benen voor, daar kunnen ze niks aan doen; ze
trappen die rotbal mijlen weg!'

Ik zei: 'Dat zal best!'

'Goal!' gilde Sean.

'Goal!' gilde Luke.

'Aye!' gilde Robbie, aangemoedigd. 'Ik heb het ze eerst niet gezegd. Ze
wisten het niet. Maar ik heb in 1980 bij de kampioenschappen voor het
Schotse Noord-District voor de Orkneys gerend. Toen zijn we derde in
het klassement geworden. Aye, maar in 1984 liep ik mee bij de veldloop,
de open kampioenschappen in mei. En toen heb ik gewonnen. Ik heb
godverdorie gewonnen! Ik heb die rotrace gewonnen!'

'Mooi werk, Robbie!' gilde Sean.

'Fantastisch!' gilde Luke. 'Fantastisch.'

'Aye, dus ons team, met voetbal, van de gevangenis in Inverness, een
prachtplek, een prachtteam, wij gaven iedereen die tegen ons werd opgesteld ongenadig op zijn lazer!'

'Bravo!' riep ik.

'En de keukens!' riep Robbie. 'Dat houd je niet voor mogelijk! Al het
materiaal dat je nodig had – en dan nog meer, massa's dingen die je
nooit zou bedenken! En wat dacht je? Ze lieten me in die keukens ko-
ken! Aye. Een prachttijd. Friet en rundvlees en van alles, voor honderden mensen tegelijk! En weet je, dat lieten ze me elke dag doen, wanneer ik maar wilde, een witte jas, een muts en de damp en de warmte en
de vrienden die je krijgt! Ja, dat was geweldig…'

Robbie zweeg. Zijn gezicht verloor zijn levendigheid. Hij begon twee
keer zo snel te strippen als normaal: een flitsende haal van het mes, een
gris van de hand, een kwak in de bak, een boze worp omhoog.

'En toen?' zei ik, terwijl ik nog altijd zonder succes greep probeerde
te krijgen op een volgende slijmerige Groenlandse heilbot, een zwarte
hel. 'Wat gebeurde er toen?'

'Och aye,' zei Robbie, gespannen, woedend. 'Ik had het moeten weten. Het waren de hele tijd klootzakken. Echte klóótzakken. De hele
handel.'

'Hè?'

'Och aye, Redmond, probeer geen excuses voor ze te verzinnen.
Echte klootzakken. Allemaal. Zal ik je eens wat zeggen? Het hoort de

wét te zijn. De wet verdomme, god nog aan toe! De rechter had het me belóófd! Hij had het me beloofd, waar iedereen bij was. Hij zei, zo duidelijk als wat, hoewel het toen niet helemaal tot me doordrong: "Meneer Stanger," zei hij, "hierbij veroordeel ik u tot zes maanden cel!" Zés maanden, Redmond, en daar zat ik dus, te genieten van elk moment, en ik dacht bij mezelf zoiets van: Robbie, dacht ik, je hebt alles prima voor elkaar, je hebt geen zorgen, niet een, en je kunt er niks aan doen, maar je kunt niet naar zee, je ben hier veilig en het is hier warm, er is geen wolkje aan de lucht en je hebt nog drie maanden te goed, dag voor dag…'

'En toen?'

Robbie imiteerde beledigd mijn accent. 'En tóén? En tóén – dat zal ik je eens zeggen! Redmond, ze hebben me eruit gegooid! Daar, ter plekke, het kon ze geen moer schelen! Het liet ze koud; ik had nog drie volle maanden te goed! Aye, de klootzakken, ze gooiden me eruit, zomaar, zonder een woord, zonder één enkel woord. Ze gooiden me eruit wegens goed gedrag! Jeezus! Als ik had geweten dat ze je zo konden straffen, als ik had geweten dat ze je dat konden aandoen, Redmond, je eruit gooien wegens goed gedrag, dan had ik de directeur geklopt, dat staat vast!'

Toen twee volle bakken later mijn nieuwe vak voor me tot stilstand kwam, merkte ik dat ik naar drie vissen staarde die ik wel degelijk herkende: in dit koude vreemde oord lagen vlak voor me de vissen uit mijn jeugd, de volmaakte, de doodgewone makreel, de makreel waarvan ik vroeger zeker wist dat het de mooiste vis van de zee was. Ze hadden dezelfde heldergroene, glimmende, glanzende rug vol patronen van een niet te ontcijferen, geheimzinnige, met inkt geschreven boodschap, dezelfde gevorkte staart om snel te zwemmen, dezelfde vijf bijvinnetjes boven en onder de staartsteel (om ze op koers te houden bij snelheden die je je niet kunt voorstellen), en ze hadden zelfs van die kleine vinnetjes aan weerszijden van de staart, net als de zilveren vinnen, de stabilisatoren, op mijn Gloster Meteor van Dinky-Toy, onze eerste straaljager – en om dezelfde reden, zoals mijn vader me geloof ik heeft uitgelegd: om ze horizontaal te houden tijdens hun supersonische razendsnelle vlucht onder het oceaanoppervlak. En het wit van hun buik was nog altijd even helder als het licht van de vlakke zee in de volle zomer van je kindertijd…

'Luke! Luke!' schreeuwde ik met de onverwachte opwinding van een kind van acht over de koude cirkel van stalen vakken. 'Wat doen die makrelen hier? In een diepzeetrawlnet?'

'Robbie,' zei Luke, zijn gezicht magerder dan ooit, gespannen, met zwarte stoppels en uitstekende oren, die onder de rand van zijn blauwe wollen muts naar voren werden gedrukt, 'zullen we ruilen? Redmond heeft hulp nodig. Ben je klaar met hem?'

Robbie en Luke wisselden van plaats.

'Het is winter,' zei Luke met een grijns. 'Redmond, je bent al net als iedereen: je bent een vakantievisser! Kijk, afgelopen oktober hebben deze makrelen het oppervlaktewater verlaten. En toen – tja en toen, kijk, Redmond, ik ben ook maar een mens, weet je, al die vragen van je, de ene vraag na de andere, in feite, kijk, ik moet wat slapen, ik ben nu niet helemaal in vorm, niet om les te geven, weet je, zelfs niet in de praktijk, maar ik zal het proberen, voor de laatste keer…'

'Jezus, dat spijt me, dat vergat ik, ik…'

'Nee, nee. Daar gaat het helemaal niet om. Het komt gewoon doordat we slaap nodig hebben. Je weet wel, we hebben niet geslápen. Dan raak ik verwárd…'

'Ja.'

'Ja? Aye, tja. En toen, in november, zijn alle makrelen bij elkáár gekomen. Raar, ik weet het, maar in november vind je ze in dichte concentraties, op een aantal zeer gelokaliseerde plekken, zoals we dat noemen, in kleine holtes en troggen op de zeebodem, bij de rand van het continentaal plat. Omstreeks Kerstmis beginnen ze deze opeengepakte samenscholingen, echt afgeladen massa's of hoe je het maar wil noemen, te verlaten en verspreiden ze zich over de omringende gebieden van de zeebodem. En ondertussen voeden ze zich met garnalen, vlokreeften, wormen en kleine visjes die op de bodem leven – maar, Redmond, ze krijgen láng niet zoveel voedsel binnen als later, tijdens hun pelagische fase. Omstreeks eind januari, omstreeks het eind van deze maand, op dit moment of begin februari, vormen ze scholen die naar het oppervlak zwemmen. Dan begint hun trek, zoals Alister Hardy die beschrijft, en gaan ze naar hun paaigebieden, waarvan we nu weten dat die in de Keltische Zee liggen, ten zuiden van Ierland, ten westen van het Kanaal. Ze paaien boven dieper water bij de rand van het continentaal plat. Van april tot juni of juli. Dan zijn ze pelagisch – dan voeden ze zich als een gek met dierlijk plankton, vooral met roeipootkreeften, hap, hap, één per keer. En dan, eind juli of zo, veranderen ze hun gedrag opnieuw: dan verspreiden ze zich in van die kleine scholen en trekken ze naar het water onder de kust. Ze veranderen hun voedingspatroon en storten zich op kleine visjes, paf! Jonge haring, sprot, zandspiering, de kleine visjes die rondzwermen in de ondiepe baaien langs onze kust. En dan kun jij, Redmond, dan kunnen mensen zoals jij ze vangen vanuit een roeiboot, met een lijntje en een haak met watten of zelfs veren als aas!'

'Hé Luke – wat is dat allemaal gewéldig!' Ik omhelsde hem zijdelings en onhandig door het oliegoed. 'Dit is écht bijzonder, weet je, het is allemaal zo complex, als je begrijpt wat ik bedoel – het lijkt zo op het leven van de zoogdieren op het land! En je hebt daarbeneden echte geografie. Dieptelijnen. En het heeft allemaal nog een extra dimensie: andere dieren dan vogels die duizenden meters, goed, soms zelfs kilometers en kilometers recht op en neer kunnen bewegen! En de temperatuur-verschillen! Gewoon verticaal, het is of je ineens van de tropen naar de noord- of zuidpool reist, of niet? En er zijn stromingen in plaats van wind, en gefilterd licht bovenin en eeuwige duisternis beneden… Weet je…' En toen greep mijn eigen manisch vermoeide, rudimentaire maar nog altijd functionerende mentale censor in; er kwamen een of twee remmingen tot leven en er begon een alarmlichtje te knipperen. En ik zweeg en voelde me dwaas.

'Aye!' zei Luke. 'En moet je nagaan: wisten we maar een tiende van dat alles over deze nieuwe diepzeevisserij hier, over het leven van al die nieuwe vissen die je ziet. Jezus, Redmond, we weten niet eens precies hoe óúd die grenadiervissen zijn – volgens een of twee experimenten waarbij ze zijn gevolgd, ik ben de details vergeten, kun je hun otolieten niet eens vertrouwen. Dezelfde regels, de jaarringen, zijn gewoon niet van toepassing! Voor zover wij weten kunnen die vissen wel honderd jaar oud zijn!'

'Aye,' zei Sean, die opleefde. 'O-to-lie-ten! Gelul!'

'En zelfs wat makreel betreft – in de Noordzee is alles anders…'

'Allemaal shit?' zei Sean. 'Ach, die Noordzee kan de pest krijgen. Een vreselijke plek. Eén grote slechte trip, de Noordzee. Akelig zeetje, één gillende afknapper, snap je? *Lucy-in-the-shit-with-diamonds*, dat is de Noordzee, jongens! En deze makrelen' – hij pakte ze op – 'gaan de te-ringkoker in!' Hij gooide ze de teringkoker in.

Ik zei: 'Jezus, Sean! Je gooit ze weg. Waarom dóé je dat nou?'

'Omdat Jason daar geen quotum voor heeft. En trouwens, Redmond, volgens Allan, volgens Allan Besant lijk je verdomd veel op Worzel Gummidge, de pratende vogelverschrikker!'

'Worzel Gummidge? Heb je dat gelezen? Geweldig. Ik herinner me Worzel Gummidge nog! Rosie-bud! Dat werd me voorgelezen voor ik zelf kon lezen!'

'Gelezen? Gelezen! Hij is op televísie! Dombo! Jezusmina!'

'Quoteringen, Redmond,' zei Luke snel tegen me, met een bezorgd half glimlachje, een soort ongeruste, zorgzame blik. 'Quoteringen, daar moet je ook meer van weten. Het is hier, in Groot-Brittannië, in de EU, een ramp. Maar in IJsland, ja, ze hebben het verdiénd dat ze de kabeljauwoorlog hebben gewonnen. Ze zijn briljant, hebben hun eigen systeem ontwikkeld, briljant. En als voormalige visserij-inspecteur van de Falklandeilanden kan ik het weten. Dat is iets waar ik echt verstand van heb. Moet je nagaan, zij gooien níks weg. Alles wat je vangt, voer je aan. Geen verspilling. Absoluut geen verspilling. En dan wordt het slim: als je bijvoorbeeld te veel schelvis aanvoert, kun je volgens de wet een extra quotum kopen van iemand die niet genoeg schelvis heeft gevangen, die nog een deel van zijn quotum overheeft. Zo worden de slechte schippers langzamerhand úítgekocht, houd je alleen de Jasons over. Daardoor hebben ze minder maar meer efficiënte boten, en er is meer geld voor die boten en meer geld voor patrouillevaartuigen in overheidsdienst. Binnen hun 200-mijlszone, binnen hun territoriale wateren die alleen van hen zijn, wordt écht gecontroleerd, heilzaam gereguleerd, zo je wilt, omdat het streng maar eerlijk gebeurt. Elke schipper ziet er het nut van in. Dat gruwelijk vernietigende pakken-wat-je-pakken-kunt van een vrije EU voor iedereen heeft geen zín. De jonge vissen worden in de gaten gehouden, écht in de gaten gehouden. Er zijn massa's inspecteurs zoals ik was, genoeg om aan boord te gaan van elke trawler die ze willen bekijken, wanneer ze maar willen, en als meer dan een kwart van de vis in een willekeurige steekproef die ze aan boord meten ondermaats is, wordt dat hele gebied, die kweekplaats van dat moment, gesloten voor de visserij. En daarom, Redmond, daarom vliegt Iceland Air elke avond vrachttoestellen stampvol volwassen kabeljauw naar Heathrow voor de vis met friet van de Brit!'

'Te gek, man,' mompelde Sean, net zo hard dat ik het kon horen.

'Vooruit, schatje, want op dit moment heb ik een joint nodig, snap je? Een flinke joint, grondig geïnspecteerd, volgroeid, ruim een halve meter lang!'

De lange trek, of eigenlijk het langdurige strippen van de belachelijk productieve korte trek, was voorbij: er kwam niets meer via de lopende band naar boven en daarom schakelde Robbie hem uit; Luke ging de vislast uitspuiten. 'Redmond! Kom hier eens naar kijken!' klonk zijn kreet – maar niet echt opgewonden, niet alsof hij oog in oog stond met een nagenoeg echte zeevleermuis. 'Dit zul je mooi vinden!'

In de verwachting een minder belangrijke curiositeit te zien stapte ik de roestvrijstalen vislast in, met mijn rechterbeen het eerst over de drempel – en bleef staan. Mijn linkerbeen weigerde te volgen, ondanks de bescherming van oliegoed aan de buitenkant en van de hoge gele rubberzeelaars, compleet met stalen neus, daaronder. Hij had de zigzagboodschap 'beide voeten op de grond' eerder van mijn hersenen ontvangen dan ik. Hij wist al dat mijn rechterbeen ter hoogte van het onderscheenbeen één verzwelgende hap verwijderd was van een definitief afscheid van een stuk oliegoed, de helft van een gele rechter rubberlaars, compleet met stalen neus, een nog altijd flexibele enkel en een uitstekend bruikbare rechtervoet.

Want vijftien centimeter bij mijn rechterscheen vandaan bevond zich een meter groot gapend gat van een bek, en de binnenkant van die bek was zwart, de buitenlippen waren zwart, de hele nachtmerrie van een vis, als het een vis was, was slijmerig zwart. In de rand van de uitstekende onderkaak staken glimmende zwarte metselnagels, met de punt omhoog, allemaal verticaal, keurig op een rij, een mengeling van metselnagels van tweeënhalve centimeter, twee centimeter en een centimeter, wachtend. Daarboven, onder de teruggetrokken gebogen lijn van de bovenlip, die in het midden van de brede zwarte snuit was omgekruld tot een grauw, lag een bijbehorende verzameling metselnagels met de punt naar beneden te wachten. En tussen de bolle zwarte ogen, ver uit elkaar, strak op mij gericht, zaten een paar lange, zwarte zwepen, draadloze antennes... En dit monsterlijke beest had overduidelijk maar één ding in zijn kop: het wilde éten. En het zag er volgens mij niet uit alsof het een kieskeurige eter was. Onderscheidingsvermogen, smaak, haute cuisine, nee, dat was niets voor hem. Volstrekt niet...

'Aiiii!' schreeuwde Luke, die dubbelsloeg, twee blauwgehandschoende handen op zijn belachelijk platte buik. 'Aiiii!' schreeuwde hij, terwijl hij rechtop ging staan, zich probeerde te beheersen, daarin faalde en weer dubbelsloeg. 'Hij is dood!' riep hij. Luke lachte, lachte werkelijk, wat niet hoefde, weet je; dat was stóm van hem. 'Hij is dood! Redmond! Hij is dood! Aye! Nachtmerries? Nou?' En om een of andere reden griste hij zijn malle blauwe wollen muts af en stak zijn gezicht erin. 'Een hengelaar!' riep hij, gedempt. 'Een doodgewone hengelaar!' Zijn ogen, stralend van het lachen, verschenen boven de stomme blauwe wollen sjaal van zijn muts. 'Aye! Een kanjer. Dat moet ik je nageven, een echte kanjer!'

Zodra ik mijn linkerbeen over de drempel heen had en Luke zich weer als een volwassen mens begon te gedragen (min of meer), sleepten we de onvervalste griezel van anderhalve meter samen uit de vislast (Luke tilde de massieve kop, de bolle vergaarzak van het lichaam, op en ik hielp door het uiterste puntje van de staart vast te houden). Alles goed en wel, dacht ik, nog steeds met een bonzend hart, maar jezus, dat rotbeest is per slot van rekening bijna mijn dood geworden – door verachtelijke angst weliswaar, maar wat zou dat? Hou alsjeblieft op met lachen. Het is tenslotte jouw schuld, Luke, werkelijk waar... We kwakten de doodenge reus in een witte plastic viskist (een van de twee losse kisten in de verwerkingskamer, die meevoeren op de golf van de opkomende en wegebbende zee, van bakboord naar stuurboord, van stuurboord naar bakboord, de hele dag, de hele nacht, eeuwig). En Luke sjorde hem vast aan zijn mand met monsters.

'Dat was gewéldig!' zei hij, min of meer beheerst. 'Ik wíst wel dat we lol zouden hebben, jij en ik!'

Het monster was te groot om in de kist te passen: hoewel zijn machtige staart half rond was gebogen, verhief zijn brede kop zich boven de rand uit, en zijn ogen leken, ook al wist ik inmiddels dat ze van een doodgewone hengelvis waren, geen spat minder boosaardig. Zo'n acht tot tien centimeter achter de hypnose opwekkende ronde poel van zijn rechteroog zaten twee gezwellen, een ter grootte van een kippenei, het andere, bijna drie centimeter links daarvan, was een ontluikende knop, niet groter dan het ei van een merel. Beide eieren waren bevrucht, en ze hadden hun schaal afgeworpen: ze waren dof oranjegeel met een filigrein van het rode maaswerk van bloedvaten.

Dít is dus een hengelvis, zei ik bij mezelf, nou en, wat zou dat, hij lijkt absoluut niet op het geruststellende plaatje daarvan in mijn *Collins Pocket Guide, Fish of Britain and Europe*, niet in emotionéél opzicht tenminste, dat bereidt je niet voor op de schok van het dier zelf, niet wanneer dat op het punt staat je rechterenkel af te bijten, en ik ben op mijn enkel gesteld, die is van mij, en bovendien...

'Nou, Luke,' zei ik gewichtig, om me te laten gelden (ik weet ook van alles, ja heus), 'die gezwellen, dat zijn de mannetjes, hè?' Ik priemde met mijn vinger in de gezwellen, die allebei verrassend hard waren. 'Ik weet het nodige van hengelvissen. De mannetjes zijn heel klein, hè? Het zijn minieme, vrij rondzwemmende visjes tot ze een groot vrouwtje vinden, of niet? Dan, wauw, dan hebben ze het voor elkaar, want het is geen vluchtig moment – goed, voor jóú waarschijnlijk anderhalf uur –, het is niet louter de penetratie van het vrouwtje met niet meer dan een penis, het heeft niets vrijblijvends, néé: dit is totaal, een echte verbinding voor het leven, daar kan zelfs geen feministe bezwaar tegen hebben, want je gaat helemaal naar binnen, de kop het eerst, het is totále penetratie en je wordt vollédig opgeslokt door alles wat haar bezighoudt, hè? Je verliest je verstand, je wilskracht, je eigen identiteit, je ogen, je longen, je ingewanden – je maakt geen rommel – je bent geen lastpak, geen spráke van, want je bent niet alleen bereid het huishouden te doen en af te wassen, je stemt er ook mee in het huis nooit meer úít te gaan. Je bent een moderne gevoelige man, dat staat vast, want je stemt overal mee in, wat ze ook besluit te gaan doen, waar ze ook naar toe gaat, aangezien je toevallig ook je stem en je benen kwijt bent. In feite heb je niet meer over dan het stukje waar ze echt om geeft – en dat zijn je ballen. En meer ben je dus niet, een spermaklier. Maar vanuit jouw standpunt bekeken, okay, vanuit mijn standpunt bekeken is dat niet slecht, is er in feite veel voor te zeggen, voor dat nieuwe leven. Want je hoeft nóóit meer uit werken te gaan.' Op de bank bij de deur naar de kombuis trokken we onze laarzen uit, bevrijdden we ons van ons oliegoed. 'Kijk, Luke,' zei ik, niet in staat op te houden. 'Zie je het dan niet, Luke? Je kunt de hele belasting van de seksuele selectie vergeten: de vreselijke inspanning om zogenaamd eerlijk bij potentiële vrouwtjes reclame te maken voor je positieve eigenschappen, je weet wel, de rivaliteit tussen twee mannetjes die ze zo nauwlettend gadeslaat voor ze haar keus maakt. Met andere woorden: hoe word je door je mannelijke leeftijdgenoten gewaardeerd? Ben je écht een goede boer? Kun je vis binnenbrengen als Jason? En laten we de zaak eens even aanzien – zullen je bijdragen op het gebied van kunst, wetenschap, literatuur, muziek of voetbal echt iets voorstellen? Eens zien, laat ik eens zeer aandachtig naar je lange witte staart kijken (als je een paradijsvogel bent) of naar de korte paarsrode onderkant van je staart (als je een houtduif bent). Zit er poep op? Ben je ziek? Nee, Luke, al die druk kun je vergeten, werkelijk waar, je hoeft alleen maar de hele dag lekker warm en behaaglijk in bed te liggen en je voor te bereiden: je bekijkt massa's pornoblaadjes tot het grote moment aanbreekt. Want vergeet niet dat je vastzit (het weinige dat er nog van je over is), en zelfs dan, wanneer je louter uit ballen bestaat (de belediging!) word je omschreven als parasitáír. Daar ben je dan, vastgezet in de buurt van haar geslachtsopening en, hé, het is zover, eindelijk stoot ze haar ei-sluier uit, een transparante sluier van eieren. En een enkele aanraking van dat zijige slipje en daar ga je, het ene orgasme na het andere!'

Toen we de benauwde kombuis vol mensen binnenliepen (mijn bril besloeg weer en ik zette hem af om de glazen met mijn mouw schoon te vegen) hoorde ik Seans stem niet al te ver weg, ergens rechts van me. 'Vooruit, jongens! Waar bleven jullie? Jerry heeft *clapshot* gemaakt!'
  'Wat?'
  'Clápshot, Redmond. Een gerecht van de Orkneys! Rapen en piepers. En haggis! De beste! En jongens, zoals we zojuist al zeiden, het is waar, jullie hebben het verdiend!'
  Ik begon weer wat te zien en zag dat iedereen al zat, op Jerry zelf na, die nu daarboven op de brug in zijn eentje de verantwoordelijkheid moest hebben voor de Norlantean, K508: Dougie, grote Bryan, de eerste stuurman, Allan Besant, die ik nog steeds nauwelijks kende, en Robbie op de vier plaatsen rond de tafel links van me. Rechts van ons zat Sean, tegenover Jason, en een plaats en een vol bord, compleet met mes en vork, stonden op ons tweeën te wachten. 'Kijk uit, Redmond,' zei ik streng tegen mezelf, 'beheers je, wees een kérel,' toen ik op de verwelkomende kleine meter bank naast Jason ging zitten, 'want je hebt geen slaap gehad, reageer niet te overdreven op deze gewone vriendelijkheid...'

'Ja!' zei Sean, toen Luke naast hem ging zitten, tegenover ons. 'Jongens! Jullie hebben het verdiend! Ik heb zelf voor jullie gedekt! Er is één van jullie, begrijp me niet verkeerd, die kan strippen, zeker weten! Een échte hulp – en dat hadden we niet verwacht!'

'Aye,' zei Bryan met zijn trage bas, zonder op te kijken van zijn eten, een bord dat heroïsch was opgetast, tot homerische hoogten. 'Dat is een feit. Eenentwintig kisten met zwarte hel... En ze kwamen zo snel. We konden het beneden nauwelijks geloven...'

Jason zei, alsof hij een weloverwogen mededeling ging doen voor een afgeladen zaal, een leider van de gemeenschap, wat hij, zoals ik besefte, natuurlijk ook was: 'Luke, ik kan je nu meteen één ding zeggen: je weet wérkelijk wat je doet.' En dat, besefte ik vaag, was eveneens de allerhoogste lof, de hoogste lof die je op een trawler op zee kon krijgen.

'Och aye,' zei Luke, die zijn vork verwoed in zijn dikke laag haggis stak. 'Aye, het was een mooie vangst... de mooiste die ik ooit heb gezien.' Lukes bleke gezicht, viel me tot mijn verbazing op, had een kleur gekregen, was in de hitte doortrokken van bloed, of bloosde hij van genoegen? 'Redmond, hier,' zei hij veel te snel, te hard, 'weten jullie wat hij tegen me heeft gezegd? Jongens, er was een zeeduivel achtergebleven in de vislast, een grote, met een stel gezwellen op zijn kop, waarschijnlijk kankergezwellen, en Redmond kwam tot de conclusie dat het parasitaire mannetjes waren, weet je wel. En hij zegt tegen me: "Luke," zegt hij, "dát is het ideale leven, Luke, want als je eenmaal met je kop vooruit in een vrouwtje vastzit, hoef je nóóit meer te werken!"'

Iedereen lachte.

'Dat waren dus geen mannetjes? Kánkergezwellen? Hoe weet je dat?'

'Omdat het de verkeerde soort is! De verkeerde orde! Dat dier daarbuiten is een *Lophius piscatorius*! Een zeeduivel of hozemond. De grootste die ik heb gezien en weliswaar een vinarmige, waardoor hij ook een hengel op zijn kop heeft, maar desondanks nog altijd een zeeduivel. Jij, jij dacht aan de diepzeehengelvissen!'

'Te gek!' zei Sean, toen hij mijn teleurstelling zag. 'Maar ze zijn maf, man. Dat zal best!'

'Aye, Redmond, maak je geen zorgen,' zei Bryan om aardig te zijn. 'En wie weet? Misschien vangen we wel een diepzeehengelaar. Dat is niet onmogelijk. En ze zien er heel raar uit, dat staat vast, raarder kom je op aarde niet tegen – maar de gewone zeeduivel, weet je, is niet zó gewoon.

De vrouwtjes leggen eieren als kikkerdril – alleen kan die dril twaalf meter lang en ruim een halve meter breed zijn! En op de Orkneys gaat het verhaal dat mensen in een roeiboot op de Scapa Flow eens zo'n massa zagen en dachten dat het een zeemonster was, een donkere, slangachtige plek in het westen, weet je wel, en ze roeiden of hun leven ervan afhing! Tja, het is een geweldig verháál, maar we kennen geen namen. Zo zie je maar, gelul.'

'Als je op verhalen uit bent,' zei Robbie, die te hulp schoot (ik kon het nog steeds niet opbrengen om van mijn bord op te kijken: hoe had ik me kunnen vergissen in een soort, in een órde? Dat was onvergeeflijk, dat was onwetendheid waar geen excuus voor was; waarom had ik niet meer gelezen, me beter voorbereid? Mariene biologie, ja, misschien was dat wel verre van eenvoudig...), 'moet je eens met Malky Moar gaan praten! De Orkneys – er is geen betere plek voor verhalen. We zullen Malky wel vinden; hij zit altijd in de kroeg. En dan zegt Malky zoiets tegen me van – en het is waar, Redmond, we hebben een dekselse onweersbui gehad – en dan zegt Malky de volgende avond in de kroeg tegen me: "Robbie," zegt hij, "heb je dat onweer gehoord?" "Aye." "Heb je de bliksem gezien?" "Aye." "Nou dan, daar zit mijn ouwe in de keuken van de boerderij. Ken je de keuken nog?" "Aye." "Nou, die bliksem komt door de schoorsteen in de kachel. En mijn ouwe zit met zijn voeten op de kachel. Ken je de kachel nog?" "Aye." "Nou die bliksem gaat door zijn benen omhoog en via de achterkant van zijn hoofd naar buiten en doodt twee varkens op het erf!" En dus barst de hele kroeg in lachen uit. En Malky Moar keert zich tegen ons en hij zegt: "Robbie Stanger," zegt hij, "Mijn ouwe, houdt die varkens of níét?" En Malky kijkt echt kwaad dus zeg ik: "Aye, inderdaad." Want dat is zo. En Malky kijkt niet meer kwaad en hij kijkt ons om de beurt recht aan en dan zegt hij, dan zegt Malky: "Méér hoef ik niet te zeggen!"'

We lachten.

En Sean zei: 'Koud ijzer!'

En Jason zei: 'Maak je geen zorgen, Redmond. Nee, we kunnen je inderdaad geen diepzeehengelvis beloven. Maar maak je geen zorgen: de zee zit vól vreemd spul en sommig spul is zelfs nog heel wat vreemder dan zo'n diepzeehengelvis, neem dat maar van mij aan... Ik heb ooit eens een paar grote diepzeehaaien gevangen, Groenlandse haaien, en dát zijn eigenaardige dieren – niet zozeer door hoe ze eruitzien of zelfs door wat visserijwetenschappers zoals Luke ons over hun gewoonten vertellen, nee, Redmond, ze zijn eigenaardig omdat hun vlees gíftig is. Het is toxisch! En wie had dát ooit van zijn leven kunnen verwachten? Haaienvlees, fantastisch! Maar niet van deze soort, nee, dat kan je dóód worden! Maar het echte wonder is dit: de IJslanders, eigenlijk zuivere vikingen – en de vikingen zijn een volk dat ik graag mag lijden, als schipper, zeg maar –, de IJslanders gebruiken de Groenlandse haai voor zijn traan en huid, en dat is nog niet alles, want ze verspillen het vlees evenmin maar begraven het tot het bedorven is, dan graven ze het op en drogen het – en eten het! Hoe zijn ze daarachter gekomen?'

'Van de eskimo's, dat zou me niks verbazen,' zei Bryan aan de andere tafel, rechts van ons. Bryan, grote Bryan, was inderdaad groot: donker haar, zwarte stoppels, desondanks een viking, een Robertson; zijn diepliggende donkere ogen keken nu afgetobd van lichamelijke uitputting, maar zagen er nog altijd uit als de ogen van een man die overal de tijd voor nam, die zich niet liet opjutten, die diep nadacht over dingen die Sean nog niet dwars waren gaan zitten en waar ik me niet meer druk om maakte – zulke dingen als de zin van het leven. Er zat een klein zilveren knopje in zijn linkeroorlel, misschien een mogelijke betaling aan Neptunus, misschien niet. Hij droeg een trouwring. Bryan, dacht ik, is zo'n viking die ongewild zelfs het respect zou kunnen afdwingen van de bijgelovige monniken van Lindisfarne...

Hij zei: 'Ze worden ook wel slaperhaaien genoemd omdat ze zo traag bewegen (zij zullen je geen onaangename verrassing bezorgen)' – door mijn gemijmer had ik iets gemist, enige onontbeerlijke informatie – 'en *gurry sharks* – *gurry* is het grom, de rommel die je overboord gooit na het vissen of de walvisjacht, en op Groenland smeten de eskimo's, de Inuit, robbendarmen en bloed of wat maar voorhanden was door een gat in het ijs om de slapers zo naar boven te halen. En ze zijn groot, echt groot, kunnen wel zes meter lang zijn, Redmond – alleen de walvishaai, de grootste, tot eenentwintig meter lang, de reuzenhaai, zo'n twaalf meter lang, en de grote witte haai, ongeveer even lang maar dan gedrongen, dat zijn de enige haaien die zwaarder zijn. Daarom loont het dus om erop te jagen!'

'Ja, dat klopt,' zei Luke, 'maar ze voeden zich niet alleen met aas. Want je treft ze vaak aan met een parasitaire roeipootkreeft óp elk oog en we geloven dat die roeipootkreeften in diep water, op een diepte van achttienhonderd tot ruim tweeduizend meter, lichtgevend zijn: vissen komen op die kleine lichtjes af en de haai eet de vissen op, de kop het eerst, háp, en dat is de voornaamste reden waarom je zult ontdekken dat de vissen in hun maag geen staart hebben!'

Sean, die vlak tegenover me zat, zei op kameraadschappelijke, zachte toon: 'Kijk eens aan, man, er zijn massa's maffe beesten die geen diepzeehengelvis zijn. Het is precies zoals ze zeggen: van een klein beetje kennis raak je alleen maar gestoord, daarom is het cool om er op veilige afstand van te blijven.' Hij gaf met zijn hoofd een half knikje in Lukes richting, die vlak naast hem zat, en voorover geleund boven de tafel – waarvan het blad bedekt was met plakkerig klittenband om je bord bij windkracht 7 of 8 op zijn plaats te houden, maar bij dit weer (windkracht 9?) moest je met je linkerhand je bord stevig vasthouden en met de rechter je clapshot en haggis met je vork naar binnen brengen – gaf hij me een expressieve, een veelbetekenende, vette knipoog met zijn linkeroog.

Ik begon me beter te voelen, iets minder terminaal, keel-dichtknijpend dwaas en leeghoofdig, en bovendien lag de clapshot, de stamppot van rapen en piepers met veel boter – drie landbouwproducten van de Orkneys waar je zelfs zo ver in het noorden werkelijk van op aan kon – warm in mijn maag (Jerry was een gewéldige kerel), en de haggis was ook bijzonder, haggis van de Orkneys, maar toch vertrouwd – en ik kwam tot de slotsom dat ik de gehakte slokdarm en maag van een schaap, evenals de darmen en het rectum, het hele spijsverteringskanaal, zelfs lekker vond zolang ik op de achtergrond maar die geruststellende scherpe smaak van buskruit proefde... En naarmate ik meer at stond de buitenwereld minder ver van me af, werd die minder koud, minder vreemd.

Daardoor lukte het me om 'En Jason,' te zeggen in de hoop dat hij zou beseffen dat ik mijn portie had gehad, dat ik had gecapituleerd, mijn claim op een strijdlustige mannelijke status had opgegeven, 'wat is het raarste dat jij ooit in je netten hebt gevangen?'

'Eens even denken,' zei Jason en hij lachte vriendelijk en veelbetekenend naar me.

Misschien was ik dus niet het allereerste postzeezieke groentje dat hij aan boord moest gedogen, wat in zekere zin een troost was, en Robbie had me verteld, herinnerde ik me, dat verrassend veel – een percentage 'dat je niet voor mogelijk zou houden' – volledig opgeleide, afgestudeerde jongens van de zeevaartschool in Stromness 's winters voor het eerst echt naar zee gingen en vervolgens, omdat ze niet wisten hoe snel ze weer aan de wal moesten komen, een baantje zochten bij álles wat de visindustrie maar te bieden had: op de markt als leerlingkoopman, of domweg als hulpje van de plaatselijke visboer, of bij het fileren, verwerken, kweken van vis, in het transport of zelfs als bootwerkers, als losse werklieden die onverwachts werden opgeroepen, soms om drie uur 's ochtends, om ogenblikkelijk naar de haven van Scrabster te komen en bereid te zijn, voor tweehonderd pond per keer, een binnenkomende trawler te lossen waarvan de bemanning te afgepeigerd is om dat zelf te doen.

Jason had inmiddels een opkomende, alles bedekkende zwarte baard (even zwart als de baard van zijn voorvader van de Armada, de onversaagde zeeman die naar land was gezwommen, nog altijd vol energie, klaar om erop af te gaan, waardoor hij gemakkelijk was ontsnapt aan de kleine tegenslag van niet meer dan een schipbreuk, het verlies van alles wat hij bezat…). Jason was de man die de minste slaap had gehad (volgens Sean die inwendig bijhield hoeveel iedereen sliep, wat in halve uren werd gemeten) en Jason was de enige man die er nog altijd fris, beheerst, bij zijn volle verstand en ontspannen uitzag. 'Het raarste in mijn net?' zei hij. 'Dat moet de maanvis zijn geweest. Die zie je zelden, heel zelden, zo hoog in het noorden, waardoor het angstaanjagend was, er is geen ander woord voor, het was angstaanjagend toen we er een vingen, omdat we niet wisten wat het was. Enorm. Hij woog meer dan een ton. Hoog lichaam, vinnen recht naar boven en naar beneden, piepklein bekje, geen achtereind, geen staart – wat was dat voor een vis? We waren op dat moment aan het oppervlak aan het vissen en hij lag daar maar in het net, half in slaap… Maar desondanks, alleen het formaat al…'

'Ja,' zei Bryan. 'Ik heb er ook eens een gezien: ze hebben een heel dikke huid, waar je geen harpoen in krijgt, en je kunt ze ook niet schieten met een .22, je zult een .303 moeten gebruiken!'

'Daarom hoeven ze zich nergens om te bekommeren,' zei Luke, 'ze kunnen alleen last hebben van een net. Dus eten ze gewoon plankton en zeewier en liggen ze maar wat te slapen, net als Redmond graag wil doen – maar dat heeft een nadeel, jongens, want hun hersenen stellen niets voor, en raad eens hoe lang hun ruggenmerg is, bij een vis die anderhalve ton kan wegen? Dat is maar net een centimeter lang!'

Iedereen lachte. We beginnen een bánd te krijgen, dacht ik, half uitzinnig van gebrek aan slaap en de, volgens mij, steeds heftiger wordende bewegingen van de Norlantean, K508 (vergaan op zee, geen raadsel, een orkaan, een kleine orkaan; dus zal er wellicht een bladzij aan worden gewijd in *The Orcadian* en misschien drie à vier regels in *The Times* in Londen). Maar, in tegenstelling tot de maanvis, die dolgelukkig is, immuun voor roofdieren en slaapt wanneer hij maar wil, kan ons niks gebeuren, want wij hebben gróte hersenen...

'En ik heb ook eens een koningsvis gevangen, misschien anderhalve meter lang, práchtig,' zei Jason, die opstond en met de soepele gang van zijn lange benen nog eens ging opscheppen uit de vastgeklemde steelpannen op het fornuis. 'En dat was interessant, Redmond, interessant op zich, heel mooi,' zei hij, terwijl hij weer ging zitten, 'een donkerblauwe rug, goudkleurige flanken, een roze buik en van die diéprode vínnen.' Hij nam een mond vol haggis. Jason át zelfs snel. 'En ze zijn ook interessant omdat ze verwant zijn aan de lintvissen, en dat is op zich al raar, zelfs voor jou, en voor zover ik weet – en Luke zal me wel terechtwijzen – weten we geen flikker van lintvissen. Je kunt ze niet vangen met een trawlnet, daar zijn ze veel te snel voor, ze zwemmen, ze kronkelen als een zeeslang' – met zijn rechterhand en -arm maakte hij een snelle golvende beweging over de tafel – 'je ziet ze alleen maar als ze ziek aan de oppervlakte komen of dood aan land spoelen – en dat moet echt spectaculair zijn, want ze kunnen ruim zes meter lang worden en hun lichaam is afgeplat, echt afgeplat, ongeveer dertig centimeter hoog en maar vijf centimeter breed! Maar dat is nog niet alles, want ze zijn helemaal stralend zilver gekleurd en er loopt over de volle lengte een ononderbroken rugvin die heel felrood is – en precies boven op zijn kop gaat die vin rechtop staan tot een schitterende scharlakenrode kam, manen, een enorme indiaanse hoofdtooi! Daar heb je hem dan, en dat is geen gelul, daar heb je het zeemonster, de onvervalste zeeslang!'

'Heb je er weleens een gezien?'

'Nee. Ik niet,' zei Jason, die kalmer werd. 'Maar ik ken wel degelijk mensen die hem hebben gezien, haal dus geen verkeerde ideeën in je hoofd!'

Sean lachte.

'Natuurlijk bestaat hij!' zei Luke. 'Hij is gefilmd. We hebben exemplaren in musea.'

'Och aye,' zei Sean. 'Muséa, hè?'

'En trouwens,' zei Allan Besant, die er nog altijd jong uitzag, met rode wangen, zijn vinger niet langer in het verband, 'Redmond, Worzel hier, de ouwe Worzel Gummidge, die vroeg niet naar mónsters!' Hij leunde vanaf zijn plaats in de verste hoek van de rechtertafel voor Dougie langs. 'Nee, Worzel vroeg naar séks. Worzel wil meer over seks weten!'

Zelfs Dougie lachte.

'Vertel hem dus maar van de zeebrasem!'

'Dat mag jij doen,' zei Jason. 'Vertel het hem zelf maar!'

'Nee,' zei Bryan, 'dat moet je niet aan Allan vragen. Die gooit alles door elkaar. De zeebrasem, Redmond, kan het ene moment vrouwelijk zijn en het volgende mannelijk. En dat is een feit!'

'Transseksuelen!' zei ik.

'Aye,' zei Allan met een verachtelijke blik. 'Zíj hebben alles door elkaar gegooid!'

'Jezus, jongens,' zei Sean, die rechtop ging zitten, met zijn rug tegen de muur. 'En die hebben jullie me laten éten! Ik heb er zelfs een stel meegenomen voor mijn opoe!'

Luke lachte. Ik zag dat Seans biologische opvattingen Luke een speciaal professioneel genoegen baarden. 'Dat geeft niet,' zei hij, 'het is geen ziekte. Je kunt het niet kríjgen. Het komt zelfs verrassend veel voor op zee.'

Sean zei botweg: 'Aan me nooit niet.'

'In zee!' zei Luke. En toen ineens brullend van het lachen: 'De vissen!'

'De vieze smeerlappen,' zei Sean, niet bijzonder gerustgesteld.

'Ja, neem nou bijvoorbeeld de lipvissen, daar zitten heel veel hermafrodieten bij en veranderen vrouwtjes in mannetjes. Onze eigen koekoeklipvis, een prachtige vis, een poetsvis – daar vertel ik je nog wel eens over.'

Sean zei: 'Ik wil het niet horen.'

'Het is net als bij Tiresias,' zei ik. 'Hij is zowel een vrouw als een man geweest en hij kon melden dat vrouwen niet alleen meer van seks genoten, maar er zelfs wel tien keer zoveel van genoten!'

Het was even stil.

En toen: 'Die achterbakse krengen,' zei Sean. 'Waarom blijven ze dan nee zeggen?'

'Je moet je meer wassen,' zei Robbie. 'Je moet je haar eens wassen.'

'Ach,' zei Sean. 'Wees toch niet zo'n mietje! Waar heb je anders een kussen voor? Nou? Het kússen maakt je haar schoon. Je moest eens zien hoe het mijne eruitziet!'

In de volgende trek zaten enkele honderden visjes met een blauwe rug en een witte buik, een bijvangst die Luke opwond: 'Blauwe wijting, Redmond! Okay, ze mogen in jouw ogen misschien niet veel voorstellen, maar ze zóúden heel belangrijk kunnen zijn. Ze komen namelijk enorm rijkelijk voor, zoals wij zeggen, maar tot nu toe weten we nog maar heel weinig van hun echte levenscyclus, hun ware verspreiding. En dat behoort dus ook tot mijn taak: misschien zouden we duurzaam op blauwe wijting kunnen vissen. Maar dat weet nu nog niemand. Het zijn schelvisjes, uit de familie der schelvissen, en hier in onze visgronden vormen ze het hoofdvoedsel van de heek. Daarom zou ik dus niet graag een blauwe wijting zijn, o nee, want stel je eens voor: 's nachts ga je in de middelste waterlagen slapen, zo vredig als wat, en dan komt de grote heek, die de hele dag op de bodem heeft gerust, vanuit de diepte naar boven zwemmen om je op te slokken.'

Na de trek bleef ik met Luke in de verwerkingskamer achter, vastgeklemd op een kist, stijf tegen de zijkant van de lopende band naar het ruim gedrukt, naast de kleine stalen plank waarop Luke zijn elektronische weegschaal had neergezet. Sean stapte uit zijn oliebroek en zeelaarzen en riep: 'Goed zo, jongens! Ertegenaan! Aan de slag voor de wétenschap, zeg ik! En jongens, jullie hebben voorlopig alle tijd en dat is de waarheid! Want Bryan heeft me gezegd dat we bijna in die verdomde windkracht 12 zitten die jullie zo graag wilden meemaken, stelletje ouwe rukkers, en Jerry heeft boterhammen klaargemaakt. Dus moet het wel erg zijn. Dat wordt niet niks, man. Bóterhammen godverdorie. Dus wordt er niet gekookt, dat staat vast, en jongens' – hij hield de stalen deur naar de kombuis en hutten half open – 'als we boffen wordt er ook niet gevist. Daarom zullen jullie, zullen jullie wétenschap bedrijven. En ik – ik lig in mijn nest! Doei!'

Ik hield Lukes klembord vast en noteerde met potlood in de geëigende kolommen van de gestencilde papieren van het Mariene Laboratorium (een deprimerend pakket dat in de kaken van de verroeste veerklem zat) de letters en getallen die hij naar me schreeuwde, boven de toenemende chaos van lawaai buiten uit : 'GHB!' (Groenlandse heilbot.) 'Lengte–!' en 'Gewicht–!' (Zóveel getallen.) En na een snelle haal van zijn korte mes met het rode heft aan de onderkant: 'Vrouwtje!' of 'Mannetje!' (Een ♀ of een ♂ in de vlekkerige natte kolom die ik maar niet scherp in beeld kon houden.) En vervolgens een snelle haal in de kop van wat voor soort vis het toevallig maar was – en daar had je de piepkleine otolieten in zijn ruwe ongehandschoende hand. Hij pakte het juiste formaat plastic flesje met schroefdeksel uit de rode koektrommel die door zijn linkerlaars tegen de steun van de lopende band werd gedrukt, en dan, het indrukwekkendste van allemaal, trok Luke een potloodstompje achter zijn linkeroor vandaan en ondanks de steeds heftiger wordende bewegingen van de trawler – die naar mijn mening nu uitzinnig waren, in een laatste fase verkeerden: hoe kon iets wat door mensen was gemaakt zo'n aanval ook nog maar één moment langer doorstaan? – schrééf Luke op de stalen plank, terwijl hij zich kennelijk moeiteloos in evenwicht hield, en dan vulde hij een etiketje in (heel klein) met het opschrift DAFS *Scientific Investigations* onder: *Trek nr... Net... Diepte... Duur... Gebied... Datum...* Daar voegde hij dan GT ('Gemiddelde temperatuur op die diepte!') aan toe en ik besefte dat het een systeem was. Er was een mand, van rood plastic, voor elke trek tot nu toe. 'MBE!' ('Grenadiervissen! *Macrourus berglax!*') 'LIN!' (Geen nadere verklaring.) 'BLI!' (Idem dito.)... We zouden ze allemaal afwerken. Ik dacht: BED! en: BED! en: Iemand moet subiet die Sean eens gemeen te pakken nemen.

En vervolgens borrelde er in het wilde weg een handjevol kleine opmerkingen uit boeken die ik wél had gelezen naar boven vanuit mijn onderbewustzijn, een innerlijke janboel die verontrustend, zelfs angstaanjagend begon te worden – en slaap, dacht ik, moet onmiskenbaar onder andere tot doel hebben een sterk fijnmazig filter van koolstofvezels stevig op dat deel van onze geest te houden dat even teugelloos is als de zee daarbuiten – ja, Alister Hardy, dacht ik, de religieuze mafkees, de man die zijn leven lang het bestaan van God heeft willen bewijzen, op een wetenschappelijke manier, eens en voor altijd, en die in de laatste jaren van zijn leven in Cambridge een instituut voor de bestudering van paranormale verschijnselen heeft opgezet (waarvan we, niet echt verassend, nog steeds geen resultaten hebben gezien), was desondanks een werkelijk grote pionier in het bestuderen van de natuurlijke historie van de zee. Alister Hardy was, zoals mijn moeder had kunnen zeggen, 'geen type om te trouwen'. (En ja, dat is waar, dacht ik, het ongeremde of zelfs maar voor een achtste deel ongeremde onderbewustzijn gooit schuim en eufemismen en clichés naar boven omdat het niet handelt in erudiete woorden maar in de primitieve kracht van beelden, grotschilderingen, schilderijen, rituelen, innerlijke foto's genomen door emoties die we willen vergeten.) 'Kijk, Alister,' heeft zijn verbijsterde mentor in Oxford tegen hem gezegd, 'natuurlijk kun je de kleine kwestie van het bestaan van God op een dag oplossen, maar dat komt later in je carrière, beste jongen, en je bent met zulke mooie cijfers afgestudeerd en het is voor ons allemaal zonneklaar dat je dol bent op víssen, dus waarom zou je niet gaan promoveren op een studie naar plankton? Gods werk en zo? Goed?' En dat heeft uiteindelijk in de reeks *The New Naturalist* geresulteerd in *The Open Sea*, bestaande uit zijn twee klassiekers: *The World of Plankton,* deel een (1956), en *Fish and Fisheries,* deel twee (1959). Maar het beeld dat in me opkwam had niets met zijn onderzoek te maken. Nee, ik herinnerde me dat hij ergens in die twee delen aandringt op de noodzaak van goede verhoudingen, van een vriendschappelijke band met die stoere trawlmannen, die heldhaftige vissers. En zijn uitverkoren methode (zoals me via de orale traditie ter ore was gekomen) was eenvoudig. Na elke reis ontblootte hij zijn bovenlijf op de kade en bood hij aan te véchten of eigenlijk (volstrekt niet hetzelfde) te boksen (Queensberry rules) met al zijn voormalige metgezellen, stuk voor stuk.

'Hé, Redmond!' hoorde ik Luke roepen. 'Zak niet zo weg! Blijf wakker! Blauwe wijting! Het geeft niet, we hoeven ze alleen maar te meten en te wegen en hun geslacht te bepalen!'

Ik dacht: nog nooit, zelfs niet in mijn jonge studentendagen van koffie en amfetamine, heb ik zo lang niet geslapen.

'Gewoon wákker blijven, Redmond, want dit is allemaal héél belangrijk voor je, voor ons, voor ons allemaal, in evolutionáíre zin, en daar houd je van, dat weet ik. Want de meest basale vorm van biochemie in onze hersenen' – de luidsprekers, Fleetwood Mac, de Corrs, hadden hun gezang gestaakt; Jason had ze daarboven op de brug kennelijk uitgezet omdat wat hem betreft de vangst binnen, gestript en in ijs in het ruim gestouwd was, en toch ging een diepere megabas van woester tromgeroffel door, veel harder, tromgeroffel waarvan de ritmes geen fluit gaven om kunstgrepen of terughoudendheid, en gejammer, ja, daarbuiten klonk echt het onmenselijke gejammer van geesten die de dood komen aanzeggen... – 'onze chemische erfenis, houdt in dat we visolie móéten hebben gegeten en die kom je niet tegen op de savanne... (Blauwe wijting! Daar gaan we; begin maar met een nieuwe regel, precies, en geef die de kop bwt.)... Aye, het is overduidelijk dat de menselijke hersenen zich nooit op deze manier hadden kunnen ontwikkelen als we Afrika niet langs de kust hadden verlaten, terwijl we van alles uit zee aten. dha, een van de visoliën, zit in de membranen van onze zenuwcellen! En visoliën zijn onontbeerlijk voor de gezondheid van hart- en bloedvaten, dat staat als een paal boven water, en daarom is het logisch' – hij begon aan de honderden blauwe wijtingen – 'dat als je last van je hart hebt, je hersenen zullen volgen. Zoals Crawford zegt: "Waar hart- en vaatziekten optreden, volgt de geestelijke gezondheid." Sinds de jaren vijftig, Redmond, is de consumptie van vis in het Verenigd Koninkrijk gehalveerd. En dat is nog niet alles, want nu eten we voornamelijk witte vis. Terwijl we haring, makreel, sardines, pelsers, ansjovis en zalm, de vette vis, juist echt nodig hebben. En Crawford denkt dat er daarom zoveel depressieve mensen als jij en ik zijn, dat er daarom overal zoveel gevallen van schizofrenie en talloze minder ernstige mafkezen rondlopen. En waarom niet? Er zit wat in. Tijdens de ontwikkeling van de foetus wordt 70 procent van de energie die door de placenta heen gaat gebruikt voor de groei van de hersenen – en daarvoor heb je een bijzonder goede bloedtoevoer nodig. En de hersenen bestaan voor zestig procent uit vet en hebben specifieke vetten nodig, met name de omega-3-vetten, de zeer lange ketens onverzadigde vetzuren, de drie voornaamste visoliën. En als je me niet gelooft, denk híér dan eens over na: het is voor het lichaam een trage en kostbare aangelegenheid om plantaardige olie – van walnoten en soja, raapzaad, pompoen, hennepzaad, wat dan ook – om te zetten in die visoliën. En wanneer is de énige tijd waarin de *Homo sapiens* dat ook werkelijk doet? Nou? Kun je het raden? Nee? Goed, dan zal ik het zeggen. Dat gebeurt met menselijke moedermelk! Dus het ligt voor de hand, hè? Als ik het in het land voor het zeggen had, zou ik een manier zoeken om onze visstand van haring en makreel precies zo te beheren als de IJslanders met hun kabeljauw doen, en dan zou ik al onze zwangere vrouwen elke minuut die ze wakker zijn volproppen met vette vis, en verder ook iedereen, en dan zou ik dit land in mijn eentje tot het intelligentste oord ter wereld maken! En ik zou onze visgronden redden!'

Sean duwde de stalen deur open en stapte op zijn sokken over de drempel. In zijn rechterhand hield hij een paar duimdikke boterhammen met ham. 'Hé, jongens! Zorg dat je dit binnenkrijgt!' zei hij terwijl hij er een aan mij gaf – waar ik ogenblikkelijk aan begon. Toen hij dichter bij Luke kwam – Sean had onmiskenbaar iets op zijn lever – gaf hij hem de andere, die Luke, om hem veilig te bewaren, in de lege, nog slijmerige mand van de Groenlandse heilbot liet vallen. 'Aye, Luke, ik heb je werkelijk hoog zitten, man, snap je wat ik bedoel? Ik had geen benul wat wetenschap was. Op school, weet je wel? Dan drukten we onze snor, in Caithness en zo. Maar, Luke, je bent zo cóól, dus wat maal je om al die metingen? Nou? Wie kan het wat schelen? Wie zal het weten? Luke – je ziet er vréselijk uit. Ik heb nog nooit iemand gezien die er zo verdomd afgepeigerd uitzag. En ik mag je, weet je. Je bent cool, man, heus. Dus waarom zou je niet verstandig zijn? Luister naar me, naar mij – Sean. Neem er je gemak van. Haal het ín. Later. Haast is dodelijk, snap je wat ik bedoel? Niemand, geen mens ter wereld zou moeten werken zoals jij. Zelfs Bryan, die peest godverdorie en niet zo'n beetje en dan zegt hij bárst en nokt af. Maar jij, Luke, je bent cool en je script alle vis, net als wij, maar dan ga je deze shit doen. Je hebt niet geslapen! En begrijp me goed: Redmond hier, de ouwe Worzel, geef hem een halfuur en hij is in zijn kooi onderzeil, volkómen van de wereld. En moet je hem zien, zo oud, en hij heeft zijn boterham al op en toch staat hij hier bij ons en hij leeft nog. Snap je wat ik bedoel? Wat mij betreft, kijk, laten ze allemaal de tering krijgen, allemaal, dat laat mij koud, maar voor mij en Jerry, dat hebben we gezegd, Luke, ben je een héld. Snap je wat ik bedoel? Je doet het niet voor geld. En dat is gaaf, man. Dat geeft me een goed gevoel. Te gék. Het is gewoon, weet je, dat ik wou dat ik op schóól beter mijn best had gedaan. Maar ik maak me zorgen om je, Luke. En ik ben niet de enige. Jerry ook. Dus begrijp me goed, Luke' – Sean greep Lukes rechterarm en schudde die heen en weer – 'je bent maf! Echt maf! Ga verdomme naar bed, man! Of het wordt je dood! Je zult doodgaan! Ga slapen!'

En Sean, die ineens werd overweldigd door al die diepe emoties, draaide zich zonder nog eens om te kijken om, morrelde aan de knevel van de deur en was verdwenen.

'Hé, Luke,' zei ik, en ik schaamde me opnieuw terwijl ik het mezelf hoorde zeggen, 'zal ik je eens wat zeggen? Kun je het raden? Wat hebben de hersenen nog meer nodig om probleemloos te functioneren? Nou?'

'Aye,' zei Luke, die zichzelf volkomen in de hand had. 'Slaap! Dat is goed. Kijk, ik ben hier bijna klaar. Dus dat is goed. Ga je gang, ga wat slapen.'

'Aye,' zei ik voor het eerst van mijn leven. 'Misschien dat ik dat maar doe.'

Luke maakte me wakker, een uur later. 'Kom mee! Jason wil je op de brug zien!' De nylonzachte, omhullende bodystocking van gelukzaligheid, de gedoofde pijntjes in alle gewrichten van mijn skelet – en ik moest uit béd komen? 'Ik heb tegen Jason gezegd dat je sliep, echt.' Ik concentreerde mijn blik op Lukes vlekkerige gezicht vol huidschilfers en zijn rode ogen: juist, dacht ik, klootzak die je bent, jij hebt helemaal geen slaap gehad. 'En Jason zei tegen me: "Luke," zei hij, "dat kan me niet schelen – voor mijn part is Redmond dood. Maar ook als dat zo is wil ik dat hij nú hierboven komt. Ik wil dat hij dit ziet. Want ik heb het vissen moeten staken. Begrijp je?" En dat is dus de schipper. Dus heb je geen keus. En het is waar, hiervan heb je gezegd dat je het wilde zien: een orkaan. Tenminste, en dat spijt me, Redmond, maar het is waarschijnlijk windkracht 11 met uitschieters naar 12. Het is dus het staartje vrees ik. Windkracht 12, een orkaan uit de eerste categorie, weet je, een kleintje, de laagste categorie, niet zo erg als je hoopte. Dat spijt me. Echt. Maar Jason zegt dat hij niet meer te bieden heeft. En je moet het zien, hè? Want over een uur of zes is hij verdwenen, verstrooid. Hij treft het hoge noorden van Noorwegen waarschijnlijk als een doodgewone zeer zware storm. Kom er dus maar uit!'

Toen ik de trap naar de brug op klom, beroofde de orkaan (waarom moest Luke het toch over een kléíntje hebben?) me van het gebruik van mijn benen en het leek wel alsof hij mijn armen er ook finaal af zou rukken: mijn handen klampten zich vast, de een achter de ander, links, rechts, hou vol, en werkten zich langs de leuning omhoog.

Ik staarde uit het rondlopende achterraam van de brug; Luke hield me rustig, stevig vast, bij mijn schouders (hoe is die kleine Luke ineens zo groot geworden? vroeg ik me af en het antwoord kwam subiet en was enigszins beschamend: doordat je bijna op je kníéën ligt...). Het was pikdonker, maar het grote zoeklicht op het achterschip van de Norlantean brandde en de zwarte nacht zag wit van het buiswater, was een chaos van wervelende schuimstrepen, in zulke dichte patronen dat de lijnen en spiralen aanvankelijk bijna stil leken te staan in de omgekeerde kegel van de felle lichtstralen. Maar toen ik mijn gebiologeerde blik vervolgens losmaakte van de uiterste grens waar die straal doordrong (wat niet ver was: net genoeg om een glimp te kunnen opvangen van de stuurboordverschansing van de Norlantean, die nu naar beneden rolde, verder en verder, zich in de onzichtbare golven bóórde, en zou ze weer omhoogkomen – hóé zou ze omhoogkomen? – en waarom moest ze haar hele achterschip zo bewegen, een snelle zwaaibeweging van haar uiteinde van de ene naar de andere kant als van een kat die op het punt staat om te springen, waarna ze diep naar beneden slingerde en vervolgens obsceen van links naar rechts draaide in een beweging die ik beslist nog nooit had gevoeld...) en toen ik me richtte op de felst verlichte plek met verwaaid en opgehoopt schuim een meter of twee bij het zoeklicht vandaan, besefte ik dat al dat verscheurde water griezelig snel voortbewoog en ik voelde me misselijk, maar dat was geen zeeziekte, nee, dat was veel erger, dat was de volstrekt persoonlijke, verborgen, onvervalste, tomeloze angst die je maag in een ijzeren greep houdt, de scherpe waarschuwing die je krijgt voor je in paniek raakt en jezelf voorgoed in je eigen ogen te schande maakt...

Ik wendde mijn hoofd abrupt af en daar zat Jason achter me, in zijn veiligheidsgordel, in zijn schippersstoel, en hij draaide zich naar ons toe en zei: 'Goedenavond, heren.'

Ik dacht: jezus, hoe kan hij zomaar een grapje maken? Terwijl we allemaal elk moment kunnen omkomen. Wat is daar zo lollig aan?

'Zo!' zei Luke, die zijn greep verplaatste van mijn schouders naar de achterkant van mijn armen, vlak boven mijn ellebogen, en me onverbiddelijk vooruitdreef naar de tweede stoel, de stoel van de eerste stuurman, waar hij me in de veiligheidsgordel gespte en zelf moeiteloos en ontspannen naast me bleef staan. En ik dacht: dit klopt ook niet, waar heeft die kleine tengere Luke ineens zulke spieren vandaan gehaald? Niets, helemaal niets is zoals het zou moeten zijn...

Jason zei: 'Goeienavond, Redmond. Welkom op mijn brug.'

Luke zei: 'Neem me niet kwalijk, Redmond, weet je, begrijp me niet verkeerd, bedankt voor al je hulp, je kameraadschap, weet je wel, dat waardeer ik echt. Dat moet je weten. Maar ik moet gaan, weet je, ik moet slapen.'

Luke, besefte ik toen hij uit het directe gezichtsveld links van me verdween (ik had mijn hoofd stijf naar achteren tegen de hoge rondlopende hoofdsteun van de stoel gedrukt, wat enig soelaas scheen te bieden, en ik zou mijn nek voor geen mens bewegen), Luke (en dat was op een duistere manier een nog grotere geruststelling), die Luke, dacht ik, heeft zijn eigen gedachten niet meer onder controle. En wat nog mooier is, dacht ik, Luke is zijn spraakvermogen kwijt: hij blijft toch maar steeds 'weet je' zeggen? Honderden en honderden keren, telkens weer opnieuw. Dus is het duidelijk dat hij het heeft gehad, aan zijn eind is. Afgedraaid is. Daarom vergaf ik hem meteen dat hij zo'n held was, dat hij zo buitenissig bekwaam was, dat hij me had gered, dat hij alles zo regelde dat ik bijna kon functioneren in deze wereld van hem. Uiteindelijk, ondanks alle schijn, was Luke ménselijk. Dan was dat toch zeker in orde?

'Jason,' zei ik, 'ja, goeienavond. Maar is dit het nou? Is dit windkracht 12?'

'Aye,' zei hij zonder me aan te kijken. 'Misschien wel. Misschien niet. Wie kan het wat schelen? Alleen jou! Maar ik zal je dit zeggen, Redmond. Persoonlijk, en voel je gerust vrij daar anders over te denken, zou ik zeggen dat het een zéér, zéér stormachtige nacht is.'

'Jéézus, Jason,' zei ik, terwijl ik me om een of andere reden met echte agressie tegen hem keerde (en me ondertussen met allebei mijn handen stijf vasthield aan de leuningen van mijn stoel, ondanks de veiligheidsgordel om mijn borst), 'slááp je niet? Hoe houd je dit vol?'

'Zoals ik je al heb gezegd,' zei hij, snel pratend, afgebeten, duidelijk articulerend en recht voor zich uit starend door het voorraam in het midden naar de totale witheid van schuim en buiswater, 'slaap ik thuis.

Hier ben ik reder-eigenaar, de béste – en goed, ze is niet echt van mij, ze is nog steeds van de bank. Maar toe, hoeveel bankdirecteuren heb je ooit op zee gezien? Niet een! En daarom is ze hierbuiten van míj. De verantwoording, die draag ík alleen. Snap je? De jongens, hun vrouwen, hun huizen, hun gezondheid, hun moreel, zo je wilt, dat hangt állemaal van míj af. En ik kan je wel zeggen dat er geen grotere kick is. Om zeker te weten, zonder enige twijfel, dat het allemaal op mij als schipper aankomt. Ik beslis waar en wanneer we gaan vissen, dat bepaal ik en niemand anders, waar dan ook; ik ben de enige die besluit waar we het net uitgooien en aan de trek beginnen. En als er niets in de kuil zit – wie wordt dat dan verweten, denk je? Die hufters van het Europese visbeleid? God? De bank? Het weer? Nee, Redmond, Jason Schofield, dat is de enige die tekort kan schieten!

En ik zeg je, Raymond, mijn vader, weet je, die is jonger dan jíj, maar ik zie zo dat jullie het príma met elkaar zouden kunnen vinden. Toen jullie jong waren, waar kickten jullie toen echt op, nou waarop? Jeeezus, wat een stelletje zielige ouwe zakken, jullie dachten dat jullie de wereld gingen veranderen – spaar me! – beatniks, hippies, rukkers uit de flowerpowerbeweging, zachtmoedige nietsnutten, hoe jullie jezelf ook maar noemden, wat hebben jullie nou écht gedaan? Boeken, mooi, dat geef ik jullie na, jullie hielden van boeken en dat was prachtig. En jullie hielden van jullie muziek. Maar doe me een lol zeg, wat zou dat? De verdomde mussen houden ook van hun muziek. Dus gooiden jullie het bijltje erbij neer en lagen jullie overal dope te roken of marihuana of hasjiesj of stuff of wiet of hennep in een stickie of een joint of hoe jullie het maar verkozen te noemen – al die woorden! Erger dan zuipschuiten! En dat klopt, shít, nou weet ik het weer, dat was het woord, jullie rookten shit, in een mentale wereld van hippieshit, echte shit, en op de minst agressieve manier die maar mogelijk was hielpen jullie je eigen leven om zeep en beroofden jullie je kinderen van elke motivatie. En de vrije liefde! Spaar ons! Het was allemaal zo cool, man, om het ene grietje in de steek te laten en met een ander te schárrelen. Behalve dat een zo'n gríétje verdomme nog aan toe mijn moeder was. Ja, mijn moeder! En voor mij, niet voor jullie, is een moeder een seriéúze zaak. En als je haar in de steek laat, verdien je de kogel!'

'Jason, ho even, waar heb je het over? Ik dacht dat je hier al tijden woonde. Ik dacht dat een of andere verre voorvader van de Armada naar land was gezwommen…'

'Weet je wat ik vind? Ik vind dat dope op zich geen kwaad kan. Niet op zich. Natuurlijk is het minder schadelijk dan alcohol. Natuurlijk zou het gelegaliseerd moeten worden. Het is klotespul dat niks voorstelt. Maar jullie, jij, mijn vader, die ouwe Britse hippies, jullie hebben die shit met wijsheid omgeven. Louter omdat jullie je daar lekker bij voelden. Een mesjoche plantaardig kalmerend middel. Het is godverdorie een plánt! Onschuldig. Een paar dromerige ontspannende pilletjes. Niet meer, niet minder. En jullie hebben er verdomme een religie van gemaakt!'

'Jason, wacht even. Alsjeblieft, vertel me over je vader, vertel me over je móéder.'

'Mijn moeder? Dat is een Costello. Een Spaanse. Ze was een grote schoonheid in haar tijd. Is dat nog steeds. En een van haar allereerste vriendjes was John Lennon.'

'Jezus.'

'En mijn vader, die was héél slim, Cambridge. Hij was raketingenieur, een raketwetenschapper in jouw deel van de wereld, helemaal in het verre zuiden – en vervolgens kwam hij tot de conclusie dat hij níéts mocht doen om de mensen te helpen wapens te maken en toen is hij dus naar het noorden gegaan en heeft hij een boerderijtje gekocht op Sanday. Het huis – dat heet het Vishuis! Het ligt pal aan zee. En de zee kwam hoger en hoger en is één keer binnengekomen. Slim Schofield, dat is hem, en jullie zouden het prima met elkaar kunnen vinden! Het boerderijtje, dat is minimaal, goed twaalf bunder, meer niet. Hij houdt koeien. Hij melkt er een met de hand! Je zou hem mogen, Redmond. En zijn laatste vriendinnetje is net vertrokken, is even verderop gaan wonen. Ja, je moet daar eens gaan logeren, bij mijn vader…'

'Ja, lijkt me leuk… Echt… Maar, Jason, weet je, wat gebeurt er nu, op dit moment, technisch gesproken?'

'Téchnisch gesproken,' zei Jason, die onmiskenbaar iets sterkers dan vermaaktheid probeerde te beheersen (wat aardig van hem was, maar desondanks beledigend aandeed), 'technisch gesproken, Redmond, zijn we nu aan het ontwijken. Ik hoef alleen maar haar kop in de wind te houden. En daarvoor vertrouw ik op Dougie…' De beginnende, de dreigende uitbarsting van regelrecht gelach verdween van zijn gezicht, uit zijn pezige gestalte, uit zijn gespannen lichaam – dat een overactieve indruk maakte, hoewel het met kruisbanden was vastgesnoerd in een stoel die speciaal was gebouwd om het vast te houden. 'We moeten allemaal ons leven aan Dougie toevertrouwen, Redmond, maar dat gebeurt slechts drie à vier keer per jaar, in januari en februari. Daarom kan het geen kwaad. Dit is gewoon toevallig één van die keren. Meer niet.'

'Hoe bedoel je?'

'Bedoelen? Hoe ik dat bedoel?' Jason draaide zich even naar me toe; hij keek bezorgd. 'Je bent móé, hè? Je bent de kluts kwijt. Je kunt beter gaan slápen. En ik dacht nota bene dat je intelligent was! Dít bedoel ik, Redmond: als Dougie zijn werk heeft gedaan, en dat is altijd het geval, want ik heb de beste motordrijver van de Orkneys uitgekozen, maar zég dat nooit tegen hem, dan houden die verdomde oude Blackstonemotoren in deze boot, in mijn boot, het misschien nog één stormnacht uit. Snap je? Maar als hij zijn werk niet heeft gedaan, als hij niet goed genoeg is, als ik hem verkeerd heb beoordeeld, dan is het mijn schuld.'

'Wat?'

'Als de motoren het begeven! Als we dwarsscheeps vallen bij deze zee!'

'En dan?'

'En dan? En dan! Dan, Redmond, verdrínken we. Het is zo eenvoudig. Niet voor tweeërlei uitleg vatbaar. Dat bevalt me. Dat bevalt me enorm. Er bestaat geen onzekerheid. Geen gelul. Het is niet misschien dit en misschien dat en aan de andere kant en als je het vanuit een ander standpunt bekijkt of misschien dit percentage en dat percentage, en je zou kunnen zeggen dat het door zijn ellendige jeugd komt of door die verknipte klotemaatschappelijk werker van hem of door zijn verdomde overgrootmoeder, of toe nou, die Hitler had maar één bal, dus móést hij Polen natuurlijk wel binnenvallen. Nee! Geen gelul hier! Zo gaat het hier niet! Maak je een fout? Simpel. Je verdrínkt.'

Ik zweeg, werd gebiologeerd door de schuimstrepen die op het boegraam af stoven, verlicht door het zoeklicht op de boeg, rondvliegend zeewater dat door een uitzinnige wind tot schuim was opgezweept, als sneeuw in een sneeuwstorm, alleen waren de sneeuwvlokken samengekoekt, gestold, alsof het complete lange strepen van op zichzelf staande golfkammen waren, die in een solide, zware massa op me af kwamen – en ja, dacht ik vaag, wacht eens even, dat klopt. Behalve dat je de vergelijking overboord kunt gooien. Zoals Sean zou kunnen zeggen. Of misschien ook niet. Maar waar was ik? Ja, dat klopt, dat zijn inderdaad volledige, op zichzelf staande golfkammen die horizontaal op je af komen en elke aanval weegt vermoedelijk een halve ton...

'Maar goed,' zei Jason, 'ga nu, Redmond! Als we weer eens samen op de brug zijn zal ik je iets laten zien om je op te vrolijken. Op de hoofdcomputer. Davy's trek! Maar voor dit moment ben je okay. Je kunt ermee door veronderstel ik. Maar ga nu, laat het me maar eens zien! Want ik ga tot drie tellen, Redmond, en bij dríé, wat er ook gebeurt, dat kan me niet schelen, rest je geen andere keus, geen enkele andere keus dan jezelf lós te gespen en vervolgens, rustig als een trawlvisser, véílig naar je kooi beneden te gaan. En te gaan slapen. En te gaan slapen. Goed? Dus: één... twee... drie!'

Ik stond op als een spook. Ik liep naar achteren als een slaapwandelaar. En dat ben je ook, dacht ik, alleen loop je naar je bed tóé, val je op een slaap af waar je nog nooit zo dringend behoefte aan hebt gehad, nog nooit, in geen vijftig jaar – en toch voel ik me zo vrédig. Hypnose, ja, dat kunnen ze allemaal. Ze hebben te veel gezien, deze mensen.

En terwijl ik (heel langzaam) vertrok, hoorde ik halverwege de trap naar beneden een spookachtige lach die uitsteeg boven het tromgeroffel, het gejammer van de buitenwereld (een wereld die, dat moet gezegd worden, in de stille, dubbel geïsoleerde, volledig gesloten hersenpan van de brug van het schip bijna half tot bedaren was gebracht). Maar ja, er was geen twijfel mogelijk, het was een lách, de overweldigende, uitermate energieke, ongeremde lach van een doelgerichte en gelukkige jongeman op het toppunt van zijn fysieke kracht, een lach waarop geen antwoord mogelijk was, zo'n lach waarvan je weet dat je hem, als je hem eenmaal hebt gehoord, nooit meer uit je hoofd kunt verbannen. En terwijl ik dat geluid terugvoerde naar zijn bron boven me dacht ik: is er in vredesnaam een lach mogelijk die op dit moment nog erger is, je weet wel, vanuit een persoonlijk, vanuit een egoïstisch perspectief?

'Armada!' riep hij uit volle borst in de storm. 'Wat een verdomde giller!' En met een gebrul van ontstellend geluk: 'Bewaar me!' En vervolgens met een gierende uithaal van intense hilariteit: 'Armadapappa! En dat is een schrijver! Moet je nagaan! De Armadapappa!'

Ik vluchtte.

Ik schoof mezelf zonder problemen in mijn slaapzak – en waarom? Omdat je bewuste geest, zei ik tegen mezelf, nu volledig in beslag wordt genomen door die lach en de implicaties daarvan, en daarom is het niet bijzonder verrassend dat je onwillekeurige, sympathische, autonome zenuwstelsel ongestoord verder kan gaan met zijn cruciale eenvoudige leven. Maar dat is op zich niet geruststellend, hè? Nee, natuurlijk niet. Nou en? Wat is er zo grappig? De Armada, de Picten, de vikingen, de genetische geschiedenis van de Orkney-eilanden: waarom is dat zo grappig? Goed, misschien is dit land, dat in politiek opzicht jouw land zou zijn – en jézus, zo groot is het nou ook weer niet – misschien, heel misschien (en bij die gedachte stroomde er ineens een enorm geluk door me heen), heel misschien is dit gebied ondanks de deprimerend korte tijdsduur, de volledig moderne en bij wijze van spreken gister begonnen hoogstens twaalfduizend jaar sinds het eind van de laatste ijstijd, misschien is dit gebied toch niet zo vreselijk saai vergeleken met de 200 000 jaar oude mutatie (die uiteindelijk toch nog altijd heel recent is), met de mutatie of reeks mutaties die in Centraal- of Oost-Afrika is uitgelopen op de *Homo sapiens sapiens*. Omdat je dit gebied ánders moet zien. Goed dan! Het was dus niet de Armada! En ja, Jason heeft gelijk, want dit is een totaal ander gebied, dit is geen plek die thuishoort bij het eerste begin, bij het autonome zenuwstelsel, bij de voorbewuste

longvis die aan land is gekomen, bij de hominiden, bij onze directe voorouders van vijf tot drie miljoen jaar geleden die nog niet konden praten, of zelfs bij onze voorouders van 200 000 jaar geleden, de wij zoals we nu volgens onze huidige ideeën zijn. Nee, dit, de Orkneys, is een magisch gebied als geen ander, een plek die bij Skara Brae hoort, een dorp dat uitstekend is gebouwd, heel herkenbaar, heel knus en juist met zijn stenen meubelen, zijn veilige bédden, zijn bedden die 5400 jaar oud zijn, en het is ook een intelligent gebied, een plek waar zeer intens geleefd en diep nagedacht werd, waarvan de bewoners lang voor men zelfs maar aan Stonehenge of de piramides begon te denken, al de steencirkel van Brodgar en de verfijnde architectuur in Midhowe hadden gebouwd... ja, dat klopt, Jason heeft gelijk, dit, de Orkneys, is een gebied waar mensen naar toe wílden komen. Dit is een aantrékkelijke plek. Die zich aan het éínd van het proces tot nu toe bevindt. Dit is een plek waar mensen verkíézen heen te gaan. En dat is nog altijd zo. En dat is geweldig, dacht ik, dat is prima, en daarom hoef ik me niet zo catastrofaal gekleineerd te voelen door dat gelach. Maar desondanks, zei de inwendige stem, kun je dit maar beter vergeten, en je gaat het aan niemand vertellen, want je persoonlijke waardigheid, weet je, is iets wat je doorlopend waakzaam moet bewaren, en daarom zul je het in de eerste plaats onder géén beding aan Lúke vertellen...

'Luke,' zei ik, schreeuwde ik bijna, wat vanwege de schokgolven die seconde na seconde tegen de romp sloegen niet harder klonk dan gefluister: 'Ben je wakker?'

'Aye, natuurlijk,' reageerde zijn merkwaardig korzelige stem vanuit de duisternis rechts van me. 'Kijk, ik heb het je gezegd, Redmond, ik heb je gewaarschuwd, echt, ik heb het je gezegd, zo duidelijk als wat, recht voor zijn raap, ik zei: "Redmond, op dit moment kun je hier je kont nog niet van je kop onderscheiden," dat zei Dick tenminste in het lab, en ik ben eerlijk tegen je geweest, ik zei: "Kijk, Redmond, je zult zo moe worden dat je niet zult weten wat je met jezelf moet beginnen, en dan zul je merken dat je zo moe bent dat je niet kunt slapen." Je hersenen zijn helemaal gestoord, het is net koorts, en ik weet dat je daar meer dan genoeg van hebt gehad in die oerwouden van je, maar in zekere zin is dit érger, omdat je volledig beseft dat er géén bacterie of virus is binnengedrongen en je er toch niks tegen kunt beginnen. Je lichaam denkt dat er een gevecht aan de gang is en daarom pompt het je tjokvol adrenaline, en als je probeert te gaan slapen, weet je dat je hersenen helemaal gestoord zijn, omdat het aanvoelt als koorts, en je krijgt er alleen maar korte brokstukken onzin uit die maar blijven veranderen en waar je niet mee kunt óphouden. Dus je begrijpt het, hè? Na zo'n vijf à zes dagen en nachten van hooguit een halve slaapcyclus per keer, maximaal drie kwartier per twaalf uur, beland je in de manische fase van tekort aan slaap. En de jongens gaan daar telkens wanneer ze op zee zitten weer doorheen! Het is een of andere chemische rectie in onze hersenen, Redmond. Geen slaap. Dan proberen de hersenen orde op zaken te stellen om het te overleven, herinneringen te sorteren, alles voor te bereiden om in actie te komen door te práten in plaats van te dromen. Je vertelt mensen dingen die je niet zou moeten vertellen, je onderbewustzijn is voor andere mensen zichtbaar – maar dat is hier in elk geval voor ons allemaal hetzelfde, weet je, iedereen is hetzelfde, en daarom heb je aan boord van een trawler, op zee, misschien zulke inténse vrienden of vijanden, en weet je, Redmond, ik kan eerlijk zeggen dat ik me élke man herinner met wie ik naar zee ben geweest, op een vissersboot. Dat kom je op de wal niet tegen, hè? Wat denk je? Eén of twee, misschien drie intieme vrienden – en hooguit één vriendin per keer. En dát is al rommelig, of niet? Echt rommelig, allemaal emoties, overal. Op de wal is niets zúíver. Maar goed, daar heb je het al, ik dwaal af, zoals ik al zei. Ik wilde je alleen dít zeggen: het volgende stadium, weet je, misschien over een dag en een nacht, meer niet, is dít: de hersenen, herinneringen, beelden, houden ermee op, vallen ineens stil en worden donker; het kan ze niets meer schelen. Je zult het merken! We zullen niet kunnen praten. Zombies! Maar dat zal natuurlijk ook voor jou gelden – als je zo blijft doorgaan, blijft proberen mee te doen… Vis strippen en je eigen handschoenen strippen! Ik heb het wel gezien! En vliegen – zoals je vloog! Het is gevaarlijk weet je; ik dacht dat je acht uur per nacht zou slapen, als een verstandige ouwe zak, en gewoon zou tóékijken. Dat horen schrijvers toch te doen? Of niet? Hoe kun je in vredesnaam een verstandige gedachte hebben als je net zo gestoord bent als wij allemaal? En bovendien kan ik niet de héle tijd op je letten. Joost mag weten wat je nog meer in je hoofd haalt – en zoals Dick zei ben je míjn verantwoordelijkheid. Als jij overboord verdwijnt is dat míjn schuld. Waar of niet? En zoveel moeite als je doet om gewoon de trap naar de brug op te gaan! Ik kan je niet de hele tijd in de gaten houden. Jeezus. Ik moet aan de slag met mijn proefschrift, moet dat schrijven, afmaken. Ik ben rádeloos, weet je. En bovendien denk je dat je moet blijven lachen. Om te laten zien dat alles in orde is. En Redmond, dan heb je zo'n glimlach als iets uit een verdomde klotefilm. Je weet wel, zo'n griezelproductie van de Hammer-studio's, zo'n verdomd slechte Draculafilm vol doorboorde harten! Ieee, ijselijk, gedsie, die alles-in-orde-glimlach van jou, weet je, daar krijg je kippenvel van! Vreselijk! Echt vreselijk!'

'Hou in godsnaam eens even je mond, Luke. Je praat zoveel, je bent zo'n práter. Jeezus, Luke, ik krijg er geen woord tussen. Dus wat vind je ervan om een gesprék te voeren? Kun je dat aan? Nee? Nou, dat zou wel moeten, want ik heb over je nagedacht, Luke. En ik heb je probleem opgelost.'

'O ja?'

'Natúúrlijk. Heus. Je moet me dankbaar zijn. En in plaats daarvan val je me aan! Over Jasons handschoenen! Luke, je moet weten dat ik maar één of twee sneetjes in de handpalm van de linker heb gemaakt... okay, okay, ik hoor je wel, goed dan, laten we echt eerlijk tegenover elkaar zijn, want je hebt gelijk, in feite leven we niet veel langer dan een libel, hè? Dus goed, misschien waren het zeven sneetjes, of acht. Maar daar gaat het niet om Luke. Absoluut niet! Weet je nog? Jouw probleem? Je echte belemmering om gelukkig te zijn? En nee, Luke, nee, toevallig moet ik je dat nu meteen zeggen: volgens mij is het niét grappig. Weet je wel? Nou? Zoals vrouwen met hun achterwerk naar je wiegen en met hun vleugels fladderen en met die speciale paaiende vlucht van hen wegvliegen om je achter een struik te naaien?'

'Hè?'

'Ja, ja. Maar ik laat me niet beduvelen! Wees maar niet zo bescheiden. Ik dacht dat er hier niet werd geluld! Ik dacht dat we op zijn minst – het absolute minimum – ik dacht dat we hadden afgesproken om éérlijk tegen elkaar te zijn!'

'Hè? Aye! Kolossaal!'

'Zo zie je maar, als je me niet steeds in de rede viel, zou ik je kunnen helpen. Echt!'

'Neem me niet kwalijk! Aye! Bezopen! Bezopen! Bezopen!'

'Bezopen? Nee, Luke. Dit is wétenschap. Laten we daarom kalmeren. Laten we rationeel zijn. Goed? Laten we wetenscháppelijk zijn. Jouw probleem is, in biologische termen, simpel, nu we er eenmaal van wéten. Maar dat houdt natuurlijk in dat het in jouw geval en in elk ander geval een diep en ingewikkeld probleem is waar je geen reet aan kunt doen – en dat is nou net wat biologie, wat ethologie, de studie van dierlijk gedrag, zo bijzonder leuk maakt, en het is een feit, Luke, dat je het me zelf hebt verteld, en ik heb het in Aberdeen gezien, in je eigen nest: jij, Luke, bent een alfamannetje. Ja! Nick Davies uit Cambridge – ik heb hem eens ontmoet – heeft een geweldig experiment uitgevoerd. Ja, de vogelboeken van de eerwaarde heer Morris, weet je wel, A History of British Birds door de eerwaarde heer F.O. Morris, BA, lid van de Ashmolean Society, "Gloria in excelsis Deo", Londen: Groombridge and Sons, Paternoster Row 5 – de állereerste boeken die ik zélf heb gekocht! En de eerste afbeelding, Luke, was van een VALE GIER, de veren, zo mooi, en de wimpers rond zijn grote bruine oog, en als het maar even ging keek ik naar de wolken omdat ik het niét wilde missen, het moment waarop een vale gier spiraalsgewijs naar beneden zou komen en op het gazon van de pastorie zou neerstrijken om Roger op te eten, dat stond vast, mijn vaders dikke oude slechtgehumeurde cockerspaniël die me steeds probeerde te bijten… En ik heb die boeken gekocht toen ik acht was. Ik spaarde mijn zakgeld op en om de drie weken ging ik met mijn vader naar Salisbury en van de twee aardige oude dames in boekhandel Beach mocht ik ze een voor een kopen. Ze bewaarden de boeken voor me, onder de toonbank links van de deur. Betoverende rode bandjes met gouden letters op de rug en daarin stonden met de hand gekleurde afbeeldingen – en na een half schooljaar en twee vakanties sparen had ik ze allemaal! De complete serie. Alle acht! Twee hele pónden en tien hele penny's! En in elk deel – wat een magisch woord! – schreef ik mijn naam. Het adres van ons huis, voor het geval ze zoek zouden raken. Redmond Douglas O'Hanlon, de Pastorie, Calne, Wiltshire. Maar goed, waar was ik? Ja, zúcht niet zo. De heggenmus! De bastaardnachtegaal, in feite niet verwant aan de mussen, zoals je weet. Nou, Morris zag de heggenmus of de bastaardnachtegaal – ik ben dol op al die námen van de vogels – hij zag de heggenmus, zoals hij in februari 1853 schreef, als een onopvallend rustig en teruggetrokken, nederig, je weet wel, íngetogen toonbeeld van een godvruchtig bestaan "dat velen van een hogere orde ten eigen bate en ter lering van anderen zouden kunnen navolgen om zo een beter voorbeeld te geven" of zulk soort natuurlijke theologie van voor The Origin of Species: Gods werken, Gods lessen voor ons in zijn hele schepping! Heerlijk, zo bijzonder tróóstend... Ja, en wanneer ik 's avonds in mijn slaapkamertje in bed lag, naast mijn verzameling vogeleieren op een blad vol watten (eieren waarvan ik zeker wist dat alle vogels in de tuin ermee hadden ingestemd me er van elk één te geven: het eitje van een merel, een lijster, een vink, een winterkoninkje en zelfs van een goudvink, eitjes die op hun houten blad boven op de ladekast lagen genesteld), deed ik wat ik had beloofd en las ik het voorgeschreven aantal regels in mijn saaie groene boekje met stukken uit de bijbel van de Vereniging ter Bevordering van Christelijke Kennis. Ja! En daarna las ik een of twee kostelijke passages uit de *British Birds* van Morris. En dan kwam mijn vader boven voor het avondgebed en zei hij: "Verlicht onze duisternis, Heer", en stak ik mijn hand uit om de lamp naast mijn bed een paar keer aan en uit te knippen. En dan ging ik slapen!'

'Fantastisch! Bezopen!'

'Ja! Maar Morris sloeg de plank volkomen mis (hoewel we hem dat niet echt kwalijk kunnen nemen, want *The Origin* is pas in 1859 gepubliceerd) en hij heeft er vooral met de heggenmus een zootje van gemaakt! Kolossaal, zoals jij zou zeggen. Want Nick Davies uit Cambridge heeft nog niet zo lang geleden een stuk heg genomen en van elke heggenmus daarin een DNA-profiel gemaakt. (Je kent die nesten wel, beslist, je moet ze als kind hebben gezocht, van die matbruine vogeltjes, bastaardnachtegalen, in zo'n saaie doodgewone heg: en dan vond je een nest – pats boem! Een wonder! Die volmaakte, hemelsblauwe eitjes! Nee?) Nou ja, in elk geval heeft hij uitzonderlijke resultaten gekregen: midden in de heg had het dominante mannetje namelijk zijn nest, het mannetje met sex-appeal volgens de maatstaven van de heggenmus, de beroemde kerel, de grote wetenschapper, de president, de rockzanger. En hoe weten we dat hij het alfamannetje was? Simpel! Omdat álle vrouwtjes binnen een straal van honderden meters aan weerszijden van hem stapelgek op hem waren. En hoe weten we dat? Is dit een daaromverhaal à la Kipling zoals jaloerse moleculair biologen in hun bedompte laboratoria graag zeggen? Hebben zij het mis? Heeft Davies gelijk? Nou en of! Want elk hemelsblauw eitje in het nest van de favoriet is ook echt van hem: hij is er de onbetwiste vader van. En in de nesten die aan weerszijden vlak naast het zijne in de heg zitten, is de helft van de eitjes van hem, en zo gaat het verder, tot de verste uithoeken van zijn invloedssfeer, waar in die verre nesten slechts één van de eitjes van hem is. Destijds sloegen de berekeningen hiervan binnen de gangbare computermodellen helemaal nergens op: waarom sprong hij zo verkwistend met zijn energie om? Zozeer zelfs dat hij aan het eind van het broedseizoen doodging? De berekeningen sloegen nergens op – tot twee jonge vrouwen die aan hun dissertatie werkten in het lab verschenen. Die wisten wat er niet klopte! Subiet. Ze losten de problemen in een paar weken op. En hoe? Doordat ze het probleem instinctief vanuit een vróúwelijk standpunt bekeken. Het alfamannetje, de Luke in de heg, had sex-appeal. Okay? Hij had "het". Wat dat ook mocht zijn. Daarom wilden alle vrouwtjes hem hebben. Ze hoefden maar aan hem te denken en ze kregen al slappe knietjes. Ja? Snap je? Ze gaven dus geen moer om hem als persóón, begrijp je, en waarom zouden ze ook? Er kon alleen van zijn vaste partner worden verwacht dat die het erg vond als hij aan het eind van de maand het loodje legde. En Luke, dat ben je misschien vergeten, de biologie van het land, weet je wel, zo vervelend voor jou, maar bij huismussen functioneert de directe prikkel van zonlicht in het voorjaar, stralen die dwars door de bovenkant van de schedel heen gaan, als een kriebel in hun sluimerende teelballen, en door de afgifte van hormonen zwellen hun inwendige ballen op tot ze véértien keer zo groot zijn als in de winter. Goed, ik weet het, maak je niet druk, heggenmussen zijn absoluut niet verwant aan mussen, maar ik durf te zwéren dat die precies hetzelfde gevoel in hun boxershort krijgen. Ja? Maar goed, het kan de vróúwtjes niet schelen wat hij denkt, die weten alleen maar dat ze minstens iets van zijn sperma móéten verzamelen, al is het maar één keer. Ze wachten af en kijken scherp toe, en als hun eigen inferieure mannetje weg is om insecten te foerageren om zijn gezin te kunnen voeden, als hij zich uit zijn derdeklas naad werkt, en als het superieure vrouwtje van de rockzanger op pad is om hetzelfde te doen – want een alfamannetje heeft absolúút geen tijd voor het huiselijke leven – dan hupt zo'n inferieur vrouwtje ijlings langs de heg naar voren, vlak voor haar inferieure rivalen, en fladdert ze met haar vleugels als een bedelend jong en laat haar kopje zakken en heft haar gatje op – en lokt hem snel weg achter een struik. En het moet ook snel gebeuren, want als haar dodelijk saaie zak van een inferieur hardwerkend mannetje ze samen ziet, zal hij haar en het nest in de steek laten: afgelopen. En dat kan ze zich niet veroorloven, absoluut niet. Maar het is desondanks het risico waard, want ze is enorm opgewonden geweest, heeft een geweldig orgasme beleefd, en al haar inwendige seksuele trilharen hebben bewogen alsof ze konden barsten – en ze heeft het sperma van het alfamannetje veilig in een speciaal zakje opgeslagen, waar het ligt te wachten tot haar volgende eitje door de eileider komt glijden. En daarom kan ze gerust zijn, hoe vaak ze ook met haar inferieure zak en minkukel van een mannetje paart, minstens één van haar eitjes zal haar genen versmelten (heerlijk) met die van het meest sexy mannetje in de stad dat de beste prestaties levert. Zoals dat lóúter door haar me-devrouwtjes wordt beoordeeld. Want daar gaat het om. Zie je, Luke, toen ik jong was, toen ik nog lééfde, deden biologen van mijn generatie – niet dat ik een bioloog was – geen moeite om Darwin te lézen; ze wisten niet dat *The Descent of Man and Selection in Relation to Sex* eigenlijk een tweedelige, briljante verhandeling was over het belang van seksuele selectie op grond van de vróúwelijke keus. Ze dachten dat de studie van dierlijk gedrag was begonnen met Von Frisch en Konrad Lorenz en Nikolaas Tinbergen!'

Luke zei met een hoge stem waarvan ik niet wist dat hij die bezat, alsof hij werd gewurgd: 'Redmond?'

'Ja?'

'Ik ben géén heggenmus...'

'Natuurlijk wel! Dat ben je nou precies! Kijk, ik ben de precieze cijfers vergeten, maar laten we zeggen dat het 30 procent is: 30 procent van de eitjes in die heg was in feite bevrucht door het plaatselijke alfamanne-tje. Die hadden niets te maken met de inferieure mannetjes die waren bedrogen, die zich in het zweet hadden gewerkt om de daaruit voortge-komen jongen groot te brengen. Het heet nu het 'sexyzoonsyndroom' – is dat niet prachtig? – het vrouwtje wil onbewust, moet, haar eigen genen mengen met die van een kerel die volgens alle andere vrouwtjes onweerstaanbaar is, een spetter om op te vreten, die meteen een nietje in zijn navel kan krijgen, want dat is haar ene grote kans om haar eigen genen, haar diepste wézen, door de hele volgende generatie te versprei-den. Via een alfamannetje als jij. En als je me niet gelooft, moet je hier eens over nadenken (zoals jíj zou kunnen zeggen): zet een heg op zijn kant (en ik gelóóf, Luke, dat dit mijn eigen persoonlijke bijdrage is, vol-komen origineel, maar ga eens na – die geef ik jóú, Luke, grátis) en wat krijg je dan? Een torenflat! En wat dacht je? Er is inderdaad een DNAonderzoek opgezet in een torenflat in Leeds, onder het mom van een hiv-studie, en ja hoor! 30 procent van de kinderen in die torenflat was helemaal geen familie van de arme stumpers die dachten dat ze de vader waren! En daarom hoeven we ons er niet over te verbazen, hè, dat élke schoonmoeder die geconfronteerd wordt met de nieuwe baby van haar dochter, wiens rode, ronde, verfrommelde gelaatstrekken voor zover zij weet wel van een marsmannetje kunnen zijn, zich naar haar schoonzoon keert en smachtend kraait: "Hij/zij/het" – als het een hermafrodiet is – "lijkt sprékend op jou!" Want zíj kan erop vertrouwen, zij weet dat haar eigen rimpelige, herboren genen daar beslist in zitten en ze weet verdomd goed dat die genen gevoed en onderhouden moeten worden.'

'Wat probeer je nou eigenlijk te zeggen? Raaskallende Redmond! Bezopen! Bezopen! Wat heeft dit nu eigenlijk met míj te maken?'

'Alles! Ik heb erover nagedacht. En ik vind jouw probleem trouwens níét grappig, Luke. Het is zó interessant! Het is reëel. In de hedendaagse samenleving is het net of je een Yanomamö-krijger uit het Amazonegebied bent. Napoleon Chagnon heeft jarenlang af en toe bij hen gewoond en zijn statistische cijfers zijn onweerlegbaar. Als je krankzinnig dapper bent, als je mensen hebt gedood in de onophoudelijke kleinschalige junglestrijd tussen onderlinge groepen, ook al sterf je op je vijfentwintigste, wanneer je reacties net niet meer helemaal zo snel zijn als vroeger, wanneer je volwassen begint te worden en iets van je meedogenloosheid verliest, wanneer je waarschijnlijk door de bijna twee meter lange pijl van een ánder zult worden gevonden en met je rug tegen een boomstam zult worden doorboord, zul je desalniettemin zés keer zoveel nakomelingen nalaten als een gewone echtgenoot. Want in de *sjabono*, de ovale, gemeenschappelijke, door een palissade omringde woonruimte met een open centrum, als een theater, luisteren de vrouwen héél aandachtig naar de verhalen van de terugkerende jagers-krijgers rond de huiselijke vuren. En wat dacht je? Gedurende de daaropvolgende week rust voor krijgers nemen ze het alfamannetje van dat moment ijlings mee achter een struik om snel zijn sperma te verzamelen, als er niemand kijkt!'

'Bezopen!'

'Je bent zelf bezopen! Natuurlijk is het niet bezópen! En zeg alsjeblieft niet meer "bezopen", en even als vriend, weet je, zeg alsjeblieft niet meer de hele tijd "weet je", okay?'

'O, toe nou, Redmond, laten we gaan slapen!'

'Geen sprake van! Luke, zorg dat je wakker bent en lúíster! Want dit zal je leven veranderen! Alle mannen horen dit te wéten. Biologie, dat is zo'n heerlijk ontspannende studie. En jij, jij wordt geacht een bioloog te zijn. Jezus, je bent zo bevóórrecht!'

Luke kreunde, een soort ongeruste kreun uit het middenregister...

'Zo zit het dus, die topkrijger van de Yanomamö zal zich als een gek voortplanten, zal tijdens zijn kortstondige dappere leven zijn genen verspreiden. Hij zal zijn waakzaamheid en zijn agressie doorgeven. Terwijl jij – jij dat níét zult doen, want ik weet zeker dat die hele reeks vriendinnetjes van jou in Aberdeen – en jij denkt télkens weer dat het liefde is, arme stakker – ik weet zeker dat die stuk voor stuk aan de pil zijn: ondanks je grote inspanningen, je oprechte verlangen om een gezin te gaan stichten, blijven je genen dus bij jou. Toevalligerwijs in je kooi.'

'Hè?'

'Ja! En je weet niet waarom! Nou, dat zal ik je vertellen! Het is werkelijk treurig, want in alle gemeenschappen die ik zo levendig voor me zie, die van de Iban, de Kenyah, de Kayan en de Ukit op Borneo, die van de Curipaco en Yanomamö uit het Amazonegebied, die van de Bantoegroepen en de pygmeeën in het noorden van Centraal-Congo, op al die plekken, Luke, zou jij de top zijn! Zou je inmiddels twintig of dertig kinderen hebben...'

'Maar alsjeblieft, alsjeblíéft, Redmond, ik wil geen twintig of dertig kinderen...' En dit werd met zo'n onverwachte kracht, met zo'n nadrukkelijk smekende klank gezegd dat ik erdoor tot zwijgen werd gebracht. Ik kon hem bijna hóren nadenken. En in die aangename, mentale, door en door menselijke wereld waarin ideeën één op één werden uitgewisseld – een lavend gesprék ter plekke dat je een prettig gevoel geeft, een van de eeuwige genoegens van het leven, een genoegen waar je op kunt vertrouwen zolang je nog over een restje gezondheid en energie beschikt, wat er ook gebeurt – in die wereld voor twee weerklonk toen het geluid dat we minstens een hálfuur te slim af waren geweest, hadden weten buiten te sluiten: de misselijkmakende aanval van een buitenwereld die op onze dood uit was. En ik dacht: jezus, Redmond, wat is het toch een lúxe om iemand anders hier bij je te hebben terwijl je je voorbereid op je dood, vlak voordat dat verroeste, ingestulpte deel van de boeg op vier meter van ons hoofd het ten slotte begeeft; als we niet kunnen slapen moeten we práten, moet dat echt, want dat geluid daarbuiten is de bron van alle angst. De aanzet tot elke vorm van religie. Ja, ja, ik weet het, lul, hoe vaak heb je niet gezegd dat angst die van buiten komt tróóstend is? Dat de échte angst naamloos en inwendig is, de paniek, de veralgemeniseerde paranoia, de heen en weer slingerende angst van, laten we zeggen, een klinische depressie? Ja, ja, maar die specifieke vorm van uitwendige angst was een menselijke, persoonlijke angst, voor jou alléén, de angst voor een pijl in je ingewanden, voor een salvo van een kalasjnikov, een haal met een kapmes! Wat was dat romantisch! En wat ging dat snel voorbij! En wat was je na afloop voldaan, tróts zelfs! Terwijl dít, dit gigantisch zware, onverschillige, moordzuchtige gedreun overal om ons heen, dit heeft niets romantisch, niets persoonlijks, dit is een zeer gemakkelijk te vergeten, zeer veel voorkomende en werkelijk smerige manier van sterven, en het houdt niet op, het gaat maar dóór en dóór...

Ik gilde: 'In godsnaam, Luke, zeg alsjeblíéft iets! Schreeuw tegen me!'

'Nee! Echt niet!' Een schreeuw. 'Twintig of dertig? Hoe zou ik een góéde vader kunnen zijn – een écht goede vader, bedoel ik – hoe zou ik in staat moeten zijn echt, echt van twintig of dertig kinderen te houden? Nee! Je raaskalt! Redmond, als ik kinderen krijg, gewoon één of twee, en ja, je hebt gelijk, toevallig wil ik écht graag kinderen hebben, dan zal ik hun eigen vader zijn, en daar zal geen twijfel over bestaan, en voor mij zullen ze de meest bijzondere mensen ter wereld zijn! En dan zal ik doorlópend bij hen willen zijn. Snap je? Maar dat is natuurlijk onmogelijk. Want ik zal moeten werken. Ik zal me in het zweet moeten werken. Om hen te onderhouden. Maar als ik thuiskom, zal mijn hele leven om hén draaien! Zullen zij het centrum zijn! Het anker! De keten die het nóóít begeeft!'

'Natuurlijk! Maar doe niet zo mal. Het gaat híérom: al die vrouwen worden door jou aangetrokken als zweefvliegen door een zonnebloem. En, Luke, jij zou een zonnebloem van bijna vijf meter zijn! Omdat je een alfamannetje bent! En waarom? Omdat je bereid bent het warme, gerieflijke lab of je ontspannende pub of het knusse paradijs van je bed in je kleine huisje te verlaten, je bent bereid dat allemaal op stel en sprong, subiet, dag en nacht te verlaten op de ongevraagde oproep van je noodpieper! En je gaat regelrecht naar buiten, nog maar half wakker, en in deze tijd van het jaar, naar ik aanneem, vaker wel dan niet regelrecht zo'n verdomde orkaan als deze tegemoet! Maar dan in dat belachelijk kleine bootje, die reddingsboot die je me hebt laten zien! Een notendop! Dáárom willen ze dus jouw sperma! Maar dat is ook de reden waarom ze jóú niet willen. Of niet langer dan een maand of drie. Want als je vanuit een vrouwelijk standpunt bekeken iemand zoekt om langdurig mee te leven, een bestaan mee op te bouwen en kinderen mee te krijgen, zoek je daarvoor een braaf, rustig, gewoon, aardig, betrouwbaar mannetje dat verderop in de heg zit. En in jouw wereld zou dat, denk ik, neerkomen op een docent aan een universiteit met een vaste aanstelling...'

'Maar ik kán niet lesgeven! Dat kan ik niet!'

'En ja, het is fantastisch, hè? Die enorme verklarende kracht van Darwins tweede idee: evolutie door seksuele selectie, door de keus van het vrouwtje!'

'Ja! Wat dan ook! Maar dat kán ik niet. Ik ga níét lesgeven... op een podium staan!'

'Nou, Luke, heb je je weleens probéren voor te stellen hoe het moet zijn om met jou te leven? Daar zit je dan, een jonge vrouw, verliefd, in de bloei van je leven, en je wéét dat je mooi, in elk opzicht begeerlijk bent, en je hebt die kerel veroverd waar al je vriendinnen stapelgek op zijn, en daar lig je dan, zonder te kunnen slapen, doodsbang, en de wind komt aangieren vanaf zee, een paar honderd meter verderop, kan elk moment het dak van het hele Fittie Terrace wegblazen! Ja, en je man, je geliefde – zulke verbázend goeie seks – en toch heeft hij je zojuist in de steek gelaten, temidden van dat volledige geluk. En je gaat in gedachten telkens weer alles na. Wat heb je verkeerd gedaan? Jeetje, hij heeft je zojuist verláten – en waarom? Voor een "kreet", zoals hij dat noemt, een oproep op dat vreselijke piepertje dat hij op zijn lijf houdt, vastgeklemd aan zijn riem, of op de grond naast het bed, áltijd. Ja, er is geen twijfel mogelijk, hij heeft je in de stéék gelaten, en nog wel terwijl je zo héérlijk aan het vrijen was, en met die zeer geoefende maar desondanks wanhopige en persoonlijke haast! En waarom? Alleen om de levens van ánderen te redden, van mensen die je niet kent, van mensen die híj niet kent, van vréémden, vreemden die hij, zodra ze gered zijn, nooit meer zal terugzien! Dat klopt, hij heeft je in de steek gelaten voor buitenlandse zeelieden, Russen waarschijnlijk, of moslims, Laskaren, wie dat in vredesnaam ook mogen zijn, mensen die niet eens Engels spreken, mensen die de zee zijn op gegaan met zo'n illegale roestbak die je alle dagen van de week in de haven van Aberdeen kunt zien liggen! En dan moet je in je dooie eentje opstaan om naar je werk te gaan, en het huisje is zo dóóds en die wind gíért maar en die regen – en soms hoor je zestien uur lang niets! En dan vergeet je natuurlijk dat dit precíés de reden is waarom je ooit verliefd bent geworden op dit belachelijk dappere alfamannetje! Dit alfamannetje op wie jij en al je vriendinnen stapelgek waren! Want nu weet je – na al die vréselijk goeie seks –, nu weet je dat er nóóit ook maar een enkele avond, nooit ook maar één enkele avond bij kaarslicht alleen voor jullie tweetjes zal zijn waarop hij volledig, honderd procent de jouwe zal zijn!'

'Aye! Aye! Misschien zit er tóch iets in wat je zegt! Misschien! Want het is waar, Redmond, toen ik een deel van mijn opleiding voor de red-dingsbrigade kreeg, weet je – sorry! –, in Poole, waar het Royal National Lifeboat Institution haar hoofdkwartier heeft, toen we een nieuwe boot van de Trentklasse ophaalden om die langs de kust naar Aberdeen te brengen, leidde de curator van het RNLI-museum Julia, mijn vrien-din, en mij door het museum rond en liet ons de archieven zien. Hij liet ons wat hem betreft het echte hoogtepunt zien, het "Verluchtigde gedenkboek" of iets dergelijks, haalde het voor ons uit zijn cassette om het te bekijken, aan te raken – alsof dat het kostbaarste ding op aarde was, wat het voor hem vermoedelijk ook was. Weet je, Redmond, dat is het boek waarin de bemanningsleden vermeld staan die bij hun taak zijn omgekomen. Hun naam, in gouden letters, één per bladzij. En dan staan daar de data waarop ze bij de reddingsbrigade hebben gezeten en de data van hun voornaamste acties, alle grote geslaagde reddingen op zee. En dan is er de tweede bladzij, weet je, aye, een enkel gedicht van vrienden en uitermate droevige, dappere opmerkingen van hun moeders en vaders en vrouwen en kinderen. Zulke dingen – en het was vréselijk om te lezen, om te bekijken – er waren zelfs een paar tekenin-gen, weet je, er was een tekening van iemands zésjarige dochtertje, en tekeningen en woorden om hun karakter vast te leggen, weet je wel, van hun colléga's, die bij die kreet niet op tijd waren gekomen. Aye, en hoe schúldig die kerels zich voelden! Zonder enige reden, maar daar kun je niets aan doen. Maar goed, die curator van het museum wendt zich tot Julia en mij en zegt vol emotie: "Meneer Bullough, Lúke," zegt hij, "als je je wérkelijk voor de brigade inzet, besef je dan wel dat jij, dat jíj hier op een dag zélf in kunt staan?"'

'Jezus!'

'Aye!'

'En wat is er met Julia gebeurd?'

'Ze is datzélfde weekend bij me weggegaan. Ik heb haar sindsdien niet meer gezien!'

We zwegen. De slaap zou toch beslist, beslíst komen? Die onbereikbare, diepe, genezende staat... ver onder het oppervlak van al die gevaren... en wat verfoei ik het leven op het zeeoppervlak – en waarom luisteren mijn hersenen niet meer naar bevelen en kappen ze niet met dit geouwehoer? Waarom niet? Dat ligt voor de hand! Omdat het waar is, wat je kinderen zeggen, ja ja, ik weet het, ze zeggen het lachend, maar het is desondanks waar, want tegenwoordig zeggen ze: 'Het is vreselijk, pap. Je bent toch zo'n zielige ouwe zak geworden.' Dus... alsjeblieft...

'Luke!' gilde ik. 'Ben je wakker?'

'Aye! Maar rústig, Redmond. Bedaar wat. Beheers je...'

'Tja, dat is móói. Want er is één ding in de evolutie door seksuele selectie – of door natuurlijke selectie, dat kan ook –, één ding waar ik me écht zorgen over maak. En ik wil graag weten hoe jij daarover denkt!'

'Heus?'

'Ja, heus. Want ik heb hierover nagedacht. Dus ik méén het.'

'Aye?'

'Ja, echt. Ik heb nagedacht over twee van de grote klassiekers in de moderne mariene biologie, weet je, over de delen van Alister Hardy in de reeks New Naturalists – jouw intellectuele voorvader in zekere zin... En over W.D. Hamilton. Heb je van hem gehoord? De régel van Hamilton? Selectie onder verwanten en zo?'

'Aye! Nou... nee, niet precies. Weet je, de wiskunde... In feite, Redmond, moet je een genie zijn om de eerste bron, zijn eigen papieren, te begrijpen!'

'Ja! Ja! Hij zag er zelfs úít als een genie. Hij is eens bij ons wezen eten. Hij is bij ons thuis geweest!'

'W.D. Hamilton? Bij jóú thuis?' Luke klonk klaarwakker. 'W.D. Hamilton? Op het eten? Bij jóú?'

'Ja! Nou en óf!' schreeuwde ik beledigd, terwijl ik hevig verontwaardigd rechtop ging zitten, met de bovenkant van mijn hoofd hard tegen de onderkant van de bovenkooi sloeg en weer ging liggen, nog meer beledigd dan daarvoor. 'Waarom zou hij verdomme níét bij mij komen eten?'

Luke zei geschokt, aye-loos: 'Ach, weet je... W.D. Hamilton – dat was een genie!'

'Natúúrlijk was hij dat! Dat zég ik toch net! Hij zag er zelfs uit als een genie! Woeste haardos, leeuwenkop, prachtig! Jezus, en zo verstrooid, afwezig, wat dan ook, weet je, zo weltfremd, los van de werkelijkheid. Dat verhaal over Einstein, een van de vele, maar dit is me bijgebleven: Einstein ging naar een theepartij van een of andere gastvrouw (en dan stel ik me hem natuurlijk voor in de pastorie in Calne, waar ik ben opgegroeid, de bakermat van álle theepartijen, kerkelijke theekransjes), dus ouwehoerde hij ongeveer een halfuur (meer kon hij niet aan) over de saaie koetjes en kalfjes voor bij de thee en toen zakte hij in zijn toegewezen theestoel weg in een nadenkende trance – en nee! Je hebt het mis! Het ging níét over de vrouw die hij wilde verlaten! Wees niet zo vulgair, Luke, nee, het was beslíst een trance waarin zijn geest zijn lichaam had verlaten en op reis was gegaan, precies zoals de tovenaars in Noord-Congo dat beschrijven, behalve dan dat zijn geest op deze specifieke reis, en op duizenden soortgelijke reizen, wérkelijk een ruimte-tijd binnentrok waar nog nooit iemand was geweest (wat een moed! Of niet?). Een universum binnentrok dat hij zelf verzon maar dat toevallig ook echt bestond, dat eindig maar onbegrensd was – wat volgens Max Born een van de geweldigste ideeën over de aard van de wereld is dat ooit in een mens is opgekomen. En het enige verschil tussen zijn reizen en die van elke tovenaar, min of meer elke nacht, in het oerwoud van de Congo? Tja, gigantisch eigenlijk, Luke, want zijn gedachte-experimenten, zoals hij ze noemde, bleken waar en uiteindelijk zelfs tóétsbaar te zijn: hij bracht een nieuwe werkelijkheid mee terug, dingen die in feite al vanaf het begin der tijden bestaan!'

'Ja! Maar die theevisite, wat is daar gebéúrd?'

'O ja, nou, de volgende ochtend kwam de gastvrouw beneden. En hij zat daar nog steeds!'

'Echt? En toen?'

'Ze gaf hem een oorvijg of zo, weet ik veel, maar ze haalde hem terug van enkele megatriljoenen lichtjaren ver weg en liet de onhandige stakker ontbijten en gooide hem het huis uit!'

'En waar gaat het om?'

'Hè?'

'W.D. Hamilton!'

'O ja, neem me niet kwalijk, nou, toen ik Bill Hamilton leerde kennen besefte ik pas dat al die maffe zwijmelverhalen over Einstein misschien wel géén mythen waren. Geenszins. Ik weet zeker dat 90 procent waar is. Net als die over Newton. Of over Beethoven. En over ongeveer honderd andere mensen in de beschreven geschiedenis, meer niet. Want het is zéldzaam, Luke. Obsessies: doodgewoon, een regelrechte ramp. Maar een succésvolle obsessie, een ogenschijnlijk krankzinnige gepreoccupeerdheid met een of andere belachelijke privéwerkelijkheid die echt blijkt te zijn, een feitelijke werkelijkheid, een wereld die op zichzelf bestaat, wat altijd al zo is geweest, maar toch een wereld waarvan niemand zelfs maar het vermoeden heeft gehad dat hij overal om ons heen zou kunnen zijn – jézus. Stel je dat eens voor!'

'Fantastisch!'

'Ja! Dus Bill Hamilton kwam eten! Maar je hoefde hem alleen maar te vragen naar het leven van de sociale insecten die hij in het Amazonegebied had bestudeerd – of zelfs maar naar zijn eerste contact met dodelijke bijen – en hij was gróóts, weet je, en dan draaide hij zijn enorme gezicht naar je toe en klik! Hij verlichtte de kamer!'

'Tjonge!'

'Ja, hij kwam eten! De grootste Engelse theoretische bioloog sinds Darwin. De man die Darwins op één na laatste probleem heeft opgelost! Want Darwins eerste probleem heeft hij, zoals je wel weet, Luke, zelf onder woorden gebracht: "Onze onwetendheid omtrent de wetten der variatie is immens." Want op sommige punten, Luke, moest zelfs een genie als Darwin de gedachten van zijn tijd denken, over het mengen van bloed, een erfenis van Lamarck, vloeibare genetica – wat allemaal is opgelost door Mendel en zijn intellectuele nakomelingen. Want zoals we nu weten, is het erfelijk mechanisme uiteraard hárd, corpusculair, blijvend! Het is géén mengeling van vloeistoffen. Het is volstrekt niet zoals het op je vuile lakens lijkt...'

'Redmond! Engels? – Denk je dat je Engels bent? Bezopen! Heb je om te beginnen – nog afgezien van je aard, weet je, je gedrag – weleens even een blik op je eigen naam geworpen?'

'Dat grote genie komt dus bij ons eten in een gedeukte Ford Fiesta of zoiets dergelijks – en zodra hij binnen is en praat, raak ik natuurlijk in zijn ban, want ik kan niet geloven dat iemand met zoveel gevoel en kennis van zaken en tederheid kan praten over het leven van bíjen en wéspen en hórzels!'

'Prachtig!'

'Ja, nou, hij praat erop los en het hele verhaal over de evolutie van de sociale insecten wordt zeer eenvoudig en onverwacht en vervuld van licht... En dan zijn vrouw, die zat te praten met míjn vrouw, Belinda (en, Luke, zij is de beste! Je zou haar écht mogen! Ze kan zich doodvervelen, weet je, zélfs bij mij, iets wat jij je toch zeker niet kunt voorstellen, hè? En dan laat ze toch nog steeds dat tolerante, vrouwelijke ik-vergeef-je-glimlachje zien!').

'Ooooo! Alsjeblieft...'

'Hamiltons vrouw zit dus, zoals ik al zei, ongeveer honderd mijl verderop aan tafel, zo lijkt het in elk geval, tot ze zegt, met een onverwachte, harde sergeant-majoorstem: "Bill! Ik heb het allemaal geregeld! Ik heb een baan als tandartsassistente, op Rousay" – ik geloof tenminste dat het Rousay was – "en dat is een van de Orkney-eilanden."'

'Hè?'

'Ja! Nou, Luke, ik heb het eens bij een paar psychiaters nagevraagd, weet je, en nu besef ik dat dit een veel voorkomende strategie is als je je man of vrouw of partner iets verontrustends, goed, iets rampzáligs te vertellen hebt. Dan kies je daar een veilige, neutrale plaats voor uit. En wat kan er veiliger zijn dan een dineetje voor vier personen in een cottage waar een dikke ouwe kerel woont die al tweeëndertig jaar getrouwd is met dezelfde vrouw die daar nog altijd woont en die nog steeds in leven is? Twee mensen die je nog nooit van je leven hebt gezien en die je in géén geval ooit meer wilt terugzien?'

'Aye, maar Redmond, waarom wilde W.D. Hamilton in vredesnaam, neem me niet kwalijk, waarom wilde hij eigenlijk bij je op bezoek komen?'

'Omdat ik, Luke, maar dat heb ik je verteld, dat weet ik zeker; het was maar een hobby, maar, jezus, ik deed het wel vol hártstocht, weet je? Ik had de redactie over de biologiepagina's – ja, ja, okay, met de nodige professionele hulp – van de TLS, de *Times Literary Supplement*, en dat was jarenlang maar één dag per twee weken, maar, Luke, wat een voorrecht! En hoeveel ik dáár niet van heb geleerd – en je houdt het niet voor mogelijk, maar ze betáálden me ervoor, negentig hele ponden per twee weken (wat in die tijd absurd leek, een belachelijke hoeveelheid geld voor iets wat je gratis had willen doen, diverse keren!). En het was geweldig, weet je, de intellectuele kameraadschap, de intense uitwisseling van interesses – jézus, Luke, na een dag bij de TLS reed ik supergelukkig naar Oxford terug, en dan vergat ik, dan vergát ik dat ik zojuist een werkdag had doorgebracht in die úítermate exclusieve, bezeten jachtgroep van mensen die dól zijn op boeken, die voortdurend oud talent proberen te stimuleren en nieuw en jong talent proberen op te sporen, en terwijl ik naar huis trachtte te rijden (en anders dan jij, Luke, ben ik helaas een jongen uit de provincie en nee, ik ken dus níét de weg in Londen), kwam ik in een file terecht (maar er was zoveel te bekijken! En die grote gebouwen, weet je, de architectuur, dat is allemaal schoongemaakt en dat blínkt in het licht! Zelfs midden in de winter, weet je, wat voor rotweer het ook is, het blínkt!) – maar goed, dan zag ik een of andere vent een metrostation uit rennen en dan merkte ik dat ik dacht: ja, dat is geweldig, hij rent naar huis om zijn bóék te gaan lezen!'

'Aye! Maar jezus, Redmond! Je bent gestoord! Je hebt het zwaar te pakken! W.D. Hamilton? Weet je nog?'

'Natuurlijk weet ik dat nog! En Luke, val me niet steeds in de rede! Want je maakt me in de war, echt – en ik vergeet bijna het interessantste punt, dat is dit: het is een intens genóégen om literair redacteur te zijn, maar dat is verstoken van enig egoïsme; het is een geschift, een zuiver en een persoonlijk genoegen, want je eigen naam verschijnt nergens, en slechts één of twee mensen op kantoor weten wat je hebt gedaan, en toch ben je zo voldaan over jezelf (tegenover jezelf) dat het gevaarlijk is: de stoppen zouden kunnen doorslaan! Je zou kunnen barsten! Hè? Jezus, Luke, hou alsjeblieft op met dat gekréún, met dat gezúcht, want dat vind ik kwetsend, echt! Goed ja, Bill Hamilton, jouw held en de mijne: bij de TLS hebben we groot succes gehad met Bill Hamilton, écht, lang, lang voor enige andere krant! En waarom? Okay, verdomme, ik weet het Luke, we hebben gezworen honderd procent éérlijk tegen elkaar te zijn, hè? Dus ja, ja! Je hebt gelijk, ja, goed, ik hoor je wel, je hebt gelijk, onverzettelijke, sceptische, wetenschappelijke hufter die je bent, het is állemaal gebeurd via mijn oude vriend Richard Dawkins – die kende ik toen we nog vief en jong waren – en dankzij de aantrekkelijke Dawk hebben we groot succes gehad met Bill Hamilton! Echt!'

'Fantastisch!'

'Ja! Om te beginnen heb ik zijn memoires bemachtigd: een werkelijk mooi, emotioneel stuk dat ons vanaf de dertienjarige vlinderverzamelaar via een verjaardagscadeau van E.B. Fords *Butterflies* naar de grote theoreticus over de evolutie bracht en de manier waarop hij wilde sterven... Maar het voornaamste punt sprak voor zich, zoals hij zelf zei: voor elke wetenschapper – als die tenminste iets wil voorstellen – was het onmiskenbaar het allerbelangrijkste om die kinderlijke passie te bewaren, in stand te houden, te beschérmen, om die interesse veilig in zich mee te dragen, dat gevoel van frisheid en opwinding, zoals hij het noemde, die verbazing, die stroom van onwillekeurige, onverwachte vreugde over de buitengewone manier waarop de natuurlijke wereld echt functioneert...'

'Aye! Maar zijn dóód?'

'Ja, Luke, dat was echt bijzonder, dat was opmérkelijk, en neem me alsjeblieft niet kwalijk, ik weet zeker dat je het zult begrijpen, maar misschien zal mijn verslag op dit ogenblik niet honderd procent nauwkeurig zijn omdat ik momenteel nergens honderd procent zeker van ben, weet je, ik weet bijvoorbeeld niet eens precies wie ik ben, ik ben er helemaal niet meer zo zeker van dat ik consistént ben, dat ik een verleden heb dat mijn heden vormt, het is zo vreemd, Luke, ik vind het maar niets, en álles is me aan het ontglippen...'

'O, tóé nou, W.D. Hamilton! Aye? De dood die hij wenste?'

'Goed, já, hij bestudeerde in het oerwoud van het Amazonegebied van die spectaculaire aaskevers ter grootte van een golfbal. Hij had hele dode kippen uitgezet in kooien (om de buidelratten en gieren weg te houden) en terwijl hij bij het licht van een zaklantaarn toekeek, waren die monsters van kevers, met een goudkleurige, gele en groene cuticula en een enorme, achteróver gebogen voelhoorn, stennis aan het schoppen rond de lijken (hun aardhopen zo groot als molshopen) en dan beten ze een roze bal kippenvlees af die hálf zo groot was als zijzelf en droegen die in hun voorpoten – waarnaar toe? Ja! Naar het vrouwtje natuurlijk! Maar Luke! Jezus. Ze is zo angstaanjagend. Ze is groter dan het mannetje, met net zulke felle kleuren! En haar vóélhoorn, houd je vast! Die is gróter dan de zijne! Wat is er dus aan de hand? Hoe is dit mogelijk? Hoe zit het met de seksuele selectie? (Vechten de vróúwtjes? En kijken de mannetjes toe? En kiezen die de overwinnaar? Natuurlijk, maar Luke, dat is mijn idee, en jíj mag het hebben, grátis!)'

'Aye! Bezopen! Bedánkt!' En toen zei Luke bezield: 'Hou op met dat pátserige gedoe van "gratis", wil je? En zeg trouwens ook niet meer "ik hoor je wel", want dat is een kwelling, echt.' En hij lachte, werkelijk waar, als een hyena, als zo'n typisch dominante alfaleider van een nachtelijke meute die altijd, zonder uitzondering, een vrouwtje is. 'En toen?' Hyenagelach. 'Zijn dóód?'

'Zijn dood? Jezus! In de Cóngo. Mijn gebied. Zoals hij me heeft verteld, dacht hij dat het waar moest zijn: hij had een verhandeling gezien van een epidemioloog uit Australië die de verspreiding van aids exact had gecorreleerd aan het poliovaccin Salk II in Afrika. Ja, een grote antipoliocampagne van de Volkenbond. Voor ons in het Westen werd het vaccin gekweekt in koeienlevers, maar in Centraal-Afrika, op die kleine savannen en in die uitgestrekte oerwouden langs de evenaar, zíjn geen koeien – daar zorgt de tseetseevlieg wel voor, die de door trypanosomen veroorzaakte slaapziekte meedraagt – en daarom werd het poliovaccin, een gigantisch hulpproject van de ontwikkelde wereld, begrijp je wel, uit eigenbelang, ja, maar uit eigenbelang voor de *Homo sapiens* als geheel, voor de hele sóórt, om die parasiet van ons op te ruimen, daarom werd dat vaccin kennelijk gekweekt in de nieren van groene meerkatten en chimpansees – en groene meerkatten zijn zonder meer dragers van het apen-hiv-virus, waar ze waarschijnlijk miljoenen jaren geleden mee hebben leren leven, waardoor ze er geen last meer van hebben. Maar goed, Bill ging dus op reis om dat verhaal te controleren en hij had alleen maar een chimpanseekeutel nodig uit het oerwoudgebied waar de oorspronkelijke chimpansees zijn gedood om het DNA te controleren aan de hand van het vaccin zelf, waarvan nog monsters zijn opgeslagen in Zweden. Dus rustte hij zich uit met een grote paraplu die op het juiste moment andersom opengaat! Maar goed, het verhaal gaat dat hij is overleden aan hersenmalaria, maar toen ze hem in Oxford terugkregen, nog altijd in coma, kon de afdeling tropische ziekten geen enkele trypanosoom in zijn lichaam vinden… Dus zal hij wel zijn vergiftigd… Niemand weet het. Hij is nooit meer bijgekomen…'

'O aye! Dát heb ik allemaal gehoord! Nee, nee, vertel me eens over zijn gefantaseerde dood? Nou? En het spijt me, maar op hare majesteits Laboratorium voor Mariene Onderzoek in Aberdeen leest niet íéder-een de TLS, weet je – in elk geval niet elke week, niet helemaal…'

'O, maar dat kómt nog wel, want als ik ooit uit dit grote, ten onder-gang gedoemde, ingewikkelde stuk metaal kom, Luke, belóóf ik je dat we op alle mogelijke manieren aandacht gaan besteden aan de mariene biologie – want raad eens? Aan wie doe jij me denken, jong als je bent? Aan W.D. Hamilton! Die is het! Want híj heeft me enthousiast gemaakt voor mestkevers, en dat is geen kunst, insecten, vlínders nota bene! Maar jij, jij hebt víssen fascinerend gemaakt! Sean heeft gelijk: vissen! Waarom heb je me dat niet jaren geleden gezegd, klootzak die je bent?'

'Je bent zelf een klootzak! En laat dit tot je doordringen, Redmond, je bent alles aan het vergeten, je hebt gelijk, je greep op je eigen verleden is aan het verdwijnen – en ik heb je gewaarschuwd, echt, dat gebeurt er als je een week of langer niet slaapt: dan ga je je de dingen verkéérd herin-neren, want het spreekt voor zich: jaren geleden kende ik je nog niet!'

'Nou waar zát je dan? Het is allemaal jóúw schuld. Maar goed, jouw held, Bill Hamilton, heb ik de hele *New Naturalist*-reeks van Collins laten bespreken ter gelegenheid van het vijftigjarig bestaan van de uit-geverij, en Alan Jenkins, dat is een echte vakman, net als jij, een dichter – maar op kantoor, literaire journalistiek, zijn vák, je zou hem eens in actie moeten zien: intense concentratie, negeert het krantenbestaan overal om hem heen, leest een of ander artikel, en dan schuurt hij met zijn protserige bruine schoenen, zo van een-twee, drie-vier, over het tapijt, zo hárd dat de tapijttegels van *News International* onder zijn bureau eens per jaar moeten worden vervangen, en pats boem! Telkens weer! Daar is een kop, deze met name: "Bij mijn eerste blik in een Britse schat", en je kunt lachen, Luke, maar dat vatte het werkelijk samen, en ik kan je wel verzekeren dat slechts heel, heel weinig mensen daartoe in staat zijn als ze nog maar tien minuten hebben… En zijn kop voor Bills "In memoriam": "Tot op de bodem, Leven en dood van een keverjager", en als je dat niet briljant vindt, terwijl je nog maar tíén minúten hebt, kunnen we het beter opgeven! En de gefantaseerde dood die Bill wilde hebben? Hij wilde net als die kippen in zijn kooien worden neergelegd, hij wilde als het ene roze brokje na het andere door die mannelijke reuzenmestkevers worden begraven als voedsel voor hun larven, hun kinderen, om dan zelf, in een andere gedaante, gonzend uit de grond

1. De Norlantean, K508

2. Stromness in januari

3. Bryan Robertson, eerste stuurman

4. Jason, de schipper. Het is een eenzaam bestaan met
een schuld van twee miljoen pond

5. Allan Besant

6. Sean en Jerry

7. Luke en Robbie in rustig poolweer.
Robbie staat op het punt het net te gaan boeten

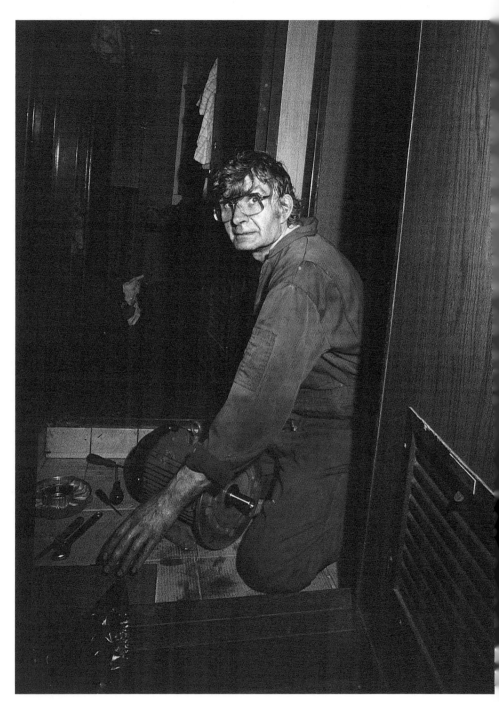

8. Dougie Twatt, motordrijver

9. Sean in de verwerkingskamer

10. Vis strippen is niet zo eenvoudig (foto van de auteur door Luke Bullough)

te verrijzen, zei hij, als bijen uit een nest, maar dan véél harder dan een van zijn eigen sociale insecten, nee, hij zou harder gonzen dan een zwerm mótorfietsen (Bill heeft namelijk alleen maar een fiets gehad), en de Braziliaanse wildernis in vliegen, 's nachts, als de ene vliegende kever na de andere, waardoor hij uitéíndelijk zou "glanzen als een paarse loopkever onder een steen".'

'Fantastisch! Fantastisch!'

'Ja! Ja! Maar dat is nog niet alles, dat is nog maar de helft van één procent! Dus wat zeg je hier bijvoorbeeld van, van twee losse ideeën van hem die ik me toevallig herinner? Eén: als de bomen in de herfst hun bladeren geel en goud en rood laten verkleuren (en die chemische verandering kóst ze energie), zijn ze als giftige wespen en horzels en rupsen aan het séínen, zeggen ze: "Wacht eens éven, schatjes, nachtuiltjes en vlinders die zelfs maar overwégen om jullie walgelijke eitjes op mijn huid te leggen, om volgend voorjaar uit te komen en te proberen me op te eten; begrijp dit goed: ik produceer de laatste giftige stoffen die binnen mijn bereik liggen en ik plant me geslachtelijk voort, weet je, dus kan mijn genetische vermogen om giftige stoffen te produceren waarvan jullie tieten en ballen onmiddellijk afvallen heel goed ver voor liggen op jullie resistentie: maak dus dat je wegkomt! Leg je ellende op iemand anders!" Dat is nou de herfst! En is dat niet even mooi als Keats? Natuurlijk, we willen ze allebei, Keats én Hamilton! Maar is het niet geweldig? En Luke, nummer twee is nog mooier, maffer. Wólken! Ja? Wolken, zo overduidelijk, maar wáárom zijn er wolken? Watermoleculen condenseren alleen als er een deeltje is waar ze omheen kunnen condenseren. Stóf, dat is de gangbare verklaring. Stof! Jazeker, maar dat stof, zei Hamilton, zal grotendeels uit bactériën blijken te bestaan: wolken zijn een biológisch verschijnsel. Wolken zijn het dienende instrument, worden in stand gehouden, geschapen zo je wilt, door bacteriën om zichzelf te verspreiden – net zoals de mensapen het dienende instrument zijn voor de verspreiding van de harde zaden in de sappige vruchten van de bomen in het regenwoud. Ja? En voor zover ik weet, en je hebt gelijk, ik weet niet erg veel, is er op dit punt slechts één experiment gedaan. En raad eens? Wolken wémelen van de bacteriën! Telkens wanneer het regent komen ze allemaal naar beneden! Biologie! Léven! Winterse bacteriële longontsteking... tbc... maar ook goeie, bacteriën van over de hele wereld! Plof! Daar komen ze naar beneden!'

'Fantastisch!'

'Ja! Ja! En daarom ben ik dus naar Bills herdenkingsgelegenheid gegaan (geen christelijke onzin) in New College, en na afloop gedroeg ik me als een sensatiejournalist en greep ik meteen Richard Dawkins in zijn kuif, halverwege het vierkante plein, dat vierkante plein tussen prachtige gebouwen die aan de wetenschap zijn gewijd (wat een triomfantelijk idee, hè? Wat is dát bijzonder!) en heb ik hem laten beloven dat hij me zijn grandioze manuscript zou geven...'

'Aye, ach, je zult wel geluk hebben gehad!!'

'Ja, werkelijk waar. Je hebt gelijk. Je hebt altijd gelijk! Goed dus, weet je nog wel? Bills vrouw heeft zojuist meegedeeld dat ze naar Rousay gaat? Een van de Orkney-eilanden? Om tándartsassistente te worden? Dus halen we mijn *Times Atlas* te voorschijn en sla ik de kaarten van Groot-Brittannië op, en Bill zegt, matig geïnteresseerd (ze is per slot van rekening de moeder van zijn briljante kinderen en hij houdt van zijn kinderen, dus wéét hij nog wie ze is), Bill zegt: "Maar dat is vrij ver weg, hè? Zie ik je in het weekend?"

En ze zegt: "Nee, Bill, ik ga bij je weg."

En toen ging de maaltijd verder en hij praatte met mij, briljánt – je weet wel, zo iemand die je het gevoel geeft dat je intelligenter bent dan ooit tevoren en terwijl hij praat, begríjp je de hele werkelijkheid achter de voorspellende wiskunde van de selectie onder verwanten, van het nieuwe altruïsme, van de biologische noodzaak voor dat altruïsme dat niets te maken heeft met Wynne-Edwards!'

'Aye!'

'En 's morgens,' riep ik triomfantelijk uit, 'weet je er niets meer van!'

'Aye! Aye!' riep Luke. 'Precies! Je weet niets meer!'

'En laat dit goed tot je doordringen!' schreeuwde ik. 'Blijf kalm! We werkten het supermarktdessert met slagroom, de kaas en de koffie af en ik had hem verteld over mijn vijver – ik ben dol op mijn vijver – en in die dagen was hij nog maar een paar jaar oud en goed, Luke, ik hoor je wel, dus laten we eerlijk zijn, misschien is het maar een paar vierkante meter water in een groot zwart verzonken rubberen condoom, maar voor mij, begrijp je, is het een méér! En ik ga elke avond naar buiten met zo'n gigantisch lange, niet compenserende zwarte Maglite-zaklantaarn en dan stáár ik erin en wat je daar dan niet in ziet! Ach, onder ons gezegd en gezwegen zal ik je het geheim vertellen: je denkt jezelf in dat je een speldenknop in het water bent, ter groote van een *Daphnia*, goed, voor jou en mij ter grootte van een watervlo, en dan gebeuren er echt griezelige dingen! Heerlijk! Daar komt een *Dytiscus*, de larve van de grote waterkever, vijf centimeter lang, die uit zijn overrompelingspositie is gevallen (door de punt van mijn stok), de watertijger, het vraatzuchtigste roofdier in de vijver, dat zijn achtereind snel heen en weer beweegt, en dat van voren van die obscene, lange spuitkauwwerktuigen heeft... Maar goed, ja? Ten slotte zegt Bill: "Laten we die vijver van je gaan bekijken." Dus geef ik hem de megazaklantaarn van Maglite en lopen we van de achterdeur de paar meter over het kleine gazon en staren sámen in de vijver. En Bill zegt: "Redmond, je hebt twee afzonderlijke *Daphnia*-populaties, die uitsluitend met hun soortgenoten omgaan."

En ondertussen lopen zijn vrouw en mijn vrouw, Belinda, naar de auto op de oprijlaan (goed, de oprit), dus kuieren we daarnaar toe en onderweg blijft Bill staan, draait zich naar me toe en zegt: "Weet je, Redmond, ik hoor dit vanavond voor het eerst, maar ik denk dat mijn vrouw me misschíén verlaat omdat ik niet genoeg verdien. Ik denk dat dat het moet zijn. Ja! Want ik heb namelijk alleen maar een persoonlijk onderzoeksprofessoraat in Oxford van de Royal Society. Meer niet!"

En hij rijdt weg in zijn autootje (niet zoiets groots als de mijne, Luke, begrijp je wel, niet te vergelíjken met een Renault Clio 1,4 superlimousine) en de motor slaat terug (goed, die sloeg niet terug), en ik denk: ja! Hij heeft gelijk! Die *Daphnia*, watervlooien voor jou en mij, die práchtige kleine watervlootjes die onder de microscoop hun voorpootjes opsteken en naar voren over hun kop leggen: ik heb er een plastic zak van gekocht bij de Burford Garden Company en een andere bij Waterperry!'

'Geweldig! Daar houd ik van! Jezus, Redmond, jij boft, kolossaal!'

'Ja, ja! Maar ik ben nog niet klaar! Moet je horen! Zal ik je eens wat zeggen? Aan het eind van de vólgende maand, toen ze voorgoed weg was, toen ze definitief naar Rousay was gegaan, kreeg hij de Crafoord- én de Kyotoprijs voor biologie! Die allebei véél meer waard zijn dan de Nobelprijs!'

Luke gilde: 'Goal!'

Ik gilde: 'Goal!'

En toen gilden we samen: 'Goaaaal!'

Na een stilte tussen ons zei Luke vanuit de rondtollende duisternis: 'Redmond, je gedachtegang, weet je, die is helemaal gebroken, hangt als los zand aan elkaar. Waar héb je het over? Waar wil je mijn mening over weten?'

'Gebroken?' riep ik uit, gepikeerd (maar ik weerstond de impuls om woedend rechtop te gaan zitten, vol acute agressie, omdat de bovenkant van mijn hoofd nog pijn deed van de vorige keer, en wat ben je belééfd geworden, dacht ik terwijl ik daar stijf lag). 'Gebroken! Toe nou, dat ligt voor de hánd: Bill Hamilton was net als jij een alfamannetje. Maar in zijn geval was hij mentaal en niet fysiek afwezig. Dat komt namelijk op hetzélfde neer, Luke. Want hij was nooit honderd procent beschikbaar voor de persoon van wie hij in het normale leven het meest hield. Vanwege de constante aanwezigheid, de niet-aflatende druk van een mogelijke "kreet" zoals jij dat noemt, van zijn eigen persoonlijke pieper, net als de jouwe, de diepste zin van zijn bestaan, het hele doel ervan – maar in zijn geval kwam die niet van het reddingsstation, maar was het de onbewuste acute oproep van zijn eigen ideeën. Stél je voor: Vlug! Laat alles vallen! Haal dit binnen! Red het! Voor het voorgoed verdwijnt!'

'En daarom kon geen vrouw het bij hem uithouden?'

'Precies! Zodra ze haar kinderen van een alfamannetje had (en kijk, Luke, ik heb Bills kinderen nooit gezien, maar ik durf te wédden dat ze briljant zijn), besloot ze onbewust, dacht ze: jezus, als ik gelukkig wil zijn, als ik het gevoel wil hebben dat ik vollédig wordt opgemerkt, als ik doorlopend, zonder afleidingen, honderd procent gewaardeerd wil worden door een man wiens leven om míj zal draaien, dan kan ik beter, nu er nog tijd is, een fatsoenlijke, hardwerkende, nuttige, onontbeerlijke tandarts grijpen! En wie kan daar in vredesnaam wat tegen inbrengen? Jezus, Luke, als je op mijn leeftijd komt, de kíéspijn: de gevoelige zenuwen voor een lange snuit die we van onze visvoorouder hebben geërfd, allemaal in elkaar gedrukt in ons mopshondengezicht – en nota bene naar ons gebit! Als er een God bestaat, is dat ook een grote vergissing waar hij zich voor moet verantwoorden, reken maar, en nu ik erover nadenk is het verrekt goed dat mijn tandarts die ik al eeuwen heb, Bob Farrant, niet weet hoe enórm ik hem eigenlijk waardeer!' (En jezus, dacht ik, de hele linkerkant van mijn gezicht doet pijn – en is die soms ook opgezet? Heb ik een ontsteking? Ja, ik geloof het wel, maar 'Dat is dan pech, schatjes,' zei ik tegen ze. 'Enkele miljarden parasitaire bacteriën mogen zich dan als Ierse konijnen vermenigvuldigen in de dode wortelkanalen van mijn achterste kies linksboven, waar, zoals jullie en ik weten, geen bloedtoevoer is en waar dus geen fagocyten van mij en geen antibiotica van Bob Farrant kunnen doordringen. Maar dat is dan pech, schatjes! Een verkeerde keus! Want jullie en ik, wij állemaal, gaan samen verdrinken!')

'Och aye! Aye! Wat zou dat? Je gebít, hè? Jezus! Zielige ouwe máfketel! Maar hoe zit het met W.D. Hamilton? Nou? Aye, dat was wérkelijk interessant! Maar waarom? Waarom wil je weten hoe ik erover denk? Hier ben ik, Redmond, ik ben er klaar voor, nu, op dít moment...'

'O ja? Nou, het gaat over... homoseksualiteit!'

Luke hield zich niet goed. Hij proestte het uit. Te oordelen naar de gedempte, snuivende geluiden lachte hij waarschijnlijk voluit, dacht ik, met zijn gezicht, zijn wiebeloren in zijn kussen gedrukt.

'Nee! Nee! Stomme wetenschapper! Mariene bioloog die je bent – en wat zou beter kunnen zijn? Nou? Je bent al net zo'n klojo als wij allemaal! Je slaat de plank volkomen mis! Je begrijpt niet wat Hamiltons beroemdste werk, die geweldige verhandeling over de selectie onder verwanten, je beseft niet wat dat inhoudt! Natuurlijk niet! Omdat je net als ik een heteroseksueel bent, en heteroseksuelen houden waarschijnlijk al 200 000 jaar zo'n oerstomme mythe in stand om hun waardigheid, het gevoel dat ze echte kerels zijn te beschermen! Goed, we hebben er in de recente populaire biologie een vaag vermoeden van gekregen door Lorenz' ganzen – je weet wel, dat triootje, de twee verbonden biseksuele mannetjes met dat ene vrouwtje. En wat legde ze een eieren! Natuurlijk, twéé kerels om voor haar te forageren, twéé kerels om alle andere ganzen en een eventueel passerende vos ongenadig op hun lazer te geven! Maar je hebt gelijk, ik hoor je wel, Lorenz was een echte nazi geweest, dus werd daar terecht door niemand enige aandacht aan geschonken. Desondanks heeft hij zich bíjna gerehabiliteerd en hij heeft die Nobelprijs gekregen... Maar ja, ja, je hebt gelijk, daar gaat het evenmin echt om; ik dwaal af. Waar het om gaat is Hámiltons wérk. Heel elegant. Werkbijen, die hebben de helft van hun genen met de koningin gemeen, maar ze leggen geen eieren, ze werken, ze verdedigen, ze véchten en dat is, statistisch gezien, de beste manier om hun eigen genen door te geven aan de volgende generatie.'

'Aye, dat weten we allemaal...'

'Okay? Weet je dat? Dan slaan we de tussenliggende stadia over! En we komen bij mijn punt, ik dénk tenminste dat het van mij is, maar je weet hoe het gaat in de wetenschap, we zijn allemaal zo paranoïde, wedijveren zo verbitterd met elkaar, maar ja, ik weet zeker dat dit volstrekt origineel is, wat de algemene implicaties betreft, maar Luke, je mag het hebben, natuurlijk, grátis.'

'O, bedánkt. Grátis! Dank je, Redmond. Aye! Bezópen!'

'Het leger van Sparta. Weet je hoe dat was georganiseerd?'

Luke gniffelde in zijn kussen. Hij proestte. Ik hoorde het. Duidelijk. Hij kwam vermoedelijk boven en hij proestte opnieuw: 'Nee!' En hij gniffelde weer. En Lukes hilariteit, dacht ik, is zo volstrekt niet grappig. Hoe kan hij in vredesnaam op zo'n moment als dit lachen! En dan nog wel lachen alsof hij erin zal blíjven, terwijl de situatie zo bijzónder ernstig is.

'Mooi zo!' zei ik, of schreeuwde ik eigenlijk omdat we om überhaupt te worden verstaan, om uit te komen boven het kabaal van de angst daarbuiten, moesten schrééuwen over de ruim één meter brede kloof tussen onze kooien... 'Onthoud dit dan goed, Luke: elke soldaat had toch beslist een moeder, hè? En een heteroseksuele vader? En hij had waarschijnlijk diverse heteroseksuele broers en zussen die geen lesbiennes waren, okay?'

Opnieuw uitermate krenkend kussengesis: 'Okay!'

'Zijn genenbank was dus thuis? Ja? Net als bij een werkbij?'

'Aye!' En toen, in het donker, een ongeremde lach vol zuurstof, open en bloot...

'Luke! Hou daarmee óp! Want ik zeg je – luister! – we zien homoseksuelen helemaal verkeerd! Ze zijn níét verwijfd. Zoals heteroseksuele mannen, vooral in de wetenschap, graag denken. Hoe zit het bijvoorbeeld met die vent die de synthese tot stand heeft gebracht waarop jouw eigen nieuwe wetenschap aanvankelijk was gebaseerd? Nou? Alister Hardy. Of E.B. Ford, een van Hamiltons eigen helden, de grootste vrouwenhater en flikker die ooit heeft rondgelopen! *Butterflies*, ja? Nummer één in de *New Naturalist*-reeks van Collins, én hij heeft nummer dertig geschreven, *Moths*, práchtige boeken! Zijn vriend Kettlewell (je weet wel, Ford en Kettlewell, het beroemde experiment op het gebied van de natuurlijke selectie met de berkenspanner) vertelt een mooi verhaal over Ford: ze waren in het Canadese bos hun nachtuilen en vlinders aan het bestuderen en het basiskamp was een blokhut. Kettlewell kwam op een dag terug van het verzamelen; Ford was in de hut aan de werkbank bezig en in de deuropening tussen hen in stond een reusachtig grote grizzly. Vanuit de hut klonk Fords geïrriteerde stemmetje: 'Ga weg, beer! Ik heb het héél druk! Ga weg! Je staat in mijn lícht!' Uiteraard had de volstrekt normale, respectabele, en op dat moment rechtopstaande beer nog nooit zoiets als Ford gezien, dus kuierde hij weg, vol afkeer, terwijl hij zijn kop schudde...'

'Redmond, je bent zo'n boekenwurm...'

'Luke, dat is een compliment, hè? Of vind je dat niet macho genoeg of zo?'

'Niet macho genoeg?' Luke gierde het uit. 'Wat heeft dat ermee te maken? Met wát dan ook? Wat ben je toch een zonderling! Wat een warhoofd! Jezus, hoe oud ben je? Boven de vijftig! En dan te bedenken dat ik ervan overtuigd was dat mensen zoals jij, schrijvers, wat dan ook, dat ik er zeker van was dat mensen zoals jij, als ze ouder werden tenminste, ook wijzer werden! Wat een giller! Wat een vreselijke grap! Maar aan de andere kant wist ik, wist ik dat we lol zouden hebben, jij en ik! Natuurlijk is het een compliment! Hoewel het wel een beetje zonderling is, zoals jij zou zeggen, want het gaat niet alleen om de inhoud van die boeken, hè? Redmond, ik durf er tien tegen één om te wedden dat jij zo'n mafketel bent, ik durf te wedden dat jij – dat jij zo'n mafketel bent die een boek openslaat waar je gek op bent en als je dan dénkt dat er níémand kijkt sla je het in het midden open, of niet? En dan steek je je grote neus – en hé, je hebt net zo'n neus als Jan Klaassen! Heeft iemand je dat weleens verteld? Hij komt bijna tot je kin! Aye! Dan steek je je neus regelrecht tegen de onderkant van de groef tussen de twee bladzijden en duw je hem naar boven terwijl je inhaleert, diep ademhaalt. Aye, jij ben zo'n zonderling die aan boeken rúíkt!'

'Ja! Lul die je bent! Ja. Dat doe ik. Dat doe ik!'

'En ik ook!'

'Jij ook? Dan zijn we vrienden, Luke! Nou? We zijn échte vrienden! Voor het leven!'

'Aye. Jezus. Bewáár ons...'

'Hè?'

'Tja, aye, het is niet écht leuk, want er is nog iets wat ik echt, echt heel graag in mijn leven zou willen doen, "louter als genoegen", zoals jij dat noemt. Stel je voor! Ik krijg een baan aan die uitloper van dat spiksplinternieuwe idee van een Universiteit van de Hooglanden en de Eilanden (kun je je iets romantischers voorstellen?), in die grote, nieuwe, herboren natie Schotland!'

'O ja?'

'Aye! Op de Noord-Atlantische hogeschool voor de visserij in Scalloway, op de Shetlandeilanden. Woest, Redmond! In alle opzichten woest! En Scalloway is zó mooi! Dat is dus míjn onmogelijke fantasie. Moet je horen! Zoals jij zou zeggen (en het is trouwens een enorme kwélling, Redmond, zoals je dat zegt), dus moet je horen! Dit is de permanente droom: ik heb al een baan op de hogeschool gekregen! Bezopen! Okay?'

'Okay!'

'Op een of andere manier ben ik dus al aan het lésgeven (ja, ik weet het, onmógelijk) en ik doe onderzoek (dat kan iederéén!), en de baas, de directeur, hoe hij maar wordt genoemd, neemt me op een dag in de gang terzijde – en het is januari, weet je, en buiten staat windkracht 11, maar in de hogeschool zelf is het heel wárm en de lampen branden en mijn kweekprogramma voor heilbot loopt heel goed en inmiddels heb ik even verderop een kleine cottage, van mij alléén, zo'n práchtige kleine cottage, aye? Weet je wel? Zo'n cottage die er zo perféct uitziet dat het lijkt of hij daar is gegróéid?'

'Ja! Ja! Maar toe nou, Luke! Ik ben niet de enige met een gestoorde geest! Je dwaalt áf! Ja! Ja! Nou en of! Dus waar heb je het over? Ja, Luke, het dringt ineens tot me door, maar je gedachten hangen als lós zánd aan elkaar! Ja! Echt! Dus misschien kun je je dat niet meer herinneren?'

'Aye! Tja, Redmond! Snap je nu wat ik bedoel? Wees niet zo agressíéf! Aye. Val me niet zo in de rede!'

'Och aye! Bezopen!' zei ik, tevreden over mezelf, en toen rolden ongevraagd alle mogelijke varianten daarop naar buiten en ze leken me allemaal zo vréselijk grappig: 'Lazarus! Kachel! Toeter! Blauw!'

'Jezus! Hou daarmee op, Redmond! Gedraag je als een volwássene, wil je. En luister! Want ik heb er een langlopende hypotheek op zitten, omdat ik een váste, zékere baan heb, okay? Aye? Ik heb dus zo'n prachtige, zo'n echt oude cottage in Scalloway...'

'De vikingen!'

'Nee! Maar ja, het is wel een oude cottage, natuurlijk is hij dat! En knus! En zo mooi om naar te kijken, van álle kanten, en hij is lang geleden gebouwd door echte meesters in het vak: hij is gebouwd om een orkaan van de vijfde categorie te weerstaan, winden met een snelheid van meer dan 320 kilometer per uur, en er is een kleine ommuurde tuin aan de achterkant – en daar, op de Universiteit van de Hooglanden en de Eilanden, in de warme gang van de hogeschool, zegt de baas, de directeur, zegt hij tegen me: "Dr. Bullough" – want tegen die tijd héb ik mijn doctorstitel van Aberdeen – "Dr. Bullough," zegt hij, "ik wil absoluut geen druk op u uitoefenen, maar zoals u weet zijn we een zéér jong instituut en proberen we een bibliotheek op het gebied van de mariene biologie op te bouwen, een bibliotheek van internationale allure, en toevalligerwijs is élk lid van de commissie tot de conclusie gekomen – en daarom denk ik dat we het een unaníém besluit kunnen noemen, vindt u ook niet? –, we zijn dus allemaal, zonder énige uitzondering, tot de conclusie gekomen dat u, dr. Bullough, dat u de enige man bent die onze nieuwe collectie kan opbouwen. Het spijt me, werkelijk, maar u zult niet in een hogere salarisschaal komen vanwege het extra werk – daar hebben we geen fondsen voor – maar toevallig hebben we zojuist wel een zéér royaal legaat ontvangen voor de aankoop van boeken. Van de weduwe van een beroemde trawlerkapitein uit Whalsay! Het geeft niet, dr. Bullough, we hebben het er niet meer over en zo... en ik respecteer uw afwijzing volkomen en níémand zal u dat kwalijk nemen, maar..."

En ik zeg: "Aye! Aye! Op mij kunt u rekenen!"'
'Luke, je begint te vlóéken, dat weet ik zeker!'
'O ja? Echt? Nou, dat spijt me. Maar wie maalt daarom? Want het is maar een dwaze fantasie en ik zal nooit kunnen lesgeven. Dus dat is dat. Afgelopen... Als dit allemaal voorbij is, Redmond, zal ik weer terug moeten naar de Falklandeilanden, als visserij-inspecteur, en daar mankeert niets aan, want die jongens doen fantastisch werk – weet je wat ik bedoel? De visstand in het zuiden van de Atlantische Oceaan is nog altijd enórm, en zonder die inspecteurs kun je dat allemaal vergeten! De Japanners... Maar aan de andere kant kan ik natuurlijk net zo goed mijn keel doorsnijden met een stripmes!'

'Ja! Nou! Moet je hóren! Zoals ik al zei voor je me in de rede viel – láát dat! – zijn homoseksuelen níét verwijfd. Zoals heteroseksuele mannen graag denken. Geen sprake van. In de vroege en latere posturale kleinstedelijke samenlevingen waren het de kríjgers, de vechters! En zij stierven opdat hun heteroseksuele broers en zussen partners konden vinden om kinderen te krijgen en te boeren en te tuinieren en steden te stichten en in vrede verder te leven. Maar zo zagen ze dat natuurlijk niet. Nee. Zij sloten zich aan bij de clúb. Zalig! Het leger!'

'Aye. Echt? Probeer je alsjeblíéft te concentreren, Redmond, op één ding, weet je wel. Want tja, dit is eigenlijk wel interessánt...'

'O ja? Denk je dat echt, Luke? Dat is gewéldig! Je bent mijn vriend! Ja! Het leger van Spárta? Het voorste gelid bij de aanval? De jongste jongens. Het tweede gelid? Oudere jongens, van begin twintig, die geen relatie hadden met de tieners in het eerste gelid. In het derde gelid? Mannen die bij wijze van spreken stuk voor stuk waren geselecteerd, Luke, wiens positie in de gevechtsformatie zéér zorgvuldig was bepaald, nadat er veel inlichtingen waren ingewonnen (roddels voor jou!). Ze werden geplaatst volgens de allerlaatste informatie, want dát was het enige geheim, de ene sleutel voor spectaculaire overwinningen! De homoseksuele generaal heeft er héél lang rustig over nagedacht, over het aanvalsplan, omdat hij wist dat hij recht achter de jongeman in het voorste gelid, maar één te verwaarlozen gelid daarachter, de volwassen soldaat moest neerzetten die verliefd was op die jongeman. En in het vierde gelid moest hij de soldaat zetten wiens minnaar vlak voor hem stond, maar in het tweede gelid, één gelid bij hem vandaan. En zo verder. Stoottroepen. Elitetroepen. Het ene gelid na het andere. En als hij de plank missloeg? Slechts één of twee emotionele banden die niet op elkaar aansloten? Dan wist hij dat zijn leger inefficiënt zou zijn, een chaos, doordat zijn mannen tijdens een noodsituatie diagonaal naar hun minnaar zouden rennen, uit het gelid, en tegen elkaar op zouden botsen, waardoor de strijd zou worden verloren, en dan zou hij zich te schande hebben gemaakt, als hij het al zou overleven. Maar als hij het bij het rechte eind had, rukte dat leger dan op? Nou en of! En hoe! Doordat het niet werd voortgedreven door agressie maar door líéfde! Het rénde op de strijd af! Het vloog erop af! Het kwam zo snel en bezeten opzetten dat het heteroseksuele legers die vijf keer zo groot waren ongenadig op hun lazer gaf. Natúúrlijk gebeurde dat, als je erover nadenkt, want wat dachten die heteroseksuele soldaten wanneer dit volkomen geconcentreerde, tweezelvige, kennelijk gekke, woeste leger gillend en op volle kracht op hen af kwam rennen? Ja, elke soldaat in een heteroseksueel leger is geïsoleerd, heeft elders een andere eigen wereld, ver weg; hij is natuurlijk op zijn kameraden in het leger gesteld, maar hij is niet verlíéfd op hen, nee! Er gaan ontredderende gedachten door hem heen en daar kan hij niets aan doen! Op het allerslechtste moment voor zulke gedachten denkt hij: wat zou mijn vrouw op dit moment doen? En waarom accepteer ik dit allemaal? En is alles in orde met mijn kinderen? Ja. Zo zit dat dus. Het Spartaanse leger maaide, mááide werkelijk strijdkrachten neer die vijf keer zo groot waren. En dat had het zeven dagen per week kunnen doen. Het was het succesvolste leger dat de wereld ooit heeft gezien!'

'Fantastisch!' zei Luke, terwijl ik achterover zonk, spierloos, uitgeput, een vleesloze verzameling losse pijnlijke botten in mijn slaapzak. 'Fantastisch! Geweldig!' En toen, met een andere stem, die ik ogenblikkelijk herkende omdat die regelrecht afkomstig leek te zijn uit mijn eigen driekwart vergeten wereld, uit mijn geheime innerlijke herinnering aan een zeer kleine kring (zoals we onszelf moeten voorhouden indien we nog over de vitaminen en hormonen en het spoortje gezondheid beschikken dat inhoudt dat we het wíllen overleven): die kwam regelrecht uit een zogenaamde sceptische denkwereld van gelijken, uit onverbloemde, corrigerende vijandigheid – en dat is niet erg, dat kan heilzaam zijn, en bovendien is het vleiend dat mensen die er zulke andere opvattingen op nahouden ook maar enige interesse tonen en uiteindelijk ben je dankbaar... 'Vertel me dan eens,' zei hij, 'die vrienden van je bij de commandotroepen. Zijn dat homo's?'

'Nee! Natuurlijk niet! Jezus, Luke, je weet ook helemaal niks!' (En terwijl ik dit schreeuwde leek het al niet juist – het werd zelfs ogenblikkelijk aangemerkt als iets waar ik me later voor zou schamen.) 'De diepe psychologie daarachter is totáál anders – daarom kan het regiment slechts uit hooguit achthonderd man tegelijk bestaan (en Thatcher heeft miljóénen aangeboden om het tien keer zo groot te maken, wat natuurlijk aardig van haar was, maar wat onmogelijk kon gebeuren, want echt elitarisme in wát dan ook heeft, zoals je weet, geen flikker met geld te maken). En waarom? Omdat de typische gemiddelde superberoepssoldaat – geen psychopaat, geen bodybuilder, geen fantast – iemand zonder familie is. Als extreem voorbeeld van motivering achteraf: hij is als baby in een plastic zak op de stoep van het ziekenhuis achtergelaten en zodoende wordt het regiment zijn familie als hij tegen de twintig loopt. Het regiment als vader, en mijn god, wat bekómmert het zich om hem als hij eenmaal door de selectie heen is. Wat houdt het van hem! Voorgoed!'

'Aye! Sorry, sorry, sorry! Bezopen!'

'Goed! Prachtig! En vertel me nu eens, het leger van Sparta. Wanneer is diezélfde tactiek toegepast?'

'Ga door! Kolossaal! Barst maar los!'

'Goed! Dat zal ik verdorie doen ook! Knal! Bóém! Want daar heb je om gevraagd, maar dit zal je niet aanstaan, Luke, absoluut niet. Maar onthoud goed, onze geschiedenis is grotendeels geschreven door academici in instituten in, goed, laten we het onder ogen zien, Oxford en Cambridge, en ze kunnen er (wat hun feitelijke achtergrond ook mag zijn) niets aan doen, maar ze komen daar binnen en dan gaan ze van lieverlee bij die hechte sociale groep hóren, bij die clúb: ze eten samen, ze treffen elkaar en er valt niet aan te ontkomen: ze wonen in die schítterende middeleeuwse bouwwerken, de ommuurde rust, de sereniteit van de tuinen, ze zuigen het jeugdig enthousiasme op (zelfs van hun slechtste studenten) en ze maken zich de belachelijke traditie van hun specifieke groep (een *college*) eigen en ze geven de port naar links door. En Luke, dat geeft niet, want ik heb het alleen maar over de alfawetenschappen! Exacte wetenschappers – 90 procent van hen – zijn er min of meer immuun voor, doordat hun interesses permanent verankerd zijn in de geweldig grote, meedogenloze wereld van de externe werkelijkheid (zelfs als ze toevallig kakkerlakken bestuderen). Ja? Maar goed, die academici in de alfawetenschappen, en misschien waren het ooit geestdriftige jongens en meisjes, met echte interesses, uit Leeds of Belfast of Hull of Nottingham, beginnen te denken dat ze aristocraten zijn in een groot huis met bijbehorende landgoederen (wat in sociaal opzicht bíjna waar is gedurende de korte periode waarin ze hun rol spelen), en dat is in zekere zin gewéldig. Daar gaat het nu net om bij een wetenschappelijke gemeenschap, om bij iedereen het besef van de eigen importantie te versterken, de noodzaak van het werk dat wordt gedaan. Je weet wel, met als díéptepunt bijvoorbeeld de rol van het "zien" in het werk van Thomas Hardy, of een kritisch werk over de kritische werken van de criticus Hazlitt, een prachtkerel – en toch is dat allemaal goed en noodzakelijk. Want het is een onvermijdelijk bijproduct van de Grote Idee – het is net het werk van die middeleeuwse monniken in de scriptoriums van hun kloosters, die de antieke teksten voor ons allemaal hebben bewaard, waarbij ze van die paradijselijke illustraties in hun getijdenboeken maakten! En toch... en toch moet je als altijd iets overhebben voor het Grote Goed, voor een plekje in de hémel, voor iets waar bijna iedereen graag belasting voor betaalt om het in stand te houden – jij, ik, Jason, Bryan, Robbie, zélfs Sean: het idee bevalt ons en we zouden in een moderne samenleving niet zonder kunnen. En als je me niet gelooft, Luke, denk híér dan eens over na: houd je wel of niet van filosofie? Het meest buitenissige vak, met nog minder nut dan Sanskriet, wil je dat dat blijft bestaan? Natuurlijk wil je dat! En waarom? Omdat je veel liever iemand betáált om erover na te denken of je bestaat of niet, en of je bewust bent en of dat, als dat zo is, even reëel is als een raaf die laag over varens vliegt, en of een kunstmatige constructie als een taal of een wiskundig stelsel is ontwikkeld om een verbinding met de werkelijkheid te vormen, en bovendien, jijzelf, jouw zélf, wat heeft dat precies voor status? Zou jij dus, als jíj, ooit een wezenlijk inzicht kunnen hebben in zoiets banaals, zoiets saais en twijfelachtigs, zoiets raadselachtigs, zoiets historisch gewaagds als de hypothetische producten van het zuiver sociale bouwwerk van de wétenschap, dat best eens een belachelijke samenzwering van blanke mannen van middelbare leeftijd zou kunnen zijn? Of zou je zelfs al door een zeer kléíne waterstofbom die in je achtertuin ontploft gedwongen worden je standpunt te herzien? Of zouden we soms, ook al was je een uiterst extreme, tegen wetenschap gekante feministe, nooit horen hoe jij erover dacht? Onder die gegeven omstandigheden? Wat denk je? Ja – ja! Daarom is het véél beter om iemand anders te betalen om dergelijke kwesties namens ons te overwegen (kwesties? Laten we even pauzeren...), iemand die zich onder deze volstrekt onnodige en ondraaglijke psychische druk best aan een touw aan een boom zou kunnen verhangen, of die de zijkant van zijn nek (het past!) op een spoorstaaf van een spoorlijn zou kunnen nestelen. Jeeezus, Luke! Het gelúíd van de naderende trein, de stalen huivering in de koude rails...'

'Redmond, Redmond! Zielige ouwe Wurzel! Wat probeer je te zeggen?'

'Ja, ach, sorry, je hebt gelijk, het is gewoon dat mensen in van die welgemanierde, aangepaste, formele clubs (die nog altijd niet zo erg zijn als de diplomatieke dienst, onthoud dat goed) wel een valse bordpapieren persoonlijkheid móéten ontwikkelen om het te overleven. Ze passen zelfcensuur toe. Dat moeten ze wel – ze weten niet eens dat ze het doen. En daarom kúnnen ze je gewoon niet de waarheid vertellen, niet precies – en de gróte uitzondering is: Gibbon! Maar die heeft dan ook geboft. Die is hem als een gek gesmeerd... want hij had geld. Eigen geld. Daardoor kon hij dat doen! En moderne filosofie? Wat heb je daaraan? Zeg je dat soms? Dat ligt voor de hand! Die verschaft ons allemaal weliswaar geen enkele kénnis – net als de studie van de Engelse literatuurgeschiedenis – en levert niets nieuws op voor het belasting betalende publiek! Nee! Dat doen exacte wetenschappen, muziek, literatuur, kunst, archeologie, geschiedenis – nee, de grote waarde ervan, het sociale belang is er voor de filosofen en critici en hun studenten zelf: die krijgen toestemming in alle andere disciplines te gaan lezen. En op de lange duur hélpt dat: het verschaft werkelijk een zekere ontwikkeling!'

'Aye, maar je púnt!'

'Ja, ja, dat héb ik je toch verteld! Of niet? De Britse marine in de negentiende eeuw! In die tijd! De meest consequent succesvolle groep vechtende mannen – gedurende de langste periode – die de wereld ooit heeft gezien!'

'Fantastisch!' En toen schreeuwde Luke naar ik vrees: 'Gelul!'

'Moet je hóren, Luke, het baarde me zelfs als kind op school al zorgen, echt, het idéé van de verdorven presgang. Want het sloeg nergens op. Helemaal nergens. Gelul, zoals jij zou zeggen. Het gelúl dat we hebben moeten leren: we werden geacht te geloven dat zo'n presgang op vrijdagavond op pad ging om arme domme dronken boerenjongens uit de buurt op te pakken in de kroegen, de pubs rond de marinebases in Plymouth of Portsmouth of waar dan ook. Dat slaat nergens op! Natuurlijk niet! Kijk, ik ben opgegroeid in een boerenparochie, mijn peetvaders waren boeren en ik was graag op boerderijen – er was geen groter genoegen op aarde, álles daar (en bovendien, Luke, als je weet dat de vrouwenvereniging of de kring van pasgetrouwde vrouwen of het koor of de kerkenraad wordt verwacht, al die afschuwelijke stoelen in een kring, dan kon je op je fiets springen en als een gek trappen om finaal weg te komen en écht te worden verwelkomd en échte vriendschap te ontmoeten op een van de boerderijen van de familie Henley, drie in totaal…).'

'Redmond!'

'Sórry, Luke, ik dwaal weer af, zoals je al zei. Jezus, Luke, je hebt gelijk, het is precies zoals je hebt gezegd: dit is veel erger dan welke vorm van drugs ook – maar dat heb je niet gezegd, hè? Nee, natuurlijk niet! Omdat jij nooit zo'n wrak bent geweest als ik – jij hebt nóóit drugs gebruikt! Maar aan de andere kant hoef je niet zo zelfgenóégzaam te zijn: misschien komt dat doordat je jóng bent. Je hebt er nog nooit tijd voor gehad! Maar goed, dit gevoel, dat is eigenlijk knap angstaanjagend, zelfs voor zo'n oude ex-softdrugsgebruiker als ik: de jaren zestig, Luke! Lang voor je bent geboren! Maar je hebt gelijk – geen wonder dat de vriendelijke, verfijnde, favoriete martelmethode van ondervragers in het leger bestaat uit het onthouden van slaap! Want op dit moment zou ik alles zeggen! Alles! Ik kan er niet mee ophouden! Zo heb ik me nog nóóit gevoeld: de chef, de organisator, je weet wel, de inwendige harde jongen aan wie we soms een hekel hebben maar die we altijd gehoorzamen, de grote baas, die onze gedachten regelt, Luke – die is er niet meer! Hij bestaat niet meer!'

'Aye, aye, wees toch niet zo'n stákker, ik heb je gewaarschuwd! En nu is het zover! De jongens, Redmond, jézus, die maken dit op élke reis van twee weken mee. Hun héle werkzame leven. Ik heb het je verteld. En jij, jij vindt jezelf bijzónder. Maar je stond op het punt iets te zeggen! Ja, vertel het me: de Britse marine!'

'Luke! Je hebt het volkomen mis! Hoe durf je te zeggen dat ík mezelf bijzonder vind! Lazer op, man! Als ik dat dacht, al was het maar víjf minuten per dag, zoals jij zou kunnen zeggen, dan zou ik niet mijn voorgeschreven antizelfmoordpillen hoeven in te nemen, échte levens-redders, dank je, dánk je, wetenschap: Prozac. En toevallig, een echte bof, heb ik lang geleden het genie, de man ontmoet die het spul heeft ontdekt of uitgevonden of gemaakt: fluoxetine. Een wondermiddel als geen ander, een levensredder, net als jij (en ja, ik hoor je wel, Luke, maar dat doet het ook voor jou, uiteindelijk: het voorkomt dat je je zelfs maar gaat áfvragen of je leven het wáárd is om gered te worden). Dat genie – en Luke, hij was zó stil en verlegen en teruggetrokken en bescheiden dat ik me niet eens meer zijn naam kan herinneren – hij zat tegenover me bij een diner dat Mark Boxer gaf voor Anna Wintour, de hoofdredactrice van de Amerikaanse *Vogue*. Hij was haar man, die was meegekomen. Dus vroeg ik hem wat hij deed. En hij zei: "Wilt u dat écht weten?" En ik zei: "Ja, echt!" Want er straalde ineens een licht in zijn ogen en daarom wilde ik het écht weten. "Nou," zei hij terwijl hij opleefde als een hommel die er eindelijk in is geslaagd genoeg zonne-warmte op te nemen om te kunnen vliegen, "ik weet niet over hoeveel natuurwetenschappelijke kennis u beschikt" – dat zeggen ze; zo praten ze! – "en zelfs niet of u in het onderwerp geïnteresseerd bent, maar ik zal het u toch vertellen. De afgelopen paar jaar heb ik de hersenen ver-zameld van jonge mensen die in de Verenigde Staten zelfmoord hebben gepleegd, en dat zijn er héél wat, neemt u dat maar van mij aan, en de gevaarlijke periode loopt van zestien tot vijfentwintig jaar. Sommige ouders zijn natuurlijk veel te kortzichtig of te overstelpt door verdriet om zich door mij te laten helpen (of eigenlijk om alle anderen die later komen, op lange termijn, door mij te laten helpen) en me het bewijs-materiaal te laten verzamelen dat ik nodig heb, maar desondanks heb ik een gigántische steekproef (omdat het zo'n zeer veel voorkomende doodsoorzaak is onder de verder gezonde jeugd van de Verenigde Sta-ten)... een steekproef die véél groter is dan significantie in statistie-ken vereist. En dat is een vreugde voor mij. Persoonlijk. Omdat mijn vermoeden van één op honderd over dit punt volkomen juist blijkt te zijn. En in het algemeen, in professioneel opzicht. Want ik denk dat ik veel van die zinloze, stomme sterfgevallen op jeugdige leeftijd in de toekomst kan voorkomen... Ik denk werkelijk dat ik dat kan! Want al die hersenen – die stop je in een centrifuge en dan analyseer je de brij die daaruit komt – hadden één ding gemeen: een afwezigheid van, een totaal gebrek aan een geheimzinnige chemische stof: serotonine. Maar bij de controlegroepen, jonge mannen en vrouwen van dezelfde leeftijd die bij auto-ongelukken en andere ongelukken om het leven waren gekomen, hadden de serotonineniveaus bijna altijd een normaal constant gehalte. Die ene chemische stof noem ik nu dus de stof van het geluk! En ik geloof echt dat ik de achteruitgang en verstrooiing ervan in de hersenen wellicht kan voorkomen, dat ik die stof in de hersenen kan bewaren!'"

'Aye! Mooi werk! Maar Redmond – bezopen! De marine? De Britse marine op zéé?'

'Ja, ja Luke, maar als je me niet telkens in de réde viel, zou ik je dat ook kunnen vertellen, hè? Ja, op die boerderijen waar je het over had, waarop we zijn opgegroeid, jij en ik – ja toch? – nou ik zeg je dat ik zelfs als kind van tien al príma wist dat geen enkele veeboer, geen enkele tractorbestuurder dóm was. Geen spráke van! Want in dat geval zouden ze subiet hun baan verliezen. Geloof me, er bestaat niet zoiets als een dómme landarbeider. Zijn kennis kan dan bepérkt zijn, zeker, maar op zijn terréin moet die bij wijze van spreken hetzelfde niveau hebben als die van een in sociaal opzicht halfgare professor Sanskriet... En toen ik een paar jaar geleden mijn eigen kinderen rondleidde over Nelsons geweldige vlaggenschap van de slag bij Trafalgar, de Victory, die nu in Portsmouth permanent in het droogdok ligt, met al het stilzwijgende houten bewijs dat je ooit nodig zou kunnen hebben, drong het antwoord tot me door. Natuurlijk! Daar had je het: de Victory! De ideále club! Hemels! Al die kerels die bóven op elkaar leefden. En de zogenaamde kardoeshalers, de postpuberale jongens die zich al – neem me niet kwalijk – volkomen bewust waren van hun seksuele voorkeur, de jonge jongens die tijdens de strijd het kruit uit de vaten haalden, die de kanons van kruit voorzagen – daar waren er massa's van, en ze waren ter plékke. En iedereen kreeg ervoor betááld! En er probeerde vrijwel nooit iemand te drossen, te vertrekken uit die club, ZrMs Hemel, ook al kregen gewone matrozen verdorie geen verlóf, geen tijd om de wal op te gaan, geen kans om hun familie te zien, en laat dít tot je doordringen, Luke, zelfs niet na Trafalgar, Jezus! De Victory bewapende zich gewoon opnieuw, proviandeerde en voer meteen weer uit. En zodoende? Snap je wel? En bovendien mag je ook niet vergeten dat er alle

SM was die een fatsoenlijke homo zich maar kon wensen, álles wat tot dan toe was uitgevonden, de kat met negen staarten, de hele handel! De héle Britse marine was honderd jaar lang homoseksueel! En Luke, ik vind gewoon dat mensen zoals jij en ik, die van vrouwen houden, hier niet zo onzeker, niet zo kleinzíélig en laf over moeten doen, niet zo op ons eigenbelang gericht moeten zijn. Ja! We zouden moeten zeggen: "BEDANKT JONGENS!" We zouden hen moeten bedánken dat ze iedereen die ons wilde doden, die ons gezinsleven wilde verstoren of onze kinderen het brood uit de mond wilde stoten ongenadig op zijn lazer hebben gegeven! Ja, maar waar is die dankbaarheid? Waar is het respect dat die kerels verdienen? En in de strijd? Stel je voor! Hetzelfde systeem als in Sparta: de jonge seksobjecten vooraan. Hun stoere minnaars, precies één op één, in het derde gelid. En mijn god, zodra de Britse enterhaken zich vastklampten, klauterden ze aan boord van die arme heteroseksuele Franse schepen. En het probleem? De onzin over die verdorven presgang? Nee. Zo is het niet gegaan. Absoluut niet. Nee, in heel Engeland en Wales en Schotland spaarden jonge homo's hun laatste cent om de rit per kar te kunnen betalen naar de dichtstbijzijnde haven waarvan ze hadden gehoord dat de rekruteringsteams van de marine – uiteraard allemaal homo's – daar actief zouden kunnen zijn, en zodra ze daar waren namen ze de gedragscode voor homo's in acht (en dat is ónze schuld, Luke, door onze lompe, psychisch verdedigende, brallende onderdrukking van de meerderheid, daarom móésten ze wel een gedragscode hebben) en ja hoor, inderdaad, zodra ze er waren gingen ze platzak en nuchter voor een veelbelovende pub liggen. En ze werden naar de hemel gedragen!'

'Fantastisch!'

'Ja, en daarom, Luke, als je op een andere manier gelukkig wilt zijn, als je een gerégeld bestaan wilt gaan leiden, zoals je zegt, zul je de reddingsboten moeten opgeven! Want tóé nou, zó jong ben je ook niet meer en je hebt het allemaal al gedaan, je bent al jaren heldhaftig! En als je dat nog veel langer blijft doen, hier in het noorden, dan weet je het beter dan ik, hè? Statistisch gezien, zoals jij zegt. Nog twee of drie jaar. En dan ben je dood, Luke, dan verdrink je. Weet je nog van de Longhope? Daarvan is geen enkel bemanningslid teruggekomen! En het waren allemaal vrijwílligers, net als jij, die gratis andere mensen het leven redden! En allemaal dóód.'

'Aye.'

'Dus nu is het zover. Vooruit! Je bent er een kéí in. En Luke, ik kan het verdomme weten! Jeeezus, Luke, ik weet alles van lesgeven en academische obsessies – heel zeldzaam! – en ik heb je in actie gezien, en kijk, jezus, Luke, ik ben oud genoeg om je vader te zijn en toch, na al die dagen en nachten zonder slaap – en wat voor normale student kan dat zeggen? – breng je al die vissen nog steeds voor me tot leven. Vissen! En wat had er, voor jij me het tegendeel leerde, voor jij me inwijdde in hun onmogelijk oeroude biologie, in hun zonderlinge, hoogst angstaanjagende, in hun waarlijk bizarre, gangsterwrede en meer, in hun onverwachte en schokkende persoonlijke leven: wat had er sááier kunnen zijn, biologisch bekeken of gewoon bezien vanuit het standpunt van algemene onwetendheid? Víssen verdorie! Vissen! Maar nu weet ik wel beter, en daarom Luke: word leraar! Word docent! Ga een geregeld bestaan leiden! En ik kan je nu al zeggen, Luke, nu metéén: als we dit overleven, als we hier ooit levend wegkomen, en als ik dan op de academische roddellijn, wat beslist zal gebeuren, hoor dat jij ergens, waar dan ook, hebt gesolliciteerd naar een docentschap in mariene biologie, dan zal ik de baas verdorie persoonlijk opbellen en dan zal ik hem of haar ogenblikkelijk vertellen dat jij er zelfs niet mee kon ophouden een dombo, een pre-eerstejaars, onbevoegde dombo meer over je vakgebied te leren, omdat je er zoveel van hield – en dat gebeurde nota bene allemaal op een commerciële tráwler in een zeer zware storm van windkracht 11 met uitschieters naar een orkaan van de eerste categorie, windkracht 12! Wat zeg je me daarvan?'

'Vreselijk! Dat is vreselijk! Want als jij mijn referent bent, zullen ze weten dat het volstrekt hopeloos is, want het is zonneklaar: jij, jij raaskalt! Maar dat geeft niet. Daarom vergeef ik je! Want het zal niet gebeuren, want het kan niet gebeuren. Want ik kan het niet, Redmond. Ik kán het gewoon niet. Ik kan niet lesgeven. Ik kán het podium niet op gaan!'

'Hé, Luke, vertel me eens wat dat voor angst van je is? Alles is in orde, Luke, rustig maar. Laten we dit eens aanpakken. Laten we dit samen doen. Goed? Laten we het nú onder ogen zien...'

Luke zweeg.

En daarbuiten was de zee ronduit vreselijk, dat zou iedereen zeggen, en wat is het gemakkelijk, dacht ik, om resoluut, zelfs dapper te klinken ten behoeve van een ander (wat een genoegen!), en het geluid van die gigantische, moordzuchtige, onverschillige kracht daarbuiten is erger, wordt erger…

'Nou, Luke, vertel het me!' gilde ik. En toen, nadat ik mezelf weer enigszins in de hand had gekregen en het volume had aangepast, zei ik: 'Nou, Luke, vertel me eens, wat ís dat voor angst van je? Niet kunnen doceren? Nou? Neem me niet kwalijk, maar het interesseert me. Omdat ik het heb gedaan, talloze keren. Dat hoort soms bij de baan, als schrijver. Dan doe je dat dus een maand of twee. Of hoelang het maar moet duren. En de kunst is dat je doet of je iemand anders bent, jezelf maar dan blakend van zelfvertrouwen, de vechtjas in je. En dan doe je het. En na afloop eist dat zijn tol, bij wijze van spreken, en word je waarschijnlijk ziek, pik je een kortstondige infectie op, maar in elk geval trek je je in bed terug, waar je droomt en droomt, twee dagen en nachten, of nog langer, en je wauwelt, en jengelt. Maar dat weet niemand, als je boft, dat weten alleen je vrouw en kinderen – maar dat is waar, die vergeten dat nooit. En dan kom je weer te voorschijn, en kun je weer werken. En daardoor ben jij eigenlijk de enige die de vertraagde inwendige angst, de paniek hebt opgemerkt…'

'Ach. Nee. Dat is normáál. Dat is het niet! Het is veel érger. Het is het pódium, weet je, dat je op een podium moet staan!'

'Een podium? Een podium? O tóé nou, Luke, dat weet je heel goed: zelfs als professor ben je niet altijd voornaam genoeg om een pódium te krijgen…'

'Maar ik wel! Echt! We moesten geld inzamelen voor de reddingsbrigade! Je weet wel! Alle bemanningsleden van Aberdeen moesten ermee instemmen om mee te doen! En voor de reddingsbrigade was dit een gebeurtenis die écht van belang was, Redmond, want Aberdeen zat toen… vol oliegeld… was de rijkste stad in het Verenigd Koninkrijk. Daarom lieten ze ons geen keus! Het was een zakendiner van Shell, voor twee hele afdelingen van het bedrijf. Je weet wel, honderden mensen, en iedereen in smoking, in avondjapon. Allemaal heel formeel. Welgemanierd. Officieel. Hoogwaardigheidsbekleders, weet je wel! En het was een groot podium, met verlichting, als in een theater.'

'Goed zo! Je hebt het gedaan!'

'Nee… Helemaal niet… Je begrijpt er niets van! Je hebt geen idee… Zoals ik al zei koos de reddingsbrigade dus vijf mannen uit de bemanning van de reddingsboot van Aberdeen en dat was dat, en ik was er een van. En we oefenden, telkens en telkens en telkens weer, in de kleed-kamer van het nieuwe reddingsstation dat een vermogen heeft gekost – en al dat geld is opgebracht door de plaatselijke bevolking, weet je, en dat is schríjnend, de steun van de plaatselijke bevolking, want de meesten kunnen zich de bedragen die ze geven niet veroorloven, zijn helemaal niet rijk: ze gelóven gewoon in ons. En hoewel we inderdaad geen cent krijgen, gaat het daar niet om: het gaat erom dat al die plaat-selijke mensen in ons gelóven. Stel je voor! Een of andere chauffeur van een bestelbusje werkt zich elke dag in de omgeving van Aberdeen uit de naad – en toch geeft hij ons een deel van zijn gezwoeg, contant geld dat hij voor zichzelf had moeten bewaren… En daarom gaat het niet alleen om ons, weet je, wij zijn alleen de enigen die de adrenalinestoot krijgen, de schuld als we te laat komen, de lof als dat niet zo is!'

'Wacht even, Luke! Je had het over die lézing die je hebt gegeven… Daar wil ik echt meer over horen! Die lezing op dat grote podium?'

'Aye. We hebben heel lang geoefend. We hebben er uren aan besteed. En toen brak de dag zelf aan, je weet wel, waar ik zo tegen op had gezien, als tegen een of ander vreselijk examen, al die dagen daarvoor en al die dagen die daarna komen waarvan je niet kunt geloven dat ze ooit zul-len bestaan, die verre datumloze dagen van onvoorstelbaar geluk…'

'Luke, het podium?'

'Aye. Tja. Toen die dag aanbrak moesten we achter de schermen blij-ven, in onze volle uitrusting, van acht uur 's avonds tot middernacht. En drinken was natuurlijk niet toegestaan. Dus je kunt het je wel voor-stellen… je kunt je wel voorstellen hoe erg het was!'

'Hè?'

'Aye. Ik had liever een kreet gehad, in januari, in mijn veiligheidsgor-del gesnoerd in de kajuit, weet je, terwijl buiten je ballen eraf vriezen en jij binnen zit, als mensen in een minibusje of zo, behalve dat je slingert – niet gewoon tot aan de reling, weet je, maar 360 graden rond als het echt tekeergaat, want de boot kapseist, slaat om, schiet door en richt zich weer op, zo is ze gebouwd, waardoor je nauwelijks vaart verliest, en ondertussen blijft ze maar afgaan op de GPS-positie, op de herkomst van het noodsignaal. En je bent klaar om in actie te komen; iedereen weet wat hem te doen staat als je er bent. En als we het doel bereiken, klauteren we aan boord als die matrozen van jou, Redmond, alleen zijn we voor zover ik weet toevallig geen van allen homoseksueel! Aye, allemaal reddingslijnen, opblaasbaar spul, werkelijk alles wat een boot kan doen – en als het echt erg is, roepen we de RAF-helikopter van Lossiemouth erbij. Dat is dus nergens mee te vergelijken! Daar kan niets tegenop! En dan gespen we de overlevenden in de stoelen in de kajuit of op de brancards en verlenen we eerstehulp – en dat is soms zwáre eerstehulp, weet je, brandwonden, van alles – en als ze goed genoeg zijn, geven we hun soep, heel veel soep. En je houdt het niet voor mogelijk hoe blij ze zijn! Aye! Tijdens die terugtocht van een paar uur naar de haven van Aberdeen houden ze van ons, die andere mensen, die vreemden, die we niet kennen! Kun je dat geloven?'

'Ja, Luke, dat kan ik! Echt – maar Luke, laten we dapper zijn en dit afhandelen! Goed? Ja? Het podium! Het podium, weet je nog wel?'

'Ach, jezus, och aye, Redmond, het podium – daar stonden we dus, in onze volledige reddingsbootuitrusting, inclusief helmen, en dan wordt het middernacht. En Redmond, het was zo verschrikkelijk dat je je in alle bochten wrong. En dat ben ik nooit meer kwijtgeraakt...'

'Nee?'

'Want onder ons verstandige, briljant ontworpen en grondig uitgeteste tenue, je weet wel, onze overlevingspakken met allerlei zeer bijzondere en kostbare standaardextra's van de reddingsbrigade – dingen die werken, telkens weer, zelfs in zulk weer als dit en daarbuiten, midden in zee als je pech hebt – daaronder, Redmond, onder dat tenue dat ik werkelijk respecteer, droegen we zo'n ronduit afschuwelijke, akelige, kleine, misleidende string, een minuscule rode string.'

'Een string?'

'Aye. Pornospul. En ze zitten zo naar! Ze schuren je je-weet-wel eraf!'

'Wat?'

'Aye. Het wordt dus middernacht en we gaan op. We marcheren op, in een rij. En dan begint de band te spelen, die vreselijke melodie. Daar denk ik nog steeds aan, telkens wanneer ik mijn helm vastgesp voor een kreet: "Je kunt je helm ophouden!" Aye. En wij, als reddingsmannen – deden de *full monty*...'

'Maar Luke!' En ik lachte echt: alle krankzinnige spanning van de angst, de houwitserklappen tegen de ingestulpte versleten en verroeste platen van de romp een paar meter bij ons hoofd vandaan, dat loste allemaal op in bulderend gelach. 'Luke...! Luke...! Maar Luke...! Je zult je niet hoeven uit te kleden!'

'Aye! Tja… misschien niet. Ik weet het niet. Misschien niet. Maar zo zal het voelen! Zo zal het beslist voelen!'

'Nee, Luke, geen sprake van. Ik geloof zelfs dat ik zonder enig risico kan zeggen, echt – kijk, Luke, als je je uitkleedt terwijl je op academisch niveau staat te doceren… denk ik dat we kunnen zeggen… denk ik dat we met enige overtuiging kunnen zeggen dat je dan de zák krijgt!'

'Aye. Tja, misschien. Daar had ik niet aan gedacht. Het is zoals je zegt, het is het onderbewuste, neem ik aan. En het is niet grappig! Dat heb je zelf gezegd! En ik wil er níét over praten! Goed? En nu we toch bezig zijn, die vléten, weet je nog wel?'

'Ja?'

'Aye. Er is één dingetje waar ik graag je méning over wil weten.'

'Míjn mening? Is het heus? Meen je dat werkelijk?'

'Aye. Weet je nog dat je zei dat je het zo leuk vond zoals die vleten naar je glímlachten?'

'Ja.'

'Mooi zo! Dan kun je me misschien vertellen waarom een vleet volgens jóú twee ogen wil hebben, waarom een vleet twee ogen wil hebben, de énige die hij heeft, die recht in de modder staren?'

'Hè?'

'Bezopen! De ogen zitten waar ze horen te zitten: boven op de kop! Bezopen! Bezopen! Bezopen! Die gaten waarvan je dacht dat het ogen waren, dombo, waren hun néúsgaten!'

Iemand deed het licht aan; Sean had het licht aangedaan: 'Uit de veren, jongens! Jullie hebben acht volle uren gehad! En de storm is gaan liggen; er staat daarboven weliswaar nog een zware deining, maar het is hélder! Je kunt de zon zien! Zonlicht! Te gek! Het is geweldig! We léven. Je kunt de zon zien!'

Sean kwam dicht tussen de kooien in staan, ter hoogte van onze hoofden, vertrouwelijk: het was duidelijk dat Sean geen slaap had gehad, zijn grote rode ogen, de vervellende huid op zijn neus, zijn gezicht vol rode vlekken. Hij was de jongste, herinnerde ik me, dus misschien had hij wacht moeten blijven lopen op de brug – het was mogelijk dat Sean al ruim veertig uur geen slaap had gehad…

Lukes krullerige, donkerharige hoofd was naar bakboord gedraaid, lag gezichtsloos op het kussen, dood of slapend – en Sean, die kennelijk van plan was in een uiterst strikte beslotenheid van man tot man te fluisteren, boog zich diep over Lukes linkeroor heen, maar onder druk van zijn hoge nood, of misschien doordat hij tengevolge van veertig uur zonder slaap alle remmingen kwijt was, schreeuwde hij – zo hard dat ik het kon horen, zo hard dat Jason het op de brug kon horen: 'Het is Bryan! Dat is een grote eter! Daar is niks aan te doen… Hij houdt de onze bezet! Hij houdt de onze weer bezet! Daar is niks aan te doen. Zo is Bryan nou eenmaal! Dus… alsjeblieft…! Luke? Mag ik jouw wc gebruiken?'

Lukes benen sloegen uit in hun blauwe slaapzak. Ze dreven hem – en de blauwe slaapzak – van de kooi en aan bakboord uit het zicht.

Sean, die toestemming had gevraagd, zijn eer tevreden had gesteld, rommelde met het touwtje achter de open deur, maakte de knoop los, sloeg de verbogen staalplaat zo ver dicht als maar ging en bond hem met onverwachte zedigheid dicht.

Luke zei ergens vanaf de vloer rechts van me, heel helder: 'Redmond, dat is waar ook... wat is er met mijn rode koektrommel van Jacob gebeurd? Ze zijn zeldzaam, de rode trommels... Die hebben een ander formaat... En dat was mijn állerbeste trommel!'

Maar ik was al aangekleed en al half de hut uit. En ik werd opnieuw door de stalen deuropening gesmeten. Ik viel languit naar rechts, in de gang naar de kombuis; ik herstelde me; ik klom als een spin de trap op naar het schutdek. Toen ik een ogenblik in gedachten verzonken voor de kledinghaken links van de trap stond, herinnerde ik me dat ik mijn zeelaarzen en oliegoed de dag of de nacht daarvoor in de verwerkingskamer had achtergelaten: ja, het kwam weer allemaal terug, wat erg, wat een afgang: ik had te veel gepraat, ik had gepraat, ik had in één keer meer geleuterd dan ooit tevoren, waar dan ook. Was ik soms gek geworden? Of vergoelijkte ik het daardoor voor mezelf? Wat had ik in vredesnaam tegen Luke gezegd? Ik had er geen idee van – maar het was erg, heel erg, dat wist ik zeker, en terwijl ik mijn concentratie verloor stond ik evenwijdig aan en niet loodrecht op een trage, gigantische slingerbeweging. Ik begon aan een hulpeloos holletje naar achteren, en daar was ik dan: op mijn sokken, bang, weer helemaal terug op mijn eigen plek van innerlijke vernedering. Daar was ik dan weer, op die plek vlak voor de dood, met mijn rechterwang tegen de ijskoude vastplakkende zijkant van de eerste winch, met mijn linkerhand en de vingers daarvan, die snel elk gevoel kwijtraakten, stevig om mijn vertrouwde redder gesloten, de uitstekende stalen bout...

Goed, dacht ik, hier sta ik in elk geval véilig, en ik zal niet vallen en door dat enorme spuigat naar buiten glijden, en mijn voeten – ze zijn gruwelijk koud in deze sloot water, maar ze zullen weldra helemaal geen pijn meer doen, dan voel ik ze niet meer, dus dan is dat ook in orde: en daar zijn mijn jan-van-genten en drieteenmeeuwen, zo vlakbij, zo enorm mooi, en Sean heeft gelijk, als altijd, want dit is het licht van de vroege ochtendzon onder de poolcirkel... Maar hé, wacht eens even, want dat is echt heel vreemd, die kuil daar, die verschijnt en weer verdwijnt op die gigantische onregelmatige deining – op die golven die eruitzien alsof de glooiende groene heuvels uit het Wiltshire van mijn jeugd zich van hun vaste gesteente hebben losgemaakt en me achterna zijn gekomen... En die kuil, die is rood, licht en zilverig en bloed-rood... En ik schreeuwde in de wind, even hard als Sean: 'Rode vis! Die vis is rood! Rode vis!'

'Aye!' zei Luke, vlak achter me (waar kwam hij ineens vandaan? Waarom liet hij me zo schrikken?). 'Roodbaars. *Scorpaenidae*. Schorpi-oenvissen. En hier behoren ze tot de soort *Sebastes*. Aye! Dit is anders. Opwindend. We zitten in het gebied van de roodbaars! Kom mee!' En met de kracht van een man die drie keer zo groot was als hij (maar dat is een verkeerde vergelijking, stelde ik mezelf gerust, die is alleen van toepassing op mannen die op het lánd leven) dreef de kleine Luke me terug naar de veiligheid van het schutdek, waar zijn toon veranderde: 'Wat haal je verdomme in je hoofd?' Lukes Engelse accent was boven-gekomen; Luke was kwaad; Luke was heel kwaad, misschien zelfs woe-dend (en daarom was Luke bijzonder: want Luke maakte zich druk om me... Hij maakte zich werkelijk druk om me...). 'Jezus!' zei hij. 'Besef je wel wat je deed? Je stond daarbuiten op je sókken! Dacht je soms dat dat leuk was of zo? Nou? Denk je dat bevriezing een lolletje is? Denk je dat? Als een of andere arme chirurg in Aberdeen je tenen moet am-puteren? Dat komt zoveel voor! Maar dat gebeurt alleen als het érnstig is, als iemand hier in het noorden overboord is geslagen en als hij zijn laarzen uit moet trappen om naar de ramp te zwemmen als dat gaat... En hoe denk je dat je zult lopen, zonder tenen? Nou? Denk je dat dat leuk is? Om daar voort te waggelen op niets anders dan je sokken? Stomme raaskallende eikel die je bent? Nou?'

'Het spijt me... Ik wilde niet... Ik ben...'

'O voorúít,' zei Luke, die me de gang in duwde. 'Ga je voeten drogen en wríjven en zoek een paar ándere sokken – je hebt er godverdorie ge-noeg – de hut ligt er vól mee! De puinhoop – de púínhoop die jij ervan maakt!'

Beneden in de verwerkingskamer stond de waterdichte deur naar het nettendek open; Luke en ik (in volledige stripuitrusting) keken hoe Robbie aan bakboord en Allan en Jerry aan stuurboord met de grote berg groen net meebewogen, terwijl ze zich aan de bovenkant vast-klampten en nog meer uit de achteroplopende zee aan boord trokken. Wanneer de Norlantean naar bakboord slingerde, gleed het net over de door zeewater overspoelde stalen helling naar beneden en klemde Robbie tegen de zijwand; wanneer ze zich weer begon op te richten stompte Robbie met zijn rechterhand in het buiswater naar Allan en Jerry boven hem – en dan kwam hij met het net omhoog... en gleed naar stuurboord, waarop Jerry, van beneden, een stomp naar Robbie toe smeet... Ik dacht: ze trekken aan dat net met elke spier in hun bovenlichaam en ze zijn bij deze vreselijke deining op een paar meter van de ramp aan het wippen: ze hebben nog altijd energie om te spélen...

'Kom mee,' zei Luke, 'ik moet je van alles laten zien. En bovendien is het gevaarlijk met deze deur open. Dat is geen goed idee.' Hij sloot de deur met moeite. 'Het wordt nu allemaal anders. Roodbaarsgebied!' Hij stak zijn hand omhoog om naast de bedieningshendels boven de striptafel een stuk staal, een messenzetter te voorschijn te halen, een taps toelopende staaf ruw staal met een houten heft, van dat uitermate huiselijke staal dat je in de lengte aan weerszijden langs een voorsnijmes verwacht te zien schieten (waarbij je speekselklieren kwijlen als die van een van Pavlovs honden) voor dat onmogelijke, onbereikbare genoegen: een zondags braadstuk met je gezin in een huis dat je niet rondsmijt... Luke griste een paar stripmessen uit hun bergplaats boven de buizen links van hem, dicht tegen het plafond. Een mes met een rood plastic heft met daarin, zoals ik wist, LOEWEN MESSER met de bijbehorende liggende leeuw aan de linkerkant, wanneer je het mes in je blauw gehandschoende rechterhand hield, en met SOLINGEN GERMANY 825 aan de rechterkant – terwijl ik graag, besefte ik, echt héél graag het andere mes wilde hebben dat hij vast had, het onvervalste, doodgewone, effen, ongemarkeerde, met dubbel staal geklonken alledaagse mes... Als je dát mes maar kunt gebruiken, zei mijn onderbewuste, of spiegelde me dat voor of hoe je maar denkt dat het machtige, sterk controlerende onderbewuste communiceert, als je dat speciale mes maar kunt hebben, het enige stripmes aan boord met een houten heft, dán kan je onmogelijk iets ergs overkomen. En ho even! zei mijn toegetakelde bewuste denken, het rationele deel van me waar ik nog steeds enigszins trots op was: wat is dít? Denk je dat je het bijgeloof van diepzeevissers op een academische manier aan het bestuderen bent? Hé! Hebben we je niet zonet betrapt? Wie is nu óveral bang voor? Wie heeft dat allemaal heel verstandig overgedragen op één lullig mesje met een houten heft? Nou? Enig idee?

Luke gaf me het mes met het plastic heft, scherp en fris en klaar om aan de slag te gaan. Hij legde het aanzetstaal terug. Hij had in zijn rechterhand het mes met het houten heft, waardoor ik werd gebiologeerd.

'Goed,' zei Luke, die de bedieningsplaats innam aan de striptafel (en ik klemde me vast op mijn gebruikelijk plek naast de stut, waar ik me veilig voelde), 'vlak voor je, ingekerfd in elk deel van de tafel, ja? Twee lijnen naast elkaar? Ja? Mooi zo. Roodbaars hoef je alleen maar te meten langs de standaardlengte van het ministerie van Visserij. Als ze te klein zijn, laat je ze in de afvalbak liggen. Als dat niet zo is gooi je ze in de buis...'

'Hé, Luke...'

'Aye, en we krijgen drie verschillende soorten, als we boffen: de echte roodbaars, *Sebastes*: de *Sebstes mentella*, de diepzeeroodbaars, en de *Sebastes marinus*, de roodbaars, mijn favoriet, echte joekels, en dan de Noorse schelvis, kleine gedrongen dieren die hun jongen levend baren. En ze hebben állemaal vlijmscherpe stekels langs de rugvin – en om je te verrassen nog een extra stel bij het kieuwdeksel. Je handschoenen, Redmond, wat je ook doet, er blijft niets van over! En je handen? Speldenkussens! Maar de wonden genezen, de meeste tenminste – en dat is nog niet eens het mooiste, nee, dat zijn hun parasíeten. Wacht maar af! Ik ben dól op parasieten... Miljoenen jaren! En daar zijn ze dan, perfect, want nu...'

'Hé, Luke, neem me niet kwalijk... maar zouden we onze messen kunnen ruilen? Weet je, ik heb... tja, ik héb iets met dat mes met het houten heft. Het is niet echt bijgeloof, weet je... nou ja, eigenlijk wel natuurlijk... Maar aan de andere kant,' zei ik, ineens geïnspireerd, 'is het niet erger dan wat jij hebt met die rode koektrommel van Jacob, hè? Ach, misschien ook wel... maar desondanks, Luke, kunnen we ruilen? Alsjeblieft? En bovendien, kijk, het spijt me, ik had het je moeten zeggen, maar het lijkt zo onwaarschijnlijk en moet je horen, het is niet iets wat ik vaker doe, maar die knóbbel waar je het over had, nou ja, toen hing ik ineens in de lucht, zweefde vlak boven je kooi, en ik ben met mijn rechterbil boven op jouw trommel terechtgekomen en op een of andere manier is dat allemaal nogal smadelijk...'

'O, zit het zo? Dan is er niks aan de hand,' zei Luke, alsof dat zonder meer waar was. 'Dan is het in orde!'

We wisselden van mes, gooiden ze over de tafel.

'Maar die rode koektrommel van Jacob, weet je, dat was mijn béste trommel, ze hebben een ander formaat, de rode, die zijn zeldzaam, die kun je moeilijk te pakken krijgen en ze zijn perfect voor de grotere monsterflesjes, en bovendien was ik op dat ding gesteld, en nu ligt het in duigen, is het kapot. Is het weg!'

Robbie, op de bedieningsplaats, vulde de vakken van de striptafel. Luke stond links van me, Jerry rechts. De roodbaarzen waren ongeveer veertig centimeter lang, bedekt met schubben, voelden stevig aan en zagen er precies zo uit als vis eruit hoort te zien, met uitzondering van hun ogen, die enorm groot en rond waren en half uit hun kop puilden. De schubben op hun rug hadden echt een zachtrode kleur, die op hun buik overging in rozewit, en hun vinnen waren donkerder oranjerood. Hun onderlip stak uit en welfde omhoog, waardoor ze er permanent hongerig en bedelend uitzagen – maar ga je nu niet superieur opstellen, hoorde ik een inwendige stem tegen me zeggen, want we zijn ooit allemáál vissen geweest en als je me niet gelooft moet je maar eens naar het menselijk embryo kijken als die – wat zal het zijn? – een week of zes oud is: die heeft kieuwspleten… En deze vissen zijn schoon en slijmvrij en stevig om aan te raken en in alle opzichten móói.

'Luke,' zei ik, 'je hebt me niet verteld dat ze… dat ze móói zijn!'

'Hè?' zei Luke, die verdiept was in een in alle opzichten meer verstandige, eigen gedachtegang en ondertussen roodbaarzen, één in elke hand, door de buis in het midden gooide. 'Hun ogen? Dat klopt. Die zijn inderdaad iets vergroot. Want deze *Sebastes mentella* zijn opgevist op een diepte van ongeveer duizend meter, maar hun ogen zijn van nature reusachtig groot. Zoals je zelf kunt zien hebben deze vissen' – hij zwaaide er een voor mijn gezicht heen en weer – 'gekozen voor een strategie van zeer breed bewustzijn, snelheid – moet je hun spieren voelen! – en een semi-gepantserde verdediging. Schubben, geen glibberig slijm, en stekels, massa's stekels. Een stuk of vijftien op de rugvin, drie op de anaalvin. Maar we boffen: door hun snelheid boffen we, bij wijze van spreken, want hun stekels zijn niet giftig. Ze doen alleen píjn, meer niet. Daar kom je nog wel achter.'

'Door hun snelheid?'

'Aye! Die eist zijn tol, zoals je weet, in biologisch opzicht eist alles zijn tol, zoals ik je heb verteld, alles wat je besluit eist zijn tol: daarom zijn deze vissen bíjna snel en bíjna gepantserd, een klein beetje van beide strategieën. Ontsnappingsgeneralisten, zou je kunnen zeggen. Terwijl – is dat niet geweldig? – een nauwe verwant van ze – aye, fantastisch, bingo! – maar ik heb hem natuurlijk nooit gezien, dezelfde familie, de schorpioenvissen, *Scorpaenidae*, en wat dacht je? De steenvis, van het geslacht *Synanceia horrida* (horror is er niets bij, zeker weten!) dát is absoluut de giftigste vis ter wereld!' Jerry, rechts van me, staakte het sorteren van de vissen in zijn bak. Hij leunde voor me langs om dit verrassende nieuws beter te kunnen horen, zijn mond iets open; het haar op zijn hoofd was kort als een borstel en er zat een zilveren ringetje door de buitenste spiraal van zijn linkeroor, vlak onder het hoogste punt aan de achterkant, waar de neerwaartse gebogen lijn begint, en dat twinkelde naar me in het licht boven ons hoofd. 'Voor zover we weten, natuurlijk. Want zoals ik je al heb verteld – en dat mag je nooit vergeten – is 95 procent van de diepzee nog niet verkend. En dat is ook geweldig, hè? Maar denk hier eens over na: als de steenvis de giftigste vis ter wereld is, wat is er dan nog meer bijzonder aan?'

'Hij is langzaam!' riep ik uit, overrompeld, even opgetogen alsof ik weer terug was in de nooit vergeten simpele dagen van vroege opwinding: de ontlading en openbaring van biologie op school.

'Precies!' zei Jerry vlak voor me, vol aandacht, zonder zijn hoofd te bewegen.

'Aye!' schreeuwde Luke. 'Hij is zo langzaam dat hij zich niet verroert! Hij ligt op de bodem, net als een zeeduivel, maar in zéér ondiep water. Elke stekel heeft twee gifblaasjes vlak bij de top: je trapt erop en een schacht glijdt langs de rechtopstaande stekel terug en het gif wordt via een stel groeven in je gespoten. Je gilt het ogenblikkelijk uit van ondraaglijke pijn – vreselijk! – je gilt en stort in en wordt gek en ráást, je maakt een hoop kabaal – je benen zwellen op tot ze bijna barsten en je vingers en tenen worden zwart en vallen af en je bent binnen zes uur dood!'

'Geweldig!'

Jerry zei: 'Shit!'

'Aye!' zei Luke. 'Maar helaas vind je ze alleen maar van de Rode Zee tot Oost-Afrika en in de hele Indische Oceaan tot de noordkust van West-Australië. En dat is ook iets, Redmond – van mariene biologie, bedoel ik, weet je wel – het verspreidingsgebied van een soort kan gigántisch zijn. Niet te vergelijken met die oerwouden van jou!'

'Ja!'

'En wat ook eigenaardig is bij deze roodbaarzen' – daar gingen er weer twee door de buis – 'hier in het noordoosten van de Atlantische Oceaan – wat dacht je? Ondanks al die stekels... zijn ze het voornaamste voedsel van potvissen. Dat vind ik leuk, want ik houd van potvissen: ze hebben de grootste hersenen op aarde, ze zijn enorm sociaal: de vrouwtjes verdedigen en helpen elkaar en zogen elkaars kalveren... En wat dat betreft, hún verspreidingsgebied is echt gigantisch: elke oceaan ter wereld, de vrouwtjes rond de evenaar, de onvolwassen mannetjes in groepen ten noorden en ten zuiden daarvan, en de enorm grote oude mannetjes, tot achttien meter lang, zijn zich het grootste deel van het jaar aan het voeden bij de noord- of zuidpool, terwijl ze twee maanden vrij nemen om de scholen vrouwtjes in de tropen te bezoeken... Dat zijn buitengewone dieren, echt – maar hé! Dat is een te mooi verhaal om te verknallen... Ik kan me niet concentreren. Nu niet. Niet hier. Maar ik zal je er later meer over vertellen. Dat beloof ik je...'

Tegelijkertijd riep Robbie, die de verantwoording had, die tegenover ons stond en zijn eigen deel had verwerkt – en die door het dreunende kabaal niet in staat was deel te nemen aan de genoegens van Lukes gedegen kennis – naar Jerry: 'Grotemeidenbloes die je bent! Ga strippen! Bryan en Allan! Die hebben beneden niet genoeg om handen!'

Niemand zei iets – gedurende een eindeloos aantal rondgangen (die indruk had ik tenminste) waarbij de striptafel voortdurend weer opnieuw werd volgeladen: en Lukes twee grote monstermanden vulden zich met vissen en schaaldieren waarvan ik niet kon geloven dat ze zich hadden geëvolueerd tot ze eruitzagen zoals nu het geval was: zo onwaarschijnlijk, zulke dieren uit een andere wereld, wat ze natuurlijk ook waren, maar ik durfde niets meer te vragen, en bovendien zag ik hoe uit de dode bek – onder en voor de bezeten starende ogen – van ongeveer één op de twintig roodbaarzen in mijn bak, een witte levende sliert worm naar buiten probeerde te kronkelen, op zoek naar een veilig heenkomen, een nieuw huis... Dan pakte ik de roodbaars in mijn linkerhand en de worm in mijn rechter en trok. En hoe hard ik ook trok, de worm brak nooit – zo'n worm was niet klein te krijgen – nee, ze bedankten je gewoon voor je hulp en verschenen in hun geheel, zo'n twintig centimeter wilskracht, weigering om het op te geven, en ik liet ze op de koude stalen rand van de bak glijden, waar ze pulserend verder gingen, vol hoop, op zoek naar een nieuw bestaan. En aan de andere kant zat er aan ongeveer één op de honderd roodbaarzen in mijn bak iets walgelijks vast... Dat ding was wit, vlezig, intiem, op een medische manier gênant en het deed onmiskenbaar gruwelijk pijn, want waar het naar buiten was gegroeid – of zichzelf misschien naar binnen had gedreven – was de zachtroze schubbige huid van de ooit zo mooie roodbaars paarszwart verkleurd en de vis zelf zag er mager, weggeteerd en afgetobd uit. En uit de blauwe plek stak een korte steel, die een platte, half transparante schijf met een donker middelpunt meesleepte, en aan het uiteinde van de schijf zat witte franje en uit de witte franje sliertten er twee lange dunne draden achteraan... En hoe verberg je zoiets persoonlijks en gruwelijks, vroeg ik mezelf af, een in jezelf geworteld aanhangsel van jezelf vanuit je geslachtsdelen of je zij dat een derde van je eigen lengte heeft? Wat zou je doen? Want je kunt het niet afsnijden. Want je hebt geen handen. En je kunt het niet afbijten, want je nek is gepantserd en stijf van de schubben. Wat doe je dan? Schuif je de slijmerige bol- en buisvormige massa in een broekspijp? Wikkel je het levende geheel om je dij zodat het niet onder je rok uit valt en krampachtig begint te bewegen? En eindelijk zei Luke, net zo hard dat ik het kon horen: 'Het zijn buitengewone dieren, potvissen.'

'Ja, ja,' zei ik opgewonden. 'Dat zal best. Maar wat zijn dít voor dingen?' En ik hield een roodbaars omhoog met zijn walgelijke aanhangsel eraan vast.

Luke stak zijn stripmes met het lemmet vooruit achter zijn rechteroor. En ik dacht: waarom doen ze dat toch allemaal? Waarom toch dat krankzinnig nonchalante gebaar? Want telkens wanneer ik het zie – en al hun messen zijn vlijmscherp en zouden je oor eraf halen als de stronk van een krop sla – krijg ik een slap en beverig gevoel pal langs de huidplooien in mijn knieholtes...

Met zijn vrijgekomen rechterhand leunde Luke voor me langs en trok de bungelende sliert van twee staarten, een klodder en franje uit de buik van de vis: die kwam vrij – sjiep – toen de paarse wond openbarstte en er twee witte, met elkaar verbonden, bloederige lobben op de palm van zijn blauwe handschoen gleden.

'Een roeipootkreeft, een parasitaire roeipootkreeft,' zei hij, recht in mijn linkeroor, zo zachtjes als iemand maar op een trawler kan spreken zonder onverstaanbaar te worden. 'De kop, het hechtorgaan, het anker,' – met zijn linkerwijsvinger priemde hij in de harde witte lobben in zijn rechterhandpalm – 'het lichaam, de darmen' – de ronde klodder met het donkere middelpunt – 'de eileiders' – de franje – 'en de eierstokken' – de twee staarten – 'en deze roeipootkreeften zijn heel efficiënt, kolossááál, als je van parasieten houdt, en dat is een verrekt mooi verhaal, zonder meer, maar dit – dit is niet het juiste moment... Want het is hier gespannen, Redmond, er is hier sprake van echte druk, weet je, druk om deze trek af te krijgen, dat komt weleens voor... zonder een bepaalde reden... daarom praten we later wel, goed?'

En uiteindelijk was zelfs deze enorme trek gesorteerd en over de lopende band door de koker naar het ruim gestuurd – of via de afvalkoker naar buiten, naar het spuigat aan stuurbord, voor de drieteenmeeuwen – en Allan en Bryan hadden al die roodbaarzen van volwassen formaat in het ruim in het ijs gepakt... en het was tijd om te eten.

En dit was geen gewoon avondmaal of ontbijt of wat dan ook: dit was vis met friet zoals ik nog nooit had geproefd; Seans friet was bijzonder (Sean was goed in friet, dat zei zelfs Jerry) en Seans beslag was gelukt ('Eindelijk!' zei Jerry naast me) en de vis? De vis was heilbot, gewone heilbot, en zo vers als vis maar kan zijn, en de moten waren zo groot dat ze zelfs over de reuzenborden van de trawler heen hingen... 'O shit,' zei Jason, die de benauwdheid binnenkwam en er heel moe uitzag, met rode ogen, zijn stoppels inmiddels bijna een baard, gitzwart, en zijn bewegingen minder slungelig, minder soepel, zijn schouders bijna krom. 'Vis met friet, hè? Vis met friét?'

Jerry, die naast me zat, gaf me een por in mijn ribben. 'Lekker, hè? Die Sean heeft het te pakken gekregen. Eindelijk! Maar vergeet niet: ík heb het hem geleerd!'

Jason ging met een vol bord naast Luke zitten, tegenover mij: 'Nou, Redmond, ik heb er eens over nagedacht. Je weet nog wel, over je vraag wat het rááste was dat ik ooit in mijn netten had gevangen? Aye, tja, nu weet ik het: ik denk niet dat het is wat jij bedoelde. Nee. Beslist niet.' Hij keek me recht aan, zijn ogen zonder enige uitdrukking, zijn gezicht nors, doodop – en heel dichtbij. (Jason, dacht ik, je bent verdorie de schipper, dus waarom ga je dan niet slapen als dat moet? Gewoon een of twee uur? En in mijn hoofd gaf Lukes stem meteen antwoord: deze Jason is de enige man van de hele trawlervloot die vóélt waar de vis zit. Hij heeft die gave. Hij is gezegend. En daarom kan hij het natuurlijk aan niemand anders overlaten om het net uit te zetten...)

Jason herhaalde: 'Nee,' agressief, 'je wilde vragen: "Jason, wat is het érgste dat je ooit hebt opgevist?" Nou, dat is de Norlantean, dat is ons niet overkomen maar The River Dee. Die heeft veertig lijken bovengehaald van een ongeluk met een Chinook-helikopter en die lijken – die waren er slecht aan toe, neem dat maar van mij aan. De vlokreeften en slijmprikken hadden zich erop gestort, maar de kleren waren er nog en de skeletten, stukjes en beetjes. En de hele handel zat verstopt tussen de vis in de kuil en viel in de vislast – en dat was gruwelijk, weet je, of hoe je het maar wilt noemen, maar goddank hadden ze een of andere slimmerik als Luke aan boord die altijd zijn neus in de vislast stak, net als hij, zoals me is opgevallen, op zoek naar rariteiten of van die verdomde wonderen van de diepzee... Joost mag het weten... En die kerel heeft de bemanning gered, die nog steeds aan het vissen was, dus die gasten boften, want als die half opgevreten hoofden en voeten en stukken de band op waren gekomen en op de striptafel waren beland, denk je dan dat die jongens ooit nog naar zee waren gegaan? Nooit! Natuurlijk niet! Niet één! En aan de andere kant boften die lijken ook, een kans van één op een miljoen, echt een abnormale buitenkans. Want ik heb je al gezegd dat er géén bloemen groeien op een zeemansgraf, maar deze keer wel, er groeiden bloemen op... Niet dat het lijken van zeelieden waren... maar dankzij The River Dee kregen die mannen een plekje op het land zelf, op de vaste grond, en daar gaat het om, dat is het punt: de mensen die van hen hebben gehouden toen ze nog leefden, en ik heb het hier over echte liefde, dus dat wil zeggen de moeders en vaders en dochters en zonen, en vrouwen, als ze boften, heel erg boften, en twee of drie vrienden, als het uitzonderlijke mannen waren, goede mannen, en die vrienden, hooguit drie, meer dan drie echte vrienden kun je niet aan, zijn mannen, want een goede man kan geen echt intieme verhouding hebben met een vriendin die niet zijn vrouw is, dat gaat niet... Maar goed... dit is waar het om gaat: door die trek van The River Dee hebben al die mannen – kleren, gebitsgegevens, ze hebben de stukken geïdentificeerd –, hebben die mannen stuk voor stuk een lapje echte grond voor zichzelf gekregen. De mensen die van hen hielden konden ergens naar toe om in alle rust na te denken en alle herinneringen stuk voor stuk terug te halen en konden op een plek gaan zitten die losstond van het dagelijks leven om alles terug te halen… Daardoor leefden die mannen dus weer een tijdje, in de hoofden van andere mensen, een klein poosje, en dat is de enige vorm van onsterfelijkheid die er bestaat… En dat hebben wij allemaal nodig, dat verdienen we als we dood zijn… Maar een trawlervisser?' zei hij met haperende stem. De woede en de dominante houding, de beheersing verlieten zijn gezicht. 'Op zee gebleven? Vergeet het maar… Je bent verdwenen… Vergeten.' Het leek wel of hij niet in staat was zijn hoofd op te tillen; hij staarde naar zijn nog altijd volle bord met heilbot en friet, zonder precies te weten waar hij was, dacht ik, en hij zei met een holle stem, die op zich een tunnel van kille leegte leek te vormen, dwars door de gemeenschappelijke, behaaglijke benauwdheid heen, iets zonder gewicht of vorm wat op ons lag te wachten, tussen de twee vertrouwde tafels, in het smalle paadje, in de verder dikke, warme, van vet verzadigde, omhullende lucht. 'Want je familie heeft geen plek,' zei hij tegen zijn onaangeraakte heilbot in het goudkleurige beslag en zijn berg met de hand gesneden, onregelmatig gevormde, echte patates frites. 'Kan niet naar een zíchtbare plek toe… En wie van ons kan overdag tijd vrijmaken, echte tíjd, zonder die inspanning, die bevrijding, die fysieke reis, naar een plék die je kunt bezoeken… om echt aan iemand te denken? Dat is onmogelijk… Op zee gebleven… Aye! Reken maar! Volkomen juist! Op zee gebleven? Voorgoed verdwenen!'

Ik wendde mijn blik af, waar dan ook naar toe, maar toevalligerwijs naar de linkerbovenhoek van de kombuis, naar de grote televisie op zijn plank waar als altijd een gewelddadige videofilm op te zien was en waarvan de geluidsband als altijd, getroffen door het gedreun van de machine, niet te verstaan was. En bovendien waren de auto's en revolvers, de messen, was dat allemaal zo veilig en gemakkelijk, was dat allemaal zo'n begeerlijk, vorig leven, voltrok zich dat allemaal, állemaal op vaste en stabiele grond, en op beton.

Robbie, dappere kleine Robbie, terriër Robbie, verbrak de stilte. Zittend aan de andere tafel, in de hoek, onder de televisie, leunde hij voor Dougie langs naar voren. Hij keek me aan en grijnsde. 'Ken je Malky Moar nog? Malky en de bliksem?'

'Ja!'

'Aye, nou, Malky heeft een konijn waar hij gek op is. Een doodgewoon konijn, maar dat hupt bij hem rond, weet je. Een wild konijn, maar een wild konijn dat niet bang is voor Malky. En Malky respecteert het konijn. "Robbie," zegt hij op een avond in de kroeg tegen me – en daar ga ik nu heen om Malky te horen, niet om te drinken, begrijp je wel? Ik drink één of twee colaatjes, meer niet. En zal ik je eens wat zeggen? Het heeft me zelf verbaasd, zeker weten. Ik heb het geen moment gemist. En ik zal het ook nooit meer aanraken, nooit van mijn leven. Malky's konijn dus, zoals ik al zei. "Ken je mijn konijn nog?" zegt hij. "Aye," zeg ik. En dat vergeet ik nog, maar je moet weten dat Malky een oude bobtail heeft. En Malky houdt van die oude bobtail. Maar hij houdt ook van zijn konijn. Omdat het konijn Malky heeft úítgekozen, als je snapt wat ik bedoel, terwijl Malky voor zijn hond géld heeft betaald. Zijn konijn, ik heb het gezien, weet je, eet Malky's kool op en dat kan hem niet schelen! Het is een doodgewoon wild rotkonijn, domweg een koníjn, maar het is natuurlijk groot, echt groot, een verdomd grote rammelaar die zich voedt met Malky's kool! Maar goed, zoals ik al zei, Malky zegt tegen me: "Robbie, ken je mijn konijn nog?" "Aye." "Weet je nog dat ik dat hek van me heb gerepareerd? Al die verrotte palen?" "Aye." "Nou, Robbie, dan zul je dit wel willen horen: op een dag dacht ik niet na en liet ik mijn hamer liggen. Weet je nog, die hamer die ik heb gebruikt om de krammen erin te slaan?" "Aye." En dat was ook zo, want ik had hem met dat hek geholpen. "Nou ik zit bij de kachel en neem een klein neutje omdat het donker is en daar komt de hond binnen. De hond, nee zeg, die húílt! Er zit bloed op zijn neus. Ik denk er verder niet meer over na en ga naar bed. En als ik wakker word, heeft de hond zo'n grote bult op zijn neus dat hij niets meer kan zien. En ik ga naar het hek. En er is niks geen hamer te bekennen! Dus trek ik mijn conclusies, zeg maar, en ik zeg, Malky, er is geen ontkomen aan. Dat konijn heeft die hamer opgepakt en is op zijn achterpoten gaan staan en heeft die hamer laten neerkomen – wham! – recht op de neus van mijn oude hond.

En vanaf die dag geeft het geen trammelant meer, helemaal geen trammelant meer als mijn hond mijn konijn ziet. En dat konijn, ik ken dat konijn gewoon, dat heeft mijn hamer, in zijn hol, voor alle zekerheid – en wie kan hem dat kwalijk nemen?"'

We lachten. We juichten. En naast me zei Jerry: 'Dat is een verhaal van niks. Echte gebakken lucht! En ik heb het allemaal al eerder gehoord!' En hij klapte en ik ook, want misschien, heel misschien, was het leven uiteindelijk toch niet zo meedogenloos of zo zinloos, en Robbie verhief triomfantelijk zijn stem en stak zijn rechtervuist op, stompte door de zweterige, verbruikte, gefrituurde lucht: 'En daarom ga ik naar de kroeg, ook al drink ik geen druppel meer: ik ga erheen om Malky te horen, de verhalen van Malky Moar!'

Jason gaf met mes en vork uit de losse pols een krankzinnige roffel op zijn volkomen lege bord. We juichten. Het was waar: we hadden nog steeds een paar volkomen functionele volgende dagen te goed. Op een of andere manier hadden we nog een tegoed, was iets ons ergens misschien nog een volgende dag verschuldigd.

'Aye,' zei Jerry, die opstond, met zijn bord, mes en vork in zijn rechterhand terwijl hij mij met zijn linkerdij – die eerder aanvoelde als de stam van een eik – het gangpad in duwde, de leegte in die bijna, maar nog net niet helemaal, was verdwenen. 'Goed, jongens, tijd voor de kleverige, hersenweke cake met stroop! Met absoluut veilige plastic kunstroom! En ik heb het toetje gemaakt! Ik heb die lullige huishoudfolie er finaal van afgetrokken, helemaal in mijn eentje!'

'Bravo, Jerry! Mooi werk!' zei Allan Besant zonder een spoor van een glimlach.

Half gelukkig dat ik nog altijd bestond, ook al was het in deze koude, terugtrekkende leegte, in de benauwde lucht, stond ik verloren tussen de twee met bouten vastgezette tafels en hun stevig vastgeschroefde banken: met Dougie en Robbie, Allan en Bryan links van me, met Jason en Luke aan mijn eigen tafel, rechts van me. En toen herinnerde ik me dat ik nog een echte dartele hondenvraag voor Robbie had, een met vier poten opspringende, gooi-eens-een-bal-naar-me-vraag van een labrador-retriever, en daarom ging ik weer zitten.

'Hé, Robbie! Je hebt het nu al twee keer gezegd, en het bezorgt me telkens even een blij gevoel, weet je. Maar wat betekent het? Precies? Wat betekent het, wanneer je je aan iemand stoort, waarom roep je dan: "Grotemeidenbloes die je bent?"'

'Aye!' riep Robbie. Hij keek geïnteresseerd, zag er zelf bijna blij uit. Hij werkte Dougie met zijn elleboog naar achteren, tegen de rugleuning van de bank, nam diens kant van de tafel in bezit. 'Aye, dat is voor ons, op de Norlantean, nou, hoe noem je dat, vriendschap? Ach! Kameráádschap! Dat is het, onder de jongens. Want we houden ervan, het is ons nieuwste stopwoord. Dus is het eigenlijk geen belediging, zeg maar. Maar misschien toch ook weer wel, want het is geen compliment.'

'Ach, toe nou,' zei Jerry, die weer verscheen in de alles omhullende wasem en lucht van oud frituurvet, 'waar heb je het over?' En vol enthousiasme, louter bij de gedachte aan zo'n beeld, vergat hij zijn manieren, sloeg Jason over en bracht Robbie het eerste reuzenkasteel van cake met warme stroop in een gracht van room. 'Het spreekt voor zich!' riep hij. 'Lekker strak, vastgeplakt aan de grote tepels! Alsjeblieft,' – hij zette de grote kom resoluut voor Robbie neer – 'je klampt je vast! Je klampt je overal lekker vast! Je klampt je lekker vast aan die grote borsten!'

Dougie, die zijn bovenlichaam iets naar voren bewoog, bij de rugleuning vandaan, naar de tafel toe, zei langzaam en treurig: 'Aye, daar valt niets tegen in te brengen...' Jerry bleef even staan, want Dougie, Dougie práátte... Dougie staarde naar het tafelblad. 'En het is geen slecht idee... Absoluut niet... Als je er eens over nadenkt....'

'Maar, Redmond, ouwe Worzel,' zei Jerry, die terugkwam met twee volgende kommen met een dampend goudwit lustslot, 'laat ik je een tip geven. Als je een wérkelijk grote meid wilt oppikken – of wat voor meid dan ook – moet je nóóit zeggen dat je op een trawler vaart! Daar houden ze niet van, daar hebben ze een hekel aan, te wild, te gevaarlijk, wat dan ook, ik weet het niet, maar daar houden ze niet van, daarom moet je zeggen dat je op een boorplatform zit. Vast inkomen. Een baan voor het leven. Dat werkt, telkens weer!'

'Aye,' zei Bryan met zijn enorme bas, die op zijn plaats ging verzitten en neerkeek op zijn enorme stuk cake alsof hij te kort was gedaan, 'maar als het een Noors meisje is, of een Nederlands meisje, moet je ze de waarheid vertellen. Want die kunnen maar één ding niet uitstaan en dat is een leugen. En dat spreekt toch voor zich, of niet?' Grote Bryan, de eerste stuurman, hield zijn lepel in zijn rechterhand in de lucht, maar hij moest zijn berg stroop nog aanraken; grote Bryan begon geestdriftig te worden, liet zich meeslepen: 'Want de Noren, dat is ons slag mensen, zeevaarders! Niet gewoon matrozen of zeelieden, nee, zeeváárders. En de Hollanders? Waarom mogen we de Hollanders? Hier in het noorden, op de Orkney- en Shetlandeilanden?'

Ik zei met een mond vol stroop en cake en luchtige room: 'Al sjla je me dood.'

Bryan hief zijn hoofd op en keek me recht aan. 'Omdat ze jullie Engelsen ongenadig op jullie lazer hebben gegeven! Ze zijn regelrecht de Theems op gevaren!'

Dougie zei bezorgd: 'Maar hij is Iers!'

'Iers? Natuurlijk is hij niet Iers! En als hij dat wel was, neem me niet kwalijk, Dougie, maar al die gódsdienst. Ierland, dat is bijna even erg als Lewis en Harris: allemaal gezeik. De waarheid is daar nergens te vinden! Nergens!'

Jason, die tegenover me zat, zei ineens: 'Redmond, je hebt voorlopig wel genoeg gegeten, je bent al dik genoeg. Vooruit, jij bent aan de beurt. Sean staat op de brug, en we willen niet dat hij een Davy... Ik heb het akelige gevoel dat hij al aan zijn tweede periode van veertig uur bezig is. En ook al ís hij gek en de jongste, dat mogen we hem toch niet aandoen, hè?'

'Nee, natuurlijk niet,' zei ik ontnuchterd, terwijl ik mijn lepel liet vallen en opsprong. En ik begaf me naar de brug.

Toen ik de vloer van de stuurhut bereikte, kwam Sean uit zijn veiligheidsriem, uit de schippersstoel. Hij zag er bezeten uit, met grote ogen, rijp voor het gekkenhuis wegens gebrek aan slaap. Hij schoot langs me heen, als een jong konijn dat uit zijn dekking komt, alsof de hond van zijn eigen angsten hem op de hielen zat, regelrecht de trap af.

Ik heb dus de wacht, sta op de uitkijk, dacht ik, maar waar kijk ik naar uit? Vijandelijke onderzeeboten? En wat doe ik als we er een raken? En als daarbuiten iets is, zal ik het pas zien als het in de bundel van de schijnwerper komt, en de deining, die lijkt gigantisch... en het radarscherm met dat ruitenwissergeval dat de stipjes en spikkeltjes juist achterlaat en niet wegschraapt... Maar ach, ik weet zeker dat ik het stuurrad kan hanteren en haar op koers kan houden, dat kan elke idioot, maar dit stuurrad van koper en mahonie, dit antieke kompas, volgens míj is dat louter decoratie, want het echte leven lijkt zich alleen op al die buitenissige schermen af te spelen en met die kleine hendels, korte dikke versnellingspoken... En bovendien weet ik niet wat onze koers is, want Jason zegt dat ik mag schrijven wat ik wil, maar als ik de positie van zijn trek verraadt, zal hij mijn hoofd in een emmer water duwen en me verdrinken tot ik even dood ben als een zwarte hel...

En hé, het is eenzaam, ik ben echt eenzaam, dit is de enige plek op het hele schip waar je eenzaamheid kunt vinden... En neem me niet kwalijk, maar dat vind ik niet leuk…

Ik werd omgegooid – maar deze keer zonder buitensporige agressie; het staartje van de kleine orkaan leek zijn moordzuchtige instelling van één tegen één te zijn kwijtgeraakt – en ik kwam zo terecht dat ik achteruit keek, voor een opbeurend, vriendelijk apparaat. Het stelde zich voor, in simpel Engels, terwijl ik me aan de houten ombouw vastklampte: 'Smith Maritime,' zei het op oogniveau – nou ja, misschien waren mijn knieën wat gebogen. Het was een Openbaring, een redelijk apparaat, en het verwachtte duidelijk dat ik deelnam aan zijn interesses in het leven: in vijf keurige rechthoekjes, binnen een wit kadertje op zijn zwarte dashboard, bood hij iedereen die kon lezen twee grote knoppen per sectie aan, de een onder de ander, met daarboven een opschrift uit een reeks (en zo'n órdelijke reeks): MAIN CLUTCH; AUTO CLUTCH; WINCH SPEED; AUTO PUMP; CRANE. Dus waarom zou ik niet, gewoon om het een plezier te doen, ter ere van deze nieuwe vriendschap die werd aangeboden in woorden die ik zelfs kon begrijpen, dus waarom zou ik er niet één of twee indrukken? Of misschien wel allemaal tegelijk?

Er klonk hard gestamp van voeten op de trap, twee paar wanhopige voeten, dacht ik, en Jason verscheen, schoot bijna even snel de stuurhut in als Sean eruit was vertrokken: en hij zag er bijna even verdwaasd uit.

Vlak achter hem aan – dus er is niks aan de hand – kwam de geruststellende Robbie.

'Jezus!' zei Jason, die me vastgreep, één harde hand op elke schouder, en me naar de stuurmansstoel duwde. 'Het idee dat ik jóú naar boven heb gestuurd! Op wacht… Jezus! Ik was het vergeten – ik ben eraan gewend geraakt dat je er bent, en we hebben weliswaar niet veel aan je, maar je stript tot je erbij neervalt en je begint beter te worden en je bent er sinds ons vertrek niet één keer tussenuit geknepen, je bent hem niet naar je verdomde kooi gesmeerd, nooit, dus hoe had ik er dan aan moeten denken? Hoe had ik er dan verdomme aan moeten denken dat je gewoon een idioot bent?'

'O, bedankt…'

'Godsamme!' zei Jason, die me in de stoel met de hoge rugleuning duwde, me met een resolute klik vastgespte en zijn eigen ledematen in de schippersstoel schikte, zich even gemakkelijk oprolde als een slang, zonder dat er een veiligheidsriem nodig was.

'Aye!' zei Robbie, die losjes naast me stond (Robbie leek zich overal waardig in evenwicht te kunnen houden, als een vogel, een Pictische vogel). 'Jason was het vergeten!' Hij sloeg zijn arm rond de rugleuning van de hoge kinderstoel waarin ik was vastgesnoerd en bracht zijn hoofd naar voren, op mijn niveau. 'Jason was het vergeten!' zei hij met een enorme grijns op zijn spitse gezicht, waakzaam als een vogel. 'We konden onze oren niet geloven. Bryan zat inwendig te lachen, zeg maar, en hij gaf me en knipoog, weet je wel, en stak zijn rechterhand op, met vijf vingers omhoog. Dus wachtten we af, om te zien wat er zou gebeuren, vijf minuten, en dat is een hele tijd, en toen: whám! We schreeuwden allemaal tegelijk, en Allen deed ook mee: "Worzel staat op de brug! De ouwe Worzel – hij heeft de wacht!" En Allan riep: "Zet hem op, Worzel Gummidge!" En Jerry riep: "Ik ga naar bed! Ik sterf in mijn bed!" En Dougie, weet je, die staarde Jason alleen maar áán, en hij keek vréselijk… En Jason hier? Die vloog als een verdomd spook van zijn plaats op!'

'Het spijt me,' zei Jason met een griezelige verandering in zijn stem, weer teruggeglipt naar zijn vertrouwde plek van rust, gezag en bezinning. 'Waar zou ik, in deze tijd van het jaar, in deze week zelfs, waar zou ik op de continentale helling, op de grote rand van het plat naar de abyssale vlakte, waar zou ik willen zijn als ik een roodbaars was? Boven welke kloof? Ik zou ergens rondhangen ja, maar in welke stroom?' Hij legde zijn rechterhand voorzichtig op een van de korte dikke versnellingspoken. Hij wierp een blik op het radarscherm waarop de bevrijde ruitenwisser eindeloos ronddraaide, en hij raakte niet in paniek, maar leek juist steeds meer het evenwicht van een alfamannetje terug te vinden. 'Het spijt me, Redmond, neem me niet kwalijk, maar je moet goed begrijpen dat het op zee iets vreselijks is: het is dé grote zonde, het is zelfs een misdaad, onder zeelieden, het is niet goed om je brug onbemand te laten. Ik weet het, ik weet het, dat doen die patsers van zeilers en zeilsters die de wereld rondvaren! Maar zo zijn die nou eenmaal, niks aan te doen, in hun dooie uppie, terwijl ze indruk proberen te maken, en als we hen overvaren krijgen wij de schuld! Maar in feite zijn ze niet de enigen, want van die grote kleretankers doen het ook! Kun je je dat voorstellen? Je bent geregistreerd in Liberia of zo en op zee zijn geen wetten, dus zet je alles op de automatische piloot, net als zo'n twee-keer-de-wereld-rond-zeilster, en je gaat slapen! Kun je je dat voorstellen? Echt?'

'Ja,' zei ik in weerwil van mezelf. 'Slaap…'

'O toe nou,' zei Jason, die naar voren leunde om computertoetsen in te drukken. 'Hou op! Wees een man. Hier zul je van opleven – zoals ik je heb beloofd, weet je nog? – Davy's trek! Maar begrijp me niet verkeerd: Davy is een moordvent, echt, lang en blond en een prima conditie, weet je, de vrouwen zijn gek op hem, maar waar het om gaat is… tja, dat is dit: hij zit bij de reddingsbrigade. En daar kun je dus niet omheen, hoe je het ook bekijkt, je kunt misschien zeggen dat ze gek zijn, maar dat is niks, helemaal niks, want ga maar na: is iemand van de reddingsbrigade egoïstisch? Denkt die aan zichzelf, zoals alle anderen? Nee, dat doet hij niet. Hij is bereid om te sterven, week in week uit, voor ons allemaal! En daarom, Redmond, goed, laten we eerlijk zijn, dat is één reden waarom ik jóú wel op mijn Norlantean moest toelaten, omdat je met Luke mee-kwam, die bij de reddingsbrigade zit. En dit vertel ik je er voor niks bij: hij is ook een verdomd goeie trawlvisser, neem dat maar van mij aan, en ik zou hem morgen in dienst nemen, maar jij…'

'Davy, Davy's trek,' zei Robbie. 'Nou? Jason? En je moet Redmond hier vertellen, aye! Davy, Davy is gelanceerd!'

Ik zei: 'Gelanceerd?'

'Aye,' zei Robbie opgewonden. 'En of hij is gelanceerd. Met een ping, zeg maar, hij had geen idee dat het gebeurde; hij stond op een slappe kabel, plat op het dek, aye, op een van de vislijnen en die zeggen ping als ze strak komen te staan, píng! En Davy – die schoot zes meter de lucht in, negen volgens Bryan, en plóns! Regelrecht over de muur! Man over-boord! Maar Davy hield zijn hoofd koel, hij zit bij de reddingsbrigade, die zijn erop getráínd. En wij raakten allemaal in paniek, maar Bryan brult: "Naar de ramp!" Dus rennen we allemaal naar achteren en laten ons de trappen af vallen en Davy zwemt naar de ramp en Bryan gooit hem een lijn toe en we hijsen hem aan boord – en hij leeft!'

'Geweldig!' brulde ik. 'Mooi werk!'

'Hij was natuurlijk wel misselijk. Echt misselijk. Misselijk van de schrik. Maar toen? Kun je het raden? Wat Davy vervolgens deed?'

'Geen idee!'

'Nee? Echt niet? Nou, hij ging weer regelrecht aan het werk. Zonder dat er een woord werd gezegd. Koud. Door- en doornat. Régelrecht aan het werk.'

'Ach.'

Jason, die naar het tweede scherm links van hem zat te kijken, zei: 'Hé. Daar heb je ze, moet je zien!' De schachtloze witte pijlpunt prikte in een rood omcirkelde onregelmatige ellips op de kaart, die boven een wirwar van verschillend gekleurde, tamelijk rechte lijnen lag, allemaal met bijbehorende cijfertjes die erop vastzaten als ectoparasieten, allemaal even onbegrijpelijk. 'Davy's trek! Hij is in slaap gevallen, zie je, hier in deze stoel. En de hele boel, de trawler, de mijlen kabel, de scheerborden, het net, dat draaide allemaal in een kringetje rond! Davy's droom! Davy's trek!'

'Redmond,' zei Robbie ineens, terwijl hij me met zijn linkerhand losgespte en me met zijn rechterhand tegen mijn lendenen op mijn voeten zette. 'Dat vergat ik bijna. Je moet komen, nu meteen, of eigenlijk al eerder. In de verwerkingskamer! Luke moet je hebben, want hij gaat zijn manden afwerken, al die monsters, zeg maar, die hij heeft bewaard, en jij moet hem helpen om de hele mikmak te meten. Want daarom ben je hier toch, aye? Om Luke te helpen?'

Luke had de weegschaal neergezet op zijn vaste plek, op de stalen plank naast de grote lopende band naar het ruim.

'Net op tijd!' zei hij toen ik mijn oliegoed aantrok. 'Precies op tijd!'

Links van hem stond een onheilspellend lange rij gele, rode en blauwe plastic manden. Toen Luke, naar ik aanneem, de neerslachtige uitdrukking opmerkte die ik op mijn gezicht voelde, zei hij walgelijk opgewekt: 'Dat is van de laatste drie trekken! Ik heb gewacht, speciaal voor jou, tot er geen windkracht 12 meer stond. Wat is het nu? Windkracht 8? 7? Dan zul je dus niet vlíégen. Bij windkracht 7 kan niemand vliegen, zelfs jij niet! Maar maak je geen zorgen, alles is in orde, ik heb mijn trekken genummerd en ze zijn gesorteerd op de kleur van de manden. Dat vind ik nou echt leuk, weet je, kolossaal, net als mijn koektrommels. Mijn rode...'

'Ja. Ja. Het spijt me.' Ik trok mijn zeelaarzen aan. 'Laten we daar niet weer over beginnen.'

'Kop op, Redmond!' Ik trok mijn blauwe handschoenen aan die half aan flarden lagen. 'Ik ga je de eigenaardigste dingen laten zien, echte dingen, niet die apekool waar we het vannacht over hebben gehad...'

'O.' Ik pakte het klembord met zijn stapel invulformulieren van het mariene lab, zoveel koppen, zoveel kolommen...

'Aye, en weet je dat de jongens je Worzel noemen, ouwe Worzel? Dat is geweldig! Je hebt een bijnaam. Je weet wel, naar die vogelverschrikker op tv, met zijn witte haar en bakkebaarden, helemaal verfomfaaid, en dan komt hij tot leven en loopt wat rond. Dat is geweldig! Fantastisch! Een bijnaam! Ze mogen je dus!'

'Juist...'

'O, toe nou, alleen omdat Jason je op wacht heeft gestuurd! Bryan was werkelijk geschokt, dat kan ik je wel vertellen, hij stak zijn hand op, gaf je vijf vingers, vijf minuten. En toen riepen we allemaal: "De ouwe Worzel staat op de brug!" of iets dergelijks. Jezus, Jason vlóóg. Als de bliksem. En toen hij was verdwenen, mijn god, wat hebben we toen gelachen!'

Ik ging op een viskist zitten die op zijn kant stond, met het klembord in mijn rechterhand, het stompje potlood in mijn linker, als een boze schooljongen, en ik was ook nijdig, maar dat kon ik niet zichtbaar maken doordat de kou in mijn gezichtsspieren was doorgedrongen. Je bent net je kat Bertie, dacht ik – en had als een schooljongen even heimwee – want als die tegendraads is, met zijn oren in zijn nek, duw ik ze naar voren en houd ze naar voren en dan vergeet hij hoe geërgerd hij hoort te zijn en begint te spinnen en uiteindelijk, overmand door het genoegen dat zijn oren doorseinen, begint hij te snorren.

'Aye. Sorry. Maar kijk, dit is geweldig, bingo!' juichte Luke. 'Nou ja, bijna, ik heb de voornaamste groepen in elke mand gesorteerd. Laten we daarom beginnen met mijn favorieten uit het polaire bekken, de pooldonderpadden, die kunnen leven op een diepte van wel drie kilometer, de schattige kleine dingen met hoorns op hun kop die we altijd paarsgewijs lijken te vangen! Weet je nog wel?'

'Hè?'

'Hier, kijk maar!' In zijn rechterhand hield hij een paar kleine visjes. 'Maar, hé! Hierbij kun je geen hándschoenen dragen! Je moet van alles meten, ingewikkelde dingen doen, en als we heel veel geluk hebben, zullen we hier uren zitten, dat hoop ik, want dit is onze grote kans, eindelijk wetenschap! Want Jason heeft me verteld dat hij recht naar buiten gaat, regelrecht naar het noorden, ja! Tot op een dag varen van de ijskap!'

'O, jezus...' Ik trok mijn handschoenen uit en liet ze op de grond vallen. En ik keek naar mijn handen, en niet zo kort, hield ze nu eens zus, dan weer zo in het schelle elektrische licht boven mijn hoofd, en ik bekeek ze met intense voldoening en voelde me beter, want het waren geen meidenhanden meer, dat wil zeggen, áls het al vrouwenhanden waren, dan waren het de handen van een uitermate angstaanjagend krijg-de-tering-viswijf; zelfs de rug was zo bedekt met prikgaatjes van de stekels van de roodbaarzen dat ze er weer bijna jong uitzagen: er was geen enkele ouderdomsvlek meer te zien... En het was lichamelijk ook een goed gevoel, want ik kon de prikgaatjes niet meer stuk voor stuk voelen, mijn handen brandden gewoon, ze voelden heel warm aan, het enige deel van me dat warm was...

'Redmond!' schreeuwde Luke pal naast me. 'Wat ben je in vredesnaam aan het doen? Terwijl je zo met je handen wappert? Alsjeblieft... kijk... doe dat alsjeblíéft niet meer, weet je, zo wegzakken, dat is griezelig, weet je, die trances van je, of wat het maar zijn.' De twee kleine visjes, misschien twintig centimeter lang, lagen tot mijn verbazing nog altijd in zijn rechterhandpalm vlak voor mijn neus. 'Ik heb eens een familielid gehad, en ik ging haar opzoeken, in een bejaardenhuis, en die zakte ook zomaar weg, net als jij! Daarom denk ik weleens... soms denk ik dat je écht de ouwe Worzel bent!'

'Shit. Bedankt...'

De twee dode pooldonderpadden lagen in mijn linkerhand genesteld. Hun huid voelde ruw aan en er zaten bulten op hun grote kop, geen echte hoorns, maar knobbels, beginnende hoorns; ze waren bruin, gevlekt, met strepen in een donkerder tint bruin, en ja, het leed geen enkele twijfel, zij hadden de rivierdonderpadden kunnen zijn die ik in mijn kindertijd met mijn netje in de beek aan het eind van de pastorietuin probeerde te vangen... Ik voelde me weer tien, in een korte broek en op zwarte rubberlaarzen: je tilde een steen op en er schoot een rivierdonderpad weg, met een raketspoor van sediment achter zich aan. En dat kleine netje aan het eind van zijn bamboestok? Tja, dat bevond zich áltijd op de verkeerde plek... Maar ik mag niet wegzakken – wat zei hij? Wegzakken! Jezus...

Ik legde een pooldonderpad op de weegschaal, en de ander, het mannetje of wijfje ervan, legde ik er voorzichtig naast op de stalen plank.

De zware stalen deur rechts van ons sloeg open en Robbie stapte de drempel over. Hij was gekleed, zag ik vol afgunst, in zijn equivalent van een kamerjas: een wit hemd, de broek van een donkerblauw trainingspak en witte gympen. Ik dacht: zelfs Robbie gaat bijna naar béd, maar aan de andere kant verdient hij dat, en wat dat betreft: wat een bof dat niemand hier verwacht dat jíj in een hemd rondloopt... Want Robbie heeft een belachelijk gespierde borst, en bíceps. Er is geen spek of ongerechtigheid aan hem te ontdekken. In feite zou het dissecteren van Robbie een geschenk zijn voor een medisch student: je zou niet door die dikke lagen geel vet heen hoeven te snijden. Nee, de kleine Robbie is onbetaalbaar, een voorbeeld van de mannelijke bouw op zijn allerbest, een zeldzaam verschijnsel, dat in alle opzichten overeenstemt met die perfecte schematische voorstellingen in *Gray's Anatomy*.

Robbie zette nog een viskist op zijn kant en kwam tussen ons in zitten.

'Luke,' zei Robbie, die duidelijk werd gefascineerd door de elektronische weegschaal, de pooldonderpadden, de manden met troep die tot kostbaarheden was getransformeerd, 'het schoot me net weer te binnen, Luke – ik heb je met Redmond horen praten, je zei dat je niets wist van de zwarte hel, weet je nog wel? De Groenlandse heilbot, zeg maar, je wist niet waar die naar toe ging om te paaien. Nou, dat herinnerde ik me net weer, en ik geloof dat ik het wel weet – ik ben op de Hattonbank geweest, met een andere boot, niet met Jason. Dat noemen we Manhattan – dan vertellen we de meiden dat we naar Manhattan gaan! Maar Redmond, dat is niet New York, dat ligt ten westen van de Noord-Fenirug, ten noordwesten van de George Blighbank, ten noorden van het Rockallplateau, aye – en ik zeg je, Luke, dat héle gebied moet worden geslóten voor de nieuwe diepzeevisserij! Aye, ze moeten voor de nieuwe visserij een vergunningenstelsel invoeren voor het te laat is. Doe het maar net als de IJslanders, of de mensen van de Faerøereilanden, die hebben het goed aangepakt, weet je, echt: ik heb ook in het gebied van de Faerøereilanden gevist, die schipper had daar een vergunning voor, £ 120 000 per jaar, en dat was het volkomen waard! En weet je waarom? Omdat ze stréng zijn. Er wordt streng gecontroleerd. Geen gerommel. Geen vrijheid voor iedereen. Geen verdomde Spaanse vispedofielen met hun illegale fijnmazige netten! Ja, en de kabeljáúw, Luke, die had je moeten zien: groter dan ik, en de koppen die erop zitten! En de schelvis – enorm! – de jongens wisten geen van allen dat die zo groot kon worden... En massa's zwarte kousenbandvissen, zwarte kousenbanden, ruwe bruine huid, helemaal stekelig, weet je wel, en zelfs nog meer grote grenadiervissen – en die hebben we allemaal aan Frankrijk verkocht, subiet. En Luke, er was daar een andere soort draakvis, nog zonderlinger dan je hier hebt, zo een waarvan Sean zou zeggen: máf, man. Je had hun néús eens moeten zien...'

'Aye!' schreeuwde Luke, waar ik van schrok (Luke, dacht ik, kan wel barsten van opwinding: plof!). 'Maar hoe zit het nou met die Groenlandse héílbot?'

'Aye, dat vergeet ik, die is anders dan hier, in het noordnoordoosten van de Atlantische Oceaan, nee, hier is het maar zeer klein spul, zoals je zelf kunt zien, en wat dacht je? Ginds bij de Hattonbank zijn het enorme vissen, Groenlandse heilbotten, en hun eieren zijn groot, echt groot, zo groot als druiven. Aye, als ik ooit iets goeds in mijn leven doe, is dat dit. Luke, dit ben ik je komen zeggen, dit moet je tegen je baas in het lab in Aberdeen zeggen of tegen wie dan ook, tegen de regering: de Hattonbank zal gesloten worden voor de visserij op Groenlandse heilbot, want dáár paaien ze, daar komt alles vandaan!'

En Robbie, ineens verlegen, overweldigd (waardoor? Te veel emoties? De klare taal die hij ineens had gesproken? Had hij zijn persoonlijke gedragscode overtreden? Ik had geen idee), Robbie draaide zich opgelaten om en vertrok met de snelheid, zoals hij zou kunnen zeggen, van een verdomd spook.

'Jezus!' zei Luke geschokt. 'Besef je wel hoe belangrijk dit is? Heb je daar enig idee van? Waarom ben ik toch de enige? Waarom komen toch niet meer mariene wetenschappers van de afdeling Schotland van hun kont – neem me niet kwalijk – om met trawlers mee te gaan en naar deze jongens te lúísteren?'

'Dat is duidelijk!' zei ik ogenblikkelijk (terwijl ik probeerde te vergeten hoe misselijk en ziek en verachtelijk bang ik was geweest... en als ík een wetenschapper in overheidsdienst was, zou ik dan nog eens in januari met een trawler meegaan, of het hele jaar door zoals je zou moeten doen? Of zou ik een andere baan zoeken? Stel nu eens dat er bijvoorbeeld in Aberdeen een vacature was als tester en verkoper van bedden?). 'Dat is duidelijk... tja, dat is duidelijk... omdat er maar zes miljoen mensen in heel Schotland zijn, dus hoe kun je je dan meer mensen zoals jij veroorloven? Hoeveel Schotse mariene wetenschappers denk je dat er zijn? Vijftig? Honderd? En die hebben nog zoveel andere dingen te doen!' (Dus: waarom zou ik geen testpiloot kunnen worden voor Dunlopkussens?) 'Bovendien moet je dit land in perspectief zien, Luke, besef je wel dat er in het zuiden, in Engeland, in mijn eigen graafschap, het ongelooflijk mooie Oxfordshire, en Luke, zo vol bomen en zo ver weg, ja, alleen in Oxfordshire wonen al 632000 mensen!

En Luke, al die dappere, bezeten, harige Schotse krijgers die rijp waren voor het gekkenhuis, de Scotii, Luke, die vanuit Noord-Ierland zijn binnengevallen, kwamen van Orior, het O'Hanlongebied – en als je me niet gelooft, Luke, moet je het maar gaan nakijken in Dunadd, waar de eerste Schotse koningen zijn gekroond: daar zul je een dravend zwijn zien dat in de rots is gesneden, en dat dravende zwijn, Luke, is het wapen van de O'Hanlons!'

'Aye. Kolossaal, m'n reet – neem me niet kwalijk – maar wat heeft dat verdorie met wat dan ook te maken, en bovendien heb je me toch verteld dat één op de twee snoepwinkels in de omgeving van Lough Neagh de Redmond O'Hanlon-snoepwinkel heet? En dat er veel meer Redmond O'Hanlons in het politiekorps van New York zitten dan roeipootkreeften in het noordelijk deel van de Atlantische Oceaan?'

'Nou nee, niet precies, maar goed, já, en wat zou dat? Lazer toch op!'

'Aye,' zei Luke, 'en dan begin jij ineens helemaal gewíchtig te doen, heb je dan geen idee hoe zíélig dat is? Nou? Schotland opeisen? Jezus! En je denkt waarschijnlijk dat één of twee van de jongens van de múúr komen!'

'Goed, ja, dat was een grapje, min of meer – maar dat wilde zwijn, weet je… Ja, je hebt gelijk, Luke, vergeet dat alsjeblíéft, jezus, de rotzooi die op deze boot naar boven komt… Ja, geen slaap, dat was ik niet, hoor…'

'Natuurlijk wel!' zei Luke monter, die zich herstelde van zijn woede op alle andere mariene wetenschappers van de afdeling Schotland, wie dat ook mochten zijn. Hij kantelde de (blauwe) mand die links naast hem stond. 'En alsjeblieft, mijn tweede eigenaardige stuk! Snotolven!'

Er keek een laag glinsterend slijmerige, grijsbruine visjes met hun open zwarte ogen naar me op, hun grote kop spaarzaam bedekt met kleine, glimmende, zwarte gezwellen (parasieten? Visluizen?)… En voor zover vissen hartveroverend kunnen zijn, dacht ik… Ze zien er zo droevig uit met hun neerhangende bek, zo bezorgd met hun grote ogen… Ja, je zou beslist willen dat deze kleine visjes je vriendjes werden… Je zou ze allemaal willen troosten…

'Hé, Redmond! Ik zie het, je mág ze! En terecht, ik ook, schattig, hè?

Maar bovendien, wat veel belangrijker is, zijn ze fascinerend, weet je, in biológisch opzicht. Hoe zijn ze zo geworden?' Hij hield er een in mijn richting omhoog en met weinig respect voor de waardigheid van het dier kneep hij erin, met zijn buik naar me toe: net achter zijn keel zat een geribbeld, gegroefd rondje, een krater in zijn vlees. 'De zuignap! Zelfs C.M. Yonge zei, aan het eind van de jaren veertig in zijn deel van de *New Naturalist*, je weet wel, *The Sea Shore*, dát moet je hebben gelezen – zelfs hij zei dat de snotdolf of snotolf de opmerkelijkste vis was die je gemakkelijk aan de kust kon tegenkomen – deels vanwege de zuignap. Iedereen haalt Thomas Pennant aan – je weet wel, waarschijnlijk een vriend van je, want hij leefde in de achttiende eeuw, de man aan wie Gilbert White zijn brieven schreef – ik geloof in elk geval dat het zo zat, maar het gaat erom dat Pennant een snotolf die hij net had gevangen in een emmer zeewater smeet en toen hij de vis later bij zijn staart pakte om hem eruit te tillen, kwam de hele emmer vol water mee omhoog. Zó sterk is die zuignap!'

'Geweldig. Dat moeten we Sean vertellen! Máááááf!'

'Aye! En wat dacht je? In april komen de vrouwtjes naar boven, naar de kust, en leggen verspreid over een rots zo'n 300 000 roze eitjes tussen het niveau van halftij en laagwater. En dan? Dan zwemt zo'n vrouwtje weer de zee in, verdwenen, opgesodemieterd, neem me niet kwalijk, ze gaat ervandoor om zichzelf te redden! En raad eens wie blijft om de eitjes van lucht te voorzien? Wíé van april tot november niets eet, met een opgezwollen maag van niets anders dan water? Het mannetje! De arme stakker. Dus wie staat verdedigend opgesteld wanneer het eb is en de meeuwen en kraaien en ratten eraan komen? Wie heeft zijn post niet verlaten – als hij niet dood is gepikt of gebeten – wanneer het tij komt opzetten en hij zijn hoofdtaak verricht, de eitjes met zijn vinnen van lucht voorziet om die onontbeerlijke extra zuurstof toe te voegen? Nou? Het mannetje! Hij blijft daar wanneer het getij die hongerige grote, grote vissen meevoert! Zo'n vader zou ik willen zijn!'

'Jezus, Luke, rústig maar, dat is in orde – ik weet zeker dat je dat ook zult zijn, als je de kans krijgt... Ik bedoel dat je dat natuurlijk zult zijn... Je hebt nog jaren en jaren te gaan...'

'Maar Pennant en Yonge wisten de helft nog niet! Het was zelfs voor jouw Alister Hardy een verrassing toen hij ver weg op de Noordzee een snotolf ving. En de Noordzee, dat is een ondiepe vijver! Nee, hier heb je het bewijs: moet je ze allemaal zíén, en van zevenhonderd à duizend meter diepte! Het zijn bíjna diepzeevissen. Dat moeten ze wel zijn. Tenzij, en dat verfoei ik, tenzij ze in het net zijn gevangen toen het naar boven kwam, en dat is altijd mogelijk, en jij en ik moeten dat toegeven, want we zijn eerlijk, en wetenschappers, maar dat is niet best voor mijn cijfers, weet je, niet erg best, er zit geen nauwkeurige waarde bij op welke diepte elke vis op zich is gevangen, dat is de ellende met commerciële trawlers… Maar hé! Kijk niet zo sip, trek het je allemaal alsjeblieft niet zo persóónlijk aan. Want er is nog één geweldig feit over te melden! De manier waarop ze eruitzien, hun camouflage, doet die je ergens aan denken?'

'Ja. Aan een tánte van me.'

'O, jezus! Doe niet zo belachelijk! Dat ligt toch voor de hand? We weten allemaal dat ze soms op volle zee ronddrijven terwijl ze zich onder drijvende matten zeewier voeden met ribkwallen en kwallen – waardoor worden ze dan beschermd tegen roofdieren?'

'Ik geef het op!'

'Doe niet zo mal, kijk ernaar!' Hij hield de snotolf, nu met de juiste kant boven, vijftien centimeter bij mijn neus vandaan. 'Dat is toch duidelijk? Het is net een "pneumatocyst"!'

'Een wat?'

Een "pneumatocyst", een drijvende luchtzak van bruinwier, een perfecte camouflage! En dan nu ons derde en laatste visje, verroer je niet, wacht hier!'

Luke, met zijn blauwe wollen muts boven op zijn krullerige zwarte haar, met zijn inmiddels aanzienlijke zwarte stoppels die zijn voortijdig doorgroefde, doorleefde gezicht verduisterden, waardoor hij er vastberadener, geobsedeerder, verweerder uitzag dan ooit, verdween in het washokje… En kwam weer te voorschijn met drie pakketten in bruin pakpapier onder zijn rechterarm.

Hij legde ze naast elkaar neer, één, twee, drie, op de lege stalen plank rechts van mij. Het waren boeken… 'Wat je nu ook doet,' zei hij, terwijl hij deel drie oppakte, 'lach niet, want deze boeken betekenen écht iets voor me.' Hij zocht naar een passage, sloeg vlak voor me bladzijden om, liet zijn schat zien alsof die op zich een van de zeldzaamste vissen was: voor mijn vermoeide ogen trokken zwart-wittekeningen van vissen voorbij, een of twee per pagina, met schematische tekeningen van koppen en vinnen, korte teksten vol cijfers, kaarten… 'Je denkt vast dat ik ze uit de bibliotheek van het lab heb geleend, maar denk eens na: zou ook maar één bibliothecaris ter wereld een student zulke boeken mee naar zéé laten nemen? Terwijl de reeks 123 pond kost? Vergeet het maar! Redmond, dit is het grootste, het grote coöperatieve wetenschappelijke werk, *Fishes of the North-eastern Atlantic and the Mediterranean*, alleen UNESCO had de fondsen die daarvoor nodig zijn! Geen enkele commerciële uitgever kon zo'n verrichting zelfs maar overwégen! In de eerste plaats heeft het ácht jaar gekost om de beschikbare kennis te catalogiseren, je weet wel, rapporten, specimina in musea, acht jaar, van 1965 tot 1973. Dus je begrijpt waar het om gaat, hè?' Terwijl hij het kostbare exemplaar vasthield met zijn linkerhand onder de rug en zijn rechterhand op het opengeslagen stuk, richtte Luke zijn onderzoekende blik van het boek op mij. 'Je snapt het toch, hè? Want dit is allemaal zo nieuw, deze wetenschap van de zeeën! En natuurlijk, ik ken je nu, en je denkt dat het net de negentiende eeuw is, louter eindeloos catalogiseren, maar dat maakt het des te indrukwekkender! Kolossaal! Die enorme opgave, geen roem, zoals bij de moleculaire biologie, geen lof van iemand anders dan jezelf, en dat is het geheim, zelfmotivatie, en liefde voor deze dieren op zich, omdat ze zo vreemd zijn! Aye, en na de catalogus, die we de Clofnam noemen, een afkorting van *Check-list of the Fishes of the North-eastern Atlantic and of the Mediterranean*, tóén kon het echte werk pas beginnen… En deze delen zijn van 1984 tot 1986 verschenen, nog maar zó kort geleden!' Lukes ogen: heel stralend, heel gelukkig. 'Dus hoe denk je dat ik eraan ben gekomen, met zevenduizend pond per jaar? Nou?' Met snelle, schokkerige bewegingen van zijn handen schoof hij het open boek plat op de stalen plank, trok zijn muts af, gaf daarmee de juiste plek aan, sloot het boek voor zover dat ging (tweederde) en zei: 'Nou, dat was duidelijk, hè? Dit was geen luxe; ik moest die boeken mee naar zee kunnen nemen, dus dacht ik, goed, ik los het op, dat geld, als ik 's avonds of tussen de middag of helemaal niet naar The Moorings ga, je weet wel, die havenkroeg waar de mensen van het mariene lab altijd zitten, als ik acht weken lang geen bier drink en mezelf beperk tot één fatsoenlijke maaltijd per dag, een groot ontbijt, kan ik 125 pond sparen. En dat heb ik gedaan! Ik heb ze gekocht! Ze zijn van mij!'

'Goaal!'

'Ayeeeee! En kijk, ik heb ze beschermd' – hij hield het derde deel op, met het dikke beleg van de blauwe muts ertussen – 'diezelfde dag nog, ogenblikkelijk, ik heb manilla enveloppen van het lab opengesneden, kruimeldiefstal, zul je zeggen, maar ik vond dat het kon, weet je, dat het gerechtvaardigd was, en ook nog diverse lagen, want ik wilde niet dat ze onder de vlekken van grom en bloed en motorolie kwamen te zitten, dus dat was toch zeker in orde?'

'Natuurlijk!'

'Want je begrijpt het, hè Redmond, dat moet wel – als ik oud ben, ouder dan jij, heel oud, als ik bof, als ik het haal, en als ik dan niet meer naar zee kan, dan zal ik je eens zeggen wat ik ga doen, dan heb ik inmiddels een cottage, zoals ik je al heb verteld, met een haard, heel wárm, en een gezin, en dan gaan we er allemaal omheen zitten en met mijn stripmes snij ik de manilla enveloppen van deze drie delen los en daaronder, zal ik je eens wat zeggen? Daaronder zullen de omslagen dan zo goed als nieuw zijn, net als op de dag waarop ik ze heb gekregen! Ze zullen perfect zijn, de omslagen, en op een of andere manier weet ik dat ze me aan alles zullen herinneren, aan mijn hele leven – ach, technisch gesproken zijn het natuurlijk geen omslagen, geen omslagen nee, niet van die onzin, nee, het zijn de borden van de boeken zelf – en de kléú-ren, de enige kleuren van dat grote geheel zitten op de borden, en deel één heeft de zachte tint blauw van het oppervlak op een windstille dag midden in de zomer, dat overgaat naar het donkerblauw waar het licht verdwijnt en je niet verder kunt kijken en de uitgestrekte wereld van alle mijlen die je nog moet gaan geheimzinnig wordt. Aye, en over dat alles ligt iets schitterends, een werkelijk nauwkeurige lijntekening van een gewone vleet. En deel twee, hetzelfde idee, maar dan in het zeegroen van een zee vol wier, met een tekening van een zonnevis, de *Saint-Pierre* in het Frans, *Pez de San Pedro* in het Spaans – je krijgt er áltijd de Franse en Spaanse naam bij, en af en toe ook de gewone naam in het Duits of Russisch, en als visserij-inspecteur kan ik je wel vertellen dat dat geweldig is, verdomd geweldig, van onschatbare waarde, zoals jij zou zeggen – maar de zonnevis, die kent iedereen, al is die op zich al maf, de rugvin, de krankzinnige lange draden op de vinstralen, waar dienen die voor? Verdediging? Antennen om de miniemste trillingen in het omringende water te kunnen bespeuren? Wie zal het zeggen? Aye, we zitten nog altijd in de Middeleeuwen. De Sint-Pietervis, snap je dat nog? Alleen omdat hij zo'n grote zwarte vlek met een gele rand op zijn flanken heeft en aye – waar dient dát nu weer voor? – maar dat troost alle christelijke vissers, omdat voor hen vaststaat, omdat al die christelijke vissers zéker weten, of ze dat nu toegeven of niet, omdat ze zeker weten dat de zwarte vlek op elke flank de afdruk van de heilige duim en wijsvinger van Sint-Pieter is, die voorgoed in de soort is ingebrand vanaf het moment waarop Petrus de Visser ze uit zijn netten heeft gehaald.'

'Jezus!'

'Ja! Jézus! En deel drie – wat dacht je? Allemaal in paarstinten, de zee voor zwaar weer, zeker, maar hij wordt ook op andere momenten paars en ik heb geen idee waarom… maar het punt is… Moet je horen… de illustratrice, een vróúw, Monika Jost, het is duidelijk dat die hiernaar toe heeft gewerkt, naar de finale, haar derde en laatste tekening, en daarvoor heeft ze uitgekozen – wat dacht je? Een diepzeehengelvis! Zo'n zelfde diepzeehengelvis die jou schijnt te obsederen, weet je nog wel? Maar hé, ze had ervoor kunnen kiezen de tekening van de *Halophryne mollis* te gebruiken, een vrouwtje waar dríé parasitaire mannetjes aan vastzitten, maar nee, ze heeft de *Linophryne brevibarbata* er uitgepikt. En dat is weliswaar een vrouwtje met voeldraden – je weet wel, van die dingen onder haar kin, die 15 procent langer kunnen zijn dan haar eigen lichaam, bungelende aanhangsels aan haar keel, dik en vertakt en kronkelig als de wortels van een boom, en ja, ze is piepklein, honderd millimeter lang, maar als je haar op volle grootte zag, zou je gaan braken, reken maar! Aye… maar ik blijf niet bij de les, waar het om gaat is dat deze eersteklas kunstenares, Monika Jost, dat die de ene schematische tekening heeft gekozen waarop een diepzeehengelvis wordt afgebeeld met slechts één parasitair mannetje… dus misschien had je gelijk, want ik heb erover nagedacht, en ik weet dat je alles zult ontkennen, want voor jou was het de eerste keer dat je dagen en nachten achter elkaar geen slaap had gehad, maar ik weet nog wat je zei, omdat ik het al zo vaak heb meegemaakt, bij elke reis op een trawler weer, dus misschien heb je wel gelijk, misschien wil elke vrouw wel echt met slechts die ene man een gezin stichten…'

'Hè?'

'Aye! Ze was er dol op, zoals je al zei, op dat ene mannetje, voorgoed gevangen, zijn kop in haar opgenomen, terwijl alleen de rest nog los uit haar kruis hing, bij wijze van spreken, hij is gewoon een spermabank; ze heeft hem, hij is van haar, dat staat als een paal boven water! En wat dacht je? Daar is ze zo opgewonden over, die Monika Jost, dat ze voor het eerst kléúr gebruikt: ze schildert het aangehechte koploze mannetjes, zijn weefsel en bloedvaten al met de hare versmolten, ze schildert hem heldergroen!'

'Wauw!'

'Aye, geweldig, hè? En op een dag zal ik dat allemaal aan mijn kinderen vertellen, want ze heeft natuurlijk gelijk, in biologische zin, want ons diepe verleden is tweeslachtig; de penis is gewoon een vergrote clitoris, dus is het vrouwtje de basis, het oudste geslacht, en wij zijn nakomers, parasieten, zo je wilt... En hé, weet je nog dat jij dat zei?'

'... Luke, wil je alsjeblieft ophouden, dit is allemaal zo afschuwelijk, weet je, het vreselijke gevoel dat ik gek aan het worden ben... Goed, wat zou dat? Ja... Maar dat is me nog nooit overkomen, of in elk geval niet zo onmiskenbaar, weet je, zo overduidelijk en op klaarlichte dag, open en bloot, zodat iedereen het kan zien...'

'Aye, dat is het! Dat is de verpletterende schok van je eerste week of meer, van dagen en nachten zonder slaap. Dus je kunt het je niet meer herinneren, hè? Niets meer? Of wel soms?'

'Nee, dat klopt... Nee, ik weet niets meer.' En ineens was ik belachelijk ongerust (waar kwam die angst vandaan?)... 'Nee, ik weet niets meer. En dat wil ik niet – het was net of je dronken was, weet je, de ergste vorm, wanneer je drinkt omdat je ongelukkig bent, omdat iets je ervan weerhoudt het enige te doen dat je moet en wilt doen, waardoor je leven geen zin en geen waarde meer heeft, en je blijft maar drinken, om te zorgen dat het beter wordt, en dan zeg je allerlei keiharde dingen tegen iedereen die van je houdt, vreselijke, kwetsende dingen waarvan je onder normale omstandigheden niet eens beseft dat je ze kunt dénken, laat staan zeggen... Maar wacht eens even, Luke, want je moet wel weten dat ik het er niet mee eens ben dat alcohol het onderbewuste aan het licht brengt, nee, absoluut niet, volgens mij komt alleen je oppervlakkige kant boven, die om zich heen slaat, een of ander probleem probéért op te lossen, er een puinhoop van maakt, het helemaal verkeerd aanpakt... Maar Luke, gewoonlijk is het niet zó erg, weet je, ik ben ook weleens gelukkig en tevreden geweest, net als jij, af en toe, wanneer ik werk deed dat ik écht wilde doen – en ik kan je wel zeggen dat het raar is, hè? Als je dán dronken wordt, nou, dan blíjf je gelukkig en tevreden, omdat je uit één stuk bestaat, helemaal, tot in de diepste diepte! Tot in de abyssale diepte!' En toen kwam er iets boven en ik probeerde op te houden met praten maar dat kon ik niet: 'Ken je die regels?' zei ik (terwijl ik ze zelf niet kende): '"De geest, de geest bezit bergen, steile kliffen die loodrecht aflopen, angstaanjagend, niet te peilen…" Wie heeft dat in vredesnaam gezegd?'

Luke, die zichzelf in de hand had, als altijd, zo had ik de indruk, sloeg zijn deel drie weer open, pakte zijn blauwe wollen muts eruit, rolde die over zijn hoofd en zei, nog altijd in die belachelijke slow motion: 'Vraag je dat aan míj?'

'Nou…'

'Nee, vooruit, blaas de zaak niet zo op – je kunt jezelf trainen om het aan te kunnen, maar een klein beetje, en daardoor kan ik me nog bíjna alles herinneren van wat jij hebt gezegd, en bovendien gaan de jongens hier elke keer weer doorheen; het is hun baan, en zij bazelen niet door over het onderbewustzijn! Nee, zij laten de mentale pijn van dit alles alleen merken door stomdronken te worden zodra ze de wal op gaan. En uiteraard is er niemand, níémand aan de wal die hen begrijpt of vergeeft. En dan hebben ze minstens zesendertig uur slaap van het hoogste niveau nodig – maar hun vrouwen hebben zich al helemaal in de stress gewerkt, omdat ze zich verwaarloosd voelen, omdat ze twee of drie weken zonder man hebben gezeten, en helemaal aan hun lot zijn overgelaten en in hun eentje op de kinderen hebben moeten letten, zonder dat ze een dag vrij hebben gehad, en hun man heeft zich op zee vermaakt, en daarom vertellen ze hem over alle problemen die hij heeft veroorzaakt doordat hij weg is geweest en dan staan ze er verdomme op samen te gaan winkelen… En daarom wordt de trawlvisser weleens, heel af en toe, gewelddadig. En dan belt íédereen de politie.'

'Och… het is allemaal één grote ellende.'

'Natuurlijk niet! Begrijp me niet verkeerd, niemand kan er iets aan doen… Hoe moet zo'n vrouw nu van het gebrek aan slaap weten? En wat dat betreft heb ik twee echte gabbers bij de politie zitten, dat zijn twee grandioze kerels van mijn eigen reddingsbootstation in Aberdeen, en, hé Worzel, Redmond bedoel ik – neem me niet kwalijk – weet je, nou, stel je eens voor: ik loop terug van The Moorings met een nieuwe vriendin en ze is teder, weet je wel, dus daarom lopen we hand in hand, en dan pats boem! – of wat jij maar zegt, je weet wel, drama, een schok! – rijdt een surveillancewagen vlak voor ons de stoep op en de agent die niet rijdt brult uit het raampje: "U daar! Ja! U meneer! U staat onder arrest vanwege uw klotegevoel voor stijl! We hebben klachten gekregen! U maakt het gezagsgetrouwe publiek van streek! Doe daarom die afschúwelijke muts af! Nu meteen!" Dus doe ik mijn muts af en mijn nieuwe meisje neemt de benen en de agent springt uit de surveillancewagen en boeit me en duwt me op de achterbank en dringt zich met kracht naast me en de agent achter het stuur vergrendelt alle portiers en aan gaan de sirene en het zwaailicht en al het verkeer op de weg naar de haven gaat aan de kant en we draaien met een enórme snelheid het reddingsstation binnen – en dan zie ik pas dat het Brian en Rob zijn, de klootzakken! En ze zeggen: "Luke, waarom heb je verdorie de kreet niet ontvangen?" En ik zeg: "Jongens, ik heb mijn pieper uitgezet, omdat ik voor de állereerste keer met een nieuw meisje uit was." En Rob zegt (en Brian zegt doorlopend "Precies!", want dat doet hij altijd als Rob je zegt wat hij ervan vindt): "O, Luke," zegt Rob, "waarom ga je verdomme niet trouwen zoals wij en kinderen krijgen? Nou? Je bent ouder dan wij en moet je jezelf nou eens zien: je klooit nog altijd achter de vrouwen aan en mist kreten!"'

'Geweldig! Maar…'

'De clou? Och aye, dat is waar ook, hoe moeten zij het weten? Wie kan het weten? Zelfs Rob en Brian niet – die keer moesten we naar een weekendzeiler die was omgeslagen en in de stroom terecht was gekomen en ver naar buiten was gedreven, heel ver, en hij hing aan de omgekeerde romp van zijn jol van ruim vier meter, en hij bofte, want die was overnaads gebouwd, waardoor hij er met zijn vingers aan kon hangen en zal ik je eens wat zeggen? Zal ik je eens zeggen wat ik me van die keer herinner? De laatste kootjes van al zijn vingers en zijn duimen zagen er rood en kapot en bloederig uit – je kon bijna de botjes van zijn vingers zien!' Luke zweeg even, lachte toen er een leuke nieuwe gedachte in hem opkwam: 'Dus laten we maar hopen dat het geen ouderwetse schrijver zoals jij was, hè, een Worzel die een pen moet gebruiken!'

'Ja, ja, maar Luke – die reddingsmannen, wát kunnen ze niet weten?'

'Aye! Over niet slapen natuurlijk! Je hebt hem gemist, je hebt de clou gemist! Hoe zouden ze dat moeten weten, zelfs Rob en Brian, hoe zouden ze het kunnen weten? Hoe moet je dat begrijpen als je het zelf niet hebt meegemaakt? Houdt de rechter daar bij de rechtbank rekening mee? Natuurlijk niet! Hij of zij heeft er geen idee van! En dat kun je hun niet kwalijk nemen, want het is niet iets wat je je gewoon kunt vóór-stellen – de geest wil er niets van weten! Je kunt het je niet voorstellen omdat het een fysieke en chemische ontwrichting in de functionering van de hersenen zelf is! Het is net zoiets als echte waanzin, schizofrenie, een diepe depressie, wat dan ook, en het gaat er bij zo'n verandering in de hersenen juist om dat je je dat niet kúnt voorstellen. En geen enkele rechter, goed, niemand die bij zijn volle verstand is, wil gek worden, zelfs niet voor twee of drie weken!'

'O shit, goed, als jij het zegt... bedankt...'

'Jezus! Hou op met mókken! Je zit te mokken als een puber! En kijk eens hier, Redmond, daar heb ik genoeg van – ik had gedacht dat je taai was, nou ja, niet fysiek, dat spreekt voor zich, moet je jezelf zien! Maar mentaal, ja, in elk geval mentaal taai... Maar hé! Dat ben je niet...! Dus vooruit...' Hij boog naar links en pakte een of andere trofee, of eigenlijk tilde hij met allebei zijn handen, met eerbiedige zorg, een klein stukje vlees uit de dichtstbijzijnde rode mand. 'Kijk hier eens naar!' zei hij, zo hard, recht in mijn oor, dat de mensheid en haar problemen ineens totaal vergeten waren – en wat een opluchting, wat een ontsnapping aan spánning in de hersenen. 'Dit zal je opmonteren! Dit zou iederéén opmonteren!'

In zijn rechterhandpalm hield hij een vijftien centimeter lange, dik-ke, kleine, bruine klodder vis: de kleine zwarte oogjes lagen boven op de kop, en wat een grote kop, een omhoog gekantelde bek, een enorme dubbele kin; ja, een vette oude mannenkop, een veelvraat van een oude man, waar een vorklading spaghetti als kwijl uit hing doordat de vork van zijn onderlip was geschoten en in zijn uitpuilende nek was blijven steken. 'Wat is dit?' zei ik, terwijl ik met mijn rechterwijsvinger de eind-jes spaghetti omhoog tikte. 'Spaghetti? Wurmen?'

'Voeldraden,' zei Luke, die zo abrupt kalmeerde dat het niet juist leek; het was een kleine vorm van verraad, emotioneel bekeken, van man tot man: Luke was zijn wereld van rustige geleerdheid, van vrien-delijke wetenschap weer binnengegaan en had mij daar helemaal alleen buiten laten staan. 'Ik zal eerlijk tegen je zijn,' zei hij, heel blij, heel op-gewonden. 'Toen ik hem voor het eerst in de vislast zag, dacht ik dat het een nieuwe soort was! En ik kreeg het er helemaal warm en koud van, werd dúízelig, weet je wel. Maar in elk geval had ik nog genoeg benul om hem voorzichtig in de mand te leggen en een poging te doen hem te vergeten en verder te gaan met het leven – en toen de trek voorbij was en jij naar de kombuis was gegaan en ik hier helemaal alleen was, voelde ik me rustig genoeg om naar de plank in het washok te gaan – ik had hem voorlopig de naam "snotvis" gegeven! – en dit deel drie te voorschijn te halen om hem te vergelijken... Ik wist dat hij tot de familie van de *Liparididae* of de zeeslakken moest behoren, weet je, met een geleiachtig lichaam, dril, vol water vanwege hun leven op beláchelijke dieptes, tot zevenduizend meter. Maar goed...' Hij legde de snotvis op de stalen plank voor me neer. En daarnaast legde hij deel drie van *Fishes of the North-eastern Atlantic*, het boek der boeken, beschermd door zijn meervoudige bruine papieren kaften, opengeslagen op bladzij 1276, de *Liparididae*. Lukes rechterwijsvinger zweefde boven de tekening van de *Careproctus longipinnis*, Burke, 1912. ('Synoniemen in de gewone talen: geen. Benamingen in de gewone talen: geen.') Het zou geen goed idee zijn, besefte ik, om de bladzijden van dit heilige boek aan te raken, vooral niet met een vinger die nat was van het vissenslijm – als ik dát doe, zei iets me, zal Luke mijn keel doorsnijden. Maar hé, toe nou, de illustratie toonde de gladde lijn van de neerwaarts gebogen kop, de rechte bek, de naar achteren geveegde voeldraden, de magere en gespierde flanken: afgezien van de afgedrukte maten vertoonde de afbeelding geen enkele gelijkenis met onze prachtige dikke kleine slons van een vis, een vis die ten volle van het leven had genoten en die had gedronken en spaghetti had opgeslurpt... 'Maar Luke!' zei ik. 'Ik dacht dat je léf had. Het is zonneklaar – het is wel degelijk een nieuwe soort. En jij – jij durft niet.'

'O, lazer op,' zei Luke, maar op halve kracht, niet zeker van zichzelf. 'Dit móét hem wel zijn: want het kaartje klopt.' Een dubbele arcering, heel smal, die zich uitstrekte van even ten noorden van de Faeröereilanden tot Bear Island binnen de poolcirkel. 'En vergeet niet, vergeet nooit dat vissen in musea worden beschreven aan de hand van geconserveerde exemplaren, vissen in formaline of alcohol, terwijl die van ons, deze' – hij streelde hem vol genegenheid – 'deze is zojuist van ruim duizend meter diepte naar boven gekomen, heel vers, en de kleuren kloppen beslist, maar door de afgenomen druk is zijn arme kleine maagje in hem geknapt, plof! Hou er nou dus maar over op, doe niet zo gek...'

'O ja? En de ogen boven op zijn kop?'

'Kijk, het geeft niet,' zei Luke, die deel drie sloot en de delen een en twee oppakte. 'Je leert rekening te houden met de afgenomen druk, weet je, je wordt door de wol geverfd...! En bovendien,' zei hij, terwijl hij de boeken, als kuikens onder zijn vleugel, de cruciale paar meter terugdroeg naar de veiligheid van de plank in het washok met zijn hoge drempel, 'heeft de Galathea, het onderzoeksschip, een zeeslak van bijna zevenduizend meter diepte opgevist – en de brotula's lijken precies op onze snotvis, hebben dezelfde vorm, en er is één soort die tot de diepst levende vissen behoort, op abyssale dieptes en zelfs in de feitelijke diepzee over de hele wereld, de *Abyssobrotula galathea*. Maar de huidige recordhouder is voor zover ik weet afkomstig van de bodem van de Puerto Rico-trog, absoluut het allerdiepste punt van de hele Atlantische Oceaan! Kolossaal!'

'Wat is het verschil tussen abyssaal en feitelijke diepzee?'

'Dat heb ik je al verteld.' Luke was weer afwezig, scharrelde rond, hoofd naar beneden, wollen muts bijna onder de rand van de eerste plastic mand. 'Abyssaal, vier- tot zesduizend meter. Feitelijke diepzee, onder de zesduizend meter. Troggen! Ravijnen! Plekken waar je de Mount Everest in kunt laten vallen zonder dat het iets uitmaakt! Ja, plekken waar jij en ik en niemand zich ook maar een voorstelling van kan maken! Hier! Hier op aarde!'

'Ja, nou, dat kan wel zijn' – waarom zei ik dat? – 'maar Luke, ik geloof je niet... wat die snotvis betreft...'

'Dat kan wel zijn?' schreeuwde Luke, die over het algemeen zo vreselijk mild, zo belachelijk tolerant was. Hij ging rechtop staan, in zijn volle lengte, wat niet erg lang was, maar zijn muts hielp, en bovendien speet het me, wat hem er nog dertig centimeter bij gaf. Luke hield een nieuwe vis pal voor mijn gezicht – en ik dacht, een bewuste langsglibberende gedachte: om me zo te verrassen met niet meer dan een vis, na alle vissen die ik de laatste tijd heb gezien, in wakende toestand, in mijn dromen, nóém maar op, zoveel vissen, en deze is dik en palingachtig en zit onder de zwarte vlekken met witte ringen rond zijn gespierde slijmerige lichaam... hij is omsnoerd door witte ringen...

'Nee, nee, Luke, het spijt me, ik had het alleen maar over de snotvis... Natúúrlijk is het een nieuwe soort en ik ga mijn camera halen om dat te bewijzen!'

'Echt? Dat zou ik graag willen! Ik heb het allemaal gezien, je dure Nikons en dat flitsapparaat en al die lenzen! Heel zwaar! Aye... En jij... jij hebt ze niet aangeraakt!'

'Natuurlijk niet!' zei ik, met het vaste voornemen mijn oliegoed of zeelaarzen niet uit te trekken, terwijl ik de waterdichte deur probeerde open te doen. 'Jezus! Vergeet je soms tegen wie je het hebt? Kijk, ik heb mezelf niet eens stil kunnen houden, laat staan een camera! Dus hou daarover op, hè?'

In de hut sloeg ik met mijn hoofd tegen het deksel van de bankkast toen ik het eraf tilde. Ik viel achterover neer in de ruimte tussen de kooien. (En dit is niets? Windkracht 9?) Maar in elk geval, besefte ik terwijl ik me oprolde en op mijn knieën naar voren kroop, ben ik nu officieel geïrriteerd, ben ik actief, wat goed is, wat echt goed is, omdat ik niet langer aan het wanhopen ben. Ik ben níét om hulp aan het smeken. En ik heb alleen maar de camera nodig die ik speciaal heb gekocht, alleen voor deze reis, voor vierhonderd hele ponden, en dat is genoeg om iemand ongerust te maken, een nieuwe Nikon FM2, louter handbediening, geen computeronzin die het erbij kan laten zitten zodra er iets nat wordt, en de werkelijk scherpe lens van 50 mm. Een micro-nikker, perfect voor een snotvis. En ten slotte lukte het me, terwijl ik alle kanten op viel en even kwaad was als een kat in een doos, om de basis op de camera vast te schroeven aan de arm van de flits die ik ook speciaal had gekocht – en die niet de beste was, dat moet worden toegegeven, een Sunpak G4500 (zo geruststellend, al die namen), maar hij zag eruit als het echte werk en voelde ook zo aan: een grote, zwarte, geribbelde lul van een statief, met een kop die massieve en explosieve kracht beloofde...

'Okay!' gilde Luke, toen ik me weer door de waterdichte deur heen worstelde, met de belachelijk veel te grote camera met flits aan de brede band om mijn nek. 'Eens kijken! Ik ben bereid hier tijd aan te verspillen – dat is het waard – dus laten we eens kijken of je foto's kunt maken bij windkracht 8 met uitschieters naar 9! Aye, neem je snotvis dus maar!'

Luke had alles voorbereid: de snotvis lag plat op een witte plastic achtergrond, de omgekeerde onderkant van de viskist waarop ik had gezeten. En onder de snotvis waren keurig, zorgvuldig, twee dieprode garnalen neergelegd (en dat zei me: wat het ook voor dieren zijn, voor Luke zijn ze van belang). En ik had nog nooit zulke garnalen gezien, en wacht eens even, word wakker, dacht ik, natuurlijk heb je ze nog nooit gezien, want ik durf te zweren dat die bloedrode garnalen niet zijn gekookt – en toch zien ze er stevig uit, en rood, donkerrood. Maar hou hiermee op, dacht ik, harder, want je kunt je beter concentreren op dit magnifieke apparaat, op deze camera, zo zwart, zo mooi, zo nauwkeurig, zo zorgvuldig uitgerust – en in feite weet je niet precies hoe je hem moet gebruiken, hè? Niet zo'n geavanceerd ding als dit, niet onder spanning. Want in je oerwouden móést je wel een eenvoudig fototoestel hebben: een zware, groene, geïsoleerde, waterbestendige, schimmelbestendige Nikonos, een primitieve afstandmeter, een onderwátercamera met zijn ingevette waterdichte naden, een 35-mm-lens – één grote verchroomde draaiknop links voor de afstand, één grote zwarte draaiknop rechts voor het diafragma. En wat was dat een vriend, een troost geworden, hè, na drie à vier maanden, zozeer zelfs dat je de gewoonte had gekregen het in je rechterhand te houden als je ging slapen, een fetisj, een wonderbaarlijk voorwerp, iets wat de tovenaar eraan herinnerde dat er werkelijk een andere wereld bestond...

'Hé, Redmond! Ben je er nog?'

'Hè?'

'Vooruit, maak een foto van de snotvis, en van de garnalen...'

Dus nam ik een foto van de snotvis, met de lens heel dichtbij, tot die dikke kleine slons van een vis het hele beeld vulde (waarop ik een risico nam, een volle flits op f-32)... Maar de garnalen waren anders. Toen ik me door de Micro-Nikkor van 55 mm (een groothoekmicroscoop, leek me) op ze richtte, maakte hun complexiteit me duizelig: acht of misschien wel negen antennen van verschillende lengtes staken uit de voorkant van hun kop, uit de bovenkant van hun gerekte snuit, uit hun uitstekende onder- en bovenkaken. En hun aan de onderkant bevestigde, aangepaste poten grepen naar voren: scharen, graaiers, schoepen met scherpe punten... En alleen uit de bovenste garnaal staken halverwege zijn lichaam, uit de onderkant van zijn gepantserde schaal, twee chitineachtige, buigzame televisieantennes, een aan elke flank, naar achter gebogen, overdadige bakkebaarden, recht uit het lichaam, helemaal achteraan – en ver voorbij zijn achterste vinnen... Hadden alleen de mannetjes of de vrouwtjes ze dan? Moesten ze signalen van mogelijk genot, trillingen, klikken, huiveringen van begeerte bij garnalen ontvangen, erotische impulsen uitzenden in de duistere diepten? Of was garnaal nummer twee zijn tere ontvangers gewoon kwijtgeraakt in de meedogenloze chaos van het trawlen? Ja, dacht ik, het is waar, het is heel opwindend, maar het stemt ook zeer ongerust, om op deze manier kennis te maken met een totaal nieuwe wereld, zo heel direct...

'Redmond! Worzel! Vooruit! Wat is er aan de hand? Híérheen. Hou daar alsjeblieft mee op, ik háát dat, die trances weet je wel? En bovendien hebben we misschien niet veel tijd. Want voor zover ik weet kan Jason best het nét hebben uitgezet!'

Luke stond nu (dat was me nog niet opgevallen) op de natte plankenvloer van de verwerkingskamer, rechts van de vislast. Met zijn gele zeelaarzen en links van hem een rode monstermand, die hij aan de rand vasthield, zag hij er bijzonder afgetobd, ongeschoren, gedreven uit, in de wetenschappelijke ik-moet-mijn-promotie-halen-stemming, en aan zijn voeten had hij iets groots neergelegd (het leek wel een meter lang) en iets slijmerigs (het glinsterde in de lampen boven ons hoofd) en het gleed over de vloer terwijl het schip slingerde, naar bakboord, naar stuurboord...

Ik begaf me ernaar toe – hangend aan de rand van de lopende band naar het ruim, aan de rondlopende striptafel; ik klauterde over de lopende band van de vislast heen en stond daar, terwijl ik, net als de grote slijmerige vis, begon te glijden, van bakboord naar stuurboord, van stuurboord naar bakboord.

'Precies!' zei Luke ongeduldig. 'Ik heb zojuist een nieuwe manier van fotograferen uitgewerkt, maar jij, jij mag hem hebben, grátis!'

'Bedankt,' zei ik, maar vaag geïrriteerd.

'Kijk, het is briljant. Jij en de vis, het object, glijden sámen over het dek, in hetzelfde tempo. Dan hoef jij je er alleen maar overheen te buigen, scherp te stellen en voor een absoluut perfecte opname te zorgen. Okay? Want ik heb deze foto's nodig, echt. Goed? Hou dus op met dat gehannes, geaarzel, wat dan ook, okay? Wat je daar hebt is het gróte werk, een echte ouderwetse zware uitrusting – en toch... en toch, Redmond, als ik je daar zo mee bezig zie, neem me niet kwalijk, maar... het lijkt wel alsof je niet weet hoe je ermee om moet gaan!'

'Maar dat weet ik ook niet! Dat weet ik niet! Ik heb alles speciaal gekocht...'

'O godverdorie!' zei Luke (en 'godverdorie' was voor Luke werkelijk een zeer sterke krachtterm). 'Wat is de ASA? De filmsnelheid?'

'200.'

'Goed, en je bent zo'n een meter tachtig, aye, en je buigt je voorover als je scherpstelt, dus laten we er dertig centimeter aftrekken van de lens tot het object, en nog dertig centimeter als je glijdt... Dus... Waarom niet? Geef hem vol vermogen op f-32! Maar je moet besluitváárdig zijn, aye, en snél!'

Ik stond boven de meter omvangrijk slijm, en (ik voelde Lukes gespierde rechterhand stevig op mijn linkerschouder) we gleden met elkaar heen en weer, de mand, Luke, ik en de meter slijm van een vis. En hé, dacht ik, terwijl ik scherpstelde, dit is helemaal te gek, en ja, het klopt, in extremis, onder druk, bij het oplaaiende vuur in het hoofd van een opgetogen verbeelding kun je ervan op aan dat de clichés als eerste uit het bezinksel van de geest opspringen, en dan, als je dieper komt, denk je als je boft misschien dat je wérkelijk het object ziet dat voor je ligt. En ja, dit was zo'n vluchtig moment waar verder niemand bij lijkt te zijn, wanneer je een tijdje niet aan andere dingen denkt, geen buitenwereld hebt, misschien het moment van de chirurg, waarop je alleen bent met het object... Er lag een glans van violet licht op een donker gevlekte huid van grijze olie: de bovenste vin strekte zich van achter zijn dikke nek uit tot aan de kleine bloesem van een staart, zijn buikvin, half zo lang, een franje van een waaier van zijn anus tot zijn staart, zijn maag opgezwollen, zijn oog half uit de kas en twee oranje parasitaire roeipootkreeften vastgezogen aan zijn middenrif, de een boven de ander.

'Goed zo!' zei Luke, toen we allemaal weer teruggleden naar stuurboord. 'Je hebt het te pakken!' En 'Hou dit vast!' zei hij, en duwde me tegen de stut naast de vislast (ik hield me vast). 'We kunnen de techniek nog verbeteren!' Hij bond het touw aan de rand van de mand aan de ijzeren steun, op kniehoogte. 'Zo kan ik je de specimina laten zíén! Want deze' – hij graaide de grote slijmerige vis uit de smurrie toen hij weer naar bakboord begon te glijden – 'is lástig. De trawlvissers noemen hem een "drilmeerval", en terecht, hij is ook drillerig, maar natuurlijk is het eigenlijk helemaal geen meerval, het is een zeewolf, en dit is het probleem: volgens mijn UNESCO-delen, je weet wel, Whitehead en anderen, zou het de blauwe zeewolf, de *Anarichas dendiculatus* kunnen zijn. Maar zijn lichaam én zijn rugvin zijn bedekt met van die vlekken, dus misschien is het de gevlekte zeewolf, de *Anarichas minor*... maar het is niet de *Anarichas lupus* of de gewone zeewolf, want deze komt, wat het ook is, van ongeveer duizend meter diepte... Maar goed, aye, het spijt me. Wat kan jou dat schelen? Dat is mijn probleem, niet het jouwe... maar jij, jij moet dít zien...' En Luke wrikte de kaken open – en dat was zo'n schok voor me dat ik vergat een foto te maken. De zeewolf had inderdaad een voorste rij tanden als van een wolf, maar dan erger, verspreid, zonder enige orde, en achter die wolventanden zaten kegelvormige zaagtanden en dáárachter lagen vermalende kiezen aan de zijkanten, waar ze hoorden te liggen, maar die staken ook uit het gehemelte van de bek...

Ik zei: 'O jezus!'

'Aye!' zei Luke, die het dier weer in de mand kwakte. 'Jezus, inderdaad!' Hij stak allebei zijn handen er diep in, in de vissenbrij, kennelijk op zoek naar een of andere kleine schat. 'Jezus! Besef je wel dat je dat voortdurend zegt? En je noemt jezelf nog wel een atheïst...' In de mand klotsten grote vissen, omgewoeld door zijn handen, tegen elkaar aan... 'En je vader de pastoor – wat zit je toch raar in elkaar, Redmond – je vader de pastoor zou zeggen dat Jezus' vader, God, weet je wel, jouw vader zou zeggen dat de zeewolf miljoenen jaren geleden was geschapen, vóór diezelfde kerel, God, ertoe kwam een wolf te maken, of niet?'

'Hè? Nee. Nee, natuurlijk niet! De hele boel, zeewolven, wolven, noem maar op, is allemaal volmaakt, zonder veranderingen, binnen een week geschapen. Exact 4004 jaar voor Jezus zelf is geboren. Volgens de tijdschaal van bisschop Ussher. Aan de hand van de menselijke generaties zoals die in de bijbel zijn gedocumenteerd. Poe! Hoewel mijn vader inderdaad weleens dacht dat die heilige idioot Teilhard de Chardin gelijk had, dat God het evolutieproces domweg op gáng had gebracht en ervoor had gezorgd dat alles goed verliep, van omega tot alfa, van algen tot engelen: in de perfectie!'

'Sorry,' zei Luke, die misschien de ongewilde hartstocht in mijn stem hoorde. Hij ging rechtop staan; met zijn rechterhand verborg hij iets achter zijn rug. 'Allemaal larieknoek, ik wilde alleen iets zeggen! En wel dat het leven in zee bijzónder oud is... zoogdieren zijn niet de enige gewervelde dieren met diverse soorten tanden voor verschillende behoeftes!'

'Goed, zeker,' zei ik terwijl ik me nog altijd stevig vasthield aan de stut, omdat ik niet horizontaal over de planken wilde glijden en mijn camera door de smurrie wilde halen. 'Laten we dan zeggen dat het leven

3500 miljoen jaar geleden is begonnen, met die slijmerige verhoogde matten van cyanobacteriën, blauwwieren, weet je wel, de stromatolieten, de bergen drab in het getijdewater in Australië en Zimbabwe, onze bacteriële voorouders, ja? En, Luke, je hebt gelijk, in zekere zin, het eeuwige leven, weet je wel, is het niet vreemd dat we dat idee nodig hebben? Want dat is iets waar ik niet mee uit de voeten kan, met of zonder Jezus: over 7500 miljoen jaar zal onze aarde worden verbránd door de uitdijende zon... En alles wat we hebben bereikt, kunst, architectuur, wetenschap, boeken, muziek, alle grote bibliotheken op aarde, allemaal dood!'

Luke lachte. 'Lariekoek! Worzel! Ouwe Worzel! Tegen die tijd zijn we allang vertrokken naar andere melkwegen, parallelle universums, wat dan ook, en we zullen onze archieven meenemen! Wat belachelijk, dus je gelooft wel in een eeuwig leven!'

'Ach, ja, ik neem aan van wel, als je het zo stelt, ja, dan neem ik aan van wel... 7500 miljoen jaar, maar desondanks...'

Luke haalde in een flits zijn rechterhand achter zijn rug vandaan. 'Dit zal je genezen!' Hij hield een dertig centimeter lange pijl van een vis voor mijn gezicht. De vis en ik bevonden ons neus aan neus, maar de neus op de vis was een rapier. 'Neem deze! De *garfish*, de geep! Deze is écht snel!' Hij bewoog het stevige rechte lichaam heen en weer. Het was vanboven blauwgroen, vanonder stralend zilver. 'Totáál anders dan onze diepzeevissen, en waarom? Omdat hij snel is!' Het rapier, zag ik, werd gevormd door zijn kaken, de onderste iets langer dan de bovenste, samen een dolk, een ponjaard, even verrassend als de uitstekende kaken van een snelle en elegante vis etende krokodil die ik op Borneo had hopen te zien, de gaviaal, *gharial* in het Engels, jazeker, maar waarom had ik daaraan gedacht? O ja, natuurlijk, *gar* in het Oud-Engels, een speer, een van de paar woorden die ik me herinnerde uit die verloren jaren waarin ik Angelsaksisch had geleerd: *gar, gotcha, garred yer bastard!* Zoveel beter dan het aanstellerige *spear* – alleen was *spere* ook Oud-Engels, of niet? Waarom had ik eigenlijk jaren verspild door zoveel hasj te roken, terwijl ik écht Angelsaksisch had kunnen leren en de wereld had kunnen binnengaan van *gar* en *spere* en het boerenbedrijf en veroveringen en het begraven van mensen in schepen in grafheuvels en seks en oorlogvoering en *Beowulf*? Jason, jezus ja, Jason had gelijk, ik had het allemaal weggegooid en nu was het te laat...

'Worzel!' riep Luke. 'Wakker worden! De geep, weet je nog wel?' Hij zwaaide ermee, als een idioot. 'Ze zwemmen enórm snel, hele scholen, scheren over het water, in feite is het zó'n oppervlaktevis dat hij bijna in de lucht thuishoort! Ze doorbóren hun prooi. En als je een kleine pelagische vis aan het oppervlak bent, is er geen ontsnapping mogelijk, want die beesten zitten achter je aan, laten hun staarten heen en weer zwiepen door het water, met de voorkant van hun lichaam, hun lange snavel in de lucht; ze schíeten achter je aan, een nachtmerrie! En ze kunnen wel een meter lang zijn! En hun verwanten – wie zijn hun verwanten?'

'Geen idee!' riep ik, terwijl Luke met zijn rechterhand de vis in de lengte op de grond liet vallen en met zijn linker mij losmaakte van de stut.

'De vliegende vis! We zullen er een foto van maken... Aye, de vlíegende vis!'

En dus maakten we er een foto van. En een portret van een pollak, een reus van een meter, die volgens Luke, misschien, van een diepte van vijfhonderd meter afkomstig was, een lid van de familie der schelvissen en zeer veel voorkomend, zeer wijd verspreid (tot in ondiep water) en héél lekker, maar Jason had er geen quotum voor en daarom konden we hem niet aanvoeren, en daar ging hij, de goot naar het spuigat door, met zijn gitzwarte rug, zijn zilveren buik glinsterend in het binnenkomende vroege ochtendlicht.

Uit zijn gele mand (die ze vulden) kwakte Luke twee grote vissen op de vloer: ze waren lang en dik, de eerste misschien een meter tachtig lang, met een roze kop, een roze doorlopende tweede rugvin en een heel lichtbruin lichaam met enkele willekeurig verspreide grote zwarte inktvlekken, zes aan elke kant. De andere had een bruine rug, was een meter twintig lang, mooi... Of kwam dat gewoon doordat het zuivere poollicht over hun lichamen stroomde, het horizontale licht vanuit de lage goot naar het spuigat aan stuurboord, licht dat ik beslist nog nooit had gezien?

'Leng!' zei Luke, toen we aan onze fotografische glijbeweging naar bakboord begonnen. 'De grote, de gewone leng, *Molva molva*, die voorkomt tot een diepte van vierhonderd meter, en dit' – hij gaf het dier een duwtje met de punt van zijn gele zeelaars – 'een blauwe leng, die dieper zit, tot op duizend meter, en dat zijn eveneens twee leden van de familie der schelvissen, de *Gadidae*; er wordt nu weinig naar omgekeken. Maar ik zal je eens wat zeggen: toen keizer Karel v van Frankrijk Hendrik viii in Londen kwam opzoeken, nou, wat dacht je? Het grote koninklijke klapstuk voor het banket was zoute leng! Aye, zoute leng was drie keer zo duur als zoute kabeljauw! Leng was vroeger het állerbeste!'

En ja, dacht ik, Luke houdt werkelijk van wat doodgewone, algemene plaatselijke Engelse geschiedenis bij zijn vis, wat om een of andere reden een troost was... Maar waarom? Omdat, zei het deel van mijn hersenen dat wilde dat het thuis was, omdat belangstelling voor een minieme tijdsperiode, voor de roddels van honderd jaar in een enkel land, in een klein uitgestrekt stukje land, de 3500 miljoen jaar uitsluit die is verstreken sinds onze eencellige voorouders voor het eerst op aarde zijn verschenen: onze echte geschiedenis. Het zegt 'aan m'n reet' tegen de werkelijke geografie die ons omringt en met afschuw vervult: de oneindige maar begrensde ruimte van ons eigen universum die Einstein heeft bedacht of ontdekt, evenals alle parallelle universums die onze eigen oerknal wellicht reduceren tot niet meer dan een geweerschot op een zaterdagmiddag. Ja, de vaderlandse geschiedenis is echt een bijzónder aantrekkelijke, geestdovende, verdringende bezigheid, even kostbaar en noodzakelijk als het poten van een paar bolletjes van sneeuwklokjes in wat grond in de tuin van een cottage die – gedurende een nanoseconde van micro-evolutionaire tijd – heus van jouw lijkt te zijn...

Luke tilde allebei de lengen, zonder enige hulp vrees ik, op de stilstaande lopende band naar het ruim. 'Om te zorgen dat ik ze niet vergeet,' zei hij. 'Ik zal ze later strippen. En ik heb hun otolieten nodig.' (Had Jason dan een quotum? Of, wat aannemelijker was, gold er geen quotum voor deze vissen? In elk geval, dacht ik, is dit systeem van de EU heel stom, heel verspillend: waarom kunnen we niet rationeel zijn, waarom kunnen we niet allemáál slim op de lange termijn zijn, zoals de IJslanders? En hé! Kijk eens aan, ik begín het te begrijpen, en daarom houd ik er uiteraard uitgesproken meningen op na!)

Luke boog zich snel en doelbewust abrupt over zijn blauwe mand (geeft hij het nooit op? Wat maakt hem toch zo volkomen gelukkig?). Hij haalde er iets uit ter grootte van een voetbal, massief, grijsbruin. (Wat was het? Een visseneierbal in een vrij harde schaal? Een spons? Het bolle oppervlak van de bijna-voetbal was gestreept door dunne scherven weerspiegeld licht, naalden van een wit schijnsel op het doffe moddergrijs. Nee, ik had geen idee. En dus voelde ik me inwendig ogenblikkelijk weer hopeloos, verloren… nee, ik begreep er nog helemaal niets van…)

Luke hield de bal (ik zag dat die verbazend hard was, zonder enige buigzaamheid) met beide handen voor zijn borst, alsof hij op de zijlijn stond, op een doel gericht, op het punt hem naar een speler in het veld te gooien. Hij zei: 'Worzel, wat is dit?'

'Dat wéét ik niet. En Luke, soms, tja, soms denk ik weleens dat het állemaal zinloos is…'

'Aye, Worzel! Dus je weet zeker dat dit een spóns is, hè?'

'Eh, ja. Maar…'

'Dat is het niet!' zei Luke triomfantelijk. 'Het is *duff*! En ik zal je eens wat zeggen, dat heb ik opgezocht in de universiteitsbibliotheek in Aberdeen, in de grote *Oxford English Dictionary*, talloze delen, het zogenaamde meest gezaghebbende woordenboek, en wat dacht je? Die mensen in Oxford – misschien had een van die dilettanten, neem me níét kwalijk, misschien hadden ze een van die woordenboekmensen naar zee moeten sturen, waar zoveel van onze woorden zijn gevormd!'

Luke, met de voetbal nu tegen zijn borst, niet meer in de werphouding, stond (volkomen terecht) als aan de grond genageld van woede op die woordenboekmensen. 'Ja! Duff! Dat is dit, duff.' Hij keek ernaar, vol genegenheid. 'En nee, het is géén woord uit de negentiende eeuw voor pudding, zoals die dilettanten uit Oxford je zullen zeggen, *dough*, *Yorkshire duff*, net als in *enough*. Spaar ons! Maar laten we de keuken met zijn deeg en pudding verlaten, okay? Dít is het, duff. Oeroud, als vissersterm, dúff. Iets wat je werkelijk niet wilt vangen. Duff. In de zin van rommel, een waardeloze vangst, zinloos! Aye, het is koraal.'

'Koraal? Doe niet zo gek!'

'Gek?' Luke keek me recht aan, zo vals als een goed mens maar kan zijn. 'Koraal uit het noorden van de Atlantische Oceaan vormt geen riffen of atollen, nee, de poliepen vormen heuvels op de continentale platten. Ze voeden zich 's nachts: hun stekende tentakels ontvouwen zich en hun bek opent zich 's nachts. Fantastisch, hè?'

En terwijl de Norlantean naar stuurboord slingerde, hief Luke met de grijns van een tiener zijn armen boven zijn hoofd en gooide de waardeloze duffbal omhoog en over de striptafel, tussen de stuurboordstutten door en béng! Geen gezeur! Bóém! Regelrecht in de goot naar het spuigat.

Ik riep: 'Goaal!'

'Fantastisch,' zei Luke voldaan. 'Maar dat moet jij niet in je hoofd halen.' Hij draaide zich weer om en rommelde in zijn blauwe mand. 'Want dat koraal zit namelijk vol silica, scherpe glazen punten die je huid kunnen openhalen. Dat is hun verdediging tegen grazende vissen.' (O ja? dacht ik, maar het is waar, en dat is nog een reden waarom ik het niet leuk vind: jij hebt dus handen als een lederschildpad, Luke, terwijl ik... ik waarschijnlijk nog áltijd meidenhanden heb... ja... de Rode Khmer hoeft er maar één blik op te werpen en ik word al achter een struik gebracht en gesmoord met een hermetisch gesloten plastic zak...) Luke vond het pronkstuk dat hij zocht en stalde het uit op de planken, met de dorsale kant boven: een zeester, maar donkerrood, opgezwollen, gedrongen, een supergespierde, buitensporig grote, afgehakte hand van een zeester die je, in je dromen, bij de keel zou grijpen...

Luke zei: 'Het is een zeester. Een diepzeezeester. Maar deze heb ik nog niet eerder gezien; ik ken de soort niet en daarom hebben we een foto nodig, een gedetailléérde foto, dus zakken maar' – en hij gaf me een duw – 'precies, op je knieën.' En zodoende gleden we op onze knieën naar bakboord. 'Zoals ik al zei was er een voormalige trawlvisser, weet je wel, op de Scotia, het onderzoeksvaartuig, een prachtkerel, die hoorde bij de vaste bemanning – allemaal uit Hull – en hij verzamelde de duff die in onze netten naar boven kwam.' Flits! F-32, dus veranderde ik de lensopening in 22, voor de volgende reeks... detailopnames: waarom waren de regels totaal anders? 'En op een dag vroeg ik hem wat hij ermee ging doen, waarom hij het wilde hebben, en hij zei dat hij nu oud was en dat hij een hekel aan het leven op zee had, en dat hij popelde van verlangen om met pensioen te gaan en dat hij alleen maar aan zijn volkstuintje dacht. Hij had er dríe. Maar het tuintje bij Hull was vergeven van verwilderde katten die zijn zaden opgroeven. Je weet wel, zoals een kat de grond besnuffelt en dan met zijn rechtervoorpootje een gat graaft en daar helemaal stijf onder een hoek van vijfenveertig graden neerhurkt, en hij houdt zijn kop in de lucht en denkt zo diep na dat hij wel een filosoof lijkt – en dan doet hij zijn behoefte. En even later gooit hij het weer dicht – en gaat er als een speer vandoor alsof hij daar níets mee te maken heeft!'

'Ja, Luke! Precies!'

We gleden terug naar de blauwe mand: hij pakte de zeester op (voorzichtig, hij mocht deze zeester) en terwijl hij hem weer teruglegde op de stapel, pakte hij de vis eruit die me enige tijd geleden had gefascineerd – een dag, een week geleden? Ik had geen idee… maar het beeld stond me nog zo scherp voor ogen als maar mogelijk is, en daar was hij weer, vlak voor me neergelegd: dik en palingachtig, vol zwarte vlekken met witte ringen rond zijn gespierde, slijmerige lichaam… er zaten allemaal witte ringen omheen… 'Esmarks puitaal!' zei Luke boven me. 'En nee, Worzel, hier ga je voor staan!' (De moeite die dat kostte, mijn knieën, al mijn gewrichten deden pijn, waren stijf, en jezus, dacht ik, als je dit overleeft, bestaat je enige redding uit het slikken van die levertraan en omega-3-visoliën, elke dag, flessen vol.) 'Maar goed, zoals ik je al vertelde, groeven de katten zijn bonen op, of wat het maar was, daar in Hull, en daar kon hij niet tegen, tegen die troep. Dus stampte hij de duff fijn met kattenvoer en dat liet hij in kommen buiten staan, in zijn volkstuintjes, en de katten aten het en gingen dood. De naalden doorboorden hun maag. En zoals ik al zei, was hij afgezien hiervan een prachtkerel, en we kregen hooglopende ruzie: ik zei hem dat het wreed was en dat hij het niet mocht doen. En weet je wat hij tegen me zei? "Ach jochie," zei hij, "je bent niks anders as een verdomde wijsneus!"'

En toen ging de sirene.

'Godverdorie!' zei Luke, die verstijfde. 'Esmarks puitaal! Die heb je nog niet genomen!'

'Ik luisterde naar jou!'

'Godverdorie! Goed, we zullen het later moeten doen…' Hij legde Esmarks puitaal in de hoogste positie, rondgebogen, boven in de blauwe mand. 'Maar die Jason, zoiets heb ik nog nóóit meegemaakt, de snelheid tussen de trekken, zoals hij maar door blijft gaan, zonder ooit te slapen! Maar we zullen wat wetenschap proberen te bedrijven na de volgende trek… Goed? Esmarks puitaal, de kathaai! Mijn promotie! En nog iets wat ik heb bewaard, vanaf de allereerste trek voor jou heb bewaard en het leeft nog steeds! Een slijmprik! Aye. Een slijmprik! De oudste en vreemdste vis in de hele zee! Wát een verhaal, aye, de slijmprik, dat is werkelijk het verhaal der verhalen…'

'Vooruit dan, schurk! Potvissen! Roeipootkreeften! Slijmprikken, slíjmprikken? Vertél me daarover!'

'Wat? Nu? Terwijl de sirene is gegaan? Ben je gek? Naar dek – neem je camera mee! Naar dek!'

Buiten aan dek was alles anders, geëtst, ingekleurd door het poollicht van de vroege ochtend: en mijn eigen kleine wereldje was veranderd: er stond deining, ja, maar ik kon staan, ik kon zelfs lópen. Er leek geen wind te zijn, of misschien, dacht ik, zijn mijn inwendige maatstaven voor zulke dingen voorgoed veranderd... Het licht was ijl en wit en zuiver en op een of andere manier naar boven gericht – en daar, pal boven ons, in dit licht dat ik nog nooit had gezien, hingen drie meeuwen die ik me maar half had voorgesteld, grote burgemeesters, nonchalante meeuwen van de ijskliffen van het noordpoolgebied, maar hun zware tonvormige lichamen, hun brede vleugels, hun stoere koppen (ze keken naar beneden, keken me recht aan, matig geïnteresseerd, hangend in deze extreem noordelijke wereld van ze, zo'n dertig meter boven ons) leken wel roze, dof roze. Goed dan, dacht ik, het zijn tieners, wat zou dat? De zuiver witte volwassen dieren hebben gewoon meer macho-achtige dingen te doen, neem ik aan, zoals jagen op ijsberen.

'Luke! Grote burgemeesters!'

'Ach,' zei Luke, die niet eens de moeite nam zijn hoofd om te draaien. 'Meeuwen. Er zit een minilog aan het net.' En hij begaf zich, in gedachten verdiept, onbereikbaar, naar achteren waar hij zich bij Bryan en Robbie en Allan Besant voegde die zich op het achterschip hadden verzameld.

Ik zei geschokt tegen een drieteenmeeuw, die een kleine twee meter boven mijn hoofd in de lucht zweefde: 'Die Luke toch, het spijt me, hij houdt gewoon niet van jullie, hij geeft niet zoveel om jullie als ik, snap je wel? Hij had niet eens oog voor die grote burgemeesters – die enge schurken daarboven, zie je wel? –, laat staan voor jóú, de mooiste kleine meeuw die er is; jeetje, die Luke toch, het spíjt me; jullie hebben gewoon niet zijn belangstelling, dat geeft niet, jij kunt er niets aan doen, het zit in hem; je zult het niet geloven maar Lukes grote liefde in het leven, zijn passie, zijn víssen.'

De drieteenmeeuw kantelde haar kopje naar rechts en naar beneden; ze keek me aandachtig aan met haar zachte donkere rechteroog: haar snavel was fris geel, haar zwarte poten en opgevouwen tenen hingen in de lucht, bungelden onder haar, heel teer; haar zuiver witte veren en door de wind verwarde buik zagen er heel warm uit. 'En hé!' zei ik tegen haar. 'Voor mij ben je de allermooiste vogel van de open zee, taaie kleine oceaanmeeuw die je bent, ik weet alles van je: jij scheert en hangt en vliegt hoog op en spéélt in die winden van windkracht 12 die ons zo bang maken…'

En de drieteenmeeuw, ik zweer het, kwam dichterbij en zei: 'Luke? Een passie voor vis? Ik ook!'

'Wacht even!' zei ik met klem. 'Blijf hier! Verroer je niet! Aan deze lens heb ik namelijk niets, die is voor detailopnames van víssen. Daarom moet ik onderdeks gaan om hem te vervangen, door jouw lens, de zoomlens van 200 mm. Maar ik zal mijn oliegoed of laarzen níét uittrekken. Nee. Dit is te belangrijk. En Jason zal het niet weten – die is op de brug, zoals we dat noemen. Blíjf dus waar je bent, want ik moet écht een foto van je hebben, voor mezelf, goed? Om eeuwig te bewaren…'

Ik ging naar de hut (geen problemen) en verving de lens (het genóégen daarvan: de buitenwereld was zijn haat, zijn geweld kwijtgeraakt: ik kon weer denken).

En toen ik weer terugkwam, jazeker, hing ze er nog, maar ze reageerde minder: 'Vlug!' leek ze te zeggen. 'Schiet op! Jullie mannen zijn ook zo traag, zo besluiteloos! Want – kijk! Het is niet dat je me koud laat, maar het is gewoon, tja, dat ik andere interesses in mijn leven heb, begrijp je wel, en ik vergá van de honger – en daar heb je de kuil, ver weg, die net boven is gekomen…'

Dus maakte ik een foto van haar, en een van een jan-van-gent die op het water wachtte, heel stralend en wit, verlicht door de lage stralen van de poolzon. En die foto's, dacht ik, met een absurd opborrelend plezier, zijn de twee beste foto's die ik ooit heb gemaakt – o ja? zei de inwendige stem die al onze heerlijkste emoties terugroept en ons in de steek laat als we wanhopen, en waardoor denk je eigenlijk dat je op een slingerend schip ergens een goede foto van kunt maken met een volledig open lens en een sluitertijd van een zestigste seconde? En dus – om te bewijzen dat ik niet luisterde – richtte ik mijn camera op grote Bryan op het achterschip: in zijn gele oliegoed, de capuchon over zijn rode bivakmuts, met zijn linkerhand op de hendel die het powerblock bediende. En hij grijnsde, hij vond het grappig dat ik een foto van hem probeerde te maken bij deze deining: hoewel hij zo geconcentreerd was, had hij dat gemerkt; het was waar, grote Bryan merkte alles, wat naar ik aannam ook een reden was waarom je hem aan dek wilde hebben als je zou besluiten overboord te vallen… En toen richtte ik de lange lens op Robbie met zijn haakneus, een Pict, in zijn versleten rode overlevings- pak, maar met een zwierige zwarte honkbalpet op, die me zei: Okay, hij weet hier alles van, dus is de windkracht 12 van die kleine orkaan, dat stormpje (zoals hij het waarschijnlijk noemt), werkelijk voorbij, is die overgetrokken, zijn we geréd. En vervolgens maakte ik een foto van Al- lan Besant, in zijn even vuile rode overlevingspak, met zijn zwarte kap opgetrokken rond zijn volle wangen, zonder iets op zijn hoofd, met kortgeknipt haar, afgezien van een pluk midden boven zijn voorhoofd, iemand die enigszins naast de rest van de bemanning stond (maar waarom…? Ik had geen idee).

De kuil zwaaide rond en kwam omhoog, boven de vislast. Robbie maakte de strop los. Er viel een stortvloed van roodbaars met dof ge- raas in de verborgen stalen holte. Luke gaf me een duw (waar kwam hij ineens vandaan? Waarom viel míj toch niets op?): 'Actie! Naar de verwerkingskamer!'

En terwijl we ons onderdeks begaven, namen we de zuiver symboli- sche, psychologische regels in acht: op het schutdek werkten Luke en ik ons als elke trawlvisser (en nee, dat was absoluut niet praktisch) uit ons oliegoed en trokken we moeizaam onze zeelaarzen uit, en die droe- gen we over de korte afstand met ons mee, de trap af, linksaf door de uitermate smerige gang langs de kombuis (het had niets met zindelijk- heid te maken) en door de waterdichte deur van de verwerkingskamer, om alles op de bank links daarvan weer aan te trekken. En ik wilde net vragen: waarom hebben we in vredesnaam onze tijd daarmee verdaan? Maar toen kwam het antwoord in me op: natuurlijk, om bij zijn volle verstand te blijven, om de kostbare andere wereld van zijn huiselijke tijd en de slaap te bewaren, moet een jagende man een grens aanbrengen, ook al is die onzichtbaar, een grens tussen zijn twee levens, zijn werk en zijn rust, en dat zal hij op een of andere scherpe, symbolische manier doen, vooral als die twee werelden, materieel gezien, slechts een paar meter bij elkaar vandaan liggen.

Ja, en ik was het eerst bij de striptafel (ongerust) om het enige stripmes met een houten handvat in beslag te nemen (heel geruststellend), en er kwam een andere vraag zomaar ineens in me op (wat op zich een genoegen, een geruststelling was: misschien zouden mijn hersenen dus op een dag weer echt tot leven komen?): waarom zijn al die zeevogels daarboven, de grote burgemeesters (als het volwassen dieren waren geweest), de drieteenmeeuwen, de jan-van-genten, de sterns (niet dat we er daar een van hadden gezien), waarom zijn die allemaal zo wit, zo ontzettend wit? En de aard van deze kleine vraag was ook een intens genoegen, want die was onschuldig, ging over de buitenwereld en had helemaal niets met mezelf te maken, en was daardoor gezond, een vorm van genezen. En het antwoord kwam ook in me op – uit iets wat ik ergens had gelezen (maar nee, ik kon me niet meer herinneren waar het precies vandaan kwam, dus ja, mijn geheugen was nog steeds deels verblind door buiswater, dichtgeklapt van angst, verward). Sternen en meeuwen, en vermoedelijk ook jan-van-genten – zulke sociale vogels allemaal – hebben een zeer hoog percentage oranje en rode oliedruppeltjes in hun ogen: ze kunnen mijlenver kijken, dwars door de atmosferische nevel heen die boven de oceaan hangt; ze kunnen al van heel ver weg de opgewonden drukte waarnemen van opvliegende en duikende witte vogels die een school vissen hebben ontdekt en aan het eten zijn…

Het is routine geworden, dacht ik, het is bijna een manier van leven geworden; ik weet zeker dat ik dit al eeuwig doe, dat gedoe aan de striptafel, ik wéét wat ik moet doen (o ja, zei de inwendige stem, hoe komt het dan dat ze zo weinig aan je hebben?). Robbie stond rechts van me, Luke links; Bryan, Jerry en Sean begaven zich via de ladder naar het ruim beneden – ja, dacht ik, dat moet ik de volgende keer doen: wat gebéúrt daarbeneden?

Allan Besant stapte naar de tafel, naar de bedieningsplaats, en sloeg toevallig met zijn voorhoofd tegen het uiteinde van het houten handvat van de stalen messenaanzetter die iemand niet precies pas in zijn nauwe gleuf tussen de pijpen boven ons hoofd had teruggelegd, maar schuin naar beneden. 'Godverdomme!' schreeuwde hij met losbarstende gewelddadigheid. Hij greep het handvat met zijn rechterhand vast en smeet het aanzetstaal met een bliksemende achterwaartse schokbeweging van zijn arm door de verwerkingskamer, waar het als een pijl uit een kruisboog verschrikkelijk hard tegen de platen aan bakboord sloeg, half naar hem terugketste, met afnemende energie voortstuiterde, bijna tot aan zijn voeten, en, tot rust gekomen, een aanwijsstok in langsscheepse richting, zoals alle losse en ongelede dingen begon te rollen, van bakboord naar stuurboord, van stuurboord naar bakboord...

Robbie en Luke, die roodbaars aan het sorteren waren, hielden hun hoofd gebogen. Niemand zei iets. Ongeveer een uur later stapte Allan Besant zonder een woord te zeggen van zijn kist, liep over de slingerende natte planken, pakte het aanzetstaal op en legde het zorgvuldig, vlak en recht weggestopt, terug op zijn vaste plaats.

Luke liet ogenblikkelijk zijn vak, zijn volle bak aan de striptafel, in de steek, sprong luchtig van zijn eigen kist en naar links, werkte zich met een zwaai over de lopende band – gele laarzen in de lucht, alsof hij over een hek sprong –, verdween even (ik hoorde het geknars van de golfplaatdeur van de vislast open- en dichtgaan) en kwam weer de hoek om met iets in zijn rechterhand: lichtbruin, nogal plat en erg nat. (Wat het ook was, dacht ik, Luke heeft het daar opgeborgen, verstopt op een van zijn vele heimelijke bezoekjes – de maagdelijke, rijke, volgeladen vislast was kennelijk van Luke alleen.) Hij herhaalde zijn circussprong, ogenschijnlijk zonder enige moeite, met één hand, en daar stond hij weer, naast me, op zijn kist, met een belachelijke grijns op zijn gezicht – en in het licht van zoveel vreugde loste alle spanning in de verwerkingskamer op als ochtendnevel...

Luke leunde naar voren over de striptafel heen, hield zijn kostbaarheid met beide handen vast en kantelde hem om de beurt voor elk van ons, voor Allan, voor Robbie en voor mij, in het licht van de lampen boven ons. En ja, zelfs ik wist dat dit iets bijzonders moest zijn, want anders hadden Allan en Robbie beleefd en verveeld gekeken en waren ze verder gegaan met hun werk, maar ze staarden ernaar, net als ik... Het was een energieke kolonie kleine diertjes, dat zag ik wel, in de vorm van een honingraat in een bijenkorf, maar dan was dit een manisch geheel, met diepe gangen, behoeftig, en elk teer klein rond gaatje (nou?

Misschien met een doorsnede van vier millimeter, en heel gelijkmatig verdeeld, met volmaakt ronde wanden van misschien een halve milli-meter dik) en elke naar achter lopende gang was gevuld, heel diep, met een teruggetrokken, paars-wit fel glinsterend diertje...

'Wat is dit, Worzel?' zei Luke, te hard, dus dat was in orde; het was een vraag om een sociale band te kweken, een vraag voor ons allemaal.

Nou, dacht ik, als een brugklasser, amper dertien (en biologie was toen al heel opwindend – in feite was het geluk van zo'n openbaring bijna overweldigend geweest, een ogenblikkelijke vrijlating in de grote, toetsbare wereld: dit is dus écht? Zo is de wereld wérkelijk? En dus: pats boem! En sindsdien heb ik steeds geprobeerd dat gevoel weer terug te krijgen...) – ik dacht: tja, meester Luke stelt me deze vraag met zoveel overdreven genoegen, en de vorige keer had ik het mis, dus ja, sponzen zijn toch zeker koloniedieren?

'Het is een spons!'

'Nee!' schreeuwde Luke, met een hupje van levenslust; hij húpte op zijn kist. 'Nee! Worzel, nee! Het is een mast!'

'Een mast?' zei Allan, gretig, naar voren leunend. 'Ga toch weg! Natúúrlijk is het geen spons! Worzel! Ouwe Worzel! Maar shit, het Ma-riene Lab! Het Maríéne Lab uit Aberdéén! Het is geen klotemast!'

'Aye!' schreeuwde Robbie. 'Ja! Het Mariene Lab: die lui redden het niet op zee! Die storten in zeg maar!'

En Luke was absoluut niet beledigd, maar barstte bijna van de ener-gie die de rest van het leven de moeite waard maakt. 'Het is een mast!' riep hij, zijn verweerde gezicht een ogenblik getransformeerd tot dat van een jonge jongen. 'Het is een mast!'

Hij draaide het ding om – en ja, er was geen twijfel mogelijk: geen gaten, gewoon een glad, bol oppervlak, een kwartdoorsnede van de buitenkant van een massieve mast.

'Aye,' zei Robbie, zonder verontschuldigingen. 'Ja! Dat klopt, zonder meer – en stel je eens voor dat ze híér zijn vergaan, in windkracht 12, zoals laatst. Januari – en dan op een zéílboot. Geen kans. Geen kans om haar kop tegen de knobbels in te houden. Geen schijn van kans. Mannen van Orkney, dat zou me niets verbazen. Uit Stromness. Een walvisvaarder.'

'Aye, christus!' zei Allan buitensporig fel. 'Wat een kútleven!'

Luke, die Robbie en Allan negeerde (dit was biologie, geen geschie-

denis) zei: 'Worzel, Redmond!' Er kwam dus nog meer; Lukes belangstelling was nog niet uitgeput, hij was nog niet klaar. 'Hoe zou je dit ver-
klaren? Want dít' – de glinsterende paars-witte dieren die zich in hun
holletje hadden teruggetrokken en het licht boven ons weerkaatsten
– 'is niet de *Teredo navalis*, het weekdier, de tweekleppige uit de ondiepe
wateren, de zogenaamde paalworm! Nee! Absoluut niet!'

Hij gooide het stuk hout in een volmaakte boog over de lopende
band vanaf de vislast, regelrecht in zijn aan een stut gebonden blauwe
mand. (Hoe doet hij dat? dacht ik, terwijl mijn geest zich ontspande in
zijn gebruikelijke geleuter over bagatellen, waarom is hij geen smijter,
keiler of wat dan ook van beroep? Er móét een of ander post-prehisto-
risch jachtspel zijn waarin figuren als Luke worden gewaardeerd die zo
goed met hun handen gooien, net zoals het spel dat helden maakt van
mensen die met hun voeten tegen dingen trappen. Hé, ja! Basketbal!)

'Nee, heus, Redmond, lúíster, het is heel bijzonder, want deze weekdieren zijn bovengekomen uit de diepzee!' En Luke leunde geconcentreerd over de striptafel naar voren, alsof hij het stuk mast nog in zijn
handen had – en zijn handen, die een eigen leven leidden, begonnen
zijn woorden mimisch uit te beelden. Robbie en Allan, het werk volkomen vergeten, leunden ook naar voren, keken toe. 'En we weten nu,' zei
Luke, 'sinds de jaren zeventig – nog maar zo kort! – we weten nu dat er
overal ter wereld houtborende tweekleppigen op de oceaanbodem liggen te wachten.' Lukes handen, zo plat als maar kon, strekten zich naar
voren uit over de striptafel, spreidden de grote vlakten van de diepe
afgronden van de onderwaterwereld uit met hun bevolking van gespecialiseerde wachtende weekdieren. 'Kun je je een minder aannemelijke
voedingsbron voorstellen? Hóút – de diepe oceaan? Daar zit je zo ver
bij de bron van hout vandaan als maar mogelijk is! Uiteraard storten ze
zich op zulke masten als dat ding' – hij knikte heftig naar zijn blauwe
mand – 'op de rompen van houten scheepwrakken, maar toe, ze zijn
miljoenen jaren geleden tot ontwikkeling gekomen, voor we zelfs maar
rechtop gingen staan, laat staan dat we schepen bouwden. Vooruit nou,
Worzel! Niemand weet hoe of wanneer – tot nu toe – maar wat heeft
hen in leven gehouden voor de mensen schepen gingen bouwen en
zichzelf begonnen te verdrinken?'

Robbie en Allen, met glinsterende ogen, amuseerden zich kennelijk
kostelijk; dit was tenslotte iets onverwachts: privéonderricht door een

trawlvisser, een visserij-inspecteur uit het zuiden van de Atlantische Oceaan, die nu in hun eigen visserijlab zat, het Mariene Lab in Aberdeen, waar zoveel nieuwe technieken waren uitgevonden die hun leven hadden vergemakkelijkt en hun vangsten en inkomen hadden verbeterd – en hij zat verdorie nog bij de réddingsbrigade ook – en hij had die witharige ouwe Worzel bij zich, ouder dan hun vader...

'Nou, dáár weet ik het antwoord op,' zei ik opgetogen, want ik zag ogenblikkelijk talloze beelden voor me van een grote bruine machtige rivier (de andere oever een wazige vlek laag aan de horizon): de Orinoco, de Congo, de Amazone (en het eiland in de monding van de Amazone, niet dat ik het zelf had gezien, was even groot als Zwitserland), en de hele dag, op een biologerende manier, ononderbroken (waar je ook was), voerde de genadeloze bruine rivier hele boomstammen mee, takken, verbrijzelde vlotten van wit verweerd hout dat bij een abnormale overstroming was losgewrikt uit de binnenbocht van een of andere rivier diep in het binnenland – altijd, eeuwig, op weg naar de oceaan...
'Rivieren!'

'Rivieren?' zei Luke.

Robbie glimlachte.

Allan Besant legde om een of andere reden zijn rechterhand boven zijn hoofd op de start- en stophendel van de lopende band, en zonder iets in gang te zetten leunde hij zelf naar voren om het beter te verstaan... En ik besefte dat we een gesprek met ons vieren voerden... We waren dus niet ingesloten door het diepe dreunende ritme van de machines, het gedreun van de dieselmotoren dat denken onmogelijk maakte. Nee, natuurlijk niet, het was het volle register van de afgrijselijk veel sterkere geluidsgolven van de zee, de krankzinnige wind...

Luke herhaalde met een half lachje: 'Rivieren?'

'Ja, ik heb het gezien: een eindeloze reeks kapotte bomen, takken, verwarde massa's vegetatie, op weg naar zee, vooral in de Amazone en de Congo, maar ook bij de felle riviertjes van Borneo!'

'Aye! Já, dat moet het zijn!' schreeuwde Luke. (En zo voldáán, dacht ik, ja, wat zou je een goede leraar zijn...) Hij ging zachter praten tot zijn stem gewoon hard klonk, werd wetenschappelijk serieus: 'Maar de verklaring uit de leerboeken, zoals die bijvoorbeeld wordt gegeven in *Deep Ocean* van Tony Rice, de geweldige kleine samenvatting van het geheel in het officiële boekje van het Natural History Museum, luidt als volgt: hij zegt dat bomen van kustbossen – hoe ónaannemelijk dat ook mag lijken, geeft hij toe – hij zegt dat die bomen váák genoeg in zee moeten vallen om het lonend te maken om een houtborende diepzee-tweekleppige te zijn!'

'Aye!' gilde Robbie heel blij, aansporend (en ik dacht: vriendschap, dit is vríéndschap, het kostbaarste emotionele genoegen op lange termijn dat we ooit kunnen hopen te ervaren...). 'Rivieren! Kijk aan, Worzel, de hele mikmak!'

En Allan, nu ook vriendelijk, trok de grote hendel boven zijn hoofd naar beneden die de lopende band vanaf de vislast op gang bracht, en de kleine hendel ernaast die de striptafel in beweging liet komen, en toen, in het besef dat al onze bakken nog steeds vol waren, duwde hij allebei de hendels weer hard naar boven.

Waarop, alsof ze wisten dat wij daarboven in het schemerlicht geno-ten van het geestelijk leven, van de kennis – van al die ándere dingen dan louter zware arbeid – en hen daarbeneden buitensloten van de moeizaam verworven inhoud van Lukes hersenen, waarop Bryan of Jerry of Sean vanuit het ruim het hamerslagsignaal liet weerklinken, staal op staal: Beng! Beng! Beng! Stelletje luie klootzakken! We hebben geen vis meer!

Dus togen we weer aan het werk, serieus, sorteerden roodbaars, en de wereld slonk weer tot een vage vlek tussen de handen, van rood en zilver en pijnlijke stekels en af en toe een andere vis (Luke, links van me: 'Strip die!') en stalen randen en buizen en kletterende valluiken... En ten langen leste was, voor ons, de trek voorbij... Toen bukte Luke zich – heel mager, jong, pezig, heel manisch en gedreven – snel als een toeslaande kat, en kwam weer boven met een of andere vis van een meter (waar had hij die nu weer verborgen gehouden? Aye, zoals hij had kunnen zeggen, natuurlijk, ónder de viskist waar hij op stond...): een vis die in zijn omvang een en al kop was, met een korte ronde snuit, uitlopend in hoornige platen, een grote onderstandige bek – en een mager lichaam daarachter dat taps toeliep tot een levensecht uitziende rattenstaart, die des te overtuigender was doordat de gespierde laatste paar centimeter roze was als bij een jonge rat...

Ik dacht: dat is een rattenstaart, een vis van de zwarte diepte, een grenadiervis – en hé, zelfs ik kan nu een grenadier herkennen als ik er een zie! – maar deze was anders, was op zijn manier elegant, ja, gracieus

zelfs... 'Het is een rattenstaart! Het is een grenadier!'
'Goed zo, Worzel!'
En Robbie brulde: 'Goaaal!'
En Allan Besant zei, minder gul: 'Goal.'
'Aye,' zei Luke, die de vis voorzichtig in zijn bak op de lege en stilstaande striptafel legde. 'Het is een grenadiervis, *Coryphaenoides rupestris* (en klinken ze niet gewéldig, die wetenschappelijke namen? En op een dag zullen we gaan uitzoeken wat ze betekenen, dat belóóf ik je), maar op dit moment, Worzel, zou je het erg vinden? Zouden we er alsjeblieft een foto van kunnen maken, naast de noordelijke grenadiervis, de *Macrourus berglax*, weet je wel, om die twee te vergelijken? Zou je dat willen doen?'

Robbie spoot Allan af: de krácht van die pomp, een aureool van waterdruppeltjes, een van bovenaf door neon verlichte stralenkrans rond het hele lichaam van de heilige Allan Besant, en toen, op dezelfde manier, terwijl Allan Robbie in zijn oliegoed afspoot en het waterkanon erop los schoot, een neonhalo: de zaligverklaring van Sint-Robbie. En zij, dacht ik, de zwijnen, de gelukkigen, gaan ervandoor om in de kombuis te gaan eten... wat zal het zijn? Haggis? Ja, God, alstublíéft, laat het haggis en clapshot zijn. En (het ritme van een plechtig gezang van de kleine vrije fundamentalistische Schotse christenen begon aan te zwellen in mijn hoofd, in het Gaelic natuurlijk, maar goed vertaald: 'O heilige Mavis en Kleine Tot / Geef me clapshot en haggis / Haggis en clapshot.') Jezus, dacht ik, ja, ik heb mijn haggis en mijn clapshot verdíénd. Rapen en piepers. De béste. Alsjeblieft. Maar nu moet ik die vissen fotograferen... Dus ging ik regelrecht (in volledige zee-uitrusting, een protest) naar de hut (de géúren uit de kombuis) om de Micro-Nikkorlens te halen, en met de camera en flits, die aan hun riem aan de haak in het washok hingen (Hé, ik ben er, dit is míjn haak: ik hóór hier), herhaalde ik de kleine Nikon-mantra (aan op 5,6, uit op f-11) en draaide de zoomlens van 200 mm los, zette het Nikon-afdekplaatje (de precísie daarvan, zelfs in plastic, of wat het maar was) van de microlens op de zoomlens, stopte de zoomlens om hem veilig te bewaren in de rechtervoet van Lukes reservepaar zeelaarzen, waar ter hoogte van de kuit met een dikke markeerstift LUKAS op was gezet (was het dan een speciaal relikwie, nog uit zijn tijd als visserij-inspecteur aan boord van antarctische Spaanse trawlers?) en klikte de Micro-Nikkor vast, en waarom, vroeg ik me vaag af, was zo'n uitrusting zo geruststellend? Zo bevredigend? Ja, het was beslist een diep gevoel, dat helemaal niets te maken had met het voorwerp zelf – daarom was het waarschijnlijk genetisch, prehistorisch. Ja, de mannen die níét opgetogen waren over hun perfecte uitrusting, de verrukkelijke ronding van de boog, het summum van balans in de pijl, nou, die werden natuurlijk weggestuurd voor ze zich konden voortplanten: die werden gedood. En de vrouwen, die hebben andere dingen aan hun hoofd, louter een uitrusting van geen belang voor hen, die maken zich alleen druk om het eindresultaat, de geslaagde man zelf, en daarom is het geen wonder dat meisjes geen pijl-en-boogblaadjes lezen, of geweerblaadjes, of foto- of Ferrariblaadjes, of trawlerblaadjes – nee, nee, zij hebben geen tijd voor die eerste mannelijke testfase (Jongensdingen! denken ze. Wat een belediging! Nee, zij bekommeren zich alleen, terecht, om het eindresultaat: met de beste of de slechtste uitrusting, wie maalt daarom? Kun je ... meebrengen? Wat? Haggis én clapshot...)

Ik besefte dat ik op de vloer van de verwerkingskamer stond (zonder enige moeite, eindelijk), aan bakboord van de vislast, en dat Luke naast me, met twee vissen in fotopositie aan zijn voeten, tegen me schrééuwde. Waarom deed hij dat toch?

'Redmond! Dit is belángrijk! Weet je waarom?'

'Hè?'

'Alsjeblieft – hou daarmee óp – weet je, soms, neem me niet kwalijk, maar soms denk ik weleens dat je alzheimer hebt, neem me niet kwalijk, het spijt me' – hij raakte mijn linkerarm aan – 'je weet wel, een échte Worzel, omdat ik soms tegen je praat zonder dat je reageert!'

'O nee?'

'Nee, ik zeg iets – en dat geeft niet, ik wéét dat je geen slaap hebt gehad, maar ik ben gewénd aan tráwlvissers die geen slaap hebben gehad, en die reageren áltijd als je iets zegt!'

'O.'

'Ja – laat dus maar – maar dit is belángrijk.' Met zijn gele rechterzeelaars (met de stalen neus aan de binnenkant) duwde hij de twee uitgestalde vissen dichter naar elkaar toe. 'Weet je waarom?'

'Nee, natuurlijk niet.' En zelfs nog kregeliger: 'Natuurlijk niet!'

'Dat zou je anders wél moeten weten,' zei hij, bezield door die diepe fascinatie voor een wereld buiten hemzelf. 'Want weet je nog? Twéé derde van het aardoppervlak is zeeoppervlak – en 80 procent van die zee is meer dan vijftienhonderd meter diep. En de abyssale gebieden op aarde lopen door: de diepe bekkens van de Atlantische, de Grote en de Indische Oceaan staan, zoals de leerboeken zeggen, allemaal met elkaar in verbinding, in verbinding! Stel je dat eens voor! De gigantische kracht van die onbelemmerde stromingen – en er zit evenmin een barrière tussen deze oceanen en de troggen van de grote Zuidelijke Oceaan' – toen we langzaam naar bakboord begonnen te glijden, met de vissen aan onze voeten, klemde Lukes hand zich bezeten rond mijn linkerschouder: áú! Wat had die kleine Luke een kracht – 'en díé ken ik – ik heb in elk geval op de rand ervan naar specimina gedoken, heb ik je dat verteld?'

'Au! Ja. Geweldig! Dat heb je gedaan!'

'Ja? Maar in al die bekkens bevinden zich natuurlijk oceaangaten en diepe dalen en kloven die dieper en dieper worden – je weet wel – peilloze dieptes, en nou ja, díé zijn evenzeer van elkaar afgesneden als de toppen van verschillende bergen op het land, maar dergelijke plekken zijn eigenlijk plaatselijk, die zijn zéldzaam…'

'Maar hoe, hoe kan de vorming van nieuwe soorten, Ernst Mayrs…'

'Toe nou, Worzel! In godsnaam… máák die foto!'

'Gaat niet.'

'Hè?'

'Gaat niet. Kan me niet bewegen. Je hebt mijn schouder vast!'

'Och aye! Ach, sorry!'

Luke liet me los: ik strompelde naar rechts, herstelde me en boog voorover tot ik de twee grenadiervissen scherp in beeld had: de noordelijke grenadiervis (boven) groter, meer gedrongen en in verhouding tot het gladde projectiel met de roze staart, de gewone grenadiervis, zo schubbig dat hij wel een dinosauruspantser leek te hebben. Flits!

'Aye! Maar je bééfde!'

'Natuurlijk beef ik!' En mijn andere inwendige stem, een onwelkome, nieuwe, verongelijkte, kribbige oudemannenstem, die zich kennelijk, zo was me opgevallen, in Stromness bij me had gevoegd en al een of twee keer tot me had proberen te praten, zei: 'Je zult béúrs zijn, weet je dat? Al je gewrichten vóél je, maar je schouder zal píjn doen. Dus waarom houd je er niet mee op, waarom ga je niet met pensióén? Ja, ja, je moet nieuwe interesses vinden voor je familie je naar het zéér geruststellende Het-Is-Allemaal-Voorbij-Avondrood-Totaal-Gestoor-de-Alzheimer-Vaarwelhuis stuurt – natuurlijk moet je dat doen, dus wat vind je van tuinieren? Ambities? Ja, ja, liefje – en hoe voelen we ons vandaag? Ambities? Tja, je zou een volkstuintje kunnen nemen, en zelfs zonder katten te vergiftigen zou je misschien, heel misschien, het volmaakte sprúítje kunnen kweken… En waarom niet? Dat is móéílijk! Daar mankeert niets aan!'

'Nou, blijf daar niet zo staan! Maak een andere opname. En dan nog een. Vooruit! Verander de ínstellingen.'

'Hè? Ja, ja, natuurlijk. Ambities! De toekomst!'

'Wat? Hé, Worzel! Aye. Dat is het. Goed zo! Maar er is één grote barrière!'

We gleden langzaam terug naar stuurboord (zelfs de zee begon vriendelijk te worden…)

'Jazeker. Binnen de diepzeeën van álle oceanen ter wereld is slechts één grote scheidslijn – en wáár, Worzel, waar denk je dat die is?'

'Geen idee!'

'Híér! Precies hier, pal voor de kust van Groot-Brittannië! En niemand in het Verenigd Koninkrijk weet dat of maalt daarom!' Luke, diep gekwetst door onze onwetendheid, greep de twee kostbare grenadiervissen bij hun rattenstaart en kwakte ze in zijn gele mand. 'De grenadiervis zou hier technisch gezien namelijk niet horen te zijn – en waarom niet? Omdat dit het terrein van de noordelijke grenadiervis is! En waarom? Omdat tussen de verspreidingsgebieden van de twee soorten één grote barrière ligt, een verdomd grote bergketen, neem me niet kwalijk, een verzonken bergketen die het continentaal plat ten westen van ons, je weet wel, Groenland, IJsland, de Faerøereilanden, verbindt met het totaal andere continentale plat dat bestaat uit ons en Europa en de ondiepe Noordzee, een vijver!'

De camera-uitrusting hing weer aan zijn haak in het washok, Luke spoot de visschubben en het grom van mijn oliegoed; ik spoot Luke af, van het schort voor zijn borst tot zijn laarzen, en vanuit het rondspattende water riep hij: 'Aye! Dat loopt vanaf het zuiden van de Faerøereilanden naar de Shetland- en Orkney-eilanden – dwars door de Faerøer-Shetlandgeul! De Wyville-Thomsonrug! Maar nu – moeten we gaan eten! Tot rust komen! Wat dan ook! Maar daar zal ik je later over vertellen, ik beloof je dat ik dat zal doen…'

'Godverdorie!' schreeuwde ik.

We kwamen laat in de kombuis, heel laat, maar Bryan, Robbie en Allan Besant waren er nog: Bryan nam zijn vaste verste hoek aan de linkertafel in, met zijn rug naar de kombuis; Robbie zat tegenover hem, en Allan Besant, net rechts van ons, hing met zijn schouders tegen de muur en zijn handen achter zijn hoofd languit op de bank. Ze keken alle drie naar ons op: de drie zeer verschillende gezichten schenen allemaal te zeggen: hallo, ja, maar alsjeblieft, nu even niet, jullie komen net binnenlopen nu onze hévige discussie haar hoogtepunt nadert.

Allan Besant, die er klaarblijkelijk het minst bij betrokken was, zei: 'Hallo, jongens! Er zijn karbonades met clapshot! En Jerry heeft groentesoep gemaakt – en we weten allemaal dat Jerry een nieuwe jongen is, en hij is een rukker uit het zuiden, uit Edinburgh, Edinburgh! Maar het valt niet te ontkennen' – hij sloot zijn ogen – 'zijn soepen, als Jerry zich concentréért, aye, in feite zou je de wereld kunnen rondreizen zonder iets beters te proeven…' Hij deed zijn ogen open. 'Ga dus maar jullie warme karbonades halen – en eet vervolgens, luister naar mijn raad, de soep koud. Want die soep, jongens, heet, warm, koud of verdomd bevroren, wat maakt het uit? Beter is er niet!'

We haalden onze witte borden uit het verticale houten rek, onze messen en vorken uit de vastgeschroefde bestekbak, onze karbonades (een per persoon) uit de pan en, terwijl we de scheepssoeplepel grepen in de even uitzonderlijk grote, vastgezette steelpan (naast zijn tweelingbroer, nog voor een achtste gevuld met soep) namen we een bijbehorende kwak clapshot: puur, warm, gepureerd geluk.

Toen Luke en ik op onze vaste plaats gingen zitten (ik aan de binnenkant, naast de muur, Luke aan de buitenkant, naast het gangpad, wij samen tegenover Allan Besant), zei Bryan: 'Hé Luke!' Het geluid was nog een paar streepjes omhooggegaan en we begrepen de boodschap, want die was zo duidelijk als gebulder maar kon zijn, en die zei: Jullie twee, wat jullie ook doen, begin niet te wauwelen als viswijven, over vis of wat dan ook, want wij drieën voerden hier, voor jullie ons onderbraken, een seriéúze discussie, en dat heb je niet vaak, dat is geen dagelijks genoegen… En toen werd zijn door de zee verweerde, vermoeide, zwartgebaarde gezicht getroffen door een kleine nieuwe vreugde, een kersverse gedachte, en het klaarde op (ongeveer voor 50 procent, concludeerde ik, met mijn hoofd zo ver mogelijk naar achteren gebogen tegen de rugleuning van de bank, en alleen dergelijk gebúlder, ja, alleen zo'n enorm geluidsniveau, dat weerkaatst werd door de stalen platen van de ingesloten, claustrofobische, gevaarlijke kombuis, alleen zo'n geluidsgolf kon me van mijn clapshot laten opschrikken…) en Bryan, innerlijk de oude man van de zee, uiterlijk de eerste stuurman, de jongeman met een enorm sterk ultrasoon walviscommunicatiesysteem, zei: 'Luke! Dat is het! Nu ik erover nadenk! Natúúrlijk, jij bent de aangewezen persoon om deze twist van ons, dit debat van Robbie en Allen en mij te beslechten. Het zit namelijk zo: ik zei net dat ik kapitein Sutherlands boek over zijn leven heb gelezen, je weet wel, de man van wie we allemaal les hebben gehad op de zeevaartschool in Stromness, die hij trouwens zelf uit het niets heeft opgebouwd! En daar bewonder ik hem natuurlijk om, dat doen we allemaal, maar ik bewonder hem ook omdat hij, volgens mij, een goed eerlijk boek heeft geschreven en hij geeft toe dat hij alcoholist is geweest en hij doet geen moeite om dat feit te verbergen! Nou, Luke, wat vind jij ervan?'

'Waarvan?'

Luke, zag ik tot mijn geruststelling, was er op een of andere manier in geslaagd de helft van zijn clapshot te verzwelgen, maar zijn karbonade had hij, tot nu toe, nog niet aangeraakt. Dus die behoefte aan clapshot, nee, die had ik niet alléén… Ik was eveneens bij mijn volle verstand…

'Aye, ja, neem me niet kwalijk.' Grote Bryan keek bezorgd. 'Je was er niet bíj. Het gaat hierom, de ramp met de Longhope. De nacht waarop die jongens in de reddingsboot een wisse dood tegemoet werden gestuurd. Zij wisten het. Stúk voor stúk. Ze wísten dat ze niet zouden terugkomen. En toch gingen ze. Niemand weigerde te gaan. Ze wisten allemaal dat ze weggingen om te verdrinken. En ze gingen. Het waren geen helden! Doodgewone mannen met een walbaan! Aye, ze zaten niet in het leger of bij de marine! Ze werden er niet eens voor betááld, en toch stuurde iemand hen weg om te sterven, en dat is een feit! Om kort te gaan, Luke, komt het hierop neer: kapitein Sutherland vindt dat dit neerkwam op doodslag en dat er een aanklacht had moeten worden ingediend tegen de reddingsbrigade! En jíj, wat denk jij ervan?'

'Ach. Als er een kreet komt, ga je. Simpel.'

'Maar als je nu een wisse dood tegemoet gaat, zoals de Longhope? Op 17 maart 1969 –'

'Je gaat.'

'Kapitein Sutherland zegt…'

'Kijk, als je ook maar één seconde aan jezelf dacht en er niet vollédig op gericht was het leven van andere mensen te redden, zou je nóóit gaan, hè? Die Sutherland van jullie – heeft die het ooit gedaan? Voor zover ik me herinner, neem me niet kwalijk, heeft hij bij de koopvaardíj gevaren. Hij heeft er geen idee van. Wij zitten niet eens bij de Royal Návy. Zo kun je niet denken als het erom gaat lévens te redden. Dan kun je geen risico's afwegen. Nee, we zitten níét bij de marine. Zo kun je niet denken! We zijn vrijwilligers – je krijgt een kreet! Simpel! Je gaat! Je gaat altijd...'

'Aye, mijn opa,' zei Robbie, op een totaal andere toon, waardoor de ondraaglijke spanning afnam (wat een geschenk, dacht ik, en waarom had ík niet iets bedacht?). 'Mijn opa,' zei Robbie (en Luke stortte zich in een of andere vorm van razernij – toewijding? Walging? – op de karbonade. Húp! Een snee! Van het bot af! Pats boem!), 'mijn opa was motordrijver op de reddingsboot uit Stromness, en hij moest uitvaren om de mensen van de Longhope te gaan zoeken. Sutherland was echt woedend over dat alles, zei mijn opa, aye, Sutherland schreef naar de reddingsbrigade, naar de kranten, naar de regering in Londen, de hele mikmak, omdat álle opvarenden van de Longhope waren verdronken.' Robbie in het witte hemd van zijn vrije tijd leunde verdedigend, gespannen, naar achteren, tegen de rugleuning van de bank achter zich; hij sloeg zijn absurd gespierde armen voor zijn belachelijk overontwikkelde borst over elkaar en píng, dacht ik, dat goedkope hemd was er niet op gemaakt om zoveel druk te weerstaan: knál, krák, de flarden katoen zullen als patroondons door de hele kombuis schieten... Maar toen hij er nog een nanoseconde bij vandaan was, ontspande Robbie zich, boog zich naar Luke toe en zei: 'Sutherland is een goeie kerel, iemand die vanbinnen te veel voelt, weet je wel, en daarom is hij een voormalige alcoholist, net als ik, en Sutherland zei dat er een besluit moet worden genomen, soms, om geen reddingsboot uit te sturen, dat je soms dapper genoeg moet zijn om al die vrijwilligers níét een wisse dood tegemoet te sturen...'

'Aye!' bulderde Bryan opgewonden, die zich naar Luke keerde. 'Sutherland heeft gelijk, is een goeie vent, dat spreekt voor zich, zonder meer. Soms moet je níét sentimenteel zijn, moet je denken als een viking. De dood bestáát. Of eigenlijk moet ik zeggen: de onverwáchte dood bestaat. Dat valt niet te ontkennen, Luke. En daarom moet je soms de mensen laten sterven die toch zullen sterven, wat je ook doet – het is de zee, dat moet je onder ogen zien, en daarom moet je de dood soms recht in de ogen kijken en zeggen: "Okay, dood, ik zie je, maar nee, deze keer niet, deze keer zul je geen mán méér krijgen dan je al hebt!" Nou? Luke? Vind je ook niet?'

Luke, de clapshot verdwenen, het bot van de karbonade breekbaar schoon gekloven, zei: 'Páts! De vuurpijlen, de lichtkogels schieten omhoog! *Mayday mayday!* En je krijgt een kreet! Ring-ring! En je bent half dood, diep in slaap, en nee, het is niet de wekker, het is vier uur 's morgens, nee – dit is het echte werk! En je ligt in je warme bed – en de wanhopige, de ernstige gevallen schijnen altijd om vier uur 's morgens plaats te vinden!'

'Aye, Luke, wácht even,' zei Bryan, 'dáár gaat het niet om. Kijk, een in Liberia geregistreerd schip loopt aan de grond bij Grim Ness, bij South Ronaldsay, op het hoogtepunt van de springvloed, met een tij dat uiteraard naar het oosten loopt, met een vaart van ongeveer 10 knopen, en tegen een muur van zeeën in, zoals Sutherland het noemt, een muur van zeeën die is ontstaan door een vierdaagse storm vanuit het oosten, dus daar heb je het dan: de ergste plaatselijke omstandigheden, een verdomde maalstroom, noem het maar zoals je wilt, maar geen enkele reddingsboot uit de jaren zestig kon dat hoe dan ook overleven, geen schijn van kans, de reddingsboten waren toen nog niet ontwórpen om te kapseizen: niemand kon het overleven als de zee werkelijk met je speelde en je liet omslaan, in de lengte... Aye, de reddingsboot de Longhope is op 17 maart 1969 vergaan... En Sutherland kende hen allemaal, de stuurman, Dan Kirkpatrick, een man die verdomme vijftig jaar ervaring met de Pentland Firth had, de twee jongens Johnston, geweldige, hardwerkende prachtknapen, weet je, vissers in de Firth, die zich hadden ingeschreven om de volgende winter naar de zeevaartschool te gaan, en een van zijn lievelingsstudenten, Eric MacFadyen, die het weekend naar huis was gegaan en op verzoek van zijn moeder de maandag ook nog was gebleven, zoals Sutherland zegt, om op de boerderij te helpen, dat zou me niets verbazen, of wat dan ook te doen, en daardoor, Luke, kreeg hij ook de "kreet" zoals jij het noemt... Nou, kapitein Sutherland had gehoopt dat Dan bij zinnen zou komen en zou bijdraaien, in gigantische zeeën, dat zonder meer, maar búíten de uitbarstingen van het getij... Maar nee, die nacht was hij een man van de reddingsbrigade, en dus ging hij díé nacht, op dát moment zo recht en zo snel mogelijk met zo'n reddingsboot door de Brough Sound, in een poging de opvarenden te redden van de in Liberia geregistreerde Irene, en daardoor – en volgens Sutherland móét hij dat hebben geweten – verdronk hij zichzelf en zijn jonge bemanning...'

'Aye! Precies!' schreeuwde Luke regelrecht tegen Bryan. 'Het is een kreet! En ja, zo nóémen wij dat! En wat mankeert daaraan? Er zijn daarbuiten mannen die aan het verdrínken zijn. En neem me niet kwalijk, die Sutherland van jullie, die schijnt te vergeten dat er soms, en zelfs vaker dan sóms, ook vrouwen en kinderen aan boord zijn! Dus wie moet dan verdomme het besluit nemen om níét te gaan? Die Sutherland van jullie, daar heb ik over gehoord, natuurlijk, ik heb zijn brieven gelezen in de archieven van de reddingsbrigade, dat doen we allemaal, en misschien, wellicht hebben zijn brieven een bijdrage geleverd bij het ontwerpen van onze nieuwe reddingsboten, maar dat betwijfel ik – omdat er iets aan hem mankeert: en waarom? Waarom is hij jaloers op ons? Nou? Wat heeft hij in zijn leven gedaan? Heeft hij ooit bij de reddingsbrigade gezeten? Wat heeft hij in zijn leven gedáán? Gepierewaaid bij de koopvaardij? Getorpedeerd in de oorlog, net als iedereen? Aan de drank geraakt? De fles aan de kant gezet? Een zeevaartschool bestuurd? Nou en? Wíe denken die leraren wel dat ze zíjn?'

'Je vader!' bulderde Bryan, regelrecht tegen Luke, met evenveel vuur. 'Je váder, dat denken ze!' Hij zweeg even, wendde zich half af, keek neer op zijn lege bord voor hem op tafel... We wachtten in een stilte die onmiskenbaar van hem was en van niemand anders... 'Of misschien... Ik neem aan... ja, dat is aannemelijker, hè? ... Jíj denkt dat zíj je nieuwe vader zijn... Aye... Want daar heb je een man die wordt betááld om voor je te zorgen, maar jij, als leerling, als student, ziet dat natuurlijk anders: ja, want dit is de nieuwe ideale vader van je dromen die je interesses deelt en alles weet, en bovendien heeft hij de boel niet verziekt met je moeder, en dat is een féít... Aye, je kunt er vrij zeker van zijn dat hij je moeder niet eens kent... En dus ga je van hem houden, net zoals je van je echte vader hield toen je een echt kind was...'

'Ja! Ja!' zei ik, te hard, onbehouwen, interrumperend, meegesleept door al die emoties van mannen die er in mijn ogen zo heroïsch en wonderbaarlijk vrij van hadden geleken. 'Dat heb ik vaak zien gebeuren! Dat is me zelf overkomen, *in loco parentis*, inderdaad. En je mentor denkt dat het zíjn last is, om het over te nemen van je ouders of je school of wat dan ook, op een moment waarop je heel kwetsbaar bent, net te voorschijn bent gekomen op je riethalm boven de ouderlijke vijver, ja, aan het eind van je puberteit, terwijl je je vleugels laat drogen, weet je wel, in je verwarrende nieuwe metamorfose, waarin je op dat moment van niks weet – je weet niet eens hoe de gloednieuwe roofdieren in de lucht eruitzien! In feite is het jóúw last, de last van de leerling, omdat je je er onmogelijk tegen kunt verzetten, tegen dat moment waarop, zonder dat je het weet, je mentor de plaats inneemt van je vader... Ja, ik kan minstens twee jaargenoten van me op de universiteit bedenken, die met mij studeerden, en die nu, vijfendértig jaar later, nog altijd onbewust, dat weet ik zeker, de manier van spréken van onze mentor imiteren (om nog maar te zwijgen van zijn zweverige denkwijze): de pauzes, de hijgerige nadrukkelijke spreektrant, de Verheven Romantische Larie... En ik kan me nog altijd de overweldigende opwinding herinneren toen ik besefte, in het hier en nu van een grijze middag, dat die mentor van mij wérkelijk dacht dat hij een intelligentie, een onderzoekende geest bezat die, wellicht bijna met uitzondering van Beethoven, nog nóóit was overtroffen... Ja, wat een voorrecht, maar wat een gevaar... Ja, je kunt merken dat je voor de rest van je leven in de ban bent geraakt van een of andere vriendelijke, goedbedoelende, manisch-depressieve man die tot aan zijn strot vol lithium zit. Niet dat daar iets aan mankeert, natuurlijk – je weet wel, aan manische depressies en lithium, dat kan iedereen overkomen... en dat gebeurt potverdorie ook...'

Luke, Bryan, Robbie en Allan Besant keken me aan, zwijgend.

'Tja, sorry, ja, je weet wel – maar dat zal wel alleen bij de alfawetenschappen voorkomen, waar het er niet zoveel toe doet, hè? Een enkele student die zelfmoord pleegt...'

Allan Besant kwam tot leven; hij maakte zijn hoofd en schouders los van de imitatiehouten panelen van de muur, zette zijn benen met een zwaai loodrecht op de grond en ging waakzaam rechtop zitten, tegenover mij: 'Worzel! Worzel!' zei hij, terwijl hij allebei zijn handen tegen zijn voorhoofd legde en weer losliet, de lucht in, een gebaar dat verscheidene keren snel werd herhaald, een zéér doeltreffend signaal, maar wat betekende het? Precies? 'Alsjeblieft, red me van deze waanzin', misschien iets in die trant... 'Worzel! Worzel!' herhaalde hij met een glimlach van oor tot oor op zijn brede, open, gezonde, jonge gezicht. 'Hou op met dat groenvoer! Hou op met die spraakwaterval! Vooruit – sodemieter op naar dat rapenveld van je!'

'Hè?'

'Ja, Worzel – geen wonder dat je zo dol bent op je rapen en aardappels! Ik heb je in de gaten gehouden, oude vogelverschrikker die je bent!'

'Uh?'

'Ja, hou je hierbuiten, Worzel! Meneer Gummidge! Want je bent een boerenkinkel uit het diepe zuiden, dat ziet iedereen, en je bent op de televisie geweest, en we houden allemaal van je, maar je hoort niet te praten, niet echt, en je hoort niet op zee te zijn, dat staat vast – en je weet geen réét van dit alles…'

Robbie, die Allan negeerde, die mij negeerde, zei tegen Luke, snel en dringend: 'Ja. Nou, op een keer heeft het hoofd in Kirkwall de reddingsboot uit Kirkwall niet weggestuurd en is de reddingsboot uit Stromness in plaats daarvan uitgevaren.'

En ik dacht: goed, ja, Allan Besant, vol leven, en ik mag hem, en het is een gráp, dat ziet iedereen, en ik weet nog dat Rosie-bud me Worzel Gummidge voorlas, het allereerste boek dat louter plezier en geen angst was, en ik was nog niet naar kostschool gestuurd, dus moet ik zes jaar zijn geweest, ja, maar desondanks, heeft hij gelíjk… En mijn onderbewuste werd hard door iets getroffen, in zijn maag als het een maag heeft, en ik kon mijn gezicht niet meer beheersen, zoals kan gebeuren, en ik moet er verbaasd, verbijsterd hebben uitgezien, zoals je inééns kan gebeuren, en dan kun je dat op geen enkele manier verbergen. En ik dacht wezenloos: ja, die steile rotsen waar je vanaf valt, in gedachten, die momenten van een innerlijk vacuüm en van de pure angst die de grond onder je voeten wegslaat – die hoeven in de werkelijkheid niet lang te duren om eeuwig in het geheugen te blijven voortbestaan, hè? Maar hoe komt het toch dat Robbie ons altijd redt? En ik herinnerde me iets wat Luke me had verteld, een bijzonder overtuigende en gruwelijke verklaring voor de mysterieuze verdwijning van vijf of zes trawlers, in de loop der jaren, bij ideaal zomerweer in de Noordzee, die even ondiep is als een vijver – en je kunt af en toe in elke túínvijver dezelfde belletjes zien opstijgen – ja, de onverwachte uitstoot uit het dikke sediment op de ondiepe bodem van de Noordzee van bellen methaangas ter grootte van een trawler... Het vacuüm om je heen, de ogenblikkelijke afdaling, het water dat zich sluit, de rimpelingen die zich naar buiten verspreiden, over korte afstand, over het kalme oppervlak...

'Ze voeren uit omdat de reddingsboot van Kirkwall niet wilde uitvaren. Nee, Luke, nou lieg ik, maar het is op de Orkneys een verhaaltje van formaat. De reddingsboot van Kirkwall voer uit – de sleepcontacten deden het niet, dus kwamen ze weer terug – téchnisch gezien deden de sleepcontacten het niet, dus keerden ze om en kwamen ze weer terug... De reddingsboot van Kirkwall is nog steeds een lachertje, een lachertje zeg maar; mijn neef voer erop en is uit schaamte weggegaan.'

Luke zei vol aandacht: 'Scháámde hij zich? Geneerde hij zich ervoor?'

'Ja. Hij zat bij de reddingsboot van Kirkwall – en hij is er wéggegaan. Omdat de helft geen enkele ervaring of wat dan ook had.'

'Aye, juist!' zei Luke, die om een of andere reden weer zichzelf was, professioneel, gerustgesteld. 'Dat is simpel, geen zweet – het is allemaal een kwestie van denken, zoals de mariniers en de Special Boat Service en zoals Dick, een voormalig lid daarvan in ons eigen lab, je zouden vertellen, het is allemaal een kwestie van tráíning. Stadsmensen, fantasten? Wat maakt het uit? Training: oefening, routine, herhaling, honderd keer voor elke procedure, als je veel geluk hebt, weet je wel, tot je ervan baalt en op het punt staat er de brui aan te geven uit de pure verveling van neem-jezelf-verdomme-in-de-maling – en het zijn vrijwílligers, weet je, die er elk moment de brui aan kunnen geven – en na een maand of zes komen ze bij je om het te zeggen, helemaal opgefokt, en ze zeggen: "Die stompzinnige geestdodende routine maakt me gek, gek!" En dan, op een nacht, krijg je een échte kreet – en ze komen recalcitrant aan, denken dat het weer een zinloze oefening is... Maar nee, schatje, bingo, deze keer is het raak, hun eerste keer, en het helpt geweldig als het een tikje dramatisch is, weet je wel, een storm in het donker, en de boot die omslaat en zich weer opricht, en je komt bij het doel, en het is erg, want de halve bemanning van dat lamlendige onzeewaardige Russische koopvaardijschip is al verdronken – en je moet alles doen waarvoor je getraind bent: vuurpijlen, lijnen, enterhaken... En het is knap heftig en je wordt zelf overboord geslagen, maar jij bent daarvoor úítgerust, je zit aan een lijn, je bent ervoor ópgeleid, en je helm beschermt je hoofd als een golf je met je schedel vooruit tegen de zijkant van het Russische schip smakt, en je windt jezelf naar de boot terug, alsof er niets is gebeurd, en je probeert het nogmaals, en je hebt geluk – je hebt jezelf gered, geen probleem, maar nu merk je dat je anderen instinctíéf redt; je ben zo goed opgeleid dat het op een instínct lijkt. En dan – wat dacht je? Stadsmensen, fantasten? Wat maakt het uit? Ze weten waar het om gaat. Ze klagen nooit meer ergens over, neem dat maar van mij aan: als je iemand onmiskenbaar rédt, als daar geen twíjfel over bestaat, kan niets daar tegenop, daar kun je van op aan: vanaf dat moment hóren ze bij de reddingsbrigade...'

Nou, persoonlijk ging ik, hoewel ik zo vol clapshot zat, bijna staan om te salueren, maar iets redde me, hield me op mijn plaats – en Robbie, stoere, taaie Robbie, ging gewoon verder alsof Luke iets had gezegd wat van geen enkel belang was...

'Die ene schipper uit Kirkwall zou eens over een ondiepte varen – hij dacht dat hij er met de reddingsboot wel overheen kon komen – maar dat zou hem nooit zijn gelukt... Dat was die schipper van plan.'

Bryan lachte – hij herinnerde het zich.

'Aye!' zei Robbie, tegen Luke. 'Maar daarmee wordt altijd de gek gestoken tussen de reddingsboot uit Kirkwall en die uit Stromness. Dáár ging het om – toen ze de spiksplinternieuwe reddingsboten kregen... in Stromness en ook in Kirkwall.'

'Van de Trent-klasse?'

'Ja. De brigade van Stromness ging naar het zuiden, twee weken, voor hun training.'

'In Poole?'

'Precies, vaste prik. Maar de jongens uit Kirkwall gingen er wekenen wekenlang naar toe.'

'Aye. Was het zo erg?'

Robbie zei: 'Ja.'

'Tja, ach,' zei ik, terwijl ik tussenbeide kwam, alleen om te laten zien dat ik alles van de procedure in Poole wist. (En waarom? Omdat Luke me over zijn training in Poole had verteld, maar op dat moment was ik dat vergeten, en daardoor verbeeldde ik me op dat ogenblik in mijn slapeloze enthousiasme dat ik zelf alles wist van die macho-achtige overgangsrites, uit de eerste hand...) 'Ja, ik ben me er terdege van bewust dat Luke geen problemen heeft gehad in Poole, absoluut niet. Hij lijkt te genieten van de superstrenge discipline van de reddingsbrigade.

En hij heeft nooit een kreet gemist, zoals hij het noemt. Hij is er altijd bij. Hij is altijd uitgevaren als hij kon.'

Robbie zei: 'Ja.'

Ik hield Robbie verwaten gevangen in mijn ik-weet-er-alles-van-blik en zei, alsof ik in een toelatingscommissie zat: 'En je vindt dus dat Luke een goede zeeman is? Nou? Dat hij zijn vak verstaat?'

'Ja. Aye. Verdomd goed.'

Bryan, wiens enorme gestalte nog verder opzwol van onderdrukt gelach, zei met een belachelijke grijns op zijn zware gezicht, terwijl hij mijn accent nadeed: 'O ja! Gewéldig goed zelfs, kapitein Redmond. En als ík schipper was, kapitein, en dekknecht Luke Bullough zou lid van mijn bemanning willen worden, kan ik zonder enig voorbehoud zeggen, ouwe reus, dat ik hem zou aannemen. Het is een verdómd fidele vent. Hij zou ronduit een fantastische aanwinst voor het téám zijn.'

En ze lachen allemaal openlijk, de schoften, en ik kreeg een kop als vuur en richtte me op mijn bord, maar dat had ik al schoongemaakt, als een hond, dus legde ik mijn hoofd in mijn handen en deed mijn ogen dicht.

Ik hoorde Allan Besant zeggen: 'Worzel!' En ik hoorde zijn scherpe snuivende gelach. Ik keek hem aan. 'De vragen die je stelt! Die slaan helemaal nergens op! Maar ik weet wat je denkt en ik zal het je vertellen! Je hebt gelijk!' Hij zette zijn ellebogen op de smalle tafel, op míjn stuk, ruim over de grens halverwege, en hij kwam heel dichtbij, probeerde recht in mijn ogen te kijken (en daar hóúd ik niet van, nee, helemaal niet – dus concentreerde ik me op hem onder zijn nek: hij droeg een verblindend schoon wit T-shirt met een opschrift, maar alleen de hoofdletter B was te zien in de open V van zijn donkerblauwe, duur ogende schapenleren jack, compleet met een houtjetouwtjesluiting). 'Worzel, ik weet dat je de wáárheid wilt weten, dat ziet iedereen, en dat is klote, want wiens waarheid? Maar ik zal het je vertellen, mijn waarheid, en dat is dit, dus luister goed, Worzel! De mensen van de reddingsbrigade? Die zijn allemaal gék. Want wie wil er nou uitvaren met een reddingsboot? Gratis, zónder betaling? Wat is daar zo gezond aan? Wees maar blij dat ze het doen, zeker, maar moet je horen, Worzel,' – misschien had ik naar Luke proberen te kijken, die vlak naast me zat, een kwart meter verderop, voor een beetje steun – 'het is net zoiets als het Victoria Cross. Daar heb ik over gelézen. Over al die kerels die het

Victoria Cross hebben gekregen – voor zover ze niet tot de beste mannen in het Britse leger behoren, de Gurkha's, mannen uit een totaal andere cultuur, zoals de Shelties op zee, de Shetlanders voor jou – maar alle mannen die op onmogelijk dappere daden uit zijn, de mannen over wie we horen, want 99 procent van hen sneuvelt natuurlijk, en daar zit geen verhaal in, hè? Er is maar 1 procent dat daarin slaagt en werkelijk in zijn eentje het mitrailleursnest uitschakelt – en wat dacht je? Die kerels waren depressief, net als die mentor van jou: ze wílden dood, daarom waren ze zo dapper! Het kon hun niet schelen of ze doodgingen of niet. Zeker, ze hebben het Victoria Cross gekregen, dus houden ze het nog iets langer vol – de verafgoding in de mess zeg maar, zelfs kolonel Jason Schofield respecteert je een tijdje… Maar wat gebeurt er dan, Worzel? Ze zwaaien af, zitten weer aan de wal, of eigenlijk zijn ze weer terug in het burgerleven – en dan? Kun je het raden? Natuurlijk kun je dat: een enorm groot percentage van de mannen met een Victoria Cross – ik ben de precieze cijfers vergeten, maar het is veel meer dan de helft – is het die ene keer dat ze het werkelijk meenden niet gelukt, toen ze dat mitrailleursnest aanvielen of onder fel sluipschuttervuur een gewonde collega redden of weet ik veel wat… Maar de volgende keer, in het burgerleven, snijden ze hun eigen keel keurig netjes door; springen ze van een klif of voor een trein zonder dat er iets misgaat; ze steken de loop van het geweer recht naar binnen, recht en stijf tegen hun gehemelte… En volgens mij is het precies hetzélfde met de mannen van de reddingsbrigade, met helden, zoals Luke hier… Nee, ik vertrouw helden niet, absoluut niet… Ik gelóóf er niet in…'

Ik keek hem recht aan, woedend, en met de ongecontroleerde levensangst van een tiener zei ik: 'Dat is morbide! Nou en of! Morbide…'

'O ja?' zei Allan Besant, die zich ogenblikkelijk tot Bryan wendde. 'Dus misschien heeft die ouwe Worzel hier ook zo'n tik als de mannen van de reddingsbrigade, je weet wel, dood of roem, al dat gezeik, en hij heeft er de energie niet voor, maar desondanks is hij hier en jullie moeten toegeven dat er iets niet helemaal in de haak is: want hier heb je Worzel…' Vanuit zijn door de elleboog ondersteunde hand onder zijn kin ontvouwde hij zijn rechtervuist, met de palm naar boven, vingers en duim naar mij uitgestrekt: het officiële bewijs. 'En wat doet hij hier op zijn leeftijd, vijftig of wat kan het verdommen, en hij weet níks, dat ziet elk kind, en hij vaart uit op dit stuk schroot van Jason Schofield in het ergste kloteweer dat een idioot zich maar kan voorstellen – dat zien jullie állemaal – en toch zegt niemand iets? En waarom niet? Bryan, heb je óóít gehoord dat zoiets op een andere boot is gebeurd? Waarom zouden we verdomme een Worzel in de gaten moeten houden? Omdat hij Jason vijftig pond per dag voor kost en inwoning betaalt en Jason de winst met ons deelt, moeten wij hem daarom in de gaten houden? Nou, eerlijk gezegd heb ik andere dingen te doen, maar aan de andere kant heeft Worzel nauwelijks een woord tegen me gezegd, dus misschien ben ik daarom kwaad op hem, en hij betáált ervoor om al die ellende te moeten doorstaan! Voor het voorrecht! Terwijl jij, Bryan, dat weet ik, dat valt niet te ontkennen, terwijl jij zelf een goed mens schijnt te zijn, dat vindt iedereen, maar voor mij zit het zo, ik kan er niks aan doen, dat is de waarheid zoals ik die zie: er zit een steekje los aan Luke, aan de mensen van de reddingsbrigade, aan iedereen die ooit een medaille heeft gekregen, daar is iets mis mee – en wat Worzel betreft, ach, vraag mij wat, ik geeft het op!'

Grote Bryan wierp me snel een vriendelijke, vaderlijke blik toe... (En was hij het niet geweest die me op de brug, toen ik niet meer had kunnen staan, toen ik me ellendiger had gevoeld dan bij de eerste ver- schijnselen van cerebrale malaria, in de stoel van de eerste stuurman had vastgebonden, in zijn stoel? En had hij me daar niet met oprecht medeleven naar toe gebracht, zonder het flauwste spoor van beroeps- spot waar hij het volste recht toe had gehad, zonder zelfs maar te glím- lachen?)

Bryan zei opgewonden tegen Allan Besant: 'Maar Redmond is hier om over je te schrijven, om de waarheid te vertellen over onze manier van leven, begrijp je wel, dat heeft Jason me verteld, en bovendien heeft hij stage gelopen, en dat is niet eenvoudig, op zijn leeftijd, hij loopt stage bij Luke, bij het lab in Aberdeen – hij is dus niet alleen schrijver, hij is wétenschapper. Hij is hier om ons te helpen.'

'O ja? Waarom vroeg hij me dan verdorie: "Is dit windkracht 12? Is dit écht een orkaan? Weet je dat zeker? Heb je weleens in windkracht 14 gevaren? Bestáát er een windkracht 14?" Die ouwe Worzel hier' – hij spreidde zijn rechterhand, met de palm naar boven, opnieuw in mijn richting – 'die ouwe Worzel – in feite is hij teleurgesteld in onze klo- tegruwelijke jaarlijkse januari-orkaan. O ja, hij verlangt naar die stront- vervelende, zinloze totale oceaan-ellende die iedereen subiet verdrinkt:

hij wilde hier komen om het óp te geven en te stérven! Waarom is hij zo geïnteresseerd in manisch-depressieve mensen? Bipolaire stoornis, m'n reet. Waarom? Omdat hij er zelf een is. Daarom! Ik weet waar hij op uit is, mij neem je niet in de maling… Over ons schrijven! Shit! Misschien wel, misschien niet. Wie zal het zeggen? En bovendien had hij onder deze omstandigheden net zo goed overboord kunnen slaan en kunnen verdrinken, of een gat in zijn hoofd kunnen stoten, of zijn stripmes in zijn pols kunnen steken' – mijn vriend en bondgenoot, oom Luke, begon te lachen; jazeker, zonder een geluid te maken zat hij op de bank naast me te schudden, terwijl hij krampachtig de andere kant op keek, naar Bryan – 'of, jezusmina, in zijn keel! Want jij was onderdeks, Bryan, maar je had hem moeten zien rondzwaaien terwijl hij een Groenlandse heilbot, een zwarte hel probeerde te strippen! Toen we dat zware weer hadden! Blijf op ruime afstand, jongens, want Worzels mes, geen méns weet waar dat terecht zal komen! En daarom vraag ik je, Bryan, éérste stuurman, en jou, Robbie Stanger, een van Jasons lievelingetjes, zoals we allemaal weten, waarom hebben wij een Worzel aan boord die zo ge- makkelijk dood kan gaan en een eind aan het vissen kan maken en onze verdiensten kan halveren? En waarom moesten wij allemaal zo lang naar de zeevaartschool? Dat zal ik jullie eens zéggen: om te voorkomen dat we de eerste week op zee al dood zouden gaan, daarom! En Worzel – niet dat ik iets tegen hem persoonlijk heb, hoewel hij verdomd weinig moeite heeft gedaan om met me te praten ("Besant?" zegt hij. "En ben je nog familie van Annie Besant, de toneelschrijfster?" "Nou ja, toevallig wel, waarschijnlijk, maar dat is verdomme een géíntje!") – en, Bryan, jíj weet wat ik bedoel, onnozelen op zee, op een tráwler nota bene. Jezus- mina! Dat zou toch niet moeten mogen!'

Luke, voelde ik, vond het niet meer zo leuk… En wat Robbie betreft – die draaide zich op zijn bank scherp naar rechts om zich recht op te stellen tegenover Allan Besant aan de andere kant van het paadje tussen de tafels. Robbies biceps, zijn triceps, zijn borstspieren waren heel strak gespannen en ik wist zeker dat zijn hemd nog verder werd opgerekt door andere spiergroepen waarvan ik de naam niet kon bovenhalen uit mijn vervagende herinnering aan de illustraties in *Gray's Anatomy* (die verwijderde kartonnen platen die we naast het betreffende lijk legden): maar, pats boem, dacht ik, om mezelf te troosten, misschien wáren die wel niet geïllustreerd, omdat ze alleen bij trawlvissers werden ontwikkeld – en wie heeft ooit het grote geluk gehad dat hij een trawlvisser in de bloei van zijn leven heeft kunnen dissecteren? Nee, inderdaad, je kunt niet gewoon even bij je plaatselijke ziekenhuis langsgaan: je zou de bodem van de zee moeten afzoeken...

Robbie zei heel fel tegen Allan: 'Dat mag ook niet – en jij, jij weet dat maar al te goed!' En jezus, dacht ik, die Robbie, mijn nieuwe vriend, mijn door Jason aangewezen beschermer, schijnt biologisch bereid te zijn om voor me te véchten, voor mijn onbeduidendheid, voor onze vriendschap; ik weet zeker dat dit niet vereist is, bij wijze van spreken, dat dit absoluut niet juist is... 'Redmond hier – is wetenschapper! Hij komt van het Mariene Laboratorium in Aberdeen. Hij is de assistent van Luke Bullough! En Luke is hier om ons te helpen, wat jíj ook mag denken, en Luke heeft Jason een kopie gegeven van een van zijn artikelen in *Fisheries Research*, en Jason zegt dat het écht verdomd interessant is, zeg maar, en hij heeft het aan mij uitgeleend.' Luke keek geschrokken en een seconde of twee later zo trots als hij hoorde te kijken. 'En dat gaat over commerciële diepzeevisserij met een trawlnet bij temperaturen onder het vriespunt in de Faerøer-Shetlandgeul. Ja! Zoiets – en dat zou je eens moeten lézen. En bovendien heeft Jason mij gezegd dat ik een oogje op Worzel, of Redmond eigenlijk, moest houden, dus is hij míjn verantwoording, míjn taak. Hij is niet jóúw pakkie-an. Dus wat heeft het met jou te maken? Nou? Hij is wetenschapper. En wat dat hele verhaal betreft, Allan, nou ja: je tánte!'

Bryan, viel me op, begon op zijn beurt, net als Luke, te lachen, inwendig, bij wijze van spreken, deed onmiskenbaar enorm zijn best om zich te beheersen, alsof hij in een kerk zat, en faalde daarin... Wat was het toch? Ik had dit allemaal niet meer gezien sinds mijn schooltijd... en ach, misschien was dat het, op een trawler, zo bóven op elkaar, de druk van de stijf gesloten brandslang om niemand te beledigen, de noodzaak om met iedereen goed te kunnen opschieten, om jezelf te beheersen... Maar grote Bryan, het alfamannetje, begon serieus te schudden van inwendig, geluidloos gelach: hij wendde zijn gezicht af om de imitatiehouten plastic panelen rechts van hem te bekijken, een kwart meter bij zijn ogen vandaan... en zijn rug, de rug van zijn massief gespierde bovenlichaam in zijn ruimvallend bedoelde, buitensporig grote zwarte wollen trui, zat strak gespannen, schokte van diepe aardbevingen van stomme hilariteit...

Allan Besant, op een of andere manier in zijn wiek geschoten, snauwde tegen Robbie: 'Je tante? Jíj hebt tantes!'

Robbie schoof op zijn plaats langzaam naar Allan Besant toe en zei: 'Jij! Blijf van mijn tántes af!'

Grote Bryan bulderde het uit; hij lag in een deuk en zijn superlage lach uit volle borst was intens geruststellend: dat was zoiets fundamenteels, zoiets machtigs dat als hij op het juiste moment was gekomen, hij gedurende een halve seconde of nog langer alle angst voor de wind en de golven, de peilloze diepte daarbuiten had kunnen wegnemen... 'Tantes!' Een hevige aanval, een slijmprop in de misthoorn. 'Tántes!'

Grote Bryan zat met zijn gezicht naar voren, zijn grote hoofd in zijn grote handen, met zijn handpalmen in zijn ogen te wrijven, alsof hij heel moe was, en met zijn vingers veegde hij iets weg – wat? Ja: tranen...! Grote Bryan had tránen in zijn ogen van het lachen... 'Redmond,' proestte hij uit en probeerde het opnieuw: 'Redmond...! Robbie, hier... je wilt het niet weten, maar onze Robbie...' Bryan beheerste zich; hij keerde zich naar me toe om zich tot mij te richten, met zijn grote handen nog steeds heel bizar aan weerszijden van zijn bebaarde gezicht geklemd: 'Onze Robbie... die heeft tíen ooms: Ronnie! Tony! Jeremy! Bobby! Billy! Colin! En o shít, neem me niet kwalijk, ik ben het vergeten, en ik vertel je alleen maar hun namen, de namen van zijn ooms, omdat ze er niet toe doen, want hij heeft ook zes tántes, en ik zal je hún namen niet zeggen, want zij doen er wel degelijk toe, dat staat als een paal boven water, want zijn tántes...' De handen van grote Bryan lieten zijn hoofd los; het was veel te veel om te kunnen binnenhouden, en het infrageluid van zijn vrolijke gelach, een allesomvattend gelach, verspreidde zich op een uiterst lange golflengte, verplaatste zich ontspannen door de roestige dubbele wand van de Norlantean en waaierde uit over het oppervlak en de litorale zone van de oceaan, waar het verscheidene verveelde en eenzame dwergvinvissen opmonterde, evenals een groep vriendelijke grienden en een hele dubieuze school orka's... 'Nee! Ik zal je de namen van zijn tántes niet geven! Want zijn tantes, ik heb ze allemaal gezien, en die lusten er wel pap van, dat zijn echte stukken, neem dat maar van mij aan! Je zou nooit raden...' Opnieuw een impuls van uiterst gelukkig infrageluid. 'Aye! Ja! Je zou nooit raden, van geen van allen, dat het tántes waren. En ik kan je ronduit zeggen, Redmond, omdat ik getróúwd ben, en ik zeg je Redmond, dat ik gelúkkig getrouwd ben, dat ik heel gelukkig getrouwd ben, en dat is een feit, en daarom kan ik je zeggen, zonder iemand te beledigen, daarom kan ik zonder iemand te beledigen zeggen, en is er geen reden waarom ik er niet mee voor de dag zou komen en het zou zeggen: want Robbie hier, heeft zes slanke sexy tantes, neem dat maar van mij aan! En hij zou een stríptent kunnen beginnen!'

Er heerste een korte, geschokte stilte. En toen zei Robbie opgetogen: 'Grote smerige schoft die je bent!'

Allan Besant, nog altijd gegriefd, ongevoelig voor tantes, zei: 'Wetenschapper? Worzel een wetenschapper? Wetenschapper, m'n réét! Je had hem met Luke moeten horen praten! Hij weet niet meer van de wetenschap dan ik. Wat zijn bijvoorbeeld, Worzel' – vanaf de andere kant van de tafel, nog geen halve meter bij me vandaan, liet hij een brede, vriendelijke, neerbuigende grijns zien, en ik dacht: ben ik écht zo oud? – 'de verschillende regionale namen van de koolvis?'

Goed, zei ik tegen mezelf, wacht even, kalmeer wat, zelfs jíj weet dat de naam van de koolvis in de diverse dialecten absoluut niets met de wetenschap te maken heeft, maar desondanks weet ik het antwoord, dus aan m'n réét, Allan Besant...

Bryan (die niet meer schudde) en Luke (nu weer zachtmoedig, ontspannen en zichzelf) en Robbie (niet meer zo beschermend moordzuchtig) keken me eveneens aan, precies zoals iedereen in elk klaslokaal ter wereld (als ze zo gelukkig zijn dat ze een klaslokaal hébben) altijd naar het potentiële slachtoffer van de leerkracht kijkt...

Ik zei 'Coalfish! Coley!' En uiteraard verwachtte ik oorverdovend applaus...

'Is dat alles? Worzel, kun je er echt niet meer van bakken?'

'Nee!' Ik was voldaan over mezelf, heel voldaan. Dit was een belachelijke vraag – en ik had het góéde antwoord gegeven! 'Dat zijn de namen. Wat een gemakkelijke, wat een malle vraag! Vooruit, probeer het nog maar eens, vraag me maar eens iets móéílijks!'

Allan Besant zei cynisch: 'Coalfish, coley?' En toen imiteerde hij net als Bryan, maar dan met de scherpe klank van een verbitterde leraar, mijn Engelse accent: 'Wat vréselijk magertjes, ouwe jongen. Nee, Worzel, nee...' En nu schonk hij me een oprechte, brede grijns en zijn jonge ogen schitterden: hij had het naar zijn zin. En de twee diepe verticale groeven die van zijn neusrug tussen zijn wenkbrauwen door ongeveer tweeënhalve centimeter omhoog (en naar elkaar toe) liepen, naar zijn verder gladde voorhoofd (en die je vertelden, zonder een spoor van een bewuste gedachte: Deze jongeman heeft geléden.), die groeven verdwenen even, alsof ze daar helemaal niet thuishoorden. Allan Besant was daar op dat moment gelukkig.

'Nee, Worzel! Je bent gezakt! Coalfish, coley, in feite is dat zelfs onvoldoende voor eervol ontslag, ouwe jongen! Nee, je moet namelijk weten dat ik óók over enige wetenschappelijke kennis beschik, Worzel, en goed, het mag dan mijn stokpaardje zijn, zoals jij zou zeggen, en Bryan en Robbie hebben het allemaal al eens gehoord, maar zij mogen me werkelijk, weet je, en daarom vallen ze me niet in de rede en juinen ze me niet op en leiden ze me niet af – omdat ze weten dat er voor wetenschap, kennis, concentrátie nodig is.' En hij grijnsde opnieuw naar me, een soort laatste glimlach ten afscheid, en hij keek op naar het lage plafond, en met de wijsvinger van zijn rechterhand telde hij de uitgespreide vingers van zijn linker af, en de wijsvinger zelf, zo dicht bij mijn neus, werkte bijna hypnotiserend terwijl hij de andere vingers aanraakte en snel bewoog – deels doordat hij, op dat moment, vlak boven het grootste gewricht, voorzien was van een ring door de opgezette rode werking van cellen die graag een gemeenschappelijke wond wilden genezen: hij was getekend door de duidelijke afdruk van de voortanden van de *Homo sapiens sapiens*: er was in gebeten, en niet zonder reden, toen Allan Besant op de gevloerde borst van Gillespie, die dikke, had gezeten tijdens een manmoedige poging om met diezélfde vinger Gillespies ogen uit te steken...

'Koolvis, coalfish, coley. Die arme onwetende meneer Worzel...' dreunde hij op, met zijn gezicht naar boven gericht, starend naar de asbesttegels van het plafond, terwijl hij deed of hij... wat was? Een goochelaar? Nee, natuurlijk, hij was een quizmaster op de tv, of een megawinnaar, ja, Allan Besant was bezig de grand-slamtitel te halen... '*Baddock*! *Bannock* – nee, sorry, dat neem ik terúg: *blackjack*! Namen uit Oost-Schotland.'

Allan Besant straalde, vol jeugd, in de twintig, tjokvol ongevraagde energie en opgetogenheid: 'En dan hebben we nóg' – een snelle beweging van tegenover elkaar liggende wijsvingers – 'de *coalmie*, een naam voor de volwassen vis uit de Moray Firth. En de *comb*, dat is een vis in zijn vijfde jaar in Banffshire, en als hij de vijftig haalt wordt hij een

Worzel genoemd!' Grote Bryan applaudisseerde. 'En dan zijn er nog de échte namen, de namen waarmee de jonge vis wordt geboren, en die vertellen ze je ook, want ze reagéren op die namen, want dat klopt, dat zijn hun féítelijke namen, hun Orkney-namen: *cuth* of *cooth*. Maar onze plaatselijke dorpsidioot, Sean Tayler uit Castletown, Thurso – nou ja, die komt uit Caithness, dus begrijpt geen mens een rotwoord van wat hij zegt, wat het ook is, maar als je de bibliothecaris van de openbare bibliotheek in Thurso zou bellen en je vraagt hem, beleefd, hoe die vreselijke prehistorische inboorlingen van Caithness de koolvis verdomme nog aan toe noemen, zal hij tegen je kreunen en zegt hij: "*Cuddie*." Alsjeblieft, en in Angus heten de kleine vissen *dargie*. En ja, op de Moray Firth, en dat verzin ik niet, dat verzeker ik je, heten ze in de jonge fase, de kleine visjes zoals Robbie en Luke, heten ze *geeks*!' Grote Bryan applaudisseerde opnieuw, werd betrapt (want hij had moeten weten dat hij níét tussenbeide moest komen), en hij keek heel voldaan over alles en hij klapte met heel veel kracht (de explosies van opgesloten lucht, de geweerknallen tussen zijn komvormige, buitensporig grote handen), en hij lachte en hij bleef maar klappen, schoot van hand op hand zijn persoonlijke vuurpijlen af, wat, tja, wat meer dan verscheidene seconden te láng duurde...

'Maar fatsoenlijke vissen in hun tweede jaar worden in de echte taal, de taal van de Orkneys, met de namen waarmee ze zijn geboren *peltag* of *piltack* genoemd – en Worzel, als je me niet gelooft, moet je het proberen, goed? Beloof je dat? Als je weer eens aanklooit in een roeiboot, dikzak, of op een grote kei zit, probeer het dan! Goed? Beloof je me dat? Je verheft je stem – op een uitnodigende manier – en je houdt je handen als een kom rond je mond, en dan roep je regelrecht in het water: 'Peltag! Piltack!' En ze kénnen hun eigen namen als ze die juist horen roepen – en ze komen naar je toe, zwemmen regelrecht naar je toe... En dan, of je moet echt een kleine etter zijn, een onvervalste peltag- of piltackpester, gooi je kruimel voor kruimel een half oud brood in het water – gewoon om te laten zien dat we eigenlijk vrienden zijn, weet je wel, alle vissen en wij allemaal, dat we elkaar begrijpen!'

Het was even stil – Bryan en Robbie keken een andere kant op, en toen naar hun lege bord... Omdat Allan Besant, dacht ik ogenblikkelijk, omdat Allan Besant diep vanbinnen, niet zo'n emotionele sóftie hoorde te zijn, een man die zich zelfs de gevoelens van jonge vis kon voorstellen... Nee, Allan Besant hoorde stoer te zijn, door en door stoer, en toch was hier een volwassen man die meer dan eens, helemaal alleen, op een steen zat en de vissen riep om ze kruimeltjes brood te voeren en restjes eten die hij doelbewust had bewaard, en dat deed deze stoere kerel graag, in zijn eentje, als er niemand keek, en het was er per vergissing allemaal uit gekomen. En nou ja, Bryan en Robbie hadden instinctief met hem te doen, ze geneerden zich, vanwege de toekomst, omwille van hém...

Allan Besant kwam tot zichzelf, liet zich weer gelden, en zijn lichaam spande zich en hij verhief zijn stem: 'En in het oosten van dat klote-Schotland heet de kleine koolvis godverdorie *pirrie* of *poddlie* of *prinkle*, waarmee toch zeker alles is gezegd? Want daar komt Jerry vandaan – en die kan ook nergens een besluit over nemen, dus dat is logisch. Terwijl ze in Banffshire, jongens, in elk geval probéren te zeggen wat ze bedoelen, en daarom heet een koolvis in zijn tweede jaar een *queeth* – en op de Orkney- en Shetlandeilanden, die trouwens, Worzel, en dat schijn je maar niet te begrijpen, geen reet te maken hebben met dat vréselijke Schótland – op de Orkneys en de Shetlands, een gebied zonder godsdienst en zonder gelul, zoals je waarschijnlijk wel is opgevallen, een plek waar de mensen weten dat ze zullen moeten sterven en dat feit onder ogen zien... Aye, daar hebben de jonkies hun eigen echte namen, de namen waar ze verdorie nog aan toe mee zijn geboren, daar kun je van op aan: *sellag* of *sillack*. En op de Shetlands, waar ze – dat spreekt voor zich, hè? Omdat dat wel de plek móét zijn waar de belangrijkste naam echt vandaan komt: van de geschifte Shelties die niet veel zéggen, fantastische kerels, aye! Maar, Worzel, in jóúw taal, of in enige andere, voor mijn part: ze práten niet. Aye? Dus de verdomd heerlijke vis die ze naar het zuiden sturen of overboord kwakken of als aas in de fuiken gebruiken, omdat ze hem zelf niet willen eten, omdat ze hem verachten, omdat die niet geschikt is voor een echte man, raad eens hoe ze die noemen? Raad eens hoe ze die noemen, als je die grote lamstralen dronken genoeg kunt krijgen om überhaupt iets te zeggen? Nee? Geen idee? Nou, dan zal ik het je zeggen: die noemen ze een *said* of *seid*. En waarom? Omdat die grote reus van een hoerenzoon van een Sheltie, die acht zakken zalmvoer op zijn schouders kan tillen, zonder probleem – zal ik je eens wat zeggen? Het gerucht gaat dat hij iets heeft gezégd, dus is hij geen echte kerel, is hij een mietje, is hij bijna een vrouw, weet je wel, omdat hij vorige maand heeft gespróken, en iedereen heeft het gehoord, het is heel Yell over gegaan, ronduit het ergste van alle eilanden, en daarom is hij nu net als die vis taboe, de enige die geen echte kerel wil eten, de hij *said* of hij *seid.*'

(Goed, het duurde even voor we het doorhadden, maar toen klapten we allemaal, en Robbie riep: 'Goaaal!')

Allan Besant wendde zich tot Bryan, de enige echte mogelijke Sheltie die aanwezig was. 'En weet je hoe ze een Worzel-koolvis in de Firth of Clyde noemen, een bovenmaatse en stokoude koolvis? Nee? Weet je dat niet? Nou, dat is een *stenloch*, een steen in het loch, weet ik veel, iets waar iedereen last van heeft... En de yankees? Daar zouden we allemaal naar toe moeten gaan, daar zouden we moeten zijn – regelrecht uit deze ellénde – want dat zijn verstandige jongens, die geven er geen ene mallemoer om wat voor kloteding het is, die noemen hem een *pollock*! En als je er echt van houdt, noem je hem een *clare pollock*! Er is toch niks beters te bedenken?'

Allan Besant haalde uitgeput zijn ellebogen van de tafel en leunde naar achteren tegen de rugleuning van de bank. Het was zonneklaar dat de voorstelling was afgelopen – en het was zo'n perfect optreden geweest dat we opnieuw klapten, alle vier, zonder erover na te denken en zonder enige reserve. Allan Besant straalde ons stuk voor stuk even een kortstondig geluk toe, alsof hij naar de vier hoeken van het theater boog. Ik dacht: wát een kerel! En Luke zei: 'Aye, fantastisch! En wat is zijn wetenschappelijke naam?'

We hielden op met klappen en keken toe.

'Zijn wetenscháppelijke kutnaam?' zei Allan Besant, die ging staan, ogenblikkelijk terugschakelde op de wrok die hem leek te verteren. 'Wie maalt daarom?'

'Ach,' zei Luke, op zijn beurt beledigd. 'Als je de wetenschappelijke naam niet kent, zelfs niet op dit onbenullige niveau, neem me niet kwalijk, maar dan kun je jezelf geen wetenschapper noemen, hè? En bovendien' – hij keek mij aan, zocht steun (wat aandoenlijk was) en daarom gooide ik er een 'Zonder meer!' tussendoor en knikte, heel heftig – 'zijn die wetenschappelijke namen mooi, ze klinken heel mooi, hè?' Ik knikte opnieuw, alsof die namen, nou ja, voor mij, weet je wel, niet alleen muzikaal klonken, maar vol betekenis waren en ik ze bovendien állemaal kende. 'Koolvis, *Gadus virens* (Linnaeus).'

'Lazer toch op!' zei Allan, die al half buiten stond. 'Wie maalt daarom? En knoop dit maar in je oren, mensen zoals jij, vol gezeik, en die wonen allemaal in Angus, weet je hoe ze die daar noemen?'

'Nee,' zei Luke eenvoudig, overdonderd.

'Een rots-heilbot! Leugens, verdomde leugens!'

'Wacht! Wacht!' bulderde grote Bryan. 'Allan, wat is er aan de hand? Dat was echt een steroptreden! Dat staat buiten kijf!' Zijn bas, die niet eens erg hard sprak, vulde moeiteloos de kombuis en scheen Allan door zijn netwerk van lage golven in de deuropening vast te houden. 'En heilbot? Wat is de wetenschappelijke naam voor heilbot op de Shetlands?'

Allan draaide zich met een ruk om. Hij legde zijn grote gespierde handen, een in elke bovenhoek van de deurpost, boven zijn hoofd en leunde naar binnen, naar ons toe. 'Sodemieter toch op, Bryan! Meneer Onschuldig Stilzwijgen! Denk je dat ik dit met alles kan? Denk je dat dit eenvoudig was? Ben je soms ineens even gek als Worzel? Jeezus, dat heb ik geléérd! Het heeft me weken gekost! De vrouwen zijn er gek op! Maar dit was het, finito – zoiets, wetenschap, doet namelijk píjn, je hersenen gaan er píjn van doen! Dus sodemieter gauw op!'

'Hé, nee! Wacht!' zei Bryan, met extra stemgeluid, terwijl hij een interne schakelaar omzette naar megabas. 'Je begrijpt me verkeerd!'

'O ja?'

'Ja! De wetenschappelijke naam voor witte heilbot op de Shetlands? In het enige gebied zonder gelul ter wereld? De naam? Dat is "pappavis", zo luidt die, pappa-vis! En dat is een feit!'

We lachten. Allan lachte, en zijn handen lieten hun greep op de deurposten los, en hij zei, als een formule, gelukkig, met het volle zangerige accent van de Orkneys: 'Ik ga naar bed.'

Luke schoof opzij en ging staan, alsof hij door iets in zijn nekvel was gepakt, zoals je een kat kunt oppakken, en na wat gestrompel in de ruimte tussen de tafels kwam hij in balans met zijn linkerhand tegen de achterkant van onze bank en zei met een stem die niet helemaal als de zijne klonk: 'Het spijt me. Het spijt me enorm! Ik moet gaan. Ik moet aan het werk!' En – maar de echo of de grap of wat het volgens zijn dappere kant maar had moeten zijn, verschrompelde en loste op in de warme benauwdheid toen hij bij de deur zei, onmiskenbaar gekweld door schuldgevoelens: 'Ik ga naar mijn verwerkingskamer!'

Die arme Luke, dacht ik, hij moet er op dat moment door zijn getroffen – ja, doordat hij alles was vergeten, terwijl hij naar Allan Besant had zitten luisteren, doordat hij buiten zichzelf was gaan leven, zonder zorgen, buiten de tijd, vol oprechte vreugde, de knevels in zijn hoofd losgedraaid, wat een opluchting, alsof hij echt in een theater was… bevrijd van zijn proefschrift. En wat was dat toch met die proefschriften? Waarom was dat zo'n lijdensweg? Zelfs voor iemand als Luke? Die verder de moedigste man was die je ooit kon hopen tegen te komen? Nou, om te beginnen is het onmiskenbaar een belachelijk voorrecht, een groot (en kostbaar, heel kostbaar: belastinggeld van anderen), een groot geschenk aan jezélf (wat je weet, waardoor de druk nog groter wordt): een echte kans om iets volkomen onverwachts te ontdekken over hoe de wereld in elkaar zit – en de voorbeelden van werk van promovendi dat onze kijk op onszelf en het universum heeft veranderd zijn veel te talrijk om op te noemen: dus wat vind je van Jocelyn Bell Burnells ontdekking van de pulsars, de pulserende radiosterren, in 1967? Een berooide promovendus die de signalen van een nieuwe radiotelescoop analyseert, gebouwd door Cambridge, een telescoop met een oppervlakte van ruim anderhalve hectare, maar daar gaat het niet om, nee, alleen zíj was gedreven en toegewijd genoeg om een uitzonderlijke radiobron op te merken: en ze was jóng genoeg om die niet af te doen als lokale interferéntie (omdat hij te grillig was om in het toenmalige theoretische model te passen); en de gekscherende verklaring van haar ouderen en meerderen, die duidelijk dachten dat het een of andere technische fout in deze nieuwe telescoop was, luidde een tijdje als volgt: het signaal was een boodschap die door ander leven in het heelal was verzonden en die wij eenzame mensen dolgraag wilden vinden. En het oudere establishment van de astronomie noemde deze regelmatige pulsen, dit signaal om de één komma zoveel seconden, KGM: Kleine Groene Mannetjes. Maar ja, als zoveel fris denkende, jonge, toegewijde promovendi voor en na haar, had ze gelíjk: ze ging verder, liet zich niet van de wijs brengen, en vond andere bronnen, en pats boem! Het was een nieuwe soort ster. Een piepkleine ster, een neutronenster, en die hebben maar een doorsnede van tien mijl, maar zijn heel massief, en zij tollen met hun magnetische veld als een idioot rond, en vraag me niet hoe, maar ze produceren dat signaal... Ja. Zie je wel? Dus waarom zou Luke niet iets even opmerkelijks over het leven in de onbekende diep- zee ontdekken? Waarom niet?

Maar de gouden kans, de geweldige mogelijkheid om drie of meer jaar te besteden aan een of andere obsederende interesse, de intensiteit ervan, je weet het op dat moment natuurlijk niet, want je bent net twee- entwintig, maar dat ís het, je echte leven, en dat geeft je de basis voor de hele rest van je intellectuéle leven... Daar sta je dus, en je moet op het diepst mogelijke niveau echt voor jezelf uitmaken wat je interesseert voor een proefschrift, iets wat je ogenblikkelijk verbindt met de half vergeten verrukkingen uit je kindertijd, iets wat je wérkelijk opwindt, hoe geheimer hoe beter, want dit is je laatste kans om te spélen. Neem bijvoorbeeld de allereerste keer dat je een kleine watersalamander in een vijver hebt gezien; jij, het kind, werd geboeid door de mysteries van dit leven voor je, dat zo sterk van dat van jou verschilde; de kleine wa- tersalamander, zwevend in die vijver, zo onverwacht, zijn tere voor- en achterpootjes helemaal uitgestrekt, en hij zwemt, met zijn peddelende pootjes, zijn zigzaggende staart, oeroud, als een minieme dinosaurus, regelrecht naar het oppervlak, en hij haalt adem, en je ziet zijn oranje onderkant en hij schiet weer terug naar een veilige plek, en hervat zijn drijvende bedaardheid, een gestage beheersing van zijn emoties... Maar wacht eens even – zijn geslachtsleven kent, net als dat van ons, geen enkele bedaardheid, o nee: mijn vriend Tim Halliday, nu heel oud, net als ik, maar als promovendus, ongeveer dertig jaar geleden, tja, ging zijn proefschrift over *Het geslachtsleven van de salamander*, en daar kun je om lachen, maar híj heeft ontdekt dat de volgorde luidde: snel bewegen, waaieren, langsflitsen en besnuffelen. Dat weet ik nog omdat niemand zoiets kan vergeten – en hij was een ordelijke jongen, dus ging hij in de paartijd met zijn netje naar buiten om een mannetje en een vrouwtje van de kleine watersalamander te vangen in een of andere boerenvijver in de buurt van Oxford, en die nam hij vervolgens in zijn verzamelpot mee terug om ze vrij te laten in de seksuele hemel voor salamanders: de salamanderclub in zijn lab, een met grind bedekt, goed van zuurstof voorzien, exact op temperatuur gehouden, met vijver-planten begroeid designaquarium voor salamanders: een rood verlicht prairiebed voor na het eten, een besloten Masters-and-Johnson, een seksclub-waar-alles-mag voor salamanders...

Ik hoorde, ontzettend ver weg, heel in de verte, van het vreselijk ver-ontrustende oppervlak van de diepzee, ver voorbij het knusse, kleine, denkbeeldige gerief van de dubbele wand van de Norlantean – daar hoorde ik een krééét, zoals Luke het zou noemen... 'Redmond!' Het was Robbies stem... een kreet! Maar ik was niet getraind, en tráíning, tel-kens weer opnieuw, zoals Luke had gezegd, was onontbeerlijk, maar dit was een nóódgeval, en het was Róbbie daarbuiten, die nota bene vroeg of ík hem wilde redden... En hij had natuurlijk gelijk, want alleen Rob-bie kende me goed genoeg om te beseffen dat ik de dikste oude zak was die ooit naar zee was gegaan, dus was ik goed geïsoléérd, had ik mijn eigen overlevingspak, een buitensporige, subcutane, alles bedekkende laag geel vet, net als alle zoogdieren in de zee, en daarom moest ik er beslist in springen en ik moest op mijn vet zwemmen, en ik moest die kleine Robbie rédden, zo mager als hij was, die om een of andere reden had besloten een goede vriend van me te worden... En dus sprong ik van het potdeksel van de Norlantean, vanaf het achterdek, en mijn be-nen sloegen uit als van een kikker en mijn handen peddelden zo hard ze konden, als van een salamander die naar boven gaat om lucht te happen, en toen ik er was, op dat moment al een held, riep ik: 'Robbie!

Alles is in orde. Je problemen zijn voorbij! Ik ben het! Redmond! Maak je dus geen zorgen! Want ik ben het! En ik ben hier! En ik kom eraan! Ik kom er zo snel mogelijk aan! Ik kom je redden!'

En ik kwám er ook (wat slóég ik mijn ledematen uit – en de zee was zo zout en mijn mond werd heel droog) en Robbie, die aan het verdrinken was, die wanhopig was, greep me met allebei zijn handen vast, heel hard, boven op mijn schouders, en hij bracht zijn rechterhand over naar het haar op mijn achterhoofd en hij trok mijn gezicht uit het water... of, zoals nu bleek, uit mijn ondiepe kom soep... 'Redmond!' zei hij recht in mijn linkeroor. 'Dus je komt me redden, hè? Aye – ik weet zeker dat je dat zou doen! Begrijp me niet verkeerd – dat waardeer ik! Heus!'

En grote Bryan zat in zijn verre hoek te schudden van het lachen: Bulder! Bulder! 'Daar komt Worzel!' riep hij opgetogen. 'Daar komt Worzel! Sputter sputter! Je hoeft je dus nergens meer druk om te maken, Robbie! Want daar komt Sputter Worzel, sputter sputter!'

Jezus, wat vréselijk, ik moest in mijn slaap hebben geroepen... Maar hoe kwam het eigenlijk dat ik sliep? Want het leek helemaal niet op wákker worden – en hoe waagden ze het trouwens om zo'n poets met me uit te halen? Want ik had toch zeker heel rationéél zitten praten? Ik had zitten praten. Ik had me helemaal gegeven aan Luke en Robbie en Bryan en ze hadden ademloos geluisterd, terecht, en ze hadden niets gezegd, en zo hoorde dat ook... Ja: ik had zitten práten, en zij haalden een of ander trawlergeintje met me uit... Of niet? Ik had toch zeker in zee gezwommen en nog wel zo goed?

Robbie zei, alsof Allan Besant die seconde was vertrokken (misschien was dat ook zo): 'Redmond, je moet je niks van Allan aantrekken. Hij is niet zoals wij, hij is niet zoals jij en ik, omdat hij een hoop geld heeft geërfd, echt een hóóp, van een of ander familielid, en het zou me niks verbazen als hij dat familielid nooit had gezien.'

'O, jongens, jezus, neem me niet kwalijk, maar het is zó angstaanjagend, dat leven van jullie...'

'Aye. Maar goed, hij was er niet op voorbereid, als je snapt wat ik bedoel, en misschien zouden we het allemaal net zo doen, wie zal het zeggen? Dus hield hij op met werken in de visserij, aye, en hij was ook schrijnwerker, weet je, een van de beste van alle Orkney-eilanden, maar aan de andere kant is er op de Orkneys weinig werk voor een schrijnwerker!'

'Nee – je begrijpt het niet, het is zo enórm angstaanjagend, weet je, want ik dacht dat ik met jou aan het praten was, met jou, Robbie,' en ik keek naar rechts, naar Bryan, die niet meer lachte, dat hoorde ik, en die wazig in beeld kwam, 'en met jou, Bryan, en met Luke...' Maar Luke was in rook opgegaan, hij was er niet meer... En ik voelde de diepe angst die je zonder enige waarschuwing in zijn greep kan krijgen, de angst die achter in je schedel schijnt binnen te komen, als de klauwen van een apenarend – en goed, als je niet het geluk hebt gehad om een van die dieren in actie te zien, dan de acute ongerustheid die op een doodgewone grauwe middag om drie uur ineens kil binnendringt – en voor het geval je denkt dat je zóiets kunt negeren, nou, je maag begint pijn te doen, en vervolgens te branden, en hij biedt onderdak aan een boscobra – en nee, besef je subiet, dit is anders, want dit, dit zal niet na een nachtje slapen over zijn... Maar desondanks duurde het een paar seconden voor tot me doordrong dat ik misschien gek aan het worden was... En toen zei ik, te wanhopig, te luid: 'Robbie! Bryan! Het is zo angstaanjagend, want ik dácht dat ik met jullie zat te práten!'

'O dát,' zei Bryan, die er meteen verveeld uitzag, 'dat hebben we allemaal.'

'Aye!' zei Robbie. 'Maak je geen zorgen. Je bent niet anders dan wij.'

Bryan, die zich ontspande, zich in zijn hoekje nestelde, zei: 'Aye, ongeveer halverwege een reis hebben we dat állemaal: we denken dat we dingen tegen elkaar hebben gezegd en soms bijzonder góéie dingen, weet je wel, omdat je tijdens het spreken niet in de rede wordt gevallen, waardoor je je kunt concentréren en kunt zeggen wat je werkelijk bedoelt, maar nee, je vraagt het aan de anderen en néé, je sliep, net als jij, Redmond, zojuist, met je hoofd op je bord, aan de kombuistafel, dat is normaal, dat is gebruikelijk – maar ik heb mensen gekend die staande in slaap vielen, of hun hoofd godverdorie op de stríptafel lieten vallen, of stilletjes in het ijs in het ruim omrolden – en als je hen dan wakker schudt, ontkennen ze het en zeggen ze dat ze met jóú aan het praten waren! Aye, maar het is me opgevallen dat je zodra je in je kooi ligt weer op een of andere manier weet dat het dromen zijn, en dat is een feit, en daarom is het belangrijk, is het belangrijk om naar bed te gaan en te gaan liggen, ook al heb je maar een kwartier, en dan, zodra je in bed ligt, kijk aan, zijn het drómen – maar als je volkomen uitgeput bent en je valt tijdens je werk in slaap of hier in de kombuis, na een week of twee zonder slaap, dat klopt, dan denk je dat je aan het praten was... Maak je dus maar geen zorgen... Denk je dat wíj niet bang waren? Toen het voor het eerst gebeurde? Als je het lef niet hebt om het tegen iemand te zeggen? Omdat ze allemaal ouder zijn dan jij, en serieuze mannen, en dan denk je: als ik dit aan hén vertel, zullen ze weten dat ik geschift ben en dan zullen ze me van boord trappen zodra we in Stromness de wal bereiken en zal ik de rest van mijn leven nooit meer een baan kunnen vinden. Aye, maar op een keer vertel je het wél aan hen, hier in de kombuis naar alle waarschijnlijkheid, omdat je het geen minúút langer kunt uithouden en omdat je óveral bang voor bent geworden, en dan láchen ze, allemaal, en besef je dat het niet iets bijzonders van jóú is waar je je zorgen over moet maken, en dat is heerlijk, nou en of, en dan word je een trawlvisser...

Maar ik zal je eens wat zeggen, Redmond, jij bent wél een rare, heus, want jij praat met iedereen over alles, dat heb ik zien gebeuren, je kunt geen maat houden, hoe noem je dat? Zelfbeheersing, dat is het, je hebt geen zelfbeheersing. Maar dit is dus belangrijk, als je de waarheid wilt weten, want nog niet de helft van de toekomstige trawlvissers, bij lange na niet, gaat langer dan de eerste paar reizen mee – ook al zijn ze, zoals ik al heb gezegd, opgeleid op de zeevaartschool van kapitein Sutherland in Stromness – en hoe komt dat? Door de zee? Het weer in januari? Nee, dát kan het niet zijn, want ze monsteren in alle jaargetijden aan, nee: het is dat gebrek aan slaap, het is de ángst, de doodsangst zelfs, zo je wilt – en wie kan zeggen hoe bang een ander mens wérkelijk is? –, het komt doordat ze zich er niet bij kunnen aanpassen om met waanzin te leven, ook al is het een milde vorm van waanzin, gedurende een week of twee, hooguit drie. Dáárom doen ze er alles aan om een baan aan de wal te vinden... Ze houden niet van die vikingplek, weet je, van open schepen, geen beschutting, geen slaap – de plek waar de cultuur en de mythen en de wereldboom van de vikingen is ontstaan, Yggdrasil! De tovenarij en de trollen en de kleine mensen van de Orkneys en de Shetlands in hun grafheuvels, zoals Robbie, het enige gelul dat ik écht leuk vind...'

Robbie zei: 'Maar Redmond, lúíster naar me, naar je vriend Róbbie...'

Bryans zware vikingbas overstemde hem met ontspannen golven laag geluid: 'Je went eraan, niet op je volgende reis, misschien niet op je twintig volgende reizen, maar daarna, aye, dan weet je wanneer je niet praat, dan weet je wanneer je dróómt.'

Robbie leunde recht over de tafel heen, gedreven, en hij zei op een sterke fluistertoon, op vijftien centimeter van mijn linkeroor: 'Bryan die praat, aye, dat kan hij en dat doet hij, maar luister niet meer naar hem, want hij praat alleen zo als er meer eten te krijgen is – hij is groot en hij verbrandt het en hij heeft het nodig, aye! Hij is net een hond – een sint-bernard, ja – dat is onze Bryan, hij is groot en donzig, en hij krijgt honger en daar komt zijn tong naar buiten... Maar Redmond, luister naar me, al die larie, aye, dat is wakend slapen, zo noemen wij het, maar wie maalt daarom? Nee, luister naar je echte vriend, naar mij, Robbie: je moet je niks van Allan aantrekken, dat heeft níks met jou te maken, maar ik zag dat je vanbinnen werd gekwetst, heel erg zeg maar, en je liet je hoofd zakken, héél langzaam, regelrecht in je bord en je viel in slaap: om alles búíten te sluiten.

Maar Allan Besant dus,' zei Robbie, die naar achteren leunde en harder ging praten, 'hij erfde dat geld, massa's geld. En wat doet hij? Aye! Hij kocht een huis, auto's. Meer dan één auto.' Grote Bryan, zo viel me tot mijn verbazing op, zag er nu zo ontspannen uit dat hij zijn reuzenstatus van grote standvastigheid helemaal leek te hebben verloren. Grote Bryan zag er bijna sláp uit. Ja, grote Bryan leek inderdaad op een sint-bernard die massief in zijn warme hoekje ligt, in de veilige wetenschap dat er een volgende maaltijd zit aan te komen... 'En hij trouwde. En toen, ach, misschien zouden we allemaal hetzelfde doen, wie zal het zeggen? Hij had al dat geld, dus kon hij gewoon zichzelf zijn, zonder beperkingen, en zoals kapitein Sutherland ons eeuwig voorhield: elke man heeft bepérkingen nodig, en die had hij niet meer, geen discipline – of zoals ik het zelf zeg: hij was volledig ontsnapt aan dat klotegezeur van gekke schippers of wie dan ook, als je snapt wat ik bedoel, want Redmond, afgezien van Jason, weet je wel – en dat verfoei ik, ja, dat is het enige dat niet goed zit tussen jou en mij, jij als schrijver, met deze ene kans, en je probeert het zo veel mogelijk te beleven zoals het is, zoals het wérkelijk is, dát zie ik wel, ja, je molt je ouwe ballen bij je poging de waarheid te vertellen! Aye, dat zien we allemaal, dat is volkomen duidelijk, en het zijn vragen, vragen! En één op de vijf, tot die conclusie zijn we gekomen, misschien één of de vijf slaat ergens op en zet ons aan het denken – en als je niet in de buurt bent bespreken we die, natuurlijk! En Jason en Bryan hier' – we wierpen op dat moment allebei een blik op Bryan, en hij sliep inderdáád, heel vredig, massief in zijn hoek geklemd, met zijn hoofd rechtop, rustend tegen de onderkant van de steun waar het plankje met de videorecorder op stond, met het scherm (geliefden en gangsters, niet te verstaan) boven hem: zijn gezicht had de bezorgde rimpels van een eerste stuurman verloren, zo slapend kon ik me grote Bryan, afgezien van zijn pas gekweekte, zijn belachelijk zware baard, als kleine jongen voorstellen – 'Jason en Bryan denken dat schrijvers af en toe wel degelijk de echte waarheid vertellen, weet je, niet die krantenwaarheid – maar Allan, ach, hij is een geweldige kerel, dat zeg ik je, maar hij is ervan overtuigd dat níémand óóit de waarheid vertelt. Maar Jason en Bryan denken dus zeg maar, dat áls je het boek schrijft, en we waren het er allemaal over eens, op de brug, dat het een kans van één op honderd was, net als bij het vissen, omdat je oud bent en geen fut hebt en, o shít' – Robbie keek me aan, héél vriendelijk, heel verontschuldigend – 'dat had ik niet moeten zeggen, dat had ik in geen honderd jaar mogen zeggen... Maar goed, als het je lukt, zeg maar, en je vertelt de waarheid en je bent eruit gekomen in de ergste tijd van het jaar, dan valt dat niet te ontkennen: dan kunnen we het boek aan onze vrouw, onze vriendin, ons meisje geven, wat dan ook, en daar gaat het om, daarom heeft Jason je aan boord genomen, weet je, aye, hij had zich niet in de maling laten nemen door die shit over het Mariene Lab in Aberdeen... Dan kunnen we dat boek, als je het ooit doet, wat dan ook, dus aan onze vrouw geven, weet je wel, aan de vrouw op wie we echt gek zijn, goed, lazer op, aan de vrouw van wie we hóúden! Shit! Ja! Maar zo gaat het dus: je geeft dat boek aan de vrouw van wie je houdt, en ze laat het allemaal tot zich doordringen, en langzaam, weet je wel, in de loop der wéken, terwijl ze het leest, in stilte, weet je wel, zonder een woord te zeggen, en dat moet je voor lief nemen – terwijl ze het leest, als ze genoeg van je houdt om het te gaan lezen, als ze genoeg van je houdt om de moeite te nemen om er ook maar een enkel rotwoord in te lezen, hè? Nou, zoals Jason zegt, hangt het nu van jou af, hè Redmond? Verdoen we onze tijd met jou? Ben je eigenlijk gewoon een ouwe Worzel? Nou? Of ben je de hele mikmak? Of zelfs maar een piepklein beetje van de mikmak? Kun je ervoor zorgen dat onze vrouwen, de vrouwen van wie we goddomme houden, gaan begrijpen wat hier gebeurt? Kun je dat? Want wij kunnen het ze niet zeggen, dat staat vast, omdat ze het niet zouden geloven – en bovendien schijnen ze allemaal hoe dan ook te denken dat we hier op zee wíllen zijn, dat we bij de jongens wíllen zijn of wat dan ook, of dat we van de zee houden (we houden van die klotezee!). Dus dat boek van je, ook al is het een en al gezeik, misschien zal ze het lezen en er een ietsepietsie van begrijpen en van ons houden, en aye, misschien zal ze ons als we thuiskomen meteen twee dagen en nachten achter elkaar laten slapen – en zullen we dán pas gaan vrijen!'

'Maar Allan Besant,' zei ik, 'je weet wel, je zei dat ik het me niet zo moest aantrekken, je weet wel, van Allan Besant!'

'Ja! Ja! Hij is een fantastische kerel, maar jíj moet meer van hem begríjpen. Of je gaat het persoonlijk opvatten, dat zul je doen, omdat je zo'n soort Worzel bent. En je moet beschermd worden. Maar ik zal je eens wat zeggen: altijd als ik naar zee ga, weet ik dat de schippers je, afgezien van Jason, afzetten, ze gebruiken je om aan hun geld te komen, zo verdienen ze hun geld. Je krijgt een goed percentage, het grootste deel van de tijd, maar het is niets vergeleken met het bedrag dat zij krijgen: zij verdienen echt een prachtloon door jou voor hen te laten werken, plus nog eens, zoals ik al zei, al mijn gabbers aan de wal: in mijn auto rij ik ze hierheen en rij ik ze daarheen, en ik ben echt een goede vriend voor ze, en omdat ik een trawlvisser ben denken ze dat ik rijk ben, vragen ze me om geld, en het lijkt wel alsof ze zeker weten dat ik dat niet gewoon heb verdiend – en er zijn er maar knap weinig bij, van de aannemers, boeren en slagers, er zijn er maar knap weinig bij die me dat geld ooit zullen teruggeven – alleen je maats op zee denken eraan als je hun geld hebt geleend. Aye! Zo word ik verraden, zeg maar... Ja, je geeft je vrienden geld, al is het maar om de nacht door te komen of zo, kleine bedragen, maar desondanks zie je het nooit meer terug – omdat jij ríjk bent, een trawl-visser! Aye, Redmond, soms heb ik weleens de indruk dat ik mijn leven lang gebruikt en misbruikt ben, massa's keren – en de vrouwen, ach, misschien is het mijn schuld, niet die van hen, maar zij zijn het ergst. Elke vrouw met wie ik ooit wat heb gehad, afgezien van Angela, mijn eerste, en zij was verstandig, ouder dan ik, en we hebben een jongen gekregen, mijn zoon zou je kunnen zeggen, en hij, ach, hij is de vreugde van mijn leven! En zal ik je eens wat zeggen? Ik mág Angela's nieuwe man zelfs, aye, er mankeert niks aan hem! Maar afgezien daarvan heeft elke vrouw met wie ik wat heb gehad, zoals ik al zei, de vier met wie ik verloofd ben geweest, hebben ze het me stuk voor stuk geflikt.'

'Wat geflikt?'

'Het met een andere kerel aangelegd terwijl ik op zee was! Ben je dom of zo? Dat gebeurt er, met élke trawlvisser.'

'Maar waarom? Kunnen ze niet wachten?'

'Precies! Ik zal het je zeggen: ze kunnen met je trouwen vanwege je auto, daarom! Omdat ze denken dat je rijk bent. En ze hebben er niets van gemeend – een van hen, en ik zal geen namen noemen, maar terwijl ik op zee was maakte ze het bed kapot met de doodgraver van Stromness! En ik kom thuis en repareer het bed – en toen we uit elkaar gingen, gaf haar vader mij de schuld van alles, omdat ik op zéé had gezeten!'

'Maar Allan Besant? Je was me over Allan Besant aan het vertellen… je zei dat ik me niet zo akelig zou voelen…'

'Aye! Goed, híj trouwde ook, maar hij was natuurlijk écht rijk, en dat is hem naar zijn hoofd gestegen, zoals dat elk van ons had kunnen gebeuren, dat weet ik zeker, met Bryan misschien – nee, neem me niet kwalijk, met Bryan als enige vaststaande uitzondering – aye! Dus toen Allan Besant zijn oude gewoonten weer opvatte, en snap me niet verkeerd, hij is een moordvent, en je moet alleen uitkijken als hij dronken is – zijn ogen – dan weet je niet wat hij denkt! En dát is griezelig, werkelijk waar! Goed, zoals ik al zei nam hij massa's vriendinnen, waardoor hij het huis moest verkopen en zelfs de auto's en ten slotte had hij geen geld meer, was hij het allemaal kwijt, en toen moest hij weer terug naar zee, aanmonsteren bij Jason, dus is het geen wónder dat hij anders is dan wij…'

'Maar helden, het Victoria Cross, waar ging dat over?'

'Aye, ja, goed – ik zal geen namen noemen, maar dat móést ik je vertellen, om je op te monteren, ouwe Worzel, dat was ik vergeten, maar aye, dát was het: dat móést ik je vertellen, snel, voor ik mijn slaap nodig had – want let wel, ik ga zo naar bed – omdat ik zag hoe bezeerd, hoe gekwetst je was, en jij kon er niks aan doen – het had niks met jou te maken!'

'Nee? Weet je dat zeker, Robbie?'

'Aye, maak je geen zorgen, en ik zal geen namen noemen, en het gebeurt aan de lópende band, aan de lopende band met trawlvissers, maar Allan – en hoe weten we of we niet hetzelfde zouden hebben gedaan? Je kunt alleen over zulke mensen oordelen – zo denk ik erover, dat is mijn standpunt – je kunt alleen over hen oordelen als je er honderd procent zeker van bent dat je niet hetzelfde zou doen! Aye, dus Allan, hij heeft bijna geen geld meer en hij woont bij zijn grote beste vriend uit zijn kindertijd, een trawlvisser én iemand van de réddingsbrigade. En die vriend heeft een héél mooie vrouw, en in feite heb ik de ervaring dat álle beste vrienden een oogje op elkaars vrouw hebben, net zoals ze hun meeste andere interesses gemeen hebben – anders zouden het geen beste vrienden zijn! Of niet? Goed, waarschijnlijk voor hij het bedoelde, toen zijn beste vriend weg was, aan het vissen, of, wat aannemelijker is, toen hij op een nacht werd wéggeroepen voor een kreet (dat háten vrouwen echt! Dan voelen ze zich beledigd, zeg maar) merkte Allan dat hij bij de vrouw van zijn beste vriend was: en wie moet daarover oordelen? Wie kan het weten? Nou? Redmond? Stel nu eens – en ik ken hen goed – stel nu eens dat de pieper van de reddingsman afging terwijl hij met zijn vrouw lag te vrijen? Nou? En hij reageerde op de oproep en ging naar de boot? Nou? Als jij een vrouw was, hoe zou jij je dan voelen? Want die piepers kun je namelijk áfzetten… Dus is ze héél kwaad, zeg maar, en ze gaat naar de kamer van de kóstganger. Aye. Maar het is allemaal aan het licht gekomen, zoals dat op de Orkneys met álles gebeurt, en dit was een puinhoop, een enorme puinhoop: en ze probeert diverse keren zelfmoord te plegen, ze snijdt haar polsen door, maar Allan redt haar, en hij lijkt nu echt van haar te houden, en hij geeft om haar, hij woont met haar samen – maar wie zal het zeggen? Het is niet gemakkelijk, het leven op zee. Alles valt of staat met de vrouw thuis. Maar waar het voor jou om gaat, Redmond, de reden waarom ik niet naar bed ben gegaan is dit: trek je niets áán van wat Allan over het leven of over de mensen van de reddingsbrigade zegt… okay?'

En Robbie, lenig, een kleine Pict, heel atletisch, zelfs nu, midden in de nacht, of in de duistere dageraad of wat het ook maar was, kwam op zijn kleine voeten overeind en verdween.

En ikzelf, dacht ik, terwijl ik probeerde te gaan staan – en o god, natuurlijk, het is weer zover, ik heb kramp in mijn linkerdij – en mijn enkels: waar zíjn die verdorie? Die zijn er weer eens zonder verlof tussenuit geknepen: die hebben de benen genomen naar iets interessanters… 'Ik móet in mijn kooi komen,' zei ik tegen mezelf. Maar omdat ik me niet kon bewegen, bleef ik daar zitten, terwijl ik mijn benen masseerde…

Grote Bryan werd verrassend genoeg wakker (en de slechtste kant van me zei bij zichzelf: heeft hij ooit geslapen?). Grote Bryan zei, vrij van slaap en bondig: 'Aye, Redmond, ik was aan het drómen, weet je, over Allan Besant – en ik kan je wel zeggen dat hij in mijn droom, op zijn volgende boot, totaal veranderd was, een ander mens. Het is raar hoe we erdoor worden gegrepen, hè? Want op zijn volgende boot naar zee moest hij de béste zijn, maar dan ook de beste in álles – dus was hij zo snel aan het strippen dat hij de helft van het grom erin liet zitten, en in het ruim, met al het ijs om zich heen, droeg hij alleen maar een T-shirt; o ja, hij was zichzelf aan het stráffen, of niet, zoals jullie schrijvers zeggen, of hij was gek geworden, of niet... Maar weet je wat ik denk? Ik denk dat Allan Besant al die tijd, met al dat geld (dus was het voor hem écht mogelijk), misschien net als Luke, maar aan de andere kant ken ik Luke niet, dat Allan Besant op zoek was naar de ideále vróúw – aye, en zo'n verdomd gróte vergissing, een buitensporige vergissing, de ideale vrouw! Ik heb het zo vaak zien gebeuren, bij alle jonge dekknechten, de zwabbers, maar nooit op díé schaal, nooit zo'n speurtocht die ondersteund werd door zóveel geld – nee, ik heb nog nooit gezien dat het ideale gelul iemand op die manier aan lagerwal heeft gebracht, neem me niet kwalijk. Want het is natuurlijk gelul! Het ideale dit of dat is áltijd gelul! En als je erachteraan gaat, in de godsdienst of de politiek of de liefde of weet ik wat – heeft dat altijd hetzélfde resultaat: je maakt jezelf ermee kapot, en wat nog véél belangrijker is, je verziekt het leven van iedereen om je heen. Of niet dan? Mensen mogen je – die moeten zulke dingen toch weten? De Ideale Vrouw! Wat een gelul! Konden die jonge kerels maar beseffen – alleen ligt het niet op míjn weg om ze dat te zeggen, dus doe ik het niet – konden ze maar beseffen dat je alleen maar iemand hoeft te vinden, wíé dan ook, met wie je graag praat, graag dronken wordt, bij wie je graag bént, dat is alles: het is heel eenvoudig: meer is het niet!'

'Ja! Ja!'

'Aye,' zei Bryan, 'ik ben blij dat je het met me eens bent – en dat is een feit!' Hij leunde naar me toe, kwam half van zijn bank. 'Maar... aye, begrijp me niet verkeerd... die karbonades? Jij en Luke – het moest me wel opvallen... Jullie hebben er elk maar een gehad? Zou je er soms bezwaar tegen hebben, bij wijze van spreken – zou je er bezwáár tegen hebben als ik die ongewenste tweede karbonades van jullie allebei opat? Ik vraag het alleen maar, hoor...'

'Ga je gang!' zei ik met belachelijk veel nadruk, omdat het zo'n onverwacht genoegen was, zo'n kick gaf om íéts te kunnen doen voor grote Bryan. 'Schep maar op! Neem zoveel je wilt – je verdient het.'

'Dank je wel,' zei Bryan formeel. 'Dat waardeer ik.' En hij betrok zijn spieren weer en bewoog zich, compact en massief, naar het fornuis.

En hé, hij bracht me, om de scheidingswand heen, hij bracht me een enórme kom (goed, alle kommen waren enorm) van Jerry's groentesoep, die hij voorzichtig voor me neerzette, en hij haalde een lepel uit zijn broekzak en hij zei (ik pakte de lepel): 'Je bent een malle, jij, zonder twijfel. Maar je kunt ermee door, neem ik aan.' En zonder een woord te zeggen, ware metgezellen, begonnen we te eten. En zelfs ik, een oude man met heel weinig smaakpapillen en een zeer beperkte ervaring met soep die niet afkomstig was uit een blik of een pakje (waarvan de inhoud vers en speciaal voor jouw verfijnde genoegen was vernietigd, zoals steevast op het etiket stond), zelfs ik wist dat dit de soep was die je zou krijgen (terwijl alle supersexy serveersters je zachtjes toewaaierden met hun lichte, donzige, gouden, vanuit het midden uitgespreide vleugeltjes) in het paradijs, als zoiets bestond...

'En Bryan,' zei ik, na een stuk of tien ongelovig, met de opgetogenheid van een klein jongetje opgeslurpte monden vol (en het was me een soep!), 'hoe ben jij trawlvisser geworden? Is dat wat je wilde worden, als jongen?'

Bryan, die gelukkig was als hij at, zoals ik wel zag, zou nog gelukkiger zijn geweest als hij zeg maar gedurende een halfuurtje in alle rust had mogen eten. En dat begreep ik, natuurlijk begreep ik dat, omdat ikzelf, als het om een maaltijd gaat die je nodig hebt, of om iets bijzonders, zoals een klein stukje van een lendestuk van een geschoten ree die je nu in de toegang tot de familiegrot aan het roosteren bent – nou ja, daarmee wil je naar een vrij donker veilig hoekje gaan, hè? Dat wil je, vol genot, van de ene mond vol tot de volgende volgepropte mond vol, in totále afzondering eten, als een hond.

Bryan legde zich neer bij het gedoe van die vragen, bij die vermoeiende Worzel-factor (en uiteindelijk wíst ik gewoon dat hij dacht: het is maar voor één reis, maar voor één keer – anders zouden we, zouden we heus, zouden we er iets aan móéten doen om er een eind aan te maken); Bryan zei, in trage uitbarstingen tussen enorme, trage monden vol door: 'Aye, de Orkneys. Ik ben opgegroeid op de Orkneys, in

Stromness. En ik had mijn zinnen gezet, zou je kunnen zeggen, op de koopvaardij. Aye! Op de grote schepen! De werkelijk grote, de móóie schepen!' Een lange, kauwende, nadenkende stilte en toen: 'Dus deed ik op school eindexamen in navigatie en zeemanschap – op de Orkneys en de Shetlands kun je daar namelijk eindexamen in doen.' Hij keek naar zijn warme en verwelkomende, zijn vriendelijke bord – en niet één keer naar mij. 'En het ging goed, omdat ik het leuk vond, omdat het in mijn bloed zit, en dus ging ik naar de in mijn ogen fantástische zeevaartschool van kapitein Sutherland, in Stromness.'

'En daarna?'

Bryan nam er de tijd voor, heel kalm, volkomen op zijn gemak met zichzelf, de enige man aan boord die werkelijk uit één stuk bestond, door en door, en bovendien had hij nog een halve karbonade liggen, die nog steeds warm was. En natuurlijk ook clapshot, de gestampte rapen en aardappelen met ladingen boter en een beetje zout en peper, maar dat was niet zo belangrijk, bij lange na niet... En hij zei: 'Waarom eet je verdomme je soep niet op?'

Dus deed ik dat.

En toen ik klaar was (hoe kon zoiets betrekkelijk eenvoudigs, je weet wel, éten, hoe kon zóiets toch zo'n ander mens van je maken? Ineens heel blij en vol zelfvertrouwen?), zei ik: 'En daarna?'

'Daarna?' zei hij, lekker genesteld. 'Daarna – ontdekte ik dat de Britse koopvaardij, de vloot die nog niet zo lang geleden veruit tot de beste en de grootste van de hele rotwereld had behoord, en dat is een feit – maar wat dacht je? Die bestond niet meer! Zo zat dat! Er waren geen bánen! Dus ging ik naar de fuiken, de kreeften en de krabben, en ik moet zeggen dat ik dat heerlijk vond – maar dat is geen baan voor een jongeman die naar zee wil, die naar volle zee wil, hè? Dus waagde ik de gok, Redmond, en monsterde ik aan op een trawler – en mijn moeder heeft het me nooit vergeven, dat vermoed ik tenminste, want het is niet te vergelijken met de koopvaardij. Nee. Volstrekt niet. Ze heeft gelijk. Want het is de helft van het jaar verdomd gevaarlijk en krankzinnig – en het biedt het hele jaar lang geen zekerheid en je krijgt geen salaris en je moet de gok wagen – maar zal ik je eens wat zeggen? Ik ben er gelukkig mee.'

'O já? Omdat je op een dag schipper zult worden?'

'Verdomme néé, Worzel! En neem me niet kwálijk, maar hoe zou jíj dat beleefd zeggen? Nou? Geen spráke van. Ja, dat is het, geen sprake van, "ouwe reus". De rode vermoeide ogen van grote Bryan werden weer helder, fonkelden. Ja, ik zag dat hij dat leuk vond, dat 'ouwe reus'...

'Om schipper te worden? Nee, de hel op aarde, dát is het. En als je niet in een eeuwig leven gelooft – aye, en de meeste schippers geloven daar wel in, maar ik niet, echt niet – waarom zou je dan je ene kans om hier te leven op zee én op de wál, aan land (omdat je je schulden nooit vergeet, zelfs niet aan de wal), waarom zou je dan je ene kans om te leven in de hél doorbrengen? Waarom? Nee, word nóóit schipper. Zo denk ik erover. Laat de zorgen aan een ánder over.'

'Maar wat bedoel je er dan mee, dat je er gelúkkig mee bent.'

'Worzel, ik dacht dat jij een schrijver was, weet je wel, iemand die over deze dingen nádenkt, over alles waar wij verder geen tijd voor hebben, emóties en zo, grom en orgaanvlees eigenlijk, hè? Maar ik ben het ermee eens, en Jason zegt het ook: zonder je eigen grom en orgaanvlees ben je een dode... Ja, dat hebben we onderling over jou gezegd, en begrijp me niet verkeerd, want Jason en ik en Robbie – wij zijn blij dat je aan boord bent, heus, hoewel een van de jongens dat niet is, beslist niet, maar Jason zei, in de kombuis, hier, toen we nog maar een paar dagen op zee waren, toen je nog steeds aan het overgeven was en voor we wisten dat je echt zou gaan meedoen en zou proberen te hélpen, toen we allemaal aannamen dat je in je kooi zou blijven liggen of domweg zou rondstiefelen met een opschrijfboekje of zoiets en ons zou observéren, als in een of andere rotdierentuin, toen zei Jason, "Jongens!" zei hij. "Bekijk het maar zo: Luke is een lot uit de loterij, een werker, de beste die jullie zullen zien, en jongens, we hebben hem voor niks en hij stript even snel als jullie allemaal en vergeleken met hem zijn jullie verdomd onwetende boerenkinkels, of niet? Als het om vis gaat – en in féíte zouden we allemaal iets van vis moeten weten – weet Luke alles! Maar Redmond, ja, hij is oud en voorlopig is hij ziek, maar hij betaalt ons vijftig pond per dag en dat hóéft hij niet te doen, dus weet hij dat hij niets voorstelt en dat kun je in een man respecteren, en bovendien is hij officieel, is hij Erelid van ons Mariene Lab in Aberdeen en is hij Lukes assistent, dus als hij verdrinkt of gewond raakt, wat beslist zal gebeuren, is dat ons probleem niet, zijn wij er niet aansprákelijk voor, nee, dat is zijn baas, dat is het lab in Aberdeen!" En vervolgens zegt Jason – en ik weet niet meer of Luke erbij was of niet, maar aye, hij kán er niet bij zijn geweest – vervolgens zegt Jason: "En bovendien, jongens!" zegt hij, "wat kan het ons verdommen, dat we een Redmond aan boord hebben; ik heb nog nooit gehoord dat het een van de andere schippers is overkomen, helemaal nooit. Geniet er dus maar van zolang als het duurt, wat hij ook doet, want je zult nooit meer naar zee gaan met zoiets raars als dit, daar kun je van op aan!"

En Allan zegt: "Goddank!" En we lachen allemaal. En Jason zegt: "Bovendien, is hij niet normáál, hè? Want hij komt nú al geen enkele kroeg en geen enkel hotel in Stromness meer in!" En Allan zegt: "Goddank!" en dan lachen we écht – zelfs Dougie lacht!

En in feite kan ik je wel zeggen, Redmond, ik ben drieëndertig en ik vaar al héél lang, maar zo eerlijk als ik hier zit, niemand van ons – en zelfs de ouwe Dougie is aan de praat geraakt – niemand van ons heeft ooit zó gelachen als nu jij aan boord bent!'

'O ja?!' zei ik, zéér gepikeerd.

'Aye! Maar Allan – je moet je door hem niet uit je doen laten brengen, want hij meent het niet... En hij heeft zijn eigen problemen, weet je, en ik mag hem echt, en hij zei: "Goddank!"' (En Bryan lachte nogmaals: bulder! Bulder!)

'Ja, dat heb je me net verteld!'

'Bekijk het dus eens op deze manier: hij moet je mogen, anders had hij je geen bijnaam gegeven, aye! "Worzel"! Een schot in de roos. Want je geeft geen bijnamen aan mensen over wie je niet nadenkt – en als je me niet gelooft, moet je dit maar eens overwegen: op de Orkneys noemen we de Shetlanders "Shelties". Maar hoe noemen de Shetlanders ons? Antwoord: helemaal níéts, omdat we ten zuiden van hen liggen en ze dus geen moment aan ons denken!'

'Maar wat bedoelde je? Gelukkig? Je zei dat je "gelukkig" was met het leven op een trawler...'

'Gelukkig?' zei Bryan, en hij lachte, een vriendelijke alledaagse lach, niet het betrapte, hulpeloze gedreun van een roerdomp in een moeras. 'Gelukkig? Zie je dat dan niet? Natuurlijk ben ik gelukkig! Want dat zéí ik je. Ben je een schrijver die verstand heeft van zulke dingen, van emoties, of een dombo of zo? Ik ben gelukkig omdat ik thuis een vróúw heb van wie ik hóúd en die ik vertróúw. Ik heb drie kinderen, twee van haar, een geschenk aan mij bij wijze van spreken, en een van ons – en ik houd van haar, en ik denk graag dat ze van mij houdt, maar Redmond, meneer de Schrijver, ik zal je eens iets voor niks zeggen: ga die liefde als iets vanzelfsprekends beschouwen en het is met jou, als man uit één stuk, gedaan! En dat is een feit! Want dan ga je scheiden – en daarna, Worzel, zullen alle herinneringen, alle plekken in je geest waar je altijd naar toe gaat, als het zwaar weer wordt, begrijp je wel, de plekken die je altijd opzoekt om weg te komen en gelukkig te zijn, de veilige plekken – en die hebben je nooit teleurgesteld, omdat ze alleen in je eigen geest bestaan – nou, je gaat scheiden, en ik heb met heel veel van mijn maats gepraat, vrienden, collega's, noem maar op, je weet wel, trawlvissers die móésten scheiden, omdat hun vrouw hen had bedrogen toen ze aan het vissen waren, en niks aan de hand, je denkt dat je het wel redt, dat je er wel doorheen komt, en naar alle waarschijnlijkheid heb je zo een níéuwe jonge vrouw, heel sexy – maar wat dacht je? De volgende keer, het volgende jaar, januari, zoals nu, als het zwaar weer wordt – merk je dat je die plekken weer probeert te bereiken, die herinneringen die je gelukkig maakten, maar dat lukt je niet! Je kunt er niet bij komen! Nee! Dat zeggen ze! En ik – ik kan me dat voorstellen – het érgste dat een man kan overkomen, echt: want wat kan er erger zijn dan dat? Verdrinken? Niks aan. Kanker krijgen? Zeker. Maar dit – minstens de helft ervan moet je jezélf hebben aangedaan! En aye, je bent weg, aan het vissen, en je bent hier op zee echt op jezelf aangewezen, en het kan thuis niemand iets schelen, afgezien van je nieuwe jonge vrouw (en wie weet wat díé in haar schild voert?), aye, dus ga je naar de plek waar je altijd je troost hebt gezocht en waar je een man bent, je gelukkigste herinneringen, en – wat dacht je? Je kunt er niet bij. Absoluut niet! Er zit een zwarte knoop die je niet kunt losmaken, die niemand kan losmaken. Want – hoe moet ik het je zeggen, Worzel, een oude man, die geen reet weet? Ik heb het! Aye! Natuurlijk! Aye, het is net als met de scheerborden, de visborden (hoe zei Robbie ook alweer dat jij ze noemde? Joost mag het weten. Ik ben het vergeten – en in elk geval was het niet gráppig, niet zoals met de autobanden, de klossen…); het is net als wanneer de scheerborden verward zijn geraakt, in elkaar zijn komen te zitten, finaal langs en óver elkaar héén zijn geslagen door de koude diepzee, de stromingen hier in het noorden die heel snel en koud onder het warme oppervlak door gaan van de Noord-Atlantische stroom, de stroom die ons allemaal in leven houdt! Dus je oude liefde is verkild en onder druk daarvan zijn je herinneringen bevroren en jij, jij kunt ze nóóit meer terugkrijgen: ze zijn mijlen naar beneden gezonken en ze zijn koud en verdwenen, maar jij, Worzel, jij doet natuurlijk je best, maar vanaf dat moment, heus, ken je jezelf, je bent een halve man, je wacht, meer niet, je wacht op de dóód.'

'Je had me nog niet van je vrouw verteld,' zei ik ontstemd, zonder precies te weten of hij dat wel of niet had gedaan. 'Dat heb je me nooit verteld!'

'Natuurlijk wel!' zei Bryan levenslustig. 'Maar maak je geen zorgen, Worzel. Het is overduidelijk, je hebt iets wat ze alzheimer noemen. Dat krijgt iedereen boven de vijftig! Maar maak je geen zorgen, ouwe Worzel, want dat is fantastisch, heus, dat houdt in dat je elk oud mens een vraag kunt stellen zonder dat het bekend wordt, waardoor die vraag wérkelijk vertrouwelijk blijft, omdat je er even zeker van kunt zijn als van de vrolijke dansers, het noorderlicht, omdat je er even zeker van kunt zijn dat de stokoude persoon in kwestie zich de volgende ochtend geen moer meer van die vraag zal herinneren... En tegenwoordig is alles natuurlijk anders op de Orkneys; er is voedsel en gezondheidszorg en zo, dus hebben we heel wat oude mensen zoals jij, en we zijn het er allemaal over eens, in de Flattie en de Royal en zulke kroegen, dat je ze te pakken moet krijgen, dat je ze aan de haak moet slaan (als je de échte waarheid wilt weten die ze over achtenveertig uur zijn vergeten) wanneer de alzheimer net begínt, zoals bij jou: want als je te lang wacht, en hun geheugen is inmiddels afgezakt van achtenveertig uur naar vierentwintig, naar acht, naar een halfuur en dan naar een halve minuut, is het voorbij! Dan kun je je vraag net zo goed 's avonds laat gaan stellen aan een binnenlopende zeemeermin op het strand, of aan een van de kleine mensen, zoals Robbie, die op hun hurken op een grafheuvel zitten – of aan de andere Robbie, Robbie Mowat, die aan puin is geslagen omdat ik er niet was om hem te beschermen, omdat ik op de kinderhoofdjes voor het Royal Hotel lag!'

'Je bent dus gelukkig – omdat je verliefd bent? Maar, wat veel belángrijker is, je bent gelukkig omdat je op een of andere manier weet dat ze op jóú verliefd is?'

'Aye! Dat heb ik je verteld! En hé, Worzel – er is zoiets als het Zeemanshuis, en dat móét een bejaardenhuis hebben, en nu je hebt gevaren op de Norlantean, K508 (onthóúd je registratienummer), denk ik dat je daarvoor in aanmerking zult komen!'

'Bedankt,' zei ik nog ontstemder.

'Maar, Redmond, er is iets wat ik je graag zou willen vragen, waar ik met je over zou willen praten...' En Bryans stem verloor zijn geluidssterkte, liet zijn sterke greep op het leven zelfs zo drastisch los dat hij eigenlijk bijna fluisterde, dat wil zeggen, fluisterde voor zover zo'n stem daartoe in staat was: 'Redmond, alle gekheid op een stokje, ik heb één zorg...'

En om zijn woorden te verstaan schoof ik heimelijk over de bank naar rechts, over Lukes vaste plaats naar het eind, naar het smalle paadje door de kombuis, tussen de tafels – en als ik dát had overgestoken, vertelde de grofste vorm van gezond verstand me, zou Bryan helemaal niets meer zeggen, zouden de banen in zijn hersenen zijn verstoord en zou hij, op een duistere manier woedend, naar zijn kooi zijn gegaan.

'O ja?'

'Aye – het is simpel, maar het is moeilijk om ermee om te gaan, om te weten wat je moet doen – het zit zo: ik houd écht van mijn vrouw, weet je, ik aanbíd haar, of wat daar maar het juiste woord voor is, door haar houd ik het vol als ik op zee ben, door de gedáchte aan háár, aan alles van haar, je weet wel wat ik bedoel, daar zit mijn hoofd vol mee, waardoor ik tot elke klus in staat ben, tot elke vervelende rotklus waar geen eind aan komt, zoals het stapelen in het ruim, nou ja, dat is simpel, dat doe ik gewoon langzaam, en ik herinner me elk detail, elk moment van ons leven samen, alle momenten van ons tweeën, en begrijp me niet verkeerd – wees niet zo'n hanige klootzak – ik bedoel niet alleen de seks, hoewel dat ook fantástisch is, nee, het is eigenaardig, hè? Het zijn niet de herinneringen aan de seks die me helpen om het vol te houden, nee, toevallig heb ik er zelfs moeite mee om me dat allemaal te herinneren, dus misschien ben ik wel niet normaal, wellicht is er iets mis met me? En misschien zou jij, je weet wel, als wijze oude man, misschien zou je zo vriendelijk willen zijn om te zéggen of je denkt dat dat het geval is...?'

Perplex, onvoorbereid, zonder er iets van te begrijpen (grote Bryan praatte zo záchtjes), had ik geen idee wat ik moest zeggen, niet op dat moment, en de waarheid luidde, tja, dat ik wilde húílen... Maar dát mag je niet doen, en bovendien sloeg mijn moeder me altijd met de platte kant van haar haarborstel als ik dat deed...

'Nee, als ik daarbeneden in het ruim ben (en aye, daar moet je ook eens komen, bij de volgende trek, of je zult nooit tegen jezelf kunnen zeggen dat je een jonge leerling, een babytrawlvisser bent geweest, o nee!), als ik daarbeneden aan het stapelen ben, uren- en urenlang, en het zo koud is dat je je handen niet kunt voelen, op zulke momenten begin ik bij het begin, helemaal bij het begin van ons leven samen, vanaf het moment dat ik haar heb leren kennen, en natúúrlijk denk ik aan haar lichaam en alle seks, maar het is eigenaardig, want dat is het eigenlijk helemaal niet, helemaal niet, nee, het is haar gezícht, en haar lach, en haar innerlijke levendigheid, zoals jij zou zeggen, en de dingen die ze tegen me zegt en zelfs nu, weet je, jaren later, verrást ze me nog, en dan lach ik!'

'Aye!' zei ik, met mijn gezicht in mijn handen. 'Bryan, je…'

'Ja!' zei Bryan. 'Ik wist dat je het zou begrijpen, maar je begríjpt het niet, heus, absoluut niet. Nee, want als ik thuiskom – en ik ga regelrecht naar huis, ik kan niet eerst eindeloos met de jongens gaan drinken – vertél ik het haar namelijk, komt het er allemaal uit, zonder dat ik het kan helpen; ik weet dat ik het niet zou moeten doen, maar ik kan het niet helpen: ik stel me aan als een volslagen idioot, telkens weer, ten eerste ben ik zó blij dat ze nog lééft en ten tweede, aye, en dat komt op de tweede plaats, maar dat is iets wat verder overal op de eerste plaats zou komen, als je begrijpt wat ik bedoel, nou ja, laat ik het haar weten, zonder dat daar enige twijfel over kan bestaan, en dat is een feit, en ik kan er niks aan doen: telkens vertel ik het haar weer, en telkens denk ik: dit moet ik nóóit meer doen want het is niet mannelijk en ze kan het nooit fijn vinden, en dan vertel ik haar hoe verdomd veel ik van haar houd, en dat ik aan haar heb gedacht bij het powerblock of bij het net bij het achterschip of terwijl ik me 's nachts op wacht dood verveelde op de brug of tijdens het stapelen, zoals ik al zei, in het ruim… En dan neem ik de kinderen in mijn armen, en ik stink naar vis, dat spreekt voor zich, ik stink écht, maar dat schijnen ze niet erg te vinden, en misschien houden ze echt van me, misschien wel… maar wie kan dat zeggen? Hoe kun je dat weten als je doorlopend weg bent? En mijn vrouw, en ik ben haar twééde man, weet je, dus misschien heeft ze écht voor me gekozen en meent ze het, wat denk je? Ze zegt telkens weer: "Bryan," zegt ze, "grote, softe, stomme baal liefde die je bent, ga slápen. Bryan, láát dat: je gaat naar bed, nu meteen, en je slaapt een dag en een nacht en een dag – en af en toe zal ik er ook een tijdje zijn, maar daar zul je niets van merken, maar Bryan, als je wakker wordt, na een dag en een nacht en een dag" – dát zegt ze! Telkens weer – "dan zal het weer óns bed zijn, en dan zal de pret beginnen en zullen we opstaan en uitgaan en zullen we sámen dingen gaan doen…"'

'Jezus! Maar is dat dan geen geluk, écht geluk, het summum dat elke man óóít kan verwachten?'

'Nee! Dat is het niet! Tenminste – dat zou kunnen. Maar hoe zorg je ervoor dat het ééuwig doorgaat? Als mán – hoe doe je dat in godsnaam? En het was Allan Besant, of iemand anders, nee, misschien was hij het niet, maar iemand heeft me een maand of zes geleden gezegd dat ik een woord moest opzoeken, in een woordenboek uit jouw stad toevallig, ja, in die verdomde *Oxford Dictionary*, en het woord was "uxorious" en wie dat ook is geweest, hij zei me dat ik dat moest opzoeken, heel terloops, omdat dat woord me tékende – en dat afschúwelijke woord, een ronduit akelig hoopje stinkende hondenstront, dat woord betekent: overdreven dol zijn op je vrouw. Dus luidt mijn vraag aan jou, uit Oxford, luidt mijn vraag aan jou als volgt: kan dat? Stel nu eens dat ik te veel van haar houd, of eigenlijk, stel nu eens dat ik haar laat merken dat ik te veel van haar houd? En dat is een feit, maar ik kan het niet helpen, dat heb ik je al verteld, als ik op zee ben ga ik overal naar toe, pak ik alles aan, dat interesseert me niet, hoe slecht het ook wordt – en het spijt me, Worzel, ik weet hoe je je voelt, en het spijt me dat ik je moet teleurstellen, maar de waarheid luidt dat het nog een heel klein beetje erger kán zijn, goed, laten we eerlijk zijn, een verdomde hoop erger dan de windkracht 12 die we deze keer in januari hebben gehad – en de hele tijd, in een orkaan, aye, zeker, een matige orkaan, neem ik in gedachten het begin van ons leven met elkaar door. En zal ik je eens wat zeggen? Ik heb pas de eerste drie maanden afgewerkt – en dan dringt het tot me door, dan besef ik dat de orkaan voorbij is, dat de storm over is, en dat iedereen in paniek is geraakt en dat het mij nauwelijks is opgevallen – en dat het nu rustig is. Maar hoe vertel ik dat aan háár? En moet ik dat wel doen? Is dat "uxorious"? Dat woord, Worzel, jij, als schrijver, "uxorious", dat smérige woord, denk jij, als schrijver, denk jij dat als ik thuiskom en net als de rest geen slaap heb gehad en daarom van alles zég: en ik vertel het haar, (telkens weer, en het is in de loop der jaren érger geworden), en ik vertel haar hoeveel ik van haar houd en dat meen ik werkelijk, dus ben ik bijna in tranen, goed, ik lieg, ik ben áltijd in tranen. Ik ben zo blij dat ik haar weer zie, en de kléíntjes, nou ja, de kinderen, die beginnen nu groot te worden – "uxorious": denk je dat ze er stiekem een bloedhekel aan hebben? Nou? Nu ken je de waarheid, denk jíj dat ik "overdreven dol ben op mijn vrouw"? Denk je dat? Sturen ze me daarom altijd regelrecht en zonder pardon naar bed?'

'Nee! Je slaat de plank volkomen mis – uxorious, m'n reet!' En toen, volkomen van slag, zei ik desondanks: 'Grote harige rotviking die je bent!' wat mij hielp, maar hem niet, om de dingen weer in de juiste verhoudingen te gaan zien. 'Nee, nee – met jouw baan kun je niet uxorious zijn, dat is een woord dat mislukte, depressieve, bange, kleine echtgenootjes beschrijft die zich in huis hebben opgesloten, net zoals de mannetjes die vastzitten aan de vrouwelijke diepzeehengelvissen – en neem maar van mij aan, schatje' – had ik grote Bryan 'schatje' genoemd? – 'dat ik daar alles van weet, maar jij behoort daar niet toe, integendeel. Wat jou betreft, met die ene liefde van je, kan ik je zeggen dat er niet zoiets bestaat als overdréven liefde: voor zover ik me kan herinneren, wat niet erg ver is, nee, komt er in de hele literatuurgeschiedenis van de wereld – de geschiedenis van de emoties – geen enkel geval voor waarin een vrouw denkt als ze geconfronteerd wordt met een onvervalste, bovenmaatse held, met een echt alfamannetje: die man houdt te veel van me! Overdreven liefde – voor hen – bestaat niet… Ze stuurt je naar bed om te gaan slapen omdat ze van je houdt, ze houdt echt van je, en daarom kan ze zich deze hel voorstellen, laten we eerlijk zijn, deze harde en slapeloze hel die je telkens doormaakt als je op zee bent – en in wat voor andere baan zouden zulke omstandigheden nu tot de vaste routine behoren? Nou? Zelfs niet bij de commandotroepen!'

Bryan kwam overeind, houterig, als een automaat, een robot – alsof hij een signaal had gekregen, een kleine elektrische schok. Het was overduidelijk dat ik hem absoluut niet had geholpen, dat dit diepe probleem, dit mannelijke probleem van hem, dat aanvankelijk zo lachwekkend had geleken, heel reëel was, en dat hij het vermoedelijk, heimelijk, de rest van zijn leven met zich zou meedragen, een kartelige, scherpe ijssplinter uit het ruim – in een huiselijke sfeer die zo warm en bestendig had moeten zijn als geluk maar kan zijn… En die kleine ijssplinter, die niet wilde smelten, zou tegen hem zeggen: 'Als je het grootste deel van elke werkdag en werknacht op zee aan je vrouw denkt, als je haar aanbidt zoals jij, en, wat het ergste is, als je haar dat zonder dat je het kunt helpen telkens weer vertélt wanneer je aan wal komt, slapeloos, half gek, bijna hysterisch, als een vrouw in nood – dan zul je haar kwijt-raken. Van zo'n man kan ze niet houden... Dat kan niemand... En je beseft wat dat inhoudt, hè? O ja! Je zult je kinderen ook kwijtraken! En allemaal omdat je trawlvisser bent...'

Terug in de hut, waar ik me langzaam, verrukkelijk naar mijn kooi begaf (hangend aan alles wat verticaal was: rustig aan, je komt er wel, het paradijs wacht op je), besefte ik dat Lukes blauwe slaapzak, vaag te zien in het licht van de deur, van de gang, bezet was: er was iets kleins en duns, een uiterst ijle nietigheid in driekwart van de lengte van die blauwe buis geschoven – dat kon alleen Luke zelf zijn. Eindelijk: Luke was eerder naar zijn kooi gegaan dan ik!

En uiteraard, vergetend dat Luke, net als Sean, en in tegenstelling tot mij, waarschijnlijk in geen veertig uur rust had gehad, voelde ik me superieur, heel superieur – en er kwam een uitermate irritant en onwaar gezegde uit mijn kindertijd in me op: 'Vroeg onder de veren, vroeg in de kleren, en je kunt gezond en welvarend veel leren!' Ja, dat klopt, dat zei Rosie-bud altijd tegen me toen ik klein was, als ik op de allereerste televisie naar de *Lone Ranger* had gekeken en ze me niet naar bed kon krijgen – wilde ik dan niet slápen? Zou ik dát stukje van mijn jeugd ooit weer kunnen terughalen? Nee! Nooit! Dat stukje, ach, dat was werkelijk verdwenen, en hier, op deze plek, was mijn knusse groene slaapzak van nylon parachutezijde met de zachte voering van een baarmoeder... Dus kroop ik erin, tot aan mijn lippen, een hele inspanning doordat de onderkant van de bovenkooi, met zijn viltstiftportret van de wellustige trawlvisser, héél dicht op mijn ruimte zat, maar uiteindelijk wurmde ik mezelf erin en naar beneden tot aan de streep, de doodsstreep van het totale gebrek aan bewustzijn dat de Bantoes van de Congo de tijdelijke dood noemen, in tegenstelling tot die allerergste toestand: de eeuwige dood.

Maar de tijdelijke dood wilde niet komen: hoewel de Norlantean zich daarbuiten (dat wist ik zelfs) ontspande, in de wetenschap dat ze deze windkracht 8 met uitschieters naar 9 of daaromtrent aankon, en haar ritmes regelmatig, voorspelbaar waren. Ja, dacht ik, ik voel me eindelijk veilig, alsof ik omhuld was door het vruchtwater van een rédelijke baarmoeder, veilig in de schoot lag van een of andere prehistorische moeder die niets ongebruikelijkers deed dan bijvoorbeeld het vege lijf redden door weg te rennen voor een sabeltandtijger: zwaai/klots/zwaai, van bakboord naar stuurboord, van stuurboord naar bakboord... Of, beter gezegd, misschien was ze in het oerwoud in de Congo naar boven aan het klimmen, behoedzaam maar zo snel mogelijk, om die dunne, die hoogste takken te pakken te krijgen, zwaai en neer, omhoog en rek en zwaai door, links, rechts, omhoog, snel – met niets ergers dan een doodgewone luipaard die achter haar zijn klauwen in de bast zette...

Ik voelde me onverklaarbaar energiek en spraakzaam en daarom, ja, dacht ik, moet ik echt met mijn hoofd op de kombuistafel wat instant-nachtrust hebben gehad, maar nee, er was geen twijfel mogelijk, ik had werkelijk nog niet genóég slaap gehad om die uiterst gevorderde fase in onze emotionele evolutie te bereiken, het moment waarop we volkomen sociaal, volkomen meelevend tegenover de behoeftes van andere mensen komen te staan... En Luke, dat was zonneklaar, dééd of hij sliep, door zijn overdreven regelmatige ademhaling, zijn zielige poging om te snurken – het was beledigend, hij was een amateuracteur...

'Luke!' zei ik, luid en duidelijk. 'Hou daarmee op! Want je neemt mij niet in de maling: je doet of je slaapt!'

'Nee!' zei Luke (een uitslaande beweging van zijn benen in de blauwe buis). 'Nee! Ik doe níét alsof! Ik wil slapen. Ik wil dólgraag slapen. Maar dat gaat niet, dat gaat gewoon niet!' Zijn stem stierf weg, hij klonk ellendiger dan ik hem ooit had gehoord. 'Nee, dat gaat niet – want ik lig me hier maar zorgen te maken, Redmond. Ik ben zo ópgefokt dat zelfs een grote ruige mop van goedbedoelende vriendschap zoals jij me niet meer kan helpen. Nee. Omdat ik helemaal alleen ben. Ik ben in paniek. Paniek om mijn werk. En als dat eenmaal gebeurt en het zet door, kun je het niet tegenhouden – en jij, hoe zou jíj dat ooit kunnen begrijpen? Het is vreselijk, weet je, mijn proefschrift – de déádline! Die ligt daar op me te wachten, in de nabije toekomst, en vergiftigt daardoor natuurlijk het heden – en als ik me zo voel, tja, dan kan ik je wel vertellen, elke dreun van een golf tegen de romp, wat denk je dat die me zegt? Daar gaat weer een partij seconden, tijd die bij je vandaan stroomt, tijd die je aan je proefschrift had moeten besteden – en in Fittie, in Aberdeen, weet je wel, in mijn huisje, is het nog erger, nog veel erger, omdat ik daar aan mijn bureautje zit, en de zee is buiten, maar ik kan toch nog het verkeer op de weg horen, weet je wel, op de weg langs de kust, en dát kan ik wel hebben, min of meer: nee, het is dat hoge gekrijs, je weet wel, dat wíééééé! Dat vrouwelijke gekrijs van brommers die vol gas geven, van motoren van 50 cc of 100 cc... Het gejammer van een geest die de dood aanzegt! Ja, en telkens wanneer ik dat vrouwelijke gekrijs hoor denk ik: Luke, vergéét het maar, die promotie, want je zult de deadline nóóit halen, je moet nog zóveel gegevens verwerken, dus geef het nu maar meteen op, vooruit: doe iets verstandigs: pleeg zelfmoord. Verdrínk jezelf!'

'Toe, Luke, luister naar me, want ik kan je wel dégelijk troosten. Je vergeet dat ik ook ben gepromoveerd, en ik weet zeker dat ik me nog ellendiger heb gevoeld dan jij, maar dat heb ik allemaal uit mijn geheugen weggeboend, dus moet het erg zijn geweest, want verder kan ik me nog zo'n beetje álles uit mijn leven herinneren – dus, tja, hé, Luke, als je seríéús bent, en als je universiteit zíét dat je serieus bent, toegewijd, halfgek van opwinding over alles, dan, pats boem! Geven ze je úítstel. Ja, tot maximaal zeven jaar voor studenten die werkelijk iets op het spoor lijken te zijn, voor studenten zoals jij, Luke, en wat dacht je? Mijn promotie heeft me zéven jaar gekost!'

'Zéven jaar? Worzel? Alsjeblieft! Nee!'

'Okay, Luke, vergeet het!' (Zijn krullenbol stak nu ver uit het beschermende omhulsel, de kokerjufferlarve, vijverveilige slaapzak – en daar komt hij! Ja! Een arm! Hij ondersteunde zijn hoofd met zijn linkerarm. Ik had zijn áándacht, dus was hij verloren voor de helende slaap.) 'Er is iets waar ik over heb lopen denken – er is een deal die ik met je wil sluiten, van man tot man.'

'O ja?'

'Ja, Luke, inderdáád. Want je kennis ís namelijk al heel kostbaar, heel waardevol, dus denk ik, alles bij elkáár genomen, dat je je níét moet verdrinken, of in elk geval (ik wil me nergens mee bemoeien) nóg niet. Want je hebt het beloofd, o jazeker! Je hebt het écht beloofd: je hebt beloofd dat je me over de Wyville-Thomsonrug zou vertellen, schurk die je bent! En over potvissen! En over roeipootkreeften! O ja zeker! Je hebt mijn interesse helemaal gewekt – en toen stiefelde je weg, en zei je dat je het me later zou vertellen, en je zweeg.'

'Ik stiefelde níét weg! Er was werk te doen – en bovendien ben ik ook maar een mens, weet je, ik raak úítgeput... en aye, sodemieter toch op! Neem me niet kwalijk... Maar lésgeven, dat is de meest afmattende bezigheid die er is...'

'Goed! Misschien, maar ik ben oud genoeg om verdomme je wettige, nou ja, je getrouwde vader te zijn, en ik zeg je, Luke: je hebt het me beloofd! Dus moet je hóren, kijk, dit is de deal (want ik voel het, je zult het me niet voor niks vertellen): ik zal je informatie geven, ik zal je het geheim toevertrouwen van een machtig Congolees tovermiddel om de liefde op te wekken dat nog nooit zonder resultaat is gebleven... en in ruil daarvoor zul jij me over de geschiedenis van de Wyville-Thomson-rug vertellen... En dan, als ik tevréden ben, zal ik je hele probleem met de seksuele selectie voor je oplossen: ik zal je precíés vertellen met wie je moet trouwen, welke vrouw je moet zoeken en veroveren en met wie je voorgoed een geregeld bestaan zult opbouwen. De ene vrouw die je kinderen zal schenken en die bij je zal blijven, altijd. En daarvoor zul je godverdorie meteen verder moeten gaan en me over de diepzeeduiken van de potvissen moeten vertellen, zoals je hebt beloofd!'

'Bezopen!' zei Luke, met promotie vergetend enthousiasme. 'Een tovermiddel om de liefde op te wekken! Klote!'

'Nee, nee, geen kloten. Kloten komen er niet aan te pas, of pas véél later. Kijk, stel je vóór dat je een jonge vrouw in een dorpje in Noord-Congo bent (het enige waar ik echt iets van weet), en je bent (daar gaat het gezonde verstand), je bent op een slaap verdrijvende manier verliefd geworden op een jongeman uit je dorp – je weet álles van hem, van zijn prestaties als krijger, als jager, zijn spieren, zijn zweet, zijn ritme als hij de grote trom bespeelt, en bovendien is hij zo sterk dat hij bijna twee keer zoveel van een stukje oerwoud voor een aanplant van vijf jaar heeft gekapt als zijn dichtstbijzijnde rivaal in je genegenheid, en bovendien, omdat hij zo'n alfamannetje is, en alle andere jonge vrouwen achter hem aan zitten (en hóé!), heeft hij geen tijd om een "geregeld bestaan te gaan leiden", zoals jij dat noemt, en waarom zou hij ook? Of in elk geval, nóg niet. Maar jij, jij hebt andere plannen, maar die vergen een vooruitziende blik, geduld, vastberadenheid en een echte planning (waardoor je in biologisch opzicht in feite zijn ideale partner bent): en wat doe je dus? Nou, dat kost het nodige. Want er zijn maar víjf ijzeren messen in dit dorp, en het kost drie kippen om er een, héímelijk, een nacht te lenen. En jíj, natuurlijk niet, jíj kunt je geen drie kippen veroorloven; dus moet je het tegen je vader en moeder zeggen en zij denken dat je gek bent, omdat die jongeman, tja, hij is al een jonge Grote Man, en je zet je zinnen te hoog, maar desondanks – misschien! Dus doen ze afstand van drie hele kippen (en wat doet dat een pijn!) en jij krijgt je stuk ijzer, dat alles mogelijk maakt, het mes, je krijgt het, heimelijk, voor één nacht! En wat doe je? Nou, je vader neemt je, als het echt donker is, mee naar het fetisj-huis, waar je een mespuntje klei uit de binnenkant van de omgekeerde schedel van je opa of overgrootvader haalt – of, laten we er niet omheen draaien, als je niet van zo'n hoge komaf bent, zullen je voorouderlijke schedels met klei in je eigen familiehut zijn verstopt... Maar goed, met dat magische stuk ijzer pak je een mespuntje voorvaderlijke klei. En dat smeer je in een klein potje, dat voor dit doel wordt bewaard, en dan gaat je vader, opgelucht (hij houdt werkelijk niet van zulke dingen en bovendien is hij drie kippen kwijt), naar bed, en hij zucht bij zichzelf "Dochters!", en draait zich op zijn palmbladeren om en probeert alles te vergeten. En jij schraapt koortsachtig (wat houd je van die jongen en wat verlang je naar hem!), heel langzaam over de haren in je oksels, en met je vingers knijp je het zweet van het mes en kneed je dat door de klei, en als je zeker weet dat er geen vocht meer te halen is, doe je hetzelfde met je schaamhaar. En dan, Luke – nú wordt het belangrijk! Wat dan? Kun je het raden? Nee? Goed – en vergeet niet dat je die jongeman écht wilt hebben, dat je hem dólgraag wilt hebben, dus wat doe je vervolgens? Nou? Geen idee? Goed, ik zal het je zeggen: je schraapt over de huid, de smurrie tussen je tenen en het eelt op de bal en de hiel van je voetzool, heel voorzichtig, en je versnippert het schraapsel en de schilfers in de klei en je hoopt, vurig, dat je je de laatste tijd niet te grondig in de rivier hebt gewassen, dat je de magie niet hebt weggewassen...'

Luke zei: 'Nou en? Je bent gék.'

'Gek? Denk je dat? Nou, hartelijk bedankt, oom Luke, meneer Bullough, maar nee, toevallig niet. En val me niet in de rede – want al haar intieme feromonen, haar seksuele luchtjes, haar chemische stoffen, onbewuste moleculen van seksuele begeerte, zitten nu in dat kleine potje klei… En ze laat het buiten staan om op de gebakken modder, ver bij de oerwoudbomen vandaan, te drogen in de felle zon… En dan wrijft ze het tot een fijn poeder, in afzonderlijke hoeveelheden, die stijf in bladeren worden gevouwen. En haar moeder – het is vrijwel altijd de moeder – vindt een manier om dat poeder in de palmwijn van die jongeman te laten vallen. En als ze de eerste keer mist, en een onbeduidende jongen drinkt de wijn en híj wordt verliefd, tja, pech, iedereen kan zich vergissen, maar uiteindelijk (ze heeft minstens tien bladerpakjes) doet de moeder het (ze houdt van haar dochter) precíés goed. En het jonge alfamannetje drinkt zijn palmwijn, de haak van de hartstocht. En een dag of twee later vertélt de moeder die jongeman wat ze heeft gedaan: en dan, voor de dochter, whám! Dan is er een liefde, dan wordt er gevríjd!'

'Kul! Suggestie! Meer is het niet: suggestie!'

'O ja? Weet je dat zeker? Denk dan hier eens over na: wáárom denk je dat ik dit meteen zo bijzonder interessant vond? Zodra Nzé me er in de Congo over vertelde? Nou? Omdat ik me een volstrekt rationeel, een wésters experiment herinnerde dat in Berkeley of iets dergelijks was uitgevoerd: de onderzoekers namen een plaatselijke bioscoop een week over en ze vertelden hun psychologiestudenten dat die allemaal te hard hadden gewerkt, dat ze even iets anders nodig hadden – en dus, hé! Ze gingen een week lang naar filmklassiekers kijken, om hun meer over verhoudingen bij te brengen (en ja, daar kun je van op aan: de arme stakkers moesten een essáy over die films schrijven, maar aan de andere kant: wat een voorrecht!)… Aye, zoals jij zou zeggen, maar er was nog een andere agenda: de onderzoeker, hun docent, hij of zij bespoot van tevoren een stuk of vijftig willekeurige bioscoopstoelen met een enorme dosis vrouwelijke feromonen (verzameld uit honderden vrouwelijke oksels) toen de stuk of vijftig mannelijke studenten naar een film gingen kijken – ja, en wat dacht je? Het werkte: honderd procent! Ja, de jongens zaten allemaal ("Zeker, ik geloof dat ik het hiervandaan wel kan volgen, vanuit de voorste stoel helemaal links. Waarom niet?") in de bespóten stoelen. Ze kregen een halfuur om te kiezen. Het werkte! Honderd procent! En op dezelfde manier, twee à drie dagen later, met de meisjes, in de stoelen die bespoten waren met mannelijke feromonen!'

'Nou en? Je bent maf!'

'O nee, Luke, niet in het minst, want ik schijn aan de kombuistafel te hebben geslapen, dus herínner ik me waar dit allemaal om gaat!'

'O ja?' Luke klonk bezorgd.

'Ja, werkelijk waar! En dat is dit: goed en sterk!'

'Aye?'

'Aye, wérkelijk rotte vis, zoals je zelf weet, ruikt nét zoals zeer oude, zéér óúde, veel gedragen sokken, sokken waarop je, zonder dat ze daar zelf iets aan konden doen, elke dag hebt gelopen, honderden mijlen lang. Ze ruiken naar rótte vís. En onze neus, zelfs de mijne (die nauwelijks werkt), is heel goed, heel primitief, heel gevóélig voor het opsporen van de miniemste hoeveelheden prebewuste of bewuste moleculen van interessante geurtjes in de lucht... Maar hij kan níét het verschil opmerken tussen rotte vis en rotte voeten. Dus kijk aan, Luke, als je de wal op gaat, kun je er niks aan doen, maar draag je een imitatie van het menselijk geslachtsferomoon in je huid en in je haar, in je kleren, over je hele lichaam, de rottevisstank, de ongewassenvoetenstank, en jij bent, net als elke trawlvisser, een nasale seksbom die regelrecht wordt afgeleverd aan het primitiefste deel van haar hersenen!'

Luke was even stil – en dat was bijzónder bevredigend, want zijn hoofd steunde nog steeds op zijn linkerarm, en hij lette op, ja, hij sliep beslíst níét. En toen dát gebeurde, toen de jonge oom Luke een tijdje stil was nadat ík iets had gezegd, goed – dat gebeurde dus, vleide ik me zelf, in ongeveer een op de honderd gevallen, maar het betekende dat ík hem onderuit had gehaald, dat ík hém aan het denken had gezet.

'Aye, misschien,' zei Luke, nadenkend en langzaam (verrukkelijk!). 'Misschien, heel misschien heb je gelíjk, want ik ben je nog vergeten te vertellen van een recente vorm van zogenaamd bijgeloof die ik ben tegengekomen, dat is dit: het brengt ongeluk om je te wassen voor je de wal op gaat... Nou, wat zeg je me daarvan?'

'Gooaaal!'

En Luke schreeuwde: 'Gooaaal!'

Dat is nou vriendschap tussen mannen...

'Okay, dus dat vond je wel leuk, hè Luke, krenterige hufter. Dus nou vertel je míj over de Wyville-Thomsonrug, hè?'

'De Wyville-Thomsonrug?' zei Luke, ineens vol tegenzin, kwaad. 'Wat is er zo zinnenprikkelend aan de Wyville-Thomsonrug?'

'Alles, Luke! Want als je mijn leeftijd bereikt heb je het allemaal gedaan, of denk je dat dat zo is, en soms, heel soms, is zelfs de gedáchte aan seks niet zinnenprikkelend, en in zekere zin is dat een cadeautje voor je, want kennis blíjft zinnenprikkelend, het leren van dingen, over de manier waarop de grote wereld écht in elkaar zit: dat is zinnenprikkelend! In feite, zoals D.H. Lawrence heeft gezegd (en ik weet het, dat lijkt níét aannemelijk, maar desondanks weet ik zeker dat hij het is geweest), hij heeft gezegd dat er in het leven van een man een moment aanbreekt waarop hij zijn bezéten belangstelling voor seks verliest: en pats boem! Wat een bevrijding! Je ben lósgekoppeld van een krankzínnige! Je kunt denken! Je kunt vrij genieten van het leven van de geest. Ja, je kunt je wéntelen in de ontdekking van de enorme en complexe geschiedenis van onze soort, van onze genen, sinds het leven 3500 miljoen jaar geleden is begonnen!'

'Hè?'

'Goed, Luke, ik hoor je, misschien heeft hij dat niet gezegd, maar als hij het had geweten, had hij het zéker gedaan! Dus vooruit, Luke, en je moet trouwens ophouden met dat intellectuele drooggeilen, werkelijk waar! Dus: de Wyville-Thomsonrug. Ja? Nu?'

Luke zei recalcitrant: 'Nou, ik ben een beetje teleurgesteld in je, Redmond' – zei Luke dat? Luke, dacht ik, hij móét professor worden – 'want ik heb je al over de Wyville-Thomsonrug verteld. De grote bergketen vlak voor onze noordkust, onder het zeeoppervlak, de absoluut enige barrière in de ononderbroken diepe oceanen van de planeet!'

'Ja, ja – maar hoe is hij ontdekt? Je hebt gezegd dat het een prachtverhaal was en je hebt het beloofd, je hebt beloofd dat je het me zou vertellen!'

'Goed, dan zal ik dat doen – maar ik waarschuw je, Redmond, ik heb je gewaarschuwd, werkelijk waar, ik heb je gewaarschuwd: je vraagtijd zit er bijna op, want ik voel het ontegenzeggelijk aankomen… ik heb heel wat minder slaap gehad dan jij… Minder slaap zelfs dan iemand anders met uitzondering van Jason… En mijn hersenen, nou en of, kolossaal! Die staan op het punt er de brui aan te geven, weet je: en dan zal ik niet wíllen praten, zal ik niet kúnnen praten…'

'Maar – Wyville-Thomson?'

'Aye, hij was een groot man (hoewel hij niet in Darwin geloofde, in evolutie door middel van natuurlijke selectie); hij was de voornaamste wetenschapper aan boord van het baanbrekende onderzoeksschip de

Challenger, tijdens zijn driejarige reis om de wereld in het kader van de mariene biologie, van 1873-'76; 68000 mijl, waarop ongeveer 4500 nieuwe soorten zijn ontdekt... Dat is allemaal écht beroemd... Maar slechts heel weinig mensen weten dat, of bekommeren zich erom, ze doen niet eens moeite om daarachter te komen – ze weten niet dat de hele toekomstige wetenschap van de oceanografie hier ter plekke is begonnen, in de wateren van het Verenigd Koninkrijk! Net zoals de geologie is begonnen met de rotsen van het Verenigd Koninkrijk! En de moderne biologie is begonnen met de reis van de Beagle en Darwin, die daar, vergeef me, zijn talloze proefschriften over heeft geschreven! In zijn huis in Kent, in het Verenigd Koninkrijk!'

'Goaaal!' gilde ik, maar Luke reageerde niet. Terneergeslagen (als een snotolf met een zwaar neerhangende bek) besefte ik, op een vreselijke manier, dat onze dagen en nachten van een krankzinnig en wonderbaarlijk spel, een gedachtespel, misschien... misschien echt bijna voorbij waren...

'Aye, Wyville-Thomson. Goed, daar was hij dan, op het onderzoeksschip de Lightning of de Porcupine, ik ben vergeten welke, maar op zo'n zomerexpeditie, waarschijnlijk omstreeks 1868, toen hij een reeks temperatuurmetingen deed (geen lódingen, begrijp je wel, dát moet je onthouden), regelrecht vanaf het oppervlak tot zover als hij maar kon komen op verschillende plaatsen in de Faerøer-Shetlandgeul. En wat dacht je? Zoals jij zou zeggen of zoals ik zou zeggen, dat ben ik vergeten, en dat doet er niet toe, want daar ben ik aan gewend – maar jij, jij zult in paniék raken, morgen of overmorgen... Aye, op een diepte van rond de 200 vaam, zoals ze toen zeiden, waren de temperaturen aan het zuidwest- en noordoosteinde van de geul ruwweg gelijk, maar vanaf 250 tot 640 vaam kregen ze in het noordoosten metingen van +1,1 tot -1,1° C, terwijl de overeenkomstige temperaturen in het zuidwesten, zo heel dichtbij, 8,3 tot 5,5° C waren. Maar wacht eens even, ze wisten geen flikker, neem me niet kwalijk, van andere temperaturen in de oceanen om die met de bevindingen van 1868 te vergelijken, nee, niks, nee, pas na al zijn ervaring met het controleren van duizenden temperatuurmetingen in alle oceanen van de wereld, als eerste wetenschappelijke officier (of hoe ze dat toen maar noemden), als de voornaamste oceanograaf van de Challenger, toen had Wyville-Thomson, die de temperaturen uit het Verenigd Koninkrijk opnieuw controleerde, zó dicht bij huis (het had onmiskenbaar aan hem gevréten, zelfs in de verre tropen, of in mijn zuidpoolgebied, voor mijn part), tóen had hij pas het lef om te voorspellen dat er in de Faerøer-Shetlandgeul een heuse, materiële bergketen onder water lag...

Maar het is geweldig, echt, een van die wetenschappelijke verhalen waarin de juiste eer, vrijwel meteen, naar de juiste persoon is gegaan... De hydrograaf van de Admiraliteit (wat we allemaal niet aan de marine te danken hebben – herinner je je de Beagle nog?) stuurde het opnemingsvaartuig ZrMs Knight Errant weg om het te controleren. En Thomson zelf, die verlamd was door een beroerte, mocht toch geloven dat hij de operaties leidde vanuit Stornoway, op de Buiten-Hebriden... En hij heeft nog net lang genoeg geleefd om te weten dat de lodingen iets heel eigenaardigs bewezen: hij had gelijk! Hier, en alleen hier, bestond er een heuse scheiding in de diepzee. En hij is gestorven in de wetenschap dat deze gigantische, ongeziene berg de Wyville-Thomsonrug zou worden genoemd!'

'Goaaal!' gilde ik, maar Luke reageerde alweer niet.

'Aye, maar hij was al dood voor ZrMs Triton in 1882 terugkwam. En dat was een beetje jammer, want wat dacht je verdorie! Hij had het hem geflikt, hè? Een gróót leven, hoewel hij een anti-Darwin-sukkel was, hè? Vind je ook niet? Maar goed, de jongens op de Triton hadden ondanks hun primitieve verzamelmaterieel ongeveer 220 soorten en variëteiten gevangen uit het koude gebied, de diepe, niet-zoute stroming van het arctische smeltwater in het noorden, en ongeveer evenveel uit de warme Noord-Atlantische stroom in het zuiden – en er waren er maar een stuk of vijftig die in allebei de gebieden voorkwamen. Zo zie je maar: Ernst Mayr heeft als altijd gelijk, en híj is de man die in de twintigste eeuw iedereen daaraan heeft herinnerd, iedereen die vastzat in zijn genetische lab, in de genetica van de zak bonen, de genetische drift, gelul! Nee, om één soort in diverse soorten te laten splitsen heb je daarbuiten, in de echte wereld, een fysieke scheiding nodig, geografische ruimtelijke isolatie, een klimaatverandering: een nieuwe woestijn, een nieuw bos, een gedaalde waterstand in een meer dat zich heeft gesplitst in duizenden meertjes voor het waterpeil weer is gaan stijgen, een nieuw breukdal dat is ontstaan, een nieuwe loop van een grote rivier die populaties van bijvoorbeeld chimpansees heeft gescheiden... Of, daar gáán we...' Luke lag nu in de schemering op zijn rug terwijl de Norlantean, maar héél rustig, de zes graden van vrijheid bleef doorlopen: dompen, verzetten, schrikken, gieren, stampen en slingeren, en ja, dat zou geluk moeten zijn, dacht ik, maar ik had het verknald, hè? Luke zat nu onmiskenbaar in zijn láátste manische fase, evenals de rest van de bemanning, en vanaf morgen of wanneer dan ook, ja, hij had gelijk, dacht ik, ja, hij heeft gelijk, die Luke, omdat hij dit al zijn hele arbeidzame leven doormaakt, en dus zal vanaf morgen níémand meer met me praten. De pratende fase van geen-slaap is voorbij – en jij, jij, Redmond, hoe komt het toch dat je zó'n kans hebt verspild, hebt verknáld door zelf zoveel te praten? Zoveel vragen die niet zijn gesteld. En allemaal doordat jíj je mond niet kon houden? Ja, dacht ik, tja, ik heb mijn lesje geleerd, de rest van mijn leven zal ik mijn mond dícht houden: ik zal een sterke, zwijgende idioot van het mannelijke geslacht zijn... 'Aye... daar gaan we... krááák! Een vreselijk gekraak, wanneer het stuk land zich splitst en de eilanden en continenten over het aardoppervlak worden geduwd terwijl er bij ruggen midden in de oceaan een nieuwe oceaanbodem wordt gevormd en weer wordt verzwolgen in de diepe oceaantroggen. Zelfs echte geologie vindt alleen in zee plaats! En dát – dat is alleen geformuleerd door Dan McKenzie in Cambridge (en los van hem door Jason Morgan in Princeton) in 1967! Maar hé! Sorry! Het was geen echte krááák! Plaattektoniek – en daar kennen we zoveel bijzonderheden van, dat hebben we in kaart gebracht – ach, het is even langzaam gebeurd als je vingernagels groeien... En aye, geen man of vrouw zou ervan hebben geweten, ook al had de *Homo sapiens sapiens*, zoals jij zegt, in die tijd al rondgelopen. Maar aan de andere kant, Redmond! Ik durf te zweren – dat jij er nog steeds niets van weet, of wel?'

'Nee!'

'Dat dacht ik wel! Want hé! Het gebeurt nog stééds... Ook terwijl we nu praten... En ik durf te zweren dat je niet weet dat Engeland en Schotland echt ánders zijn, of wel?'

'Wat? Nou...'

'Nee, omdat ze allebei zo'n beetje vanaf de huidige zuidpool naar het noorden zijn gekomen, maar via een verschillende route, doordat ze deel uitmaakten van verschillende platen. En Engeland is zachtjes tegen Schotland aangeschoven – en de bufferzone, die zacht glooiende heuvels van het grensgebied, dat is de opgetilde modder van de oeroude bodem van een ondiepe zee!'

'Fantastisch!'

'Dus zijn het land en de mensen echt anders!'

'De mensen? Toe nou, Luke, gelul! De mensen? Romanticus die je bent! De mensen? Er waren nog geen mensen: die hadden zich nog niet ontwíkkeld!'

'Aye,' zei Luke, die me negeerde, 'en weet je nog al dat gelul, al die negentiende-eeuwse geologie die ze ons op school leerden? Die oude rode rotsen van zandsteen bijvoorbeeld? Dus moest Groot-Brittannië (zoals we het toen noemden) ooit een hete woestijn zijn geweest? En dat die opmerking nergens op sloeg? Waardoor élke schoolmeester, élke aardrijkskundeleraar op het eenvoudige idee had kunnen en moeten komen: Groot-Brittannië heeft zich verpláátst. Maar dat gebeurde natuurlijk niet. Maar stel je eens voor – zoals jij zou zeggen – dat dat wel was gebeurd: zou die saaie oude geologie dán niet interessant zijn geworden? Goed, zó saai was ze nu ook weer niet, want ze gaf ons tíjd, miljarden jaren. Maar stel je eens voor! Had ze ons maar eveneens een verplaatsing door de geografische ruimte gegeven! Dán zou het een opwindend vak zijn geweest en zou alles ergens op hebben geslagen, en Ernst Mayr heeft volkómen gelijk: zelfs om het ontstaan, de verscheidenheid van het leven te begrijpen, heb je geográfische verandering, ruimtelijke verandering nodig, hè? Want dat oude rode zandsteen... dat is ontstáán toen Engeland zich op de plek bevond waar de Sahára nu ligt!'

'Ernst Mayr?'

'Aye! En wat dacht je? We verplaatsen ons nog steeds, het Verenigd Koninkrijk, we gaan nog altijd naar het noorden: het land, jij en ik, de hele mikmak, zoals Robbie zou zeggen! Aye, dus zal de noordpool op een dag wérkelijk land zijn, een continent, en Edinburgh zal op de noordpool liggen... En Shetland, aye, Shetland zal flink op weg zijn naar Nieuw-Zeeland... Maar aan de andere kant zal Nieuw-Zeeland natuurlijk ook zijn verplaatst...'

'Ernst Mayr? Hé, Luke, híj heeft ook bij ons gelogeerd (en ja, ja, alleen door de *Times Literary Supplement*), maar ik denk dat de ouwe jongen kwam omdat hij wist dat hij ergens moest uitrusten: hij kwam over van Harvard om te worden gefêteerd door de Royal Society en zijn gouden medaille te ontvangen voor zijn levenslange prestaties op het gebied van de zoölogie, iets dergelijks, en uit mijn brieven (hij heeft zulke práchtige recensies voor me geschreven in de TLS), moet hij hebben opgemaakt dat ik nergens een flikker van wist, maar ik klonk wel als een vriendelijke kerel, dus dacht hij dat hij zich bij ons kon schuilhouden, om bij te komen van de vlucht, veronderstel ik, en om het even kalm aan te doen voor al die officiële prijsuitreikingen... Dus ging ik naar boekhandel Blackwell en kocht ik ál zijn boeken – en jeetje, Luke, net als bij die UNESCO-visboeken van jou was dat een verrekt groot offer, want het zijn dikke boeken, en ik ben nooit rijk geweest, weet je, in feite heb ik mijn leven lang al schulden, maar dáár wil ik niet aan denken: maar ja, net als bij jou zijn die boeken, net als jouw UNESCO-boeken, nu heel kostbaar... Want hij heeft ze allemaal voor me gesigneerd, hij heeft er iets in geschreven, in allemaal, en wat dacht je? Zoals wij verzamelaars zeggen, heb ik zijn brieven aan mij in alle vijf de delen "ingevoegd": ik heb zijn verbazend lange brieven erin gelegd!'

Ik keek naar Luke (nou ja, natuurlijk deed ik dat), want tijdens de normale of abnormale dagelijkse gang van zaken in dit nieuwe leven van me aan boord van deze trawler, een manier van leven die al eeuwig duurde en waar nooit een eind aan zou komen, was Lukes onverwachte, nooit aflatende jongensbelangstelling voor de baanbrekende biologieboeken – en de helden die erin geslaagd waren ze te schrijven – een constante bron van vreugde geweest... Maar nu, nee, nu wist ik niet eens zeker of Luke wel luisterde... Hij lag op zijn rug naar zijn triplexplafond te staren, naar de onderkant van de kooi boven zijn hoofd... En alsjeblieft, dacht ik, alsjeblieft, laat hij niet weer gaan prutsen aan die denkbeeldige tekening van hem, niet weer...

Dus zei ik met extra klem tegen mezelf: dit is Ernst Mayr godverdorie, dit is Ernst Mayr over wie ik het heb: de man die ons zoveel vreugde heeft geschonken, zoveel opnieuw geordende inzichten in de natuur... En als je me niet gelooft, Luke, wílde ik zeggen, moet je maar eens nadenken over de denkbeelden, de woorden die je bij de dagelijkse uitoefening van je beroep gebruikt, die zijn allemaal van hem: sympatrisch, allopatrisch, peripatrisch, stichtende populatie, zustersoorten... Maar dat was álles, meer kon ik me niet herinneren... De rest was een onbeschreven blad, een donkere ruimte van vergetelheid, met slechts een vage echo van hyenagelach in de verte, van een dier dat op het punt staat 's nachts met de troep op jacht te gaan, een vrouwtje, een alfavrouwtje, omdat alle hyenatroepen, zoals Hans Kruuk me lang geleden in Oxford had verteld (en hij had het ontdekt, en dat is een feit, zoals grote Bryan zou zeggen), worden geleid door een dominant vrouwtje, en daarom hebben ze misschien zoveel succes, zijn ze 's nachts zo dodelijk: en 's morgens arriveren de in alle opzichten veel stommere leeuwen om de restanten van de buit van de hyena's op te eten en de geïrriteerde hyena's hangen aan de rand rond (leeuwen zijn gróót) en maken een hoop kabaal, en beledigen de leeuwen, en wisselen roddels uit (Ják! Ják!) – en daarom gingen alle vroegere mannelijke naturalisten ervan uit dat de hyena's altijd de aaseters waren... Maar jééézus, waar was ik? Ernst Mayr! Ja – dus zei ik hardop: 'Luke, Ernst Mayr! Ik besefte het destijds natuurlijk niet ten volle, en ja, je hebt gelijk, ik had zijn boeken níét gelezen, maar ik wist wel van zijn Belangrijkste Bijdrage aan de geschiedenis van de biologie in het midden van de twintigste eeuw... een genie, net als W.D. Hamilton, maar op een totaal andere manier... zoals je zelf uiteraard weet... Maar het gaat erom dat de ouwe jongen, die toen in de tachtig was, neem ik aan, nu in de negentig, en die nog áltijd fantastische inzichten oplevert (zie je wel? Luke? Als je lang wilt leven is het eenvoudig: zorg dat je volledig gegrépen wordt door een interesse...) – nou ja, het was winter, en misschien is onze cottage niet zo warm, dus zat hij in de ereleunstoel, in de grote kamer, en instinctief (en dat is daarvoor of daarna niet meer voorgekomen) gingen Belinda en ik aan zijn voeten zitten, als kleine kinderen, en Belinda had van die risotto gemaakt (heel vooruitstrévend in die dagen) en die aten we van een bord op onze knieën en we dronken massa's wijn, en ze had ook schuimtaart gemaakt – en we zaten aan de voeten van een waarlijk groot man (zoals ik nu weet), maar daar zat hij in een haveloze oude groene trui ("Hierin ontspán ik me altijd") met enorme gaten in de ellebogen, en aan zijn voeten (hij had gezegd dat hij koude voeten had) droeg hij Belinda's laatste paar dikke wollen Afghaanse hippiesokken tot aan de kuit (en ík had ze zelfs nooit mogen passen), die zo'n heerlijke zool van geitenleer hadden... En wat dacht je? Hij praatte en praatte! Geweldige verhalen! En we luisterden gebiologeerd, geboeid, weet ik veel, en ondertussen dacht ik: jij, Ernst, bent de heerlijkste oude opa die iemand zich maar kan wensen – en ik wilde mijn armen om hem heen slaan en hem stévig omhelzen en ronduit zeggen: "Jij, jij bent verdomme de meest fantastische oude man die ik ooit ben tegengekomen!" Maar dat deed ik natuurlijk niet, maar ik hád het moeten doen, en wat dacht je? Het spijt me nu nog dat ik geen bandrecorder, geen cassetterecorder had, ja? Maar Belinda zegt "doe niet zo mal", en bovendien is dat zo ongepast, zo ordinair en hoe kun je er zelfs maar aan denken zoiets te gebruiken? Maar desondanks – stel je eens vóór, hij praatte over het hele verloop van zijn uitzonderlijke leven, alsof hij het écht tegen zijn kleinkinderen had, en de intellectuele waarde daarvan, wauw!

Maar het meeste herinner ik me er nog van – goed, een klein beetje; dat hij toen hij een jaar of veertien was een bijzonder zeldzame eend op het meer in de buurt had gezien, en dat niemand hem geloofde (vooral zijn familie niet), dus schreef hij naar de grootste veldbioloog van Duitsland uit die tijd. En wat dacht je? Ik waarschuw je, Luke, dit is iets waar je nekharen van overeind gaan staan, waardoor je een vreemd gevoel in je knieholte krijgt, of een tinteling in de onderkant van de eerste gewrichten van al je tenen... Ja: de Grote Oude Man antwoordde, subiet! Omdat hij onmiskenbaar ook een groot leráár was, en hij was oud genoeg om werkelijk groot talent te herkennen als hij dat las, eens in een leven, zelfs in een jongen van veertien... Ja, Ernst werd al erkend toen hij veertien was. En de eend, uiteraard, die wás er (wat volgens de oude Ernst, zeventig jaar later, overduidelijk nog áltijd het punt was waar alles om draaide), maar de eend deed er natuurlijk niet echt toe, nee, het ging om de kennis, het gesprek, de belezenheid, de overtuiging, de doelgerichtheid van die jongen van véértien: daar was de grote professor van gecharmeerd. Dus zegt hij tegen die jongen uit de provincie: "Kijk, Ernst, je zult het niet begrijpen, maar ik heb het érg druk, en ik moet vanávond nog met de trein terug naar Berlijn (of was het Heidelberg?)... Zeg dus alsjeblíéft tegen je ouders (en zijn ouders geloofden er natuurlijk geen woord van) dat het halen van je eindexamen naar mijn mening werkelijk tijdverspilling voor je is... Nee, ik wil dat je over twee maanden, op 1 oktober, seriéús bij mij komt studeren, zoals je nu natuurlijk ook al doet, maar op míjn afdeling, in míjn onderzoeksgroep, afgesproken?" En zo was de jonge Ernst op weg... naar een onophoudelijk, naadloos, diep geïnteresseerd geluk... En toen? Kun je het raden? Wat gebeurde er toen? Rothschild? Ken je dat geweldige verhaal?'

Nee, het had geen zin, en iets had het me al gezegd: een afwezigheid van gegrom en gesnuif van woede, en onderdrukt gegniffel van gelach, vriendelijk of spottend, nee, het was allemaal weg – er was nu niets anders dan het vaste diepe gedreun van de motoren (en zelfs die maakten een volkomen vredige indruk: geen aanzwellend gebrul, geen gekrijs terwijl de schroeven bijna uit de orkaanzee werden getild, nee, ze deden hun werk, kalm, tevreden, van dag tot dag... de motoren, de Blackstones, ruim zeventig jaar oud, hun pensioengerechtigde leeftijd al lang voorbij, waren zelf gelukkig, zaaiden hun tuinbonen in hun volkstuintje, scharrelden het leven door...

Maar nee, dit was zinloos, ik kon er niets meer aan doen, want eindelijk keek ik weer naar Luke (en toe, dat was toch zeker een fantastisch verhaal?) en het was precies zoals ik al vreesde: Luke sliep. Luke was zelfs zo diep in slaap, lag zo stil, was zo ver weg, zo volledig van de wereld – dat Luke wel dood had kunnen zijn...

Tijdens de volgende trek volgde ik grote Bryan en Allan Besant door het valluik in de verwerkingskamer naar beneden, de onverwacht lange en steile ladder af, helemaal naar het voorruim, zoals was afgesproken – want Dougie had in de kombuis gezegd, waar iedereen bij was: 'Als je niet in het ruim hebt gewerkt, Redmond, ben je geen trawlvisser, want dat is zwaar, nou en of. Aye, dat is een rotklus vergeleken met het werk van een motordrijver in de machinekamer, zonder meer, maar ik zeg het je: het is zwaar in het ruim...'

Mijn eerste indruk toen ik de laatste sport van de ladder bereikte (de onderkant zat vastgevroren in een hoop ijsblokjes), mijn eerste gedachte toen ik over de berg ijs strompelde, was echter: wat is het hier kóúd! Wat ik hardop moet hebben gezegd, want Allan Besant lachte en grote Bryan antwoordde: 'Koud? Ach nee! Wacht maar af – het is hierbinnen warm, het is hier bloedheet!'

En dat bleek inderdaad zo te zijn, zodra de roodbaars meedogenloos van boven, ver van boven, vanaf het eind van de voorste lopende band, door de buis met de brede diameter kwam vallen: je smeet ze in de witte plastic viskisten (en die pakte je van een drie meter hoge stapel aan stuurboord van de hoop ijs, die beslist ooit een enorme berg was geweest). Allan schepte het ijs erin en ik droeg de kist (heel zwaar) naar Bryan, die hem zonder een woord te zeggen aanpakte (alsof het een kist veren was) en opstapelde, met een harde duw, regelrecht naar binnen, boven op de rij kisten, met zijn grote armen uitgestrekt, driekwart meter boven zijn hoofd, of die, met minder moeite, als hij de volgende muur kisten opbouwde, moeiteloos bukte, zijn rug nog altijd soepel, heel, ondanks het gewicht dat hij voor zich droeg – maar ik, die niet meer deed dan een volle viskist van inpakker Allan naar stapelaar Bryan brengen, voelde het, die vreselijke waarschuwing in de wervels in de onderrug, dat doffe, akelige gevoel in het bekken, op de plek waar het heiligbeen en het darmbeen met elkaar zijn verbonden. ('Nee, dit bevalt ons níéts,' zeiden de spieren en de wervels: 'Nee, je bent wérkelijk een zak – en wij, wij zullen je dat weleens betaald zetten! Want voor je naar de Congo ging, heb je je vóórbereid, zoals je ook moest doen, zoals de commandotroepen je hadden gezegd, en je ging wérkelijk twee jaar lang drie keer per week naar de sportschool om je rug voor te bereiden die last van vijfendertig kilo te dragen. Maar híérvoor, dilettant die je bent – wat heb je gedaan? Heb je ons getraind? Nee! Mooi niet! Want jij, zielige sul die je bent, jij was tot de conclusie gekomen dat er geen woeste plekken in het Verenigd Koninkrijk wáren! Dus wat deed je om je erop voor te bereiden? Niets! Je dronk en je sliep... je kon je dikke lijf er niet eens toe brengen door het bos in de buurt te rennen! Ja... maar we zullen je wel krijgen: een maand of vier plat om ons rust te geven, op je rug, zonder te kunnen lopen, ja, dat is wel ongeveer de juiste gevangenisstraf.')

Bryan zei niets, Allan zei niets, en ik? Ach, ik had het veel te warm, was veel te uitgeput en te bezweet om de inspanning van het praten zelfs maar te overwégen... Was dit dan de laatste fase van de slaaponthouding zoals die was waargenomen door Luke (vermoedelijk ondersteund door honderden studies in wat-is-de-zin-van-slaap-laboratoria)? Nee, dacht ik, beslist niet, dit heet gewoon zware lichamelijke arbeid onder grote druk waarbij niemand kan praten... Meer niet. En, o god, mijn ouwe rug, wat doet die een píjn... Dus herhaalde ik de mantra waar ik véél aan had gehad in de jungle (maar toen was ik min of meer fit en ook jóng geweest), de bezwering (eindeloos door) die me uiteindelijk door die zogenaamde wándelingen van acht tot tien uur heen had gesleept, op een halve draf, tot je elk begrip van tijd kwijt was, met de Iban of de Yanomamö of de pygmeeën uit Noord-Congo: 'Op een dag is dit allemaal voorbij... Op een dag is dit allemaal voorbij...'

En eindelijk was dat ook zo: en Allan Besant, zonder een woord te zeggen, maar nu heel aardig, heel zorgzaam, heel voorzichtig (en néé,

Redmond, zeg nu níéts – en beheers je vooral, wees een man, barst niet eens uit in stille tranen van dankbaarheid of uitputting of iets anders lulligs: ja, je spieren beven, je beeft, bent helemaal slap, en Allan, ach, hij komt vlak achter je de ladder op, en op een of andere manier heeft hij zijn rechterhand op de onderkant van je ruggengraat, waardoor je niet weer in het ijs beneden kunt terugvallen, en jeetje, inderdaad, zelfs de spieren in mijn benen beven, en ze willen niet doen wat ik zeg, maar wat is dat? Ja. Allan Besant moet zijn linkerhand om de enkel van mijn linkerzeelaars hebben, en nu om mijn rechter, een, twee, ja, de volgende sporten op… Waarom is hij zo aardig voor míj…? Goed, misschien is dat, zoals Matt Ridley denkt, helemaal niet geheimzinnig, misschien zijn de meesten van ons het grootste deel van de tijd níét egoïstisch, maar zijn we altruïstisch, zonder dat we er iets aan kunnen doen…).

En boven aan de ladder, aanvankelijk op handen en voeten in de verwerkingskamer, en vervolgens (de zee moest daarbuiten spiegelglad zijn), toen het me lukte om rechtop te gaan staan… pakte Allan Besant (gekleed in zijn gele oliebroek met vest, iets uit één stuk met bretels over een dik schapenleren jack met rode stof, zijn handen nog altijd in hun blauwe handschoenen), pakte hij mijn eigen in een blauwe handschoen gestoken rechterhand en schudde die, en glimlachte, en gaf me een knipoog en legde zijn in een blauwe handschoen gestoken rechter- wijsvinger tegen zijn lippen (geen woord!), en zonder moeite te doen om zich op de bank te verkleden zwaaide hij de zware waterdichte deur naar de kombuis open, stapte over de drempel en verdween.

'Hé, Redmond!' klonk een bekende kreet – en ja, het was Luke, en hij stond helemaal aan de andere kant bij zijn manden, aan bakboord van de golfplaatdeur naar de vislast, en o nee, hij zag er heel enthousiast uit… 'Kom mee! Precies op tijd! Waar bleef je toch zo lang? Bryan, die was al boven en verdwenen, lang vóór Allan en jij!'

'O god!'

'Nee, vooruit: pak je camera, die hangt daar in het washok aan zijn haak – ik ben zo vrij geweest er een nieuwe film in te doen en je Micro-Nikkor erop te zetten!'

'O ja? Waarom ben je dan verdomme niet verder gegaan en heb je de foto's ook gemaakt?'

'Hè? Wat? Hoe bedoel je?' zei Luke, die er zelfs op die afstand, dat zag ik wel, bijna sprakeloos uitzag, alsof hij een klap op zijn hoofd had gekregen... 'Foto's maken? Dat zou ik nóóit doen: de cameraman, de fotograaf, dát is de man van wie de camera's zijn, dat is zíjn baan! Je mag nóóit, maar dan ook nóóit de baan van een ander overnemen!'

O jezus, dacht ik, hier kan ik werkelijk niet bij, maar in elk geval schijnen mijn benen niet meer te beven (maar mijn rug, wat doet mijn hele rug pijn, maar dat is een goed teken, hè? Geen specifieke beschadiging, zoiets wat verder niemand kan zíén, geen beschadiging waarvan je weet dat je erdoor in tweeën bent gebroken, en dat enorme ding, dat je als iets vanzelfsprekends zag, je rug – zo vreselijk saai, zo vreselijk lichamelijk voor je huisarts, je dokter – maar als dát ding ermee ophoudt, ben je niet eens een half mens, maar ben je niets meer, geen werk, geen genoegens, geen ommetjes en beslist géén séks).

'Redmond! Godverdorie!' schreeuwde Luke opgewonden, met allebei zijn handen om de rand van een blauwe mand geklemd, helemaal aan de andere kant. 'Ga die rotcamera halen! Neem me níét kwalijk! Maar alsjeblieft... alsjeblieft! Géén trances! Daar kan ik niet meer tegen. Vooruit! Toe! De camera! We moeten álle restanten nog fotograferen – en Esmarks puitaal die je vergeten bent te fotograferen. En waarom? Omdat je weer in zo'n rottrance was! En Jason – Jason heeft zijn net alweer uitgezet! Dus hebben we maar weinig tijd – want dit, jij, jij – Wórzel, dit is de póólcirkel, geweldig rijke visgronden en héél duur om er te komen! En daar stá je dan, in een Worzel-trance!'

Als door een bij gestoken, nou ja, als door een bizon weggetrapt, neem ik aan, griste ik de grote camera met flits van zijn haak tussen het oliegoed en binnen de kortste keren, als een echte trawlvisser (goed, het was rustig daarbuiten, maar toch, zo heel ver naar het noorden – ja, de vloer in de verwerkingskamer van de Norlantean, die prachtige glanzende houten vloerplanken van de verwerkingskamer lagen bijna even stil als de vloerplanken in de slaapkamer van een granieten rijtjeshuis in Fittie, in Aberdeen, waarin de beste seks ter wereld plaatsvond... Waf-woef! Al dat heerlijke gezamenlijke gezweet... Dat wil zeggen, tot je een oproep krijgt van de pieper onder het bed...)

'Redmond! Worzel! Wat is er aan de hand? Hou daarmee op! Wat het ook is – hou daarmee op! Want je doet het nog stééds! En zal ik je eens wat zeggen? Als je een hond was, als je de hond van Malky Moar was, zou ik zeggen dat je aan konijnen loopt te denken!'

'Waf-woef! Weet je wel?'

'Nee, dat weet ik niet. Dus toe, alsjeblieft, en we moeten snel zijn, want dit is een geweldig roodbaarsgebied, en het net zal vol zijn voor we het doorhebben, kijk – dit hele allegaartje, de belangrijke, en je boft, want ik heb ze al gemeten en gewogen en gesekst: dus heb ik alleen nog maar jouw foto's nodig, okay?'

'Okay!'

En het was eindelijk echt gemakkelijk: geen geglibber, geen geglij, geen paniek omdat alles zo onmogelijk was...

'Esmarks puitaal!'

Dus maakte ik er twee foto's van – en Luke gooide Esmarks puitaal op de striptafel, om later te worden overgebracht naar de stortkoker naar de uitgang, voer voor de drieteenmeeuwen...

'De kathaai!'

Aan mijn voeten, misschien een meter lang, zijn bruin gevlekte rug glanzend in het licht boven ons hoofd: ja, er was geen twijfel mogelijk, de zogenaamde kathaai was een hóndshaai!

Ik zei, kennelijk weer vol energie (misschien had het me goedgedaan om me zo in het zweet te werken): 'Dit is geen kathaai – dit is een hondshaai! Waf-woef!'

'Worzel! Word volwassen!' zei Luke, nog altijd een beetje streng. 'Hondshaaien zíjn kathaaien. Maar hier, kijk' – hij hield hem op – 'deze is zeldzaam, een echte diepzeekathaai, van ruim een kilometer diepte, en kijk eens?' Hij deed zijn bek open: die was vanbinnen zwart, en wat veel tanden... Luke gooide hem omhoog en op de tafel.

'En dít' – een greep in de mand, een vis aan mijn voeten – 'dit is de gewone hondshaai, uit de eerste trek.'

De echte hondshaai – iets wat ik herkende, en hoe! Het grote nauwkeurige genoegen van die dissecties voor mijn eindexamen, de serie biologieboeken van T.H. Huxley, die we toen nog hadden – dat kwam allemaal weer terug, en ik zei tegen Luke: 'Op de Oude Olympus met zijn Torenhoge Toppen zijn een Fin en Germaan Parmantig aan het Spelen en Hoppen.'

'Hè?'

'Dat is een ezelsbruggetje, je weet wel, een geheugensteuntje, de hersenzenuwen van de hondshaai: occipitaal, trigeminus... o shit, nou ja, Luke, zo zie je maar, in elk geval ken ik het ezelsbruggetje nog...'

'Aye. En wat zou dat?' Omhoog en weg vloog de hondshaai met

zijn herinneringen. 'Kijk, misschien zal ik deze foto's niet eens in mijn proefschrift gebrúíken, maar ik moet ze hebben, desondanks, voor alle zekerheid.' En hij legde, een in elke hand, een stel kleine pijlinktvissen op de vloer: 'De kortvinpijlinktvis! En de *Todarodes sagittatus*, de "Europese vliegende pijlinktvis"!'

Ik maakte er foto's van – en Luke smeet ze op de tafel. 'Hé, Luke, toe nou!' zei ik. 'Wat is er gebeurd? Doe toch niet ineens zo agressief... Wat is er aan de hand? Je noemt hem een Europese vlíégende pijlinktvis... En toch wil je me er niets over vertellen?'

'O, Worzel, laten we deze klus gewoon klaren!'

'Nee,' zei ik. 'In geen geval. Nee! Dat is niet eerlijk. De afspraak luidde dat jij me over de dingen zou vertéllen!' En in mijn verontwaardiging verhief ik me voor het eerst in mijn volle lengte (nou ja, dat had ik daarvoor niet kunnen doen, hè? Terwijl de vloer je alle kanten op smeet), en als een hertogin-weduwe herhaalde ik: 'In geen geval.' En, met dank aan Lukes belachelijke ideeën over de strikte scheiding tussen banen (die hij vast op zijn zuidpoolstation had opgepikt, of niet?), want het was tenslotte zonneklaar dat hij veel meer van die patserige camera-uitrusting van mij wist dan ik en er veel betere foto's mee zou kunnen maken dan mij óóit zou lukken, zei ik, terwijl ik mijn camera in mijn ruime oliejack van de hertogin-weduwe stak: 'Geen info! Geen foto!'

'O godverdorie!' zei Luke, bíjna gemeen. 'Ik heb het je toch gezegd – het kan ons nu elk moment gebeuren. En het gebeurt ineens en vollédig: je kunt niet meer praten.'

Enigszins geschrokken wilde ik zeggen, van man tot man, met woorden die even gezaghebbend waren als die van grote Bryan: Luke, de Europese vliegende pijlinktvis! Vertel me er nu over – want ánders! Maar in plaats daarvan hoorde ik mezelf zeggen (en ondertussen had Luke een stel kleine platvissen aan mijn voeten neergekwakt): 'O, alsjeblíéft, Luke, het zal je geen kwaad doen, vertel me alsjeblíéft over de Europese vliegende pijlinktvis!'

'Okay! Jij wint!' zei Luke vol afkeer, terwijl hij achteruit liep en op de rand van zijn blauwe plastic mand ging zitten, met zijn rechterhand langs zijn voorhoofd streek en vervolgens, om een of andere reden, zijn blauwe wollen muts afgriste (woede!) en wegpropte (met zijn rechterhand tegen zijn lendenen, naar voren, naar beneden en in de

zak van zijn spijkerbroek, onder zijn schort met broek van oliegoed)…
'Pijlinktvissen – ach, daar heb ik niets mee, niets persoonlijks, begrijp
je wel, ze zijn ongeveer zo interessant als de mariene biologie maar kan
zijn, en dat betekent dat ze véél interessanter zijn dan de meeste dieren
op het land – maar snap je het dan niet? Je kunt onmógelijk alles weten
over het leven in de oceanen! Dat zou ik graag willen, ik probéér het,
heus, maar soms kan ik het gewoon niet meer aan, weet je, omdat het
allemáál zo opwindend, zo onverwácht is – iets wat je zelf nooit zou
kunnen bedenken! Nee! Nooit! Soms is het overwéldigend, weet je, als
de grootste knobbel in de ergste storm die je ooit hebt gezien. Aye, en
dan voel ik hoe ik verdrink… Omdat ik het niet allemaal kan weten! Ik
ben goddorie voor mijn promotie aan het lezen, dat is alles – en toch
schijn jij te denken dat ik alles moet weten!'

'O jezus, Luke! Dat spijt me, doe niet zo mal, ja, maar misschien denk
ik dat, dacht ik dat, je weet wel, ja, je bent gek, maar het spijt me – vergeef me, nee, zo wás het niet…' En schuldbewust haalde ik de enorme
camera met flits onder mijn oliejack vandaan.

'Okay! Goed!' zei Luke, zonder zich te verroeren, verontrustend, terwijl hij zijn ogen stijf dichtkneep. 'Pijlinktvis! Er zijn twee belangrijke
en eigenaardige dingen die je over de pijlinktvis moet weten! Eén: weet
je nog hoe Darwin ons in *The Origin* stap voor stap door de waar-
schijnlijke evolutie van het oog van een zoogdier heen praatte? Omdat
dat zíjn grote test was! Omdat godsdienstige mensen zeiden: "Aan m'n
reet!" Neem me niet kwalijk. Maar dat zeiden ze – ze zeiden: "Goed, leg
ons dan maar eens uit hoe het menselijk oog is geëvolueerd!" Want wat
kon iemand in vredesnaam hebben aan een krakkemikkig, wazig, half-
gevormd oog? Nee! Dat had God gemaakt, perfect, volledig gevormd!
Nou nee, toevallig niet dus. Nee, want mensen, proto-engelen, of wat
we maar waren, jij zou het moeten weten! Voorlopers van engelen, vleu-
gelloze engelen, héél bijzonder, stuk voor stuk, en toch moeten we nog
altijd minstens een keer per dag poepen: en een enkele Worzel-engel…
bráákt!' Luke, wiens vrolijkheid weer dichterbij kwam, deed zijn ogen
open en keek me aan, en lachte bijna; maar nee, hij deed ze nog stijver
dicht (waardoor de rimpels in zijn voorhoofd werden weggeveegd naar
zijn wenkbrauwen en van zijn gezicht verdwenen, en zijn voorhoofd
strak en glad werd, en hoewel hij zich zo sterk concentreerde, zag hij er
tien jaar jonger uit, was hij weer begin twintig).

'Nee, in feite, let op! God heeft de voorkeur gegeven aan de píjlinkt-vis! Onze eigen perfecte van God gekregen ogen – zijn dat absoluut niet! Wat een leugen! Net als de hele godsdienst... Nee: God hield het meest van de píjlinktvis. Hún ogen hebben zich volkomen onafhanke-lijk geëvolueerd van die van de gewervelde dieren en zeker, ze hebben zich vrijwel op dezelfde manier ontwikkeld, een samenvallende evolu-tie, maar hun ogen zijn zóveel beter: doordat de cellen van hun netvlies naar de binnenkomende lichtstralen zijn gekeerd en de cellen van hun zenuwknoop, hun ontvangende cellen daaráchter liggen; terwijl God bij ons aan het slapen was, hij heeft er een puinhoop van gemaakt, kolossaal! Want de cellen van onze zenuwknoop liggen vóór de lichtge-voelige cellen: die maken werkelijk een warboel van de lichtstralen die het beeld vormen... Aye, vergeleken met een pijlinktvis zijn we prak-tisch blind!'

'Jeezus!'

'Alsjeblieft, Worzel, alsjeblíéft, zeg dat niet meer, want het is zo lúí van je, en ik háát het!'

'Ach.'

'Aye, en het tweede punt van de pijlinktvis? Is dat wat je wilt?' Luke, gezeten op de verrassend stijve rand van zijn blauwe mand, een hand op elke knie, zijn ogen stijf dicht, zei: 'Is dat wat je wilt?'

En 'Ja!' zei ik, terwijl ik daar stond, slap, vrees ik, en: ik begrijp het niet, dacht ik, maar ik begreep het wél. En dit, wat het ook was, zou ik mijn beste vriend niet willen aandoen, maar aan de andere kant, dacht ik, is Luke nu toch zeker een van mijn beste vrienden? En de inwendige stem zei op Lukes heldere toon tegen me: 'Word volwassen! Daar ga je weer: je staat te praten als een tiener!'

'Goed, pijlinktvis. Nummer twee (en méér krijg je niet). Aye, de zenuwvezels van weekdieren – pijlinktvissen zijn weekdieren – heb-ben nooit de myelinelaag, de axonschede, de elektrische isolatie ont-wikkeld die wij om onze eigen zenuwvezels hebben, die ongeveer een vijftigste tot een duizendste millimeter dik zijn, nee, maar wat maakt dat uit? Want de snelheid waarmee zenuwvezels hun impulsen door-geven, neemt toe met hun dikte – en wat dacht je? De pijlinktvissen hebben tussen hun hersenen en hun mantel zenuwvezels ontwikkeld die een halve millimeter dik zijn! Dus pats boem! Ze zijn snél: straal-aandrijving vanuit hun mantel en trechter! Plus een inktstoot om hun roofdieren op een dwaalspoor te brengen! En – dat gebeurt echt vrijwel ogenblikkelijk – wat dacht je dan nog van hun totale, spectaculaire veranderingen in camouflagekleuren?'

Nu de les voorbij was (kon lesgeven écht zo pijnlijk zijn? Ja, ik nam aan van wel, dat kon en bovendien was dat onmiskenbaar het gevál), deed Luke zijn ogen open; hij ging staan en alsof er niets vervelends was voorgevallen, greep hij mijn schouder hard beet, op de gebruikelijke manier, voor de fotografische routine, hoewel de vloer alleen maar heftig trilde door het gedreun van de motoren, en: 'Vooruit!' zei hij. 'Met volledige flits! Twee foto's van elk, f-32 en f-22, verander de instellingen! Aalbot! De lange ruwe schar!'

Klik-flits! Flits-klik! Twee keer. Héél bevredigend. Net alsof je daadwerkelijk iets presteerde...

En 'Okay!' zei ik, terwijl hij de platvissen weggooide, de een na de ander, met zijn pols omhoog, alsof hij een stel frisbees snel liet wegvliegen – en ze belandden keurig in de koker naar de uitgang. 'Okay! Maar waarom noemde je die laatste pijlinktvis een vlíégende pijlinktvis? Wie heeft nu ooit van een vliegende píjlinktvis gehoord? Van vliegende víssen, ja. Vliegende píjlinktvissen, nee. Is dat een of andere historische misvatting? Een of andere alleraardigste vergissing?'

Luke, die even daarvoor weer over zijn vredige zelfbesef had lijken te beschikken (misschien dacht hij dat de les goed was verlopen? Nou, dat was ook zo, écht), Luke, opnieuw verstoord, keilde met onnodig geweld twee zeer vreemde visjes voor mijn laarzen op de vloer neer, en zei: 'Misvatting? Alleraardigst?'

'Ach, je weet wel...'

'Nee! Dat weet ik niet: vliegende pijlinktvissen, die vliegen! Alleen academici zoals jij, mariene biologen die nooit uit hun lab komen, alleen mensen zoals jij smalen over de verhalen van de mannen die naar zee gaan, over de meldingen van trawlvissers, ver weg, midden op de oceaan: ja, het zijn mensen zoals jij, het zijn mensen zoals jij die ons leven verzieken, het leven van trawlvissers zoals ik, en jullie behandelen ons als boerenkinkels, en jullie doen niet eens moeite om mijn wetenschappelijke artikelen te lezen en als jullie dat wel hebben gedaan, doen jullie alsof jullie dat niet hebben gedaan!'

'Hè? Luke?' (Nou, ik was zéér gevleid: ik, een mariene bioloog? Maar de rest...)

'O jezus!' zei Luke, die mijn linkerarm greep (snel als een pijlinktvis, dacht ik zelfvoldaan). 'Aye. Ja. Aye. Trek het je niet aan... Het spijt me. Ik heb je gewaarschuwd, Worzel... Maar ik ben mijn zelfbeheersing aan het verliezen – ik geloof dat ik zojuist even dacht dat je die vreselijk bittere oudere kerel van de universiteit was, van het instituut; je weet wel, je kent het type wel, dat kennen we allemaal, hij heeft geen promotie gemaakt...' Luke leefde op, hij glimlachte, hij liet mijn arm los. 'Maar aan de andere kant, gebruik nóóit meer termen als "misvatting", of, het ergste van allemaal, "magistraal" of, nog erger dan dat: "eersteklas geest"!'

'Aiiii! Nee!'

'Goaaal!' schreeuwde Luke, waardoor de echte of denkbeeldige bitterheid over die uit- of inwendige academicus tijdelijk uit zijn geest en overboord werd gegooid. 'Aye! Vliegende pijlinktvissen – die vliegen! Pats boem! Er zijn diverse soorten – ze hebben brede vinnen en extra brede vliezen aan hun armen en ze komen met zoveel kracht uit het water dat ze wel ruim zestig meter kunnen vliegen – en daar hebben we goed gedocumenteerde verslagen van (ja, van zeelieden van de koopvaardij!): die pijlinktvissen zijn ruim twintig meter boven de waterlijn tegen schepen geslagen!'

'En dan,' zei ik, terwijl ik mijn kans schoon zag temidden van deze euforie, maar desalniettemin aarzelend... 'De réúzeninktvis? Potvissen?'

'Ach! Goed dan!' zei Luke met een blije grijns, net als vroeger. 'Maar eerst – maak je een foto van deze juweeltjes, okay?'

De bovenste vis, het verst bij me vandaan, had een bruine rug, een zilverkleurige buik, met een lange franje van de tweede vin, aan de boven- en de onderkant, een bakkebaard, een voeldraad onder zijn kin – en twee lange, meeslepende, veerachtige draden die zich uitstrekten vanaf zijn kieuwen tot achter de anus: waar dienden die voor? Om te kunnen rondtasten in de pikzwarte modder?

'De gaffelkabeljauw, familie der schelvissen,' zei Luke, 'maar déze,' hij bukte zich om de vis te strelen, liet zijn rechterwijsvinger langs de slanke flank glijden, volgde de zijstreep, 'deze mag ik écht.'

En inmiddels, dankzij al mijn scholing, hield ik mezelf voor, zie ík zelfs waarom: het was een zéér mooie, gestroomlijnde kleine vis, zijn rug lichtbruin gevlekt, zijn flanken lichtrood, zijn onderkant – ach, zijn onderkant was róze. Dus was het een meisjesvis, een vis die naar haar eerste volwassen dansavondje ging, naar een echt bal…

'Weet je waarom?'

'Ja – het is een jong meisje; ze gaat naar een dansavondje.'

'Wat? Bewaar me! Nee, nou ja, misschien – wie zal het zeggen? Nee, nee – dit is een meun, een diepzeemeun. En ik mag ze nu, Worzel, omdat ik zie dat dit vissen voor jou zijn.'

'O ja?'

'Aye!' Hij pakte het visje op. 'Zie je wel? De voorste rugvin is net een rij haren, hè?' Inderdaad. 'En de vis ligt plat, half in slaap op de zeebodem, neemt er zijn gemak van, weet je wel?'

'Ah.'

'En het enige dat beweegt zijn deze haren, aangepaste vinstralen, en die trillen onophoudelijk – en ze waaieren een stroom water langs deze groef die eromheen en eronder ligt, zie je wel?' Misschien wás er een groef, maar daar had je een vergrootglas of de ogen van een pijlinktvis voor nodig… 'En je hebt het al geraden, hè?' Nee, dat had ik niet. 'Natuurlijk, de zijkanten van deze groef zijn bedekt met precies dezelfde soort smaakpapillen die je op een tong aantreft! De meun kan dus dag en nacht doodstil in zijn kooi liggen, terwijl hij het water om zich heen proeft of er soms een garnaal of krab of borstelworm passeert – en hij hoeft alleen maar voor een maaltje in beweging te komen als hij daar werkelijk behoefte aan heeft!'

'Geweldig!'

'Aye,' zei Luke, die de twee visjes met zijn laars opzij schoof en zich weer naar zijn mand keerde. 'Ik dacht wel dat je dat leuk zou vinden!' Hij ging rechtop staan, met in elke hand een grote zware grijze vleet, die hij bij de staartwortel vasthield. 'Aye, ik weet het, potvissen… en ik herinner het me. Het was een deal! In ruil daarvoor zou jij – zou jij de ideale vrouw voor me vinden of zoiets… aye! Zal ik je eens wat zeggen? Jij, je bent gek, je raaskalt!'

'Bedankt… Maar ik heb écht de ideale vrouw voor je. In feite, Luke, kan ik je precíés vertellen waar je haar moet zoeken, de enige plek waar je een kans hebt; en ik kan je heel veel bijzonderheden geven: ja, je enige mogelijkheid voor écht geluk, blijvend geluk, lévenslang geluk. En het is trouwens géén grap, ik meen het – en ik vind niet dat je moet lachen…'

'Ik lachte niet,' zei Luke met een lach, duidelijk geïnteresseerd, ondanks zichzelf, terwijl hij nog een paar vleten op de vloer neerlegde. 'Potvissen, aye! Maar deze vleten zijn poolvleten, aangepast aan het uiterst hoge noorden, *Raja hyperborea* – en die zijn ook interessant. Ken je hun gedrag? Níémand heeft énig idee. En als je me niet gelooft, moet je hier maar eens naar luisteren, kolossaal! Tijdens de allerlaatste trek, toen jij in het ruim was, zijn er ongeveer 150 vleten in het net naar boven gekomen, maar allemaal poolvleten, en allemaal van dezelfde leeftijd, en allemaal mánnetjes! Dus wat is er verdorie aan de hand?'

'Een regiment. Een club. Een reünie van hun kostschool…'

'Ach aye. Je gebruikelijke geouwehoer – maar waar zijn de vrouwtjes? Zitten die ook allemaal bij elkaar? En hoe zit het met de jongen? Met de verschillende stadia, nou? Waar zijn die?'

'Al sla je me dood!'

'Aye – en dat geldt voor iedereen! Nou wil ik een série foto's van deze vleten, om te bewijzen dat ze allemaal van hetzelfde geslacht en van dezelfde leeftijd zijn – ik heb een willekeurige steekproef uit de 150 dieren gehaald: zes. En ik weet dat dat niet veel lijkt, maar dat was het beste dat haalbaar was. Want Jason heeft geen quotum voor vleten; ze lagen in de weg; 150 grote vleten! De jongens hadden geen keus – hoewel vleetvleugels een feestmaal voor een koning, God, Darwin, wie dan ook zijn: ze zijn zo héérlijk, en zulke prachtige dieren, en toch gingen ze allemaal overboord, dood natuurlijk, want níéts kan de plotselinge drukvermindering vanaf zo'n diepte overleven… Aye… Het is verspilling, een vréselijke verspilling… Werden we maar geregeerd door de IJslanders! Dan konden we de zeeën die van ons zijn tot tweehonderd mijl uit de kust beheren en beheersen, aye, en die onzin van de quota afschaffen, en dan zouden we onze eigen visstand beschermen en álles te weten komen over de levenscyclus van deze vleten, en de vrouwtjes en de jongen beschermen (zodra we weten waar hun kraamkamers zijn), en van lieverlee zouden onze eigen trawlvissers even rijk worden als de IJslanders en er zouden mássa's vissen zijn die wij allemaal konden eten, eeuwig – en iedereen zou gelukkig zijn!'

'Ja! Ja!'

'Nou, wat stá je daar dan verdorie?'

'Hè?'

'Waarom maak je er geen foto's van?'

'Luke, hou daarmee op!' zei ik geërgerd, terwijl ik de zware camera-uitrusting met een zwaai in positie bracht en me vooroverboog. 'Ik ben een man – ik ben een vént – heeft de biologie je dan niets geleerd? Ik kan me wérkelijk niet op twee even interessante dingen tegelijk concentreren! Nee, als ik naar jou luister terwijl je zo goed over vleten praat, hoe moet ik dan verdorie een foto van ze maken?'

'Maar je wílde dat ik je alles vertelde!'

'Ja, natuurlijk wilde ik dat. Dus sodemieter op! Het is zo ingewikkeld, hè? Alhoewel, nee, sodemieter níét op, want het is eigenlijk simpel, héél simpel…'

Luke stond, niet zonder reden, perplex naast me, zwijgend. En door de lens, die de rest van de buitenwereld – Luke, de Norlantean, de nabije melkwegen, de lege ruimte – altijd zo volledig buitensluit… (Hé! Geen wonder dus dat er zoveel camera's worden verkocht! En ja! Geen wonder dat mensen als ik ze vervolgens vergeten te gebruiken – waardoor het gemiddelde aantal opnames dat per camera per jaar wordt gemaakt twaalf is.) Maar o jezus, en Luke zegt dat ik dat niet moet zéggen, die vleet, die vleet vult het hele beeld: hij ligt op zijn rug, ja, maar hij is zo vlezig, kwabbig, dik, glinsterend, met bruine vlekken, en de onderkant van deze individuele vleet is bedekt met groene vlekken die eruitzien als schimmel, en met vurige rode pukkels die heel sterk doen denken aan opkomende jeugdpuistjes, en bij het begin, bij de wortel van zijn staart, vlak achter zijn dikke ronde kop, heeft hij een stel opgezette zwellingen (zijn ingewanden?), en dan zitten er, opnieuw aan weerszijden, twee dunne rechtopstaande dingen, als vleermuisoortjes, die uit twee andere vlezige ovale zakjes steken, die uitlopen op, ja, nog steeds aan weerszijden, op twee half of volledig opgerichte (wie zou dat kunnen zeggen, behalve een vrouwtjesvleet) op twéé penissen, met een gladde en dikke schacht, en daarop de eikel, uitpuilend, gretig en, zo te zien, besneden.

'Luke!' Ja, ik kan naar hem hebben geroepen, nog geen halve meter bij me vandaan. 'Luke! Ze zijn net als ik: ze zijn besneden…!' Tja, zéér jonge zoontjes van pastoors uit de middenklasse werden in de jaren veertig namelijk op de houten keukentafel in de pastorie gezet, samen met de jongen van de cockerspaniël, en dan werden de staartjes van de jonge hondjes gecoupeerd, evenals (wat véél minder belangrijk was) de voorhuid van de baby… En het werd áltijd gedaan door een ongetrouwde tante… En: 'Het spijt me! Het spijt me zeer!' zei ik, niet tegen

Luke, maar tegen de poolvleet, omdat ik echt vond, van man tot man, dat ik op een onvergeeflijke manier inbreuk had gemaakt op zijn diep-zeeprivacy.

'O jezus,' zei Luke, die daar stond, onbewogen. (Ja: hij zei 'jezus'.) 'Als we ooit écht thuiskomen, wat dacht je dan? Aye, dan slaap ik, als altijd, min of meer zonder onderbrekingen drie dagen en nachten achter elkaar, om bij te komen van deze reis, en dan? Wat dacht je? Aye! Dan slaap ik nóg eens vier dagen en nachten om bij te komen – nou kun je het raden? Waarvan? Aye! Van jóú!'

'Ach, zeker, waarom niet?' Wat ik heel macho en nonchalant van mezelf vond, want ik vrees dat ik hem écht had willen vertellen over een bezoek met mijn gezin aan het nieuwe aquarium in Londen, waar alles precies was zoals het in een geordende wereld zou moeten zijn (de haaien – de zeepaardjes, zo klein, zo complex!). Ja, tot we bij het grote ondiepe bassin vol vleten of roggen kwamen (goed, het waren dus soorten uit zéér ondiep water, maar toch…). En daar kwam ieder-een samen: en de mensen bogen zich over de lage rand van het grote bassin, en waarom? Nou, het is pijnlijk om dit te zeggen, Luke, maar de roggen of vleten zwommen naar elke bezoeker toe, verlangden even wanhopig naar vriendschap als een poes, en ze keken je eens goed aan – en dan hieven ze hun kopje regelrecht uit het water, en weet je wat ze dan wilden? Bizar maar waar, zoals je werd opgedragen door de talloze officiële bordjes, moest je je vingers in het bassin natmaken en ze heel voorzichtig achter hun kopje strelen. En, o Luke, shit, dan begonnen ze helemaal te beven, werden ze helemaal trillerig en wiebelig tot hun staart aan toe, en ze hingen daar in het water en wilden méér. En ik heb natuurlijk niets gezegd tegen mijn vrouw of mijn jonge dochter of mijn jonge zoon: nee, dat doe je toch niet? Niet na zo'n schok… (om verliefd te worden op een vleet?) Maar toen we daar weggingen, liep er een jongeman naast ons met zijn vriendin, en hij was onmiskenbaar een soldaat met verlof (het kortgeknipte haar, fit maar niet van een sportschool, slank lichaam, zijn manier van bewegen, stampvol energie voor een aanvalscursus, de marathon), en hij zei tegen haar: 'Wat gaan we nou verdomme eten? Want ik kan je wel zeggen dat ik geen vís meer aanraak!' En zíj zei, want vrouwen zijn veel harder dan mannen, zij zei: 'Dat waren geen vissen, lul, dat waren vleten!' Maar ik zei niets tegen Luke want bij zo'n afschuwelijke en ontwrichtende gedachte zei de innerlijke censor, hoewel die nog steeds regelmatig koorts had en in coma lag: 'Redmond! Dikzak! Hou je mónd!'

'Vooruit, neem het dorsale oppervlak van dit exemplaar!' De volgende. 'En dan wil ik twee foto's, met een verschillende belichting, van álle zés, ventraal en dorsaal, okay?' Okay. Dus fotografeerden we vleet nummer twee. 'Heb je hem? Zesendertig opnames hiervoor – het is heel belangrijk –, voor zover ik weet staat er niets in de literatuur over poolvleten die in groepen van louter mannetjes of louter vrouwtjes leven: waarom zouden ze dat doen? Het is raar, schitterend, een ontdekking! Aye, dus misschien dríé opnames per kant? F-32, 22 en 16, om er zeker van te zijn, okay?' Okay.

'En ik ben zo vrij geweest,' zei Luke, 'toen jíj er zo lang over deed om uit het ruim te komen – wat is er daarbeneden gebeurd? Ben je flauwgevallen of zo? Maar goed, ik ben naar onze hut gegaan, neem me niet kwalijk, en ik heb nog een filmpje bevríjd.' Luke lachte; hij dacht dat het leuk was. 'Aye! Uit je fototas – en dat heb ik in mijn zak! Maar hé! Worzel, zelfs je fototas, de troep daarin! Er zitten sokken in, zelfs dáárin, sokken om lenzen of er gewoon in geprop – en de vieze rotzooi, filters, waardeloze stokoude filmpjes, batterijen, papiertjes: jeezus! Ik verwachtte half een rotmuis, neem me niet kwalijk!' En Luke ging meteen verder en werkte zijn hele hulpeloze lachpatroon af, met allebei zijn handen op zijn buik, voorovergebogen, dubbel geklapt, en toen draaide hij om zijn eigen as, het dansende-derwisj-gebrul van totaal gelach: 'Aye! Ik verwachtte half een rotmuis! Aye! Een rótmuis! Die recht op me af zou springen!'

'Ja, ja!' zei ik, aanvankelijk gebelgd, maar toen dacht ik: de jonge Luke, oom Luke, heeft niet meer zo gelachen sinds onze begintijd op deze trawler, lang geleden, ik weet niet meer wanneer!

'Het is raar – fantastisch! Een ontdekking! Jouw gedrag, weet je, dat is even vreemd als die vleten! Sokken! Overal sokken! En de puinhoop – zelfs in je fótotas! Maar waarom sokken? Aye... Ik weet het...! Aye...! Sokken! Natuurlijk! Ik weet het – jij, Worzel, jij denkt dat sokken zínnenprikkelend zijn – al dat verdomde gelul, neem me niet kwalijk! Al die onzin over voeten en rotte vis en hocus-pocus-toverspreuken in de Congo! Jij, jij denkt écht dat sokken zinnenprikkelend zijn!'

En Luke herhaalde, intens beledigend, zijn totale lachgedoe nog eens helemaal van voren af aan.

En ik probeerde een antwoord te bedenken, maar dat ging niet omdat er iets tegen me sprak vanuit het onderbewustzijn (niks bijzonders!) – behálve dat dat niet klópt: want het onderbewustzijn kán niet spreken, hè? Nee, dat is veel ouder dan de spraak, en in feite hóórde ik ook niets. Nee, ik zág twee beelden, heel werkelijk. Ja, dat meisje in Boha, een dorpje in Noord-Congo, dat met een klein versleten mes over haar voeten schraapte, en een nog sterker beeld: Luke, in zijn trawlkleren, de blauwe wollen muts, het blauwe T-shirt, de blauwe spijkerbroek die hij onder zijn oliegoed droeg; ja, hij ging wáár dan ook de wal op, in Lerwick. Stromness, Scrabster, Peterhead. En daar stonden twintig of dertig jonge vrouwen te wachten om hem welkom thuis te heten. En ze strekten hun talloze armen uit, als de tentakels van een reuzeninktvis, maar dan de meest goedaardige, de meest voorzichtige inktvis die er ooit heeft bestaan: een inktvis die wanhopig naar liefde verlangde, naar een leven van intens diep geluk.

Dus zei ik niets wezenlijks terug, niets dat ertoe dééd, alleen: 'Reuzeninktvissen? Potvissen?' (En we waren nog steeds pas bij vleet nummer drie.)

'Aye! Potvissen!' zei Luke, nog altijd joviaal, blij, weer genietend van het leven. 'Tja, in feite dacht ik dat ik er alles van wist, zoals je dat kunt denken voor je je de bijzonderheden probeert te herinneren, maar ik heb het nooit opgeschreven, ik heb nooit aantekeningen gemaakt van dat geweldige artikel dat ik heb gelezen, omdat ik het eigenlijk helemaal niet had horen te lezen, niet in de bibliotheek van het Mariene Lab in Aberdeen, waar ik namelijk geacht werd geconcentréérd te zijn op mijn werk aan mijn proefschrift – en dit had helemaal niets met mijn proefschrift te maken. Maar het was briljánt, een heel bijzonder stuk, maar op dit moment kan ik me niet eens meer herinneren waar het in stond... (Vooruit! Neem die vleet! Hou niet op! Nee, nee – alsjeblieft! Dríé opnames, per keer!) Aye, maar die kerel had mássa's potvissen gedissecteerd, en dat is niet zo eenvoudig, zelfs niet wanneer ze gestrand en dood zijn, aangespoeld zijn op de kust (de stank!), en het is zelfs nog moeilijker aan boord van een Noorse walvisjager of iets dergelijks, omdat de jongens het grote kadaver zo snel mogelijk moeten uitkoken. Desalniettemin heeft hij het gedaan! Hij heeft ontdekt dat het rechterneusgat (of was het het linker? Sorry, geen idee!), aye, hij heeft ontdekt dat dit neusgat bij wijze van spreken mijlenlang slingert en kronkelt en terugstroomt, dwars door dat reusachtige spermaceti-orgaan heen, die zak vol olie in zijn kop. En op een of andere manier, ik ben vergeten hoe precies, kan de walvis dit neusgat afsluiten en de lucht daarin écht verhitten en door de hitte wordt de olie in de zak vloeibaar, of iets dergelijks, krijgt die andere eigenschappen, wat het drijfvermogen van het dier regelt, en op dezelfde manier kan hij het neusgat openzetten en de temperatuur laten dalen en de olie laten stollen… Dit verslag klopt misschien niet helemaal precies… Maar het gaat hierom: de potvis, met zijn rare gezwollen kop, zijn spermaceti-orgaan (en het is verdorie een zóógdier, net als wij!), kan met niets op aarde worden vergeleken, nee, met helemaal niets – aye, hij kan zijn eigen drijfvermogen zo doeltreffend beheersen dat hij minstens twee kilometer diep kan duiken, zonder moeite, zonder zweet. En wat doet hij daarbeneden? (En vergeet niet: ondanks het spermaceti-orgaan heeft hij toch nog ruimte in zijn kop voor de gróótste hersenen ter wéreld.) En wat doet hij op twee kilometer diepte? Nou, dat weten we natuurlijk niet, maar hij heeft een ongelooflijk complex sociaal leven en er gaan er massa's naar beneden, allemaal tegelijk, en toch blijven ze contact houden en komen ze samen boven, als één dier, op dezelfde plek op het oppervlak waar ze aan hun duik zijn begonnen – dus hoe doen ze dat? Aye, maar ik vergeet nog wat: als ze daar beneden zijn, weten we door hun maaginhoud, van walvisvaarders (en daar moet trouwens verdomd snel een eind aan worden gemaakt!), aye, weten we dat ze allerlei soorten inktvissen en vissen eten, maar het opwindendste van alles is dat ze de reuzeninktvis, de *Architeuthis*, eten. Ze hebben de reuzeninktvis gezién! Of eigenlijk hebben ze zich de reuzeninktvis elektronisch voorgesteld met behulp van het akoestische systeem dat ze ook in die grote kop van ze hebben, aye, zo'n geavanceerd systeem dat niemand er nog uit wijs kan: één theorie luidt dat ze een enorme impuls, een voltstoot kunnen veroorzaken die zelfs een reuzeninktvis kan verdoven. En neem maar van mij aan dat zoiets niet niks is, want geen enkele reuzeninktvis, weet je, en daar ben ik zéker van, geen enkele reuzeninktvis wíl eigenlijk worden opgegeten… En uiteindelijk zijn het de grootste gewervelde dieren die óóit op deze planeet hebben geleefd: ze kunnen minstens twintig meter lang worden; ze kunnen een halve ton wegen, en hun ogen! Hun ogen hebben een doorsnede van dertig centimeter!'

Luke ging weer zitten, op de rand van zijn blauwe mand.

'Geweldig!' zei ik (maar ik was nog steeds pas bij vleet nummer vier).
'Dat is prima! Ja, dat betaalt al je intellectuele schulden af!'

'Pardon?'

'Ja, heus. Goed, dus nu zal ik je in ruil daarvoor, zoals beloofd, precies vertellen hoe je je leven lang gelukkig kunt zijn!'

'Zeker.'

'Ja! Ik meen het! Alleen – er is één ding. Zie je, Luke, dit weet je niet en waarom zou je ook? Maar ik ben eigenlijk de enige uitvinder van een volstrekt nieuwe fototechniek.'

'O ja?' Luke verloor vrijwel meteen zijn blik van tevreden uitputting, de voldane maar wrokkige blik van alle goede leraren die er genoeg van hebben. 'O ja?'

'Ja, heus. Ik ben de vader, de schepper ervan en het is een buitengewoon succesvolle methode.'

'O ja?' Lukes gezicht kreeg al zijn jeugdige energie weer terug. Hij trok allebei zijn wenkbrauwen vragend op: de drieënhalve dwarse rimpels verschenen weer op zijn voorhoofd (en misschien was er nog een, hoger, maar die ging schuil onder de overhangende rand van irritant overvloedig zwart verfomfaaid haar). Luke (zijn lichaam leek áltijd ogenblikkelijk op een idee te reageren), Luke stond op. 'O ja?'

'Ja, een ontdekking!'

'Aye?'

'Ja!'

Met allebei mijn handen haalde ik voorzichtig het gewicht van de camera met flits van mijn nek; ik tilde de band over mijn hoofd en legde die, een lasso voor de korte afstand, perfect, over de machtige, zwarte, krullerige, dichte keukenzwabber van haar die van Luke was.

'Wat krijgen we nou?'

Lukes flaporen staken nog iets verder uit, bewogen en wezen naar voren – een gevaarlijk teken, dat ik maar al te goed herkende van Bertie, mijn kat. Luke kon elk moment toeslaan.

'Goed, doe niet zo gek. Het is waar, het is simpel, het heeft helemaal geen zin om daar onzeker over te doen – het ís een nieuwe methode, een tot nu toe ongehoorde techniek onder grote fotografen, en het is dit: je geeft die afschuwelijke camera aan wie maar het dichtst bij je staat: je laat iemand ánders die pestfoto's maken!'

En ik nam Lukes plaats in op de rand van zijn blauwe mand, en die was verrassend comfortabel, als een zitstok.

'Schoft – schoft die je bent!'

'Nee, nee, dat is niet nodig, en bovendien, hoe kan ik je terugbetalen voor het verhaal over de potvis als ik fóto's moet maken? Nou? Hoe kan ik je vertellen over die vrouw die je zult vinden? De volmaakte, de ideale vrouw, de vrouw van je dromen! De énige die je gelukkig zal maken! De liefde van je leven van wie je je, tot nu toe, niet eens een voorstelling hebt kunnen maken, althans, niet specifiek, niet praktisch, niet in het échte leven…'

Luke zei naar ik vrees: 'Shit!'

'Nee, absoluut niet.'

En toen: 'En hoe maak je verdomme foto's met dit ding? Waarom doet hij het niet?'

'Nee, echt, Luke, vreet je alsjeblieft niet zo óp. Hoe kun je dat nu weten? Alleen echte professionals zijn vertrouwd met deze dingen…'

'Ach, rot op.'

'Ja, precies… Dus hoef je alleen maar te onthouden dat dit het onvergelijkelijke Nikon-systeem is. Je moet de draaiknop een halve slag draaien, je moet hem spánnen!'

'Zodat je hem in je oog krijgt?'

'Ja. Technisch gesproken steekt hij in je oog.'

'Ach,' zei Luke, die ogenblikkelijk de slag te pakken had van dergelijke onbenulligheden. 'Aye! Maar deze lens, Redmond – die is geweldig! Zoals jíj zou zeggen; aye, die is schitterend, fantastisch, top! Hé, ja!' Flits. 'Kolossaal! Wat een hélderheid! Jeezus – en een geld dat hij kost! Vast!'

'Ja – die lens heeft me geruïneerd, kolossaal! Maar Luke, die vrouw van je…' De enigszins veerkrachtige rand van die blauwe mand was héél comfortabel. (Flits! Flits!) En toen schoot me te binnen, terloops, dat Luke natuurlijk ook een man was, zij het een jonge, dus zou híj zich soms evenmin op twee even belangrijke taken tegelijk kunnen concentreren? (Flits!) Maar goed, dat was dan jammer, als hij echt dacht dat die vleten, zijn promotie, zijn interesses, zijn onderzoek – als hij echt dacht dat al die dingen belangrijker waren dan het vinden van de ideale vrouw en geluk voor de rest van zijn leven, nou ja, dan kon hij de pot op. 'Maar wacht eens even!' zei een inwendige stem (dat was dus níét het onderbewuste – was het misschien de rede?). 'Wat zou de ideale vrouw – die hem aanbidt – wat zou zíj daarvan vinden? Ja, natúúrlijk, zij zou willen dat haar Luke promovéérde, om een geslaagd alfamanne- tje te worden, dat hoog zou worden aangeslagen door zijn mannelijke collega's, in wat voor leven hij maar koos (de keus op zich zou er voor haar niet toe doen)…' Maar goed, ik moest het hem tóch vertellen, hè? Ook al luisterde hij niet…

'Nou, Luke,' zei ik, 'ik heb er lang en diep over nagedacht!' (En toen verpestte ik het gezaghebbende effect doordat ik, ongewild, 'Waf-woef!' zei.) 'Die volmaakte vrouw, dat beeldschone, weelderige wezen van je… Dat spreekt voor zich! Ze moet iets bijzónders zijn en ik bedoel niet bijzonder in romantisch opzicht, geen banaliteiten, nee, ik bedoel gespecialiseerd: een speciale achtergrond, een bijzondere kindertijd, een specifieke carrière. Een vrouw van de reddingsbrigade. Nee, want je hebt me verteld dat er maar twéé bij de hele brigade zijn.'

Flits! 'Redmond, deze lens is ongelóóflijk! Leica, aye, niemand kan tegen die optische instrumenten op, maar aan de andere kant hebben ze een erbármelijke keus aan gespecialiseerde lenzen; dus misschien is het waar wat er wordt gezegd: Leica, het speelgoed van de rijken! Ter- wijl dit…'

'Maar jij, jij houdt wérkelijk van het hoge noorden, of het extreme zuiden voor mijn part, maar aan de andere kant zíjn er geen inheemse volkeren op Antarctica, dus: het hoge noorden? Een eskimo-meisje misschien, een Inuit-meisje? Maar dat weet ik niet, omdat ik er nog nooit een heb ontmoet. Laten we dus rationeel zijn, en néé, Luke, geen accountants van een oliemaatschappij uit Aberdeen, geen lui gelul over het oppikken van alles wat toevallig in je spinnenweb, je dansclub, be- landt, nee! Luke, je moet de wijde wereld in trekken om haar te gaan zóéken, want er zijn er niet veel van! Ze is bijzonder! Ja, het móét dus een vrouw zijn die geboren en getogen is in het hoge noorden, op een plek waar ze de zee kon zien, zo'n uiterst zeldzame vrouw die je nóóit zal vragen met haar naar Londen te gaan, al is het maar voor een week- end. En ze móét begrip kunnen opbrengen voor je altruïsme, voor je zéér curieuze drang om je eigen leven om vier uur 's morgens in de waagschaal te stellen om dat van anderen te gaan redden, van mensen die je niet eens kent en die je nooit meer zult terugzien! Ja, en wat is dus het beroep dat daar het dichtstbij komt?'

Flits! Klik. Geen flits. Luke zei, alsof het míjn schuld was: 'De flits, die doet het steeds niet. Ik ben film aan het verspillen!'

'Na de flits moet je wáchten! Dat is een machtige lichtstoot die je daar hebt! Dus wacht je tot hij er weer klaar voor is, tot het kleine knopje op de achterkant van de kop van die grote zwarte piek gaat branden – en dan kun je het nog eens proberen, dan kun je het opnieuw doen. Ken je dat gevoel?'

'Ach, Worzel. Wat ben je toch gróf.'

'En exact.'

'Aye, tja, maar ik luister níét naar je. Dat moet je weten.' Flíts!

'Zie je wel – het heeft gewerkt! En dit zal ook werken, Luke, want deze vrouw zal haar éígen pieper onder het bed hebben liggen, pal naast die van jou. En er zullen tijden zijn wanneer zíj jóu halverwege het vrijen moet verlaten. Dus dat is eerlijk, hè?'

'Nee, dat is het niet,' zei Luke, die geacht werd niet te luisteren, met zijn hoofd naar beneden gebogen boven het grijze dorsale oppervlak van poolvleet nummer vijf. 'Helemaal niet! En bovendien, word volwassen! Probeer toch niet steeds leuk te zijn!'

Geërgerd zei ik, misschien iets harder: 'Ik probéér niet leuk te zijn... En als ik dat wel deed, nou, bárst, Luke, dan wás ik ook leuk! Nee, ik meen het... Die heerlijke, warme, zachte fantasievrouw van jou, die is heel liefdevol en vergevingsgezind, en ze woont op de Shetlands, of niet?'

'Inderdaad!' Een pauze. Flits! 'Gelukt!'

'Maar wat dóét ze? Daar gaat het om. Wat heeft ze voor werk?'

Luke deed of hij gericht was op zíjn werk, op het ventrale oppervlak van vleet nummer vijf. Geen flits. Geen antwoord. Hij luisterde.

'Wat voor werk zou haar een pieper geven en haar midden in de nacht wegroepen – misschien naar een eiland voor de kust, naar een of andere rots in zee, om iemands leven te redden? Nou?'

Flits! Geen antwoord. Zelfs geen grom van herkenning dat de grote centrale vraag in zijn leven eindelijk onder woorden was gebracht... Een ontdekking!

'Goed, Luke, als je niet met me wilt praten, als je denkt dat het prima is om je op zo'n moment als dit uit te leven in zelfgenoegzame passieve agréssie: mij best! Maar ik zal niet vergeten dat je op dit punt niet betrokken wilde raken bij de seksuele werkelijkheid. Nee! Maar ik zal het je toch vertellen! Ja! Ze zal wijkverpleegster zijn!'

'Hè?' Luke ging rechtop staan. Hij liet vleet nummer zes alleen liggen. 'Wijkverpleegster?'

'Ja, op de Shetlands. Daar zul je nooit een vrouwelijke dokter, een huisarts aantreffen. Nee, die kansen zijn absurd, dat is statistisch gezien onmogelijk, maar een wijkverpleegster? Er móét een statistisch significant aantal wijkverpleegsters in de vruchtbare leeftijd zijn die verliefd op je kunnen worden... Ja, Luke! Je zult naar de Shetlands moeten gaan, om haar te gaan zoeken: een gerichte, toegewijde, vastberaden, meedogenloze zoektocht naar een wijkverpleegster...'

Luke, de fotografie vergeten, kwam naast me zitten, rustte op de rand van de belendende rode plastic mand (wat een triómf!). En daar zaten we op onze manden, met onze handen op onze knieën, als twee oude mannetjes op een bankje in een park.

'Ja, Luke, stel je eens voor! Stel je eens voor dat je dat blauw-witte stijf gesteven uniform uittrekt! En daaronder is het allemaal zo zacht en warm!'

'Nee! Nee!' Luke raakte gespannen: hij haalde zijn handen van zijn knieën, rechtte zijn rug en legde allebei zijn handen tegen zijn nek. Nee! Je zit er volkomen naast! Wat grof! Nee, het gaat niet om een úniform of een týpe meisje, een blondine of een brunette of een vrouw met zwart haar en kleine borsten of grote borsten of met dit of dat of weet ik veel wat! Nee! Nee! Nee!'

Overdonderd trok ik me voorzichtig terug van deze heftige uitval en het scheelde een haar of ik viel van mijn mand, naar stuurboord.

'Nee! Het heeft niets te maken met die oppervlakkige smeerlapperij waar jij en jouw slag zo van schijnen te houden. Nee! Ik wil écht een vrouw bij wie ik altijd zal blijven, aye, gewoon die éne. En zoals jij al zei, Ally is het niet.' (Had ik dat gezegd? Nee. Beslist niet. Tenminste – ik geloof niet dat ik dat had gezegd...) 'Nee, ze zal beslist bij me weggaan; aye, je hebt gelíjk, dat geef ik toe: want, zoals je al zei, tja, ze heeft me inderdáád verteld dat ze over twee maanden uit Aberdeen weggaat (geen gedans meer!) voor een grote promotie binnen het bedrijf; ze heeft een nieuwe baan op het kantoor in Londen gekregen. Maar jij, Redmond, jíj schijnt te denken dat het allemaal een gráp is...'

'Natuurlijk is het geen grap! Goddorie, Luke...'

'Aye, nou ja, ik wil die vrouw écht hebben, zoals je schijnt te hebben geráden, misschien doordat je al zo oud bent, en ik begin wanhopig te raken, dat is waar, maar ik wil een vrouw met een persóónlijkheid waarop ik verliefd kan worden, ik wil verliefd worden op wíé ze is, op de echte vrouw… Aye, al dat geléúter van jou: verpleegsters in uniform, blondines, weet ik veel, waar háál je het vandaan! Nou? Kun je je vóórstellen hoe beledigend dat is voor een vrouw?'

'Ja, nu je het zegt, Luke, ja, dat kan ik. Het spijt me. Wat het ook is geweest, ik neem het allemaal terug,' zei ik, terwijl ik me, terecht, berispt voelde, en me net wat, een heel klein beetje, schaamde.

'Ach, nee: ik wil verliefd worden op het geheel, op de échte vrouw.' Bij die gelukkige gedachte keerden Lukes handen weer naar zijn knieën terug en leunde hij een paar graden naar voren, ontspannen. 'En op haar beurt, als ik héél erg bof, zal ze van mij houden, om wie ik ben, bij wijze van spreken, en ze zal niet tegen me liegen en ze zal in de eerste plaats geen leugens op haar gezicht dragen: make-up!'

Ik dacht: zo, dat is een hele opluchting, want dat betekent dat ik niet de enige halve gare in de verwerkingskamer ben… Make-up? Wat mankeert er aan make-up?

'Want ik wil haar precíés zoals ze écht is, zonder gelul! Zonder pretenties, ik wil háár, om wie ze ís, zonder dat er een woord over wordt vuilgemaakt; en ik wil vooral, aye, al die kléíne dingetjes waarvan ze denkt dat het haar fouten zijn – of grote dingen, voor mijn part, dat kan me niet schelen, als ze maar altijd bij me blijft, en ik wil écht kinderen, maar stel dat ze om een of andere reden geen kinderen kan krijgen, dan zou ik nog ontzettend veel van haar houden als ze altijd bij me blijft. Aye! Zonder leugens: precies zoals ze is als je in een vliegende storm, windkracht 10, op een kreet reageert! Aye, en dan zal ik haar respecteren en van haar houden, zal ik ontzettend veel van haar houden tot aan mijn dood – en misschien, weet je, heel misschien zullen we wél kinderen krijgen, massa's kinderen, maar aan de andere kant, wie zal het zeggen?'

'Luke, je móét een maand of twee naar de Shetlands gaan! Om haar te zoeken!'

'Aye! Maar als het een wijkverpleegster is en we altijd bij elkaar blijven, kan ik mijn fantasie nog uitbreiden, hè? Je weet wel, dat vikinghuisje, bij wijze van spreken, al die dingen meer, die kan ik eraan toevoegen, hè?'

'Natuurlijk! Waarom niet?'

'Want tegen die tijd zal ik goed verdienen en zij ook, dus zouden we misschien, heel misschien, in de wittebroodsweken, weet je wel, die be-slist járen zullen duren, omdat ik ontzettend veel van haar zal houden… zouden we dan een zeilboot kunnen kopen? Wat denk je? Een metertje of acht? En die zal ik natuurlijk naar haar noemen. En dat is eigenlijk allemaal een geheime droom, echt geheim, een malle fantasie die ik al twintig jaar koester… En we zullen de kust van Shetland vanaf zee verkennen, met ons tweetjes, en dan, als ze eraan gewend is, zullen we samen naar Noorwegen varen, met ons tweeën, en we zullen rondsnuf-felen tussen de eilanden en we zullen de fjorden tussen Bergen en Sta-vanger in gaan en dan zullen we naar onze cottage terugkeren! Aye, en we zullen kínderen krijgen. En nog iets: ik weet het – dit zul je belachelijk vinden, dat weet ik, maar ik wil een túín hebben, omdat ik groente wil kweken. En ik wil bómen planten. Aye, ik hoor je wel, zoals jij zou zeg-gen… Maar je hebt het mis, want zelfs op Unst, tussen 60 en 65 graden noorderbreedte, ik ben het precieze cijfer vergeten, maar het ligt op de-zelfde breedtegraad als Zuid-Gróénland, het is het noordelijkste van alle Britse eilanden, het uiterste noorden van de Shetlands, aye, en het aller-mooiste, neem dat maar van mij aan, het allermooiste plekje op aarde, neem me niet kwalijk, want zelfs dáár kun je bomen laten groeien!'

'Gelul! Er zíjn geen bomen op de Shetlands – dat weet iedereen!!'

'Je hebt het mis!' Luke werd heel opgewonden, hartstochtelijk over – wat?

Bomen? Hadden we het nu over bómen? En ik dacht even dat hij wellicht zou gaan staan en álles zou bederven (de oude mannetjes, het gesprék, de vrede, het parkbankje). Maar hij bleef waar hij was, ternau-wernood, op de rand van zijn rode plastic mand, en ja, dacht ik, de be-weeglijkheid, op en neer (en heen en weer), in deze plastic zitplaatsen: wow! Zo actief vriendelijk, zo heen en weer bewegend, gerieflijk voor de onderrug, en misschien kun je door een of twee draaibewegingen de pijnlijke plek helemaal onder in je rug ópzoeken en verpláátsen? Naar rechts? O jezus! Nee! Naar links dan? Ja! Dat is beter, dat is echt een héél stuk beter, wat een opluchting…

'Je hebt het mís, Worzel – aye, want toevallig ben ik op de Shetlands gewéést! En aye, toevallig was ik daar verdomme níét op zoek naar een wijkverpleegster!'

'O nee? Echt niet? Des te stommer van je! Meer heb ik niet te zeggen

– want dat móét je doen, en snel, Luke, snél, want je bent ouder aan het worden! Dit, dit is je láátste kans.'

'Jezus! Wil je daar eens mee ophouden? Wil je daar eens even mee ophouden – en luisteren?'

(Luke had 'Jezus' gezegd, hè? Dus had ik hem te pakken, ja: Luke begon in te storten; dus Luke zou mijn advies opvolgen, hè? Ja, wat er ook zou gebeuren, ik zou er beslíst voor zorgen dat deze belachelijke, koppige jonge held van de reddingsbrigade gelúkkig zou zijn! En wat dat betreft is er maar één manier, dat weet iedereen: je hebt alleen maar de júíste vrouw nodig…)

Luke zei gekwetst, maar zonder (daar was ik toch zó blij om!) van zijn mand op te staan: 'Want de grote dokter Saxby, een kerel die je echt zou mogen – och aye, die zou je écht mogen, want hij leefde in de negentiende eeuw en nu is hij dóód! Aye, dokter Saxby wás de dokter van het eiland, de man die *The Birds of Shetland* heeft geschreven, nou ja, om precíés te zijn, zoals jij zegt, zijn broer (een pastoor! Wat zeg je me daarvan?), die heeft alles samengesteld uit Saxby's papieren, na diens dood, en in 1874 gepubliceerd… Maar goed, waar was ik? Aye! Bomen! Dokter Saxby hield dus óók van bomen, en hij heeft een grote ommúúrde tuin gebouwd naast zijn huisje bij de Baltasound op Unst, en daarin heeft hij platanen geplant (ik gelóóf dat het platanen waren) – en wat dacht je? Die groeiden! Het noordelijkste bos van de Britse eilanden! Maar nu is zijn huis, waarin al die negentiende-eeuwse noordelijke wetenschap heeft plaatsgevonden, een ruïne… Maar als je over een kapot smeedijzeren hek klimt, kun je van dat kleine stukje bos geníéten: spookachtig, betoverend! Een betoverende plek! En al die arme kleine trekvogeltjes, de roodborstjes en merels en God mag weten wat nog meer, die Scandinavië móéten verlaten, waar ze zich 's zomers zo fijn kunnen voortplanten (de insecten, de kriebelmug!), maar dat 's winters een onmogelijke vogelhel van sneeuw en ijs wordt – aye! De gelúksvogels onder al die duizenden (misschien miljoenen?), de geluksvogels onder al die duizenden kleine landvogeltjes die door de verkeerde poolwind van hun koers worden geblazen (waardoor ze bijna allemaal uitgeput in zee terechtkomen en verdrinken, subiet, en onze vissen voeden), aye, de zeer weinige geluksvogels gaan állemaal naar het bos van dokter Saxby, en ze kunnen het niet gelóven, maar ze zijn veilig, ze zitten in een bos, ze overleven het!'

'Goaaal!' schreeuwde ik automatisch, formulair – maar desondanks wás het een geweldig verhaal, hè? En vervolgens zei ik gepikeerd, omdat ik me buitengesloten voelde (Luke had immers beloofd me álles te vertellen): 'Luke, je hebt me nóóít verteld dat je op de Shetlands bent geweest!'

'Aye, omdat mijn móéder het heeft betaald. Daarom heb ik het je nooit verteld. En er is nog iets: ik wil heel graag een hond hebben. Een collie. Zo'n fantastische hond: ze zijn zó intelligent, dat houd je niet voor mogelijk! Aye: een grote donzige collie, een teef – hun ogen! Ze kijken je de hele tijd aan… En als je "Zit!" zegt, gaan ze zitten…'

'Ja, ja. Maar de Shétlands? Je hebt me nóóít verteld dat je op de Shétlands bent geweest…'

'Aye, tja. Dat heb ik wel gedaan. En ik kan je niet alles vertellen, hè?'

'O ja, dat kun je best – en dat hóór je ook te doen. Je hebt me over Signy Island verteld – maar over de Shétlands?'

'Aye, okay, nou ja, geen wonder dat ik het je niet heb verteld, want mijn móéder heeft het betaald. Maar in feite zijn het twee maanden geweest, in de rustige periode voor ons, in Aberdeen, aan de universiteit, bij het Mariene Lab, en zoals je weet heeft een promovendus die aan zijn proefschrift werkt maar recht op twee vrije weken per jaar en dat geldt, om een of andere reden, voorál voor de oudere studenten… Maar ik denk dat mijn promotor (een geweldige kerel!) en mijn moeder (ze is fantástisch, je zou haar echt mogen), ik denk dat die beslíst contact hebben gehad, want het is waar, ik hád er vreselijk veel moeite mee om aan mijn proefschrift te begínnen! Aye, ik had al mássa's gegevens van trawlers, uit zee, en van wat werd aangevoerd, van de vismarkt in Scrabster, waar mensen als Jason om drie uur 's morgens de haven binnenlopen, en dan komen de bootwerkers om het ruim te lossen met die laadboom van het schip daar en de kisten worden onder de lampen van de trawler opgehesen en op de wal gezet, en de ploeg bootwerkers trekt ze de grote loods in op die afschuwelijk wankele driewielige marktkarretjes… Aye, en omstreeks zes uur 's morgens arriveren de kooplieden, en het is allemaal héél gespannen… En als iedereen klaar is begint de veiling – honderden en honderden kisten, als je succes hebt gehad, allemaal uitgespreid, en de veilingmeester en de kooplieden lopen van kist naar kist, van rij naar rij, en de koop wordt gesloten…'

'Luke! Shetland! Ik wil écht over Shetland horen!'

'Aye, nou goed – maar weet je, ondanks mijn verdiensten, mijn spaargeld van de jaren in het zuiden van de Atlantische Oceaan, op Signy Island, en als visserij-inspecteur op de Falklandeilanden: in feite had ik geen geld. En in Aberdeen, tja, je kent dat wel, de afleiding! The Moorings, de pub in de haven, vol met al je vrienden, elke avond! En de clubs – het dansen! Aye, dus zoals ik je geloof ik al heb gezegd, hebben mijn moeder en mijn promotor elkaar misschien telefonisch gesproken – en de keus viel op een cottage in Penan, een bijzónder mooi toeristisch dorpje aan de Schotse oostkust waar ze opnamen hebben gemaakt voor een film die *Local Hero* heet. Of, duurder (doordat het zo héél ver weg is), een plaats in het hoge noorden, op Unst. Tja, dat was het, hè? De plek waar je iemand beslist naar toe moest sturen om in grote afzondering serieus aan zijn proefschrift te gaan werken… Dus nam ik mijn kleine witte bestelbus van het lab, het busje dat ik gebruik voor mijn hele uitrusting als ik op de markt in Scrabster een steekproef moet nemen van de diverse soorten – en ik had de aantekeningen voor mijn proefschrift en mijn computer in één krat, en mijn kleren in een ander, en mijn laarzen en alles waarvan ik verder dacht dat ik het nodig zou kunnen hebben achterin – maar néé, zelfs toen deed ik mijn best: ik dacht ná over wat ik nodig zou kunnen hebben en ik kwakte alles er níét zomaar in, zoals jij doet: sokken, papieren, boeken die al honderd jaar niet meer te krijgen zijn, bergen smerigheid… Nee…! Daar zou ik niet tegen kunnen!'

'Ja, ja! Geweldig! Maar waar ben je naar tóé gegaan?'

'Aye!' Luke keek slecht op zijn gemak strak naar bakboord. (Naar bakboord, waar niets te zien was: alleen de roestige klinknagels met daaromheen een bruine kring, de roestige platen met bruinoranje randen, maar hé, dacht ik, het moet daarbúíten vroeg in de ochtend zijn, want het zwakke, zuivere, witte poollicht komt hierbínnen, horizontaal, door het spuigat aan stuurboord – en dat veroorzaakt de móóiste patronen met de vlekken roest op het ijzer, en op de oude, bobbelige witte verf; en ja, kíjk daarnaar, dacht ik, op beide manieren, want dát is, neem ik aan, precíés de manier waarop verder volstrekt redelijke mensen tot het besluit komen om schilder, kunstenaar te worden…) 'Aye!' zei Luke, die zijn hoofd omdraaide en zich concentreerde, nu recht voor zich uit starend – naar de striptafel (bezaaid met een mengeling van zijn liefdevol gedocumenteerde maar nu afgedankte vissen). 'Voor mij – is het géén goed verhaal, daarom heb ik het je nooit verteld, ondanks één ding: tja, om eerlijk te zijn, was het ontegenzeglijk de beste tijd die ik ooit van mijn leven heb gehad sinds Signy Island, sinds de Zuid-Orkney-eilanden, de zuidpool!'

'Ja?' zei ik, terwijl ik iets naar voren schoof, in een poging de pijn in mijn rug te verplaatsen zonder van de rand van mijn blauwe plastic mand op te staan – want dat was zonneklaar: ik mocht me níét verroeren, ik mocht de zaak op geen énkele manier verstoren, nee, absoluut niet… 'Maar de Shetlands?'

'Aye! Ik nam de St Clair, de veerboot (een gróót schip!), van de pier in Aberdeen – regelrecht de havenmond uit, langs Fittie, en je kunt mijn huis zién als je de kust verlaat…'

'Wat was er dan verkeerd – waarom is het geen goed verhaal?'

'Hè? Omdat ik het niet betaalde natuurlijk! Mijn hele leven, tot aan dat verdomde promotieonderzoek, neem me niet kwalijk, heb ik voor mezelf kunnen betalen en méér dan dat. Maar nu, het is zo beschamend, kán ik dat niet: en de reddingsbrigade, zie je, daar ben ik een vrijwilliger, en dat zou ik onder geen beding willen veranderen, maar ik wordt er níét voor betaald.'

'Luke, hou toch op, geen enkele promovendus wordt betaald! Maar je zult je proefschrift áfmaken, en íédereen zal je in dienst willen hebben! En over een jaar of twee kun je je moeder terugbetalen, volledig, met interest!'

'Aye. Als ze nog zo lang leeft.'

'Ach. Tja. Sorry. Neem me niet kwalijk…'

'Aye. Het is érg. Maar kijk, nou heb ik het je verteld… Ik zal je er álles over vertellen, want de plek waar ik woonde, de plek waar zij voor had betaald, ach, die móést wel maken dat ik me schuldig voelde… Want het was het állermooiste huisje van de hele wereld!'

'O ja?'

'Aye! Dat was het! Nou en of!' Luke richtte zijn blik op mij, keek me recht aan, met een enorme grijns, met een stel volmaakte witte tanden in het voorste deel van de bovenkaak. (Hoe oud was hij nu eigenlijk? Echt? Dertig? Vijfendertig? Nee, tóé, maar toch, hoe lukte hem dat? Ja, natuurlijk, dacht ik, Luke heeft natúúrlijk gedurende zijn hele actieve arbeidzame leven alleen maar de meest verse vis gegeten…) 'Aye! Maar aan de andere kant, inderdaad,' zei hij, 'ik zéík niet, zoals jij! Nee, nooit, helemaal nooit – dus misschien was het alleen maar het méést fantasti-sche huisje van heel Európa: aye. En alles eraan even top!'

'Ja? Echt? Maar waar lígt het godverdorie?'

'Goed, goed, ik hoor je wel, ik heb niet veel huisjes in Europa gezien, dus weet ik het niet, maar ik ben er zéker van, okay? Want je kunt je geen betere plek voorstellen, hoe je ook je best doet! Maar misschien, Worzel, heel misschien, omdat je al zo oud bent, en omdat je overal bent geweest en omdat je versleten bent, even oud als de Blackstones, de motoren, zoals de jongens zeggen, neem me niet kwalijk – misschien heb je daardoor betere huisjes in Europa gezien, maar dat geloof ik niet! Goed, dus weet je wat, wat vind je hiervan: het is absoluut het méést schitterende huisje in het hele Verénigd Kóninkrijk, van álle Britse eilanden! Wat vind je daarvan?'

'Luke, in vredesnaam, waar ligt het verdomme?'

Luke, zo geestdriftig door de gedachte aan dat húísje, een doodge-wone plek (en nee, het zag er echt naar uit dat er geen vrouw bij de herinneringen betrokken was), Luke, met al zijn zwarte krulhaar, die er heel jong uitzag, zei: 'Hannigarth, Uyesound, Unst, Shetland. Aye, meer hoef je niet te onthouden: en íedereen, zelfs jij, kunt ernaar toe gaan! Je kunt de cottage húren! En dat zou je móéten doen, Worzel, want dat zal je leven veranderen!'

'Maar ik wil mijn leven niet veranderen!' zei ik, onmiddellijk kregelig bij de gedachte, ondanks alle opwinding. 'Nee! Niet in het allerkleinste, niet in het allerminiemste detail, tot geen enkele rotdwergmuis aan toe! Nee, dat wíl ik niet.'

'Worzel!' zei Luke, nog altijd afschuwelijk opgewekt en weer hele-maal vitaal door de gedachte aan die stíp op de kaart. 'Worzel!' En toen, zomaar ineens, met een totale, oprechte lach die door zijn hele lichaam trok (wat bijna even kwetsend was als die lach van Jason, en minder verklaarbaar), sputterde hij door die perfecte tanden waar hij naar mijn mening geen recht op had: 'Meneer McGregor! Zijn kruiwagen! Een gieter! Peter Konijn!'

'Wat bedoel je verdomme?'

'Hè? Dát… dat wil zéggen' – hij imiteerde mijn accent – 'als je zulke woorden gebruikt, ouwe jongen, is dat niet nétjes.'

'Aan m'n reet!'

'Aye, maar alle gekheid op een stokje, en het is nog héérlijke gekheid

ook' – Luke zat nog steeds zachtjes te schudden – 'je móét ernaar toe…
Naar Hannigarth. Iedereen moet erheen… Al is het maar één keer in je
leven… En het is eenvoudig, heel eenvoudig… Bij de vvv van Shetland
weten ze er alles van! Hoewel ze de enigen zijn… Mary Ourousoff, ze
woont ergens bij Gloucester. Dat is het! Raar, hè? Fantastisch – weet
ik veel? Iets wat maar één keer in een mensenleven voorkomt… Is het
niet? Jij zou het moeten weten! Ach, waar het om gaat, zoals jíj zou zeggen, is dat het maar een cottage was, een klein verbouwd boerderijtje:
geen vrouw, geen romantiek, nee, gewoon een plek – maar wát voor
een plek! Aye, dichter zullen jij of ik nooit bij het paradijs komen… Je
weet wel, al dat gelul waar jij zogenáámd niet in gelooft en waar ik écht
niet in geloof.'

'O, Luke, in jezusnaam!'

'Zo zie je maar! Aye, maar het is waar.' Luke wendde zijn blik weer
af, naar bakboord, een snelle, krampachtige kleine hoofdbeweging. 'Ik
heb erover nagedacht wat ik je zou kunnen geven – om je te bedanken,
weet je, voor je gezelschap op deze reis, een van mijn vele trawlers: maar
in feite heb ik nog nooit zo'n tijd gehad als nu, want, ik zal eerlijk zijn,
normaal is het gewoon een vast aantal plaatsen, trekken, hoe je ze maar
noemt: een verslag van dieptes, van alles wat aan boord komt, de temperaturen van mijn minilog aan het net… dergelijke dingen… maar ik
heb nog nooit iemand anders bij me gehad, weet je, iemand van buiten,
zeg maar, een metgezel door wie alles zo anders is geworden en die zo'n
godvergeten warboel in mijn hoofd heeft veroorzaakt… Jezus! Ik zal
een slááp nodig hebben! Maar ik dacht desondanks… dat we misschien
op een dag samen iets zouden kunnen ondernemen, de vróúwtjes van
de poolvleet gaan zoeken, of de zéér jonge Groenlandse heilbot, de
zwarte hel – en Robbie: die heeft vast gelijk! Aye – of nog beter, dacht ik,
we zouden de Rockalltrog kunnen verkennen – daar werken heel veel
trawlers; of de Porcupinebocht, of, het allerbeste, de Porcupine Abyssale Vlakte – en díé gebieden, waar de zeebodem en het water maar een
paar honderd meter dieper zijn dan hier (alhoewel, aye, de Porcupine
Abyssale Vlakte is íéts anders omdat de zeebodem daar, geloof ik, als
ik het me goed herinner, op een diepte van ongeveer 4500 meter ligt):
maar het gaat híérom: die gebieden, voor onze deur, bij wijze van spreken, vlak voor onze kust, die gebieden zijn nagenoeg volkómen ónbekend… Dus is dat wóést of niet?'

'Woest!'

'Aye, maar dat kan ik allemaal niet garanderen, niet voor ik mijn promotie achter de rug heb: als ik daar al ooit toe in staat ben, als ik dat al ooit doe! Dus dacht ik dat ik je in plaats daarvan maar van die geheime plek moest vertellen, van Hannigarth! Omdat jij daar wel naar toe kunt gaan, wanneer je maar wilt; en je kunt je gezin, je vrouw en je kinderen ook meenemen! Ik moet je namelijk met kénnis terugbetalen, snap je, omdat cadeaus niet gaan, omdat ik geen geld heb!'

'Luke! Luke! Doe niet zo mal! Natuurlijk zul je een vrouw vinden – je zult écht trouwen met een wíjkverpleegster... en ja, het staat als een paal boven water dat jullie kinderen zullen krijgen!' Wat niet helemaal goed klonk, en bovendien, dacht ik, kijkt Luke nog steeds de andere kant op, maar als hij ook nog maar één aardig woord tegen me zegt, nou ja, ik heb toch zeker geen slaap gehad? (Of éigenlijk, zei de inwendige stem, ja, heb je de láátste tijd aardig wat geslapen, maar natuurlijk niet de ruim tien uur waaraan je gewend bent...) Luke, zei ik bij mezelf, hou ermee óp, alsjeblieft, Luke, hou ermee óp, want ik heb geen slaap gehad, en dat is níéts voor mij, en als je me ooit nog ergens voor bedankt: dan barst ik in tranen uit... En hoe zou je daarmee omgaan?

Luke, die tot zichzelf kwam, veronderstelde ik, staarde nu recht voor zich uit naar de lange lopende band waarvan de roestvrijstalen zijkanten van de striptafel naar het ruim liepen (en de bovenste vijf centimeter van de bakboordkant blonk in het horizontale licht van het spuigat aan stuurboord)... 'Hannigarth kijkt uit over schapenweiden en kijkt neer op de zee, op de grote baai voor je, en daarbeneden, hoog op het strand, is een écht vikinghuisje: je kunt de muren nog zien en de koevormige (hij is breed in het midden) toegang naar de stal. En – ik kan het niet beschrijven, maar ik zeg je dat ik het allemaal in mijn hoofd heb, nu nog: de kapen, de kliffen een heel eind naar rechts (met een enórm diep ravennest in de zijkant van een ravijn – aye: de raven zijn daar ook al duizenden jaren, wij zijn niet de enigen). En onder wat overhangend gras voor het strand zul je het nest van een Shetland-winterkoninkje aantreffen, en op het strand zijn noordse sternen met hún jongen, en als je naar het noorden loopt, naar het kleine begraafplaatsje waar zoveel gedenkstenen voor verdronken zeelieden staan, storten de volwassen sternen, de ouders, zich als duikbommenwerpers op je: "tir-rik-tirrik"! En er zijn ook twee grote jagers die daar broeden, en je zou moeten zien hoe díé vliegen! Schoften, want ze zitten op het strand te wachten en te kijken tot ze zien hoe een neerduikende stern weer met een zandspiering bovenkomt, weet je wel, en dan pats boem! Ze vliegen op in de wind – en je zou ze moeten zien! Pijlvleugels, een wigvormige staart met aan de achterkant een stel veren als tangen… Waar zouden díé toe dienen? Vast voor de aërodynamica. Dat kleine beetje extra dat helpt als je wervelend neerdaalt en aan de staart van een noordse stern gaat hangen… Een noordse stern, de beste langeafstandvlieger ter wereld… De enige vogel die elk jaar van het noordpool- naar het zuidpoolgebied trekt, en toch vlogen die twee grote jagers wanneer ik toekeek negen van de tien keer harder dan de noordse sternen, en dan liet de stern zijn zandspiering in het water vallen, waarop de grote jager hem oppikte en in een glijvlucht terugkeerde naar zijn nest om zijn éígen jongen te voeren!'

'Luke, het spijt me, maar ik zie het: het is tijd om je te gaan voort-planten…'

'En er zijn daar natuurlijk ook otters, en dwergvinvissen en grienden en orka's – die komen allemaal in de baai. Maar ik zal je eens zeggen wat me zorgen baarde: vogels zijn, zoals je weet, niets voor mij – ik houd van vissen, werkelijk waar! Maar desondanks raakte ik écht ge-steld op die roodkeelduikers – die ze op de Shetlands de "regengans" noemen, omdat ze zo'n kreet hebben waardoor de rillingen over je rug lopen – woest! Echt woest! En vlak voor het gaat regenen! Maar aan de andere kant is het daar altijd vlak voor het gaat regenen – of het moet al regenen… Maar goed, jij moet het weten, dus wáárom roepen ze als ze in de baai beneden hebben gefoerageerd en dan 's avonds recht over Hannigarth terugvliegen naar hun jongen in het nest naast een klein binnenmeer, waarom roepen ze dan "Wek!" bij elke vleugelslag naar beneden en "Wek!" bij elke vleugelslag naar boven? Is dat geen krank-zinnige energieverspilling, kolossaal?'

'Joost mag het weten, Luke, want ik heb er nog nooit van gehoord. Maar kijk, weet je zéker dat iedereen naar die bijzondere plek van jou toe kan? Nou?'

'Natuurlijk! Je kunt het gewoon bóéken. Mijn moeder heeft het voor me gedaan – omdat ze werkelijk vond dat Unst bijna aan het eind van de wereld lag… Dus was het zonneklaar: dat móést de ideale plek voor me zijn om aan mijn promotie, mijn dissertatie te gaan werken – heel ver bij elke vorm van sociaal leven, van afleiding en dansfeesten vandaan – want toen begon de éérste deadline al te naderen!'

'En van wie is het?'

'Dat heb ik je al gezegd, van Mary Ourousoff, en ze zeggen dat ze een verrekt excentrieke figuur is, een binnenhuisarchitecte, weet je, en dat is ook een reden waarom ik me daar zo schuldig voelde: in het hoge noorden en tóch van alle gemakken voorzien, tja, aye, het is verdómd luxueus, neem me niet kwalijk… Een verbouwd boerderijtje, maar zo goed gedaan. Op een of andere manier intact gebleven… En haar man, tja, ik heb hen natuurlijk geen van beiden ooit ontmoet; hij is een Wit-Rus, neem ik aan, maar hij is een échte uitvinder, anders dan jij, dilettant die je bent…' Luke, die werd herinnerd aan het misdrijf, het gedoe met de camera, haalde het grote zwarte apparaat van zijn nek en legde het behoedzaam, dat moet gezegd worden, voor zich op de grond – wat in orde was, omdat de grond nu alleen maar een klein beetje nat en zout was en bovendien was de jonge Luke mijn vriend… En daar kwam nog bij dat hij me die plek aanbood, Hannigarth, en dat lag verdorie op de Shetlands… 'Aye, meneer Ourousoff is naar verluidt een échte uitvinder, anders dan jij; nee, hij heeft allerlei dingen ontworpen, echte stukken landbouwgereedschap, appelplukkers, allerlei nieuwe machines…'

'Geweldig!'

'Maar goed, Hannigarth, dat is fantastisch! Werkelijk fantastisch! Dát geef ik je dus: de kans om naar dat paradijs te gaan! Aye, en als je daar bent, zul je Dougal leren kennen, die het stukje grond pacht; je zult zijn schapen zien en zijn collie natuurlijk, die heet Meg, maar ook zijn kippen, en het verplaatsbare kippenhok dat hij zelf heeft gemaakt, en ik noem het kippenhok op wielen alleen maar, weet je, omdat hij er héél trots op is, en naar mijn mening, zoals jij zou zeggen, is dat volkomen terecht, want neem maar van mij aan dat het een verrekt ingewikkeld staaltje timmerwerk is, top!'

'En hoe is het gegaan, Luke? Heb je daar wat gewerkt? Iets geschréven, bedoel ik?'

'En je zult ook zijn vrouw leren kennen, Angela, die in Hannigarth is opgegroeid toen het nog écht een klein boerderijtje was… Ze is teruggegaan naar Unst, en ze heeft Dougal meegenomen, vanuit het zuiden, vanuit Schotland. En ze hebben twee schattige, parmantige dochtertjes... En zo gaat dat. Ik zeg het je: Unst is te gek, fantastisch! Dus probeert iedereen die daar is geboren er weer naar terug te gaan, uiteindelijk... Angela geeft natuurkunde op de eilandschool. Maar goed, waar het echt om gaat is dít: het zijn musici! Geweldige musici! Dougal speelt gitaar, en Angela – zij speelt viool, de échte Shetland-viool, een techniek die van generatie op generatie wordt doorgegeven, weet je – en je zult het nergens beter horen, en ze spelen samen in een bandje, een groep, aye, ze spelen op alle dansfeesten in de dorpszalen, en ze zijn héél goed, fantastisch! En je houdt het niet voor mogelijk: die dansfeesten! Zoveel dansavonden! Het drinken! De vriendschap! Het sociale leven! Daar helemaal op Unst! Ik zeg je dat het je úítput... Fantastisch! Woest! Aye, veel beter dan Aberdeen! En toen ik thuiskwam in Fittie ben ik een wéék bewusteloos geweest...'

'Luke!'

'Aye, ik weet het – en zeg het alsjeblíéft niet tegen mijn moeder, mijn familie... Maar goed, het ís alweer enige tijd geleden... Maar toch...'

'En, het daadwerkelijk schríjven van het proefschrift? Tegenover de pret, de opwinding, van reddingsboten, van trawlers? Ja, Luke, je bent verslaafd aan de adrenalinestoot, dát is jouw probleem, dus: héb je nog iets geschreven?'

'Aye, heus! Dus rot op! Neem me niet kwalijk! Ja, ik heb er geschre-ven... Drie hoofdstukken. Nou ja, zeer korte hoofdstukken... en dat heb ik binnen de kortste keren gedaan, in twee weken. Aye, die heb ik geschreven in de twee weken voor ik Dougal leerde kennen, voor hij me vertelde van de dorpshuizen, de dansavonden! En daarna... Grandioos! Groot feest! En ik heb zijn hele aangetrouwde familie leren kennen, en verder ook zo'n beetje iedereen op het eiland. Maar des-ondanks... geloof ik toevallig... dat ik nooit een wijkverpleegster ben tegengekomen.'

'Natuurlijk niet. Wijkverpleegsters – daar moet je naar zóéken!'

'Maar wat die dissertatie betreft, weet je, om eerlijk te zijn, heb ik het écht geprobeerd – toen ik daar net was aangekomen, ach, terwijl de wulp riep, en de goudplevier werkelijk overal aan het broeden was, en ik was helemaal alleen en er was niets anders te doen, dus was er niks aan. Ik zette de kleinste van de twee keukentafels voor het raam in de grote slaapkamer op de begane grond. En dat kijkt recht uit op die woeste zee. En ik vond precies de goede stoel en ik ging aan het werk.

Maar er is net buiten de cottage een stukje grond waar een laag muurtje omheen staat, ooit een kweekplek voor jonge groente, vermoed ik, en in de verste linkerhoek van dat afgesloten stukje grond ligt een omgekeerde jol van wit fiberglas. En terwijl je je probeert te concentreren op je werk (statistieken! Ik háát statistieken!) kijk je uit je raam: een jong konijntje schiet onder die jol vandaan; hij controleert de wereld, hij beweegt zijn neusgaten, weet je wel, en hij begint meteen aan de serieuze taak om gras te eten… En je gaat weer aan het werk en je berekent iets en schrijft een of ander saai getal op – en dan kijk je op: en daar is nog een jong konijntje, met zijn oren plat, die van onder de omgekeerde boot uit gluurt. Aye! Er is een hele familie: een voedster, een grote rammelaar en mássa's jongen… En wat dacht je? Ze zijn allemaal schitterend zachtbruin, weet je wel, zoals konijnen horen te zijn, maar ze hebben allemaal een klein verticaal wit streepje – een insigne! Dat is het: een insigne! Precies midden op hun voorhoofd, vlak boven hun ogen, een stukje omhoog en precies tussen hun grote zachte bruine ogen…

Ik kan je wel vertellen dat ik in die twee weken héél erg op mijn konijnen gesteld ben geraakt… En jij, Worzel, jij zou van die konijnen hóúden – aye, echt iets voor jou, witharige ouwe meneer McGregor die je bent.' Luke zat te schudden van het lachen. 'Aye! Daar zou je mooi een kruiwagen kunnen rondduwen! En met een gieter kunnen rondsjouwen! Maar jij, jij houdt me niet voor de gek, jij bent een ouwe softie, je bent het kwijt, dus zou je die konijnen nooit kunnen schieten!'

Ik zei: 'Koud ijzer!' En raakte de stut rechts van mij aan.

Luke zei, terwijl het gelach ogenblikkelijk in hem bevroor: 'Jezus! Aye! Wat dacht ik wel?' En: 'Koud ijzer! Koud ijzer!' En hij raakte de stut rechts van hem aan.

En ik zei: 'Bijgelovige klootzak die je bent!'

PIEP-PIEEEP-PIEEEEEP klonk de sirene.

'Shit!' zei Luke, die zo heftig opsprong dat hij zijn zitplaats omgooide, de rode mand – die was leeg. 'Vooruit! We moeten dit allemaal opruimen!' Met beide handen, links, rechts – één vleet, twee vleten, omhoog en naar de goot naar de uitgang: drie vleten, vier... En toen de vleten als frisbees op het licht af waren gegaan, begon hij de afgedankte vis op de striptafel erachteraan te gooien. 'Robbie – hij vermóórdt me als hij binnenkomt en ziet dat zijn tafel zo'n troep is!' Luke kon zich héél snel bewegen, terwijl ik mijn fototoestel had gepakt en om mijn nek had gehangen, zeker, en het ging goed met me: ik bewoog mijn stijve rug voorzichtig deze en gene kant op (Au! Ja, er is geen twijfel mogelijk, mijn rug doet píjn, dus moet ik óúd zijn) en was bijna geslaagd in de grote en nog altijd haast onmogelijke prestatie van dat moment om rechtop te gaan staan.

'Worzel, vooruit! Wat dóé je toch? Vlug! We moeten het hier écht opruimen voor de jongens komen – hé! En wat zit er in jóúw mand? In de blauwe mand, zit daar nog iets in? Hebben we iets over het hoofd gezien?'

'Vooruit, dombo, meneer McGrégor, kantel hem!' Luke lachte; ja, dacht ik geërriteerd, Lukes tijdelijk bevroren vermogen om te lachen is snel ontdooid – in feite zou het me absoluut niet verbazen als de jonge oom Luke weldra zal doen of hij nooit van zijn leven in een kleine angstaanval koud ijzer heeft aangeraakt, nee, helemaal nóóit...

'Vooruit! Kantel hem!'

Dus deed ik dat.

En er kwam één mannelijke poolvleet uit en iets wat op een schelvis leek en nog iets anders…

Ik zei: 'Eén mannelijke poolvleet en iets wat op een schelvis lijkt en…'

Luke, die nu met handschoenen aan in een bak aan de andere kant van de striptafel aan het graaien was ('Ik zal de hele ruimte moeten uitspuiten!'), sprong op een viskist en probeerde over de tafel en de lopende band vanaf de vislast heen naar mijn stukje grond te kijken, maar daar was hij niet lang genoeg voor.

'Aye, McGregor – als het eruitziet als een schelvis – wat dacht je? Is het een schelvis! Ach, dat was ik vergeten, ik heb inderdáád een schelvis bewaard, omdat die uit diep water kwam, van ongeveer achthonderd meter, en hun normale verspreidingsgebied varieert van tachtig tot tweehonderd meter, maar dat is niet zo interessant, hè? Niet na alle andere soorten die we sindsdien hebben gevangen – keil hem dus maar weg, wil je? Smijt hem gewoon in de goot. En de vleet ook…'

'Maar, Luke! Er is dat ándere ding…'

'O, toe nou! Keil ze weg!'

Dus greep ik de grote schelvis bij zijn staartwortel beet en smeet hem naar de goot, het spuigat – waar hij ook naar toe ging, min of meer, alleen niet precies, dus hoorde ik hem wat over de vloer stuiteren, ge-woon een of twee keer, ik geloof in de richting van de zijmuur van het washok. Aangemoedigd doordat het verdorie maar een haar had ge-scheeld, pakte ik de vleet bij zijn rechtervleugel, terwijl ik frisbeemees-ter Luke nadeed (al moet gezegd worden dat ik nog nooit daadwerke-lijk een frisbee had gegooid). En met mijn rechterhand en -arm precies zoals Luke: ja, voor een optimaal effect buig je de rechterarm ter hoogte van de borst zo ver naar uiterst links als hij maar gaat, wat, zoals je tot je verbazing zult merken, tot achter je rug is, grofweg bij de onderste helft van je linkerschouderblad. En dan strek je je hand en pols en arm met alle kracht van je bovenlichaam en gooi je de frisbee draaiend omhoog, de lucht in, een vliegende schotel, in een rechte baan (doordat hij om zijn as draait) en even nauwkeurig als een laser… Alleen ging het niet helemaal op die manier, niet echt, want de vleet, die weliswaar om zijn as draaide, precíés zoals hij hoorde te doen, met de klok mee, zijn staart in een stijve bocht naar rechts, zijn onderstuk, met de twee enorme lul-len, plat naar rechts tegen hun vleugels gedrukt, vloog weg, niet naar de goot naar de uitgang, maar in de lage boog van een luchtparade over Lukes krullenbol en hij sloeg, nog altijd klimmend, hard tegen de bovenste staalplaten voorbij het washok en klapte – een duidelijke, natte, meervoudige petsende klets – tegen de bovenkant van de gesloten waterdichte deur naar de kombuis en viel op de planken. Wauw! dacht ik, was die deur maar ópen geweest en had de jonge Sean maar nietsvermoedend in de gang daarachter gestaan, en bovendien, misschien had ik op school tóch wat meer belangstelling voor sport moeten hebben...

Luke zei ontdaan: 'Dat was níét leuk, meneer McGregor!'

'Het was niet de bedoeling dat hij die kant op zou gaan!'

'Och aye. Natúúrlijk niet.'

'Maar Luke! Er is hier nog iets anders!'

'Och aye?'

'Ja.'

'Nou, wat is het?'

'Tja, vraag mij wat, Luke, ik weet het niet, hoe zou ik het moeten weten? Ik heb geen echte ervaring met deze dingen... Maar ik zou zeggen dat de kerel in kwestie gróót was, ruim een meter tachtig lang, misschien bijna twee meter.'

'Hè?'

'Ja. Want het ziet er in mijn ogen uit...' Ik keek wat nauwkeuriger. '... Ja. Beslíst. Er is een stukje van een verdronken zeeman af gevallen. In feite, Luke, schijnt het in zijn geheel te zijn weggekomen.'

'Wat?'

'Nee. Dat is prima. Ik vind het príma. Het kan mij niet schelen. Daar kan ik wel tegen. Als het jou niet interesseert – als jij liever daarginds de borden afwast, een moderne man bent en zo, ach – ik ben een tolerante kerel, dus vind ik dat prima.'

'Wat?'

'Nee, doe geen moeite. Waarom zóú je ook geïnteresseerd zijn? Het is gewoon dat ik zoiets niet gewend ben... Maar na álles wat ik op deze trawler heb gezien... goed: ik ben nu volkomen bereid te aanvaarden dat dit waarschijnlijk aan de lópende band gebeurt...'

Luke onderbrak onwillig het wegboenen van visschubben uit de bakken en kwam naar me toe, begon om de ronde tafel heen te lopen. 'Wat? Verdomme nog aan toe?' En niet eens een 'neem me niet kwalijk'...

'Dít – kijk! Moet je dit zien! Hier op de grond! Het is zónneklaar: een of andere grote arme verdronken vent – heeft zijn penis verloren. Die is er op eigen houtje vandoor gegaan – is losgebroken, en nu doet hij precíés wat hij steeds wil doen; dus is hij vanzelfsprekend een tikje opgewonden; in feite staat hij half overeind, hier op de vloer, vlak vóór me, maar hij is nog altijd opmérkelijk buigzaam en Luke – hij kronkelt hier rond…'

Luke, eindelijk geïnteresseerd, sprong over de lopende band van de vislast en wierp een blik. 'Jezus! Stomme idioot! Stomme idióót. Dat is een slijmprik!'

'Okay, best, als dat je koosnaampje ervoor is. Niet slecht. Maar ik heb een vriend die hem zijn *moldeewarp* noemt, dat is Angelsaksisch voor mol, omdat hij alleen in het donker tot leven komt, in een tunnel.'

'Het is een slíjmprik!'

'Tuurlijk, dat zal best: niet slecht, lang niet slecht! Want zo jong of mooi is hij niet meer, hè? Hij is onmiskenbaar oud, en op die leeftijd heeft hij het geléérd, hè? Ja, hij heeft het geleerd: je moet alleen naar een geschíkte partner zoeken, en voor hem hier betekent dat een werkelijk beeldschone, aanhalige oude slijmjurk…'

Luke verloor zijn kalmte. Hij schreeuwde recht in mijn gezicht: '*Myxine glutinosa!*' En voor het geval ik het niet had gehoord: '*Myxine glutinosa!*' Hij boog zijn soepele lichaam razendsnel naar beneden en pakte het ding op. 'En hou daarmee op, Worzel! Mijn hoofd! Hou me niet zo aan het lijntje!'

'Goed,' zei ik buitengewoon rustig. 'Maar dan moet je me níét meer meneer McGregor noemen.'

'Worzel – je bent een schóóljongen! Hoe kan hoe we genoemd worden, hoe kunnen namen, etiketten, wat dan ook, hoe kan zoiets er in vredesnaam iets toe doen wanneer je híérnaar kijkt?' Hij hield de slijmprik vijftien centimeter bij mijn gezicht vandaan. Dus zette ik (even bijziend als meneer McGregor) mijn bril af en klemde de rechterpoot tussen mijn tanden (een zoute smaak). Hij zei: 'De alleroudste, de meest interessante vis in de zee!'

Lichtbruin, dertig centimeter lang, bijna twee centimeter dik, gespierd, kokervormig en kennelijk zonder vinnen – of die smalle kiel van gerimpeld vlees die langs het midden van zijn onderkant slingerde en die verticaal in honderden kleine lelletjes was gevouwen, of was

dát soms een vin? En wát waren die witte pukkels, twee rijen, een aan
weerszijden van de vin, de centrale vleesfranje? Er waren twee regelmatige rijen minieme witte verhoogde medaillons – alsof het dier twee
keer met een scheermes was doorgesneden langs de hele onderkant van
de buigzame koker van zijn lichaam en de twee sneden waren gehecht
en de littekens nu te zien waren: de gaten waardoor een dunne naald
naar binnen was gegaan en weer naar buiten was gekomen...

'Luke – zoiets heb ik nog nooit gezien!'

'Natuurlijk niet! Het is een slijmprik!' Hij bewoog hem heen en weer;
hij liet hem voor mijn gezicht kronkelen, en ik dacht: okay, dat is dus in
orde, want hij móét dood zijn – anders zou hij hem bíjten. En wat dat
betreft: waar zit zijn bék?

'Waar zit zijn bek?'

'Hier!' zei Luke, die met de duim en wijsvinger van zijn rechterhand
in de slijmprik kneep, achter zijn knop, zoals je een gevaarlijke slang
zou vasthouden. 'Hier!' Hij draaide de kop ondersteboven: achter een
stel neer- en achterwaarts gebogen slagtanden, als van een walrus, lag
een stijf gesloten, samengetrokken gat, aan weerszijden geflankeerd
door twee akelig uitziende gezwellen.   ·

'Doe niet zo gek! Dat is zijn ánus – en hij heeft een paar akelige aam-
beien die op springen staan...'

'Het is zijn bek, *hinny*!'

'Hinny?'

'Aye, dombo!' zei Luke en stak het topje van zijn linkerpink in de
naar boven gekeerde bek die onmiskenbaar een anus was. 'Een hinny,
het jong van een ezelin en een hengst, dát ben je! Want kijk maar, voel
dít maar: steek je vinger hier maar in – is dat schérp of niet?'

'Scherp!' Even scherp, aan weerszijden, als het snijvlak van het speciale kleine stripmesje met het houten handvat. 'Goed, jij wint! Maar
vertel me eens, aan welke kant zitten zijn ogen?' Terwijl ik mijn pink
terugtrok met het voornemen zo'n bek nooit meer ergens bij me in de
buurt te laten komen, raakte ik even een bosje van vier kleine hoorntjes
op zijn kop aan. 'En wat zijn dat?'

˙ 'Voeldraden, tastorganen. En zijn ogen zijn, zoals wij zeggen, sterk
gereduceerd – in feite werken ze, voor zover we nu weten, helemaal
niet.'

Luke, die de slijmprik nog steeds in zijn rechterhand had, zette de blauwe mand op zijn vaste plek neer, met de bodem omhoog, en ging erop zitten.

Dus volgde ik zijn voorbeeld met de rode mand, en daar zaten we weer, twee oude mannetjes op een bankje in een park – alleen had ik nu de indruk dat we geen van beiden iets vredigs hadden, want, nou ja, er gaat niets rustgevends uit van de aanwezigheid van of de gedachte aan een slijmprik…

'En je wílt eigenlijk ook helemaal geen werkende ogen hebben – maar aan de andere kant, zijn réúkzin is héél scherp, zoals hij dingen met zijn reukzin kan ópsporen! En misschien wil je dat ook wel niet hebben, misschien wil je helemaal niet kunnen zien en ruiken?'

'Hè? Waarom niet? We willen allemaal kunnen zien en ruiken.'

'Misschien,' zei Luke nadenkend op zijn mand. 'Maar misschien, heel misschien, zou zelfs jíj niet al té goed willen zien en ruiken – niet wanneer je je met je kop vooruit door de aars van een of andere arme verdronken zeeman naar binnen werkt. Wat denk je? Ach – en je zult aan het kauwen en snijden en raspen zijn met je primitieve hoornige tanden, tanden op je tong en in je verhemelte. En dat móét een hele inspanning zijn, want je bent zo goed in het overleven, je bent zo'n oeroude vorm van een vis dat je niet eens kaken hebt – je hebt niet eens een paar kaken ontwikkeld! Maar je raspt, je eet je naar binnen, zo snel je maar kunt (want er is concurrentie, er is altijd concurrentie, want slijmprikken vormen drómmen), je snelt voort om het paradijs voor de slijmprik te bereiken, een lever, van wie dan ook.

Maar jezus, Redmond, wat zeg ik? Het is waar, dat gebeurt inderdáád met een verdronken lijk – en de vlokreeften, als vette garnalen, duizenden ervan, kluiven je van buitenaf… maar in feite eten ze het aas van dode vissen en schaaldieren op de zeebodem; ze leven in holletjes in de modder en komen eruit om aas te eten – dus waarom hebben we het over mijn maten, over trawlvissers? Dat is jóúw invloed, aye, ik ben grof geworden, ik ben besmet geraakt, ik ben werkelijk gróf geworden, net als jij…'

'O dank je wel, Luke, hartelijk bedankt – maar wat is dit?' zei ik, terwijl ik een vingernagel langs de rij vlekken op zijn flank liet glijden. 'Versiering?'

'Wat een versiering! Nee, dat zou je niet in je hoofd halen als hij nog leefde en in het water was! Beslíst niet – en als je het toch deed zou je kolossaal in de penarie zitten. Aye! Kolossaal. Zwaar in de penarie!'

'Wauw!'

'Aye, hij is zó ingewikkeld voor zo'n primitief dier, maar prachtig en perfect, top! Laten we zeggen dat je een roofdier, een haai bent, en je ziet deze slijmprik, een hapje: hij beschikt niet eens over de basisverdediging: schubben. Je gaat dus naar binnen! Maar dat is een vergissing, een enorme vergissing! Want deze vlekken, zoals jij ze noemt – het zijn er alles bij elkaar een stuk of 150 – zijn poriën, klieren. Deze slijmprik, zomaar ineens – wham!' Hij gooide zijn hoofd in zijn nek. 'Wham! En hij heeft négentien líter slijm geproduceerd... slijm, en dat slijm is wálgelijk, nou en of, maar wat nog erger is, het is ook dódelijk. Jij, de haai, hebt dit werkelijk afschuwelijke spul, negentien liter daarvan, overal om je kop, dus schud je je kop, en sla je om je heen, en dan begin je in paniek te raken, je worstelt om het kwijt te raken, om vrij te komen, maar het zit in je bek en je ogen en je kieuwen en naarmate je harder worstelt, komt het des te dichterbij; je sterft doordat je gesmoord wordt, doordat je stikt.'

'Jezus!' zei ik, terwijl ik iets achteruitweek.

'Er is een geweldige kerel die aan zijn promotie werkt – aye! – aan de Universiteit van British Columbia in Vancouver, veel jonger dan ik, en hij houdt massa's slijmprikken als huisdier en hij melkt ze. Douglas Fudge. Fantastisch! Hij zit nog maar in het tweede jaar van zijn proefschrift en toch heeft hij alles al uitgewerkt: de poriën bevatten piepkleine pakketjes droge mucinen en vezels die opgekruld liggen in draadcellen.

Je bedreigt een slijmprik: hij perst al zijn klieren tegelijkertijd uit; vijf gram slijmpoeder en droge draden komen in zee terecht, en ze hydrateren, ze zwellen sneller dan enige andere substantie die we kennen. En zeker, je zult zeggen: je hebt die grote haai dan min of meer ogenblikkelijk gewurgd, maar nu zit je toch zeker zelf in de penarie? Je zult stikken in je eigen slijm... Nou, nee, want je hebt nog een talent (en bij mijn weten ben je het enige dier ter wereld dat daartoe in staat is). Voel je je ongewassen? Heb je er last van dat je eigen jas onder het slijm zit? (Wat ons zo nu en dan allemaal overkomt.) Goed, je legt jezelf in een knoop en je wurmt die knop stijf langs je lichaam en je veegt jezelf schoon. Maar je vijanden, de roofdieren, de mensen daarbuiten die je werkelijk lastig vallen, die kunnen dat géén van alle doen...'

'Dat is niet te hopen!'

'Aye! Dus worden ze gesmoord!'

'Maar, Luke, dat klinkt allemaal toch zeker zeer hoog ontwikkeld? En toch heb je gezegd dat het de óúdste vissen in de zee zijn, en ik geef toe dat ze er inderdaad zo úítzien, maar wat bedoelde je daarmee?'

'Niet veel! Alleen dat hun stamboom geen takken heeft... maar "boom", dat deugt van geen kanten! Niet als beeld! Stambóóm – zielig! Dat is één reden waardoor de mensen zich niet bewust zijn van de tijd, de enórme periode waarin het leven zich in de oceanen heeft afgespeeld... Deze slijmvis die ik hier vast heb, dit wérkelijke stuk léven, bezit een onvertakte familielijn; die verloopt recht; die gaat régelrecht terug naar fossiele voorouders, de eerste kaakloze vissen – en hún fossielen, de afdrukken van hún lichamen, komen voor het eerst in rotsen voor waarvan we hebben kunnen vaststellen dat ze 510 miljoen jaar oud zijn. In de oceaan kun je dus nauwelijks over stambómen praten, hè? En bovendien verschenen de allereerste tekenen van de miniemste, schrielste vegetatie alleen op het lánd, 425 miljoen jaar geleden. En het leven in die oerwouden van jou, vergeleken met het leven in mijn oceanen – vergeet het maar! Jouw oerwouden zijn gíster pas begonnen... Nee, het is de zee die oud is!'

'Geweldig!'

'Maar hé! Worzel! Wat is dat? Dat geluid!'

We luisterden. Ja, Luke, die nog steeds oren had die het deden, had gelijk: zelfs ik kon het horen: een opeenvolging van zeer energieke, manische, zware hamerslagen, een geluid dat ons leek te bereiken van boven de ramp op het achterschip, van achter de nettenkamer; een reeks snelle, lage klappen van het achterste deel van het werkdek, die zich helemaal naar beneden en naar voren verspreidde, door de open waterdichte deur naar onze visverwerkingskamer om de vredige sfeer rondom onze manden, onze oudemannenpraat, al het goede in het leven, ja, om dat allemaal te verscheuren en uiteen te rijten...

'O god!' schreeuwde Luke, die de slijmprik op de grond liet vallen en opsprong. 'Geen wonder dat de trek zo lang heeft geduurd! Geen wonder dat er geen flikker door de vislast komt... Aye! Kom mee! Vlug!' Luke sprong over de lopende band naar het ruim (en ik klom eroverheen, probeerde hem bij te houden). 'Aye! Er is daar iets goed mis! Een ramp! Dat heb ik slechts één keer eerder gehoord in al mijn jaren op zee!' We bevonden ons al in de gang bij de kombuis. 'De scheerborden! De scheerborden zitten in elkáár!'

Boven aan dek (de grote cirkel van de zee en de lucht; de drieteenmeeuwen, de grote burgemeesters, die zich nergens om bekommerden), boven aan dek (het licht heel zuiver en ijl en helder) stond iedereen behalve Dougie achteruit bij de reling, Bryan bij het bedieningspaneel van het powerblock, en de crisis was kennelijk voorbij, er was iets opgelost.

Toen we bij hen gingen staan, zei Robbie: 'Jason hier, die vloog als een verdomd spook de deur van de stuurhut uit!'

En Jason, zonder zijn gebruikelijke zelfvertrouwen, geschokt, bijna bleek, zei: 'Dat was het dan, Redmond! Finito! En nee, je hoeft jezelf niets te verwijten, jij hebt ons géén ongeluk gebracht. De borden zijn finaal over elkaar heen geslagen. Ze zijn verward geraakt zoals wij het noemen. Ze zijn ver beneden de thermocline verward geraakt, op ongeveer duizend meter diepte. Daar kan niemand iets aan doen. Nee, dat moet je begrijpen, de tegenstroom, de werkelijk diepe stroming in zuidelijke richting in het Noorse bekken, het smeltwater van de noordpool, kan fél tekeergaan. Het kan hierboven zo kalm zijn als nu, perfect. En toch kan het daarbeneden wild, snel, verdomd ruw tekeergaan. En dat weet je nooit. Maak jezelf dus geen verwijten, het is werkelijk geen kwestie van gelúk, al dat gelul. En bovendien, de vangst is niet goed, maar is ook weer niet zó slecht: want we hebben 883 kisten roodbaars en 249 met zwarte hel – en wat nog meer, Bryan?'

Bryan zong half met zijn operabas: '161 met *argies*, vier kisten met blauwe leng en één kist met grenadiervissen!'

En wauw, dacht ik, wat is het allemaal belángrijk: in elk stadium weten ze hoeveel kisten…

'Kijk aan!' zei Jason, die zichzelf opmonterde. 'Misschien vijfenzeventig ruggen, als we boffen – maar het zal een sweepstake zijn!'

Allan en Jerry verdwenen via de bakboordtrap naar het nettendek, op weg, vermoedde ik, naar de kombuis. Sean stond een paar meter bij ons vandaan, hield de reling vast, was ongewoon stil, in gedachten verzonken, en leek naar achteren te staren (waarnaar?).

Robbie, die er heel klein en Pictisch uitzag naast de lange Jason, zei: 'Aye, de schipper hier' – met een knikje naar boven – 'heeft de vislijnen en de borden mooi kunnen redden, maar er is een piepklein probleem-

pje, Redmond, dat klotenet, dat is aan stukken gereten.' In zijn rechterhand had Robbie al een gele plastic boetnaald (die geen echte naald is,
zoals we weten: aangezien hij tweeënhalve centimeter breed en vijfentwintig centimeter lang is en bovendien is hij geladen met touw, op een
ingewikkelde manier die alleen trawlvissers kennen). Om het extra te
benadrukken zwaaide Robbie met de naald heen en weer: 'En wie dacht
je?' Een uitval naar het weidse uitspansel van de onbewolkte pool-
lucht... 'Wie dacht je dat het mooi kan repareren?' Een uithaal naar
het dek, alsof het net al klaarlag. 'Robbie!' Tikkend tegen zijn borst. 'Díé
is het! Aye! Ik ben het die dat klotenet kan boeten tijdens de hele weg
terug naar huis...'

Sean ving het magische woord op en in zijn gele oliebroek en zijn
rode oliejack draaide hij zich met een ruk om, zijn gezicht in elkaar
gedrukt door zijn breedste scheve grijns, en hij danste rond, ter plekke,
een horlepiep, ja, het was een horlepiep, en hij zong er een liedje van eigen makelij bij: 'Naar huis! Naar huis! Naar huis! Ik zal mijn opoe weer
terugzien!'

Van dezelfde auteur:

Congo

In *Congo* doet Redmond O'Hanlon op even hilarische als meeslepende wijze verslag van zijn vergeefse poging de volgens de overlevering nog in Congo levende dinosaurussen te vinden. Het resultaat is even spannend en uitbundig als we van O'Hanlon mogen verwachten.

'Het is het voorlopige hoogtepunt van een bijzonder oeuvre, van een schrijver die enig is in zijn soort, de representant van een bijna uitgestorven ras.' – Jan Donkers, *NRC Handelsblad*

'O'Hanlon bouwt juwelen van zinnen, is op een hilarische manier zowel niet als wel bij zijn onderwerp betrokken, en zijn verhaal gaat over meer dan alleen maar de Congo.' – Henk Blanken, *de Volkskrant*

'Een reisverhaal dat leest als een spannende roman.' – *HP/De Tijd*

'[O'Hanlons] laatste boek staat weer bol van angstaanjagende dieren, buitengewone avonturen, venijnige insecten en geheimzinnige ontmoetingen.' – *Nieuws van de Dag*

'*Congo* is wederom een zeer leesbare mengeling geworden van biologische en antropologische observaties.' – *Leeuwarder Courant*